DE HEROVERING VAN DE AMERIKAANSE DROOM

Van Barack Obama verscheen eerder bij Uitgeverij Atlas:

Dromen van mijn vader. Een autobiografie

BARACK OBAMA

De herovering van de Amerikaanse droom

Vertaald door
Amy Bais en Peter de Jong

Uitgeverij Atlas
Amsterdam/Antwerpen

Eerste druk september 2007
Tweede druk juli 2008
Derde druk oktober 2008
Vierde druk november 2008
Vijfde druk december 2008
Zesde druk maart 2009

Oorspronkelijke titel: *The Audacity of Hope. Thoughts on Reclaiming the American Dream*
Oorspronkelijke uitgave: Crown Publishers, New York
This translation published by arrangement with Crown Publishers,
a division of Random House, Inc.

Omslagontwerp: Crown Publishers/Zeno

ISBN 978 90 450 1380 0
D/2007/0108/588
NUR 740

www.uitgeverijatlas.nl

Voor de vrouwen die me hebben opgevoed:
De moeder van mijn moeder, Tutu,
die mijn leven lang een rots van standvastigheid is geweest
en
mijn moeder,
wier liefdevolle geest me nog steeds ondersteunt

Inhoud

Proloog

Het is nu bijna tien jaar geleden dat ik me voor het eerst verkiesbaar stelde. Ik was toen vijfendertig. Ik had vier jaar eerder mijn rechtenstudie afgerond, ik was pas getrouwd, en de dingen gingen me niet snel genoeg. Er kwam een zetel vrij in het parlement van Illinois en enkele vrienden zeiden dat ik me kandidaat moest stellen. Ze vonden me geschikt vanwege mijn werk als burgerrechtenadvocaat en mijn contacten uit mijn tijd als opbouwwerker. Ik praatte met mijn vrouw, besloot op de lijst te gaan staan en deed wat iedere nieuwe kandidaat doet: ik praatte met iedereen die wilde luisteren. Ik ging naar buurthuizen en kerkavonden, schoonheidssalons en kapperszaken. Als er twee mannen op een hoek stonden, stak ik de straat over om ze een folder te geven. En overal waar ik kwam, kreeg ik min of meer dezelfde twee vragen.

'Hoe kom je aan die rare naam?'

En daarna: 'Je lijkt me best een aardige vent. Waarom wil je die smerige en gemene politiek in?'

Ik kende die vraag wel. Het is een variant op de vragen die me een aantal jaren eerder waren gesteld, toen ik naar Chicago kwam om in de arme wijken te werken. Er sprak cynisme uit, niet alleen over de politiek, maar over het hele openbare leven: een cynisme dat – zeker in de buurten in de South Side van Chicago die ik wilde vertegenwoordigen – gevoed was door een hele generatie van verbroken beloften. Als antwoord lachte ik dan meestal en knikte, en zei dat ik de scepsis wel begreep, maar dat er nog een andere politieke traditie bestaat en altijd bestaan heeft, een traditie die de stichting van de Verenigde Staten en de burgerrechtenbeweging omvat: de traditie die uitgaat van het simpele idee dat we een belang hebben in elkaar, en dat hetgeen ons verbindt groter is dan hetgeen ons scheidt, en dat als genoeg mensen in dat idee geloven en ernaar handelen, dat we dan misschien niet elk probleem kunnen oplossen, maar dat we wel iets gedaan kunnen krijgen.

Ik vond het best een overtuigend verhaal. Ik weet niet of de mensen die me aanhoorden er zo van onder de indruk waren, maar er waren er in elk geval genoeg die mijn ijver en jeugdige grote woorden konden waarderen, zodat ik werd verkozen in het parlement van Illinois.

Zes jaar later, toen ik besloot op de lijst te gaan staan voor de Amerikaanse Senaat, was ik niet zo zeker van mezelf.

Het leek erop dat ik in mijn carrière wel goede keuzes had gemaakt. Na twee termijnen waarin we in de minderheid waren geweest, hadden de Democraten de meerderheid in de senaat van Illinois overgenomen, en vervolgens had ik een heleboel wetten helpen aannemen, van een hervorming van het doodstrafstelsel in de staat tot een uitbreiding van de gezondheidszorg voor kinderen. Ik was les blijven geven aan de rechtenfaculteit van de University of Chicago, een baan waar ik plezier in had, en ik werd geregeld uitgenodigd om lezingen te geven overal in de stad. Ik had mijn onafhankelijkheid, mijn goede naam en mijn huwelijk overeind weten te houden, zaken die ik, statistisch gezien, in de waagschaal had gesteld door voet te zetten in het parlement van de staat.

Maar de jaren hadden ook hun tol geëist. Deels was het gewoon een kwestie van ouder worden, denk ik, want als je erop let, raak je elk jaar vertrouwder met al je gebreken – je blinde vlekken, je dwangmatige gedachtegangen, die misschien genetisch, misschien door je omstandigheden bepaald zijn, maar die vrijwel zeker erger worden met de tijd, zo zeker als het hinkje in je loop tot heupklachten leidt. Bij mij was een van die gebreken een chronische rusteloosheid, een onvermogen, hoe goed de dingen ook gingen, om de zegeningen te tellen die zich aan me opdrongen. Ik denk dat dit een gebrek is dat typisch is voor het moderne leven, typisch ook voor het Amerikaanse karakter, en nergens is dit duidelijker dan in de politiek. Of de politiek deze eigenschap bevordert of dat de politiek gewoon mensen aantrekt die ermee behept zijn, is niet duidelijk. Iemand heeft eens gezegd dat iedere man ofwel probeert aan de verwachtingen van zijn vader te voldoen, of probeert de vergissingen van zijn vader goed te maken. Dat zou wel eens een goede verklaring kunnen zijn voor mijn kwaal.

In elk geval was het een gevolg van die rusteloosheid dat ik besloot het tegen een zittend Democratisch parlementslid op te nemen voor zijn zetel in het Congres in de verkiezingen van 2000. Het was een slecht overdachte campagne en ik verloor dik. Het was het soort pak slaag dat je eraan herinnert dat het leven niet verplicht is om aan jouw plannen mee te werken. Anderhalf jaar later waren de wonden voldoende geheeld, en ik maakte een lunchafspraak met een media-adviseur die me al een tijdje aanmoedigde om de landelijke politiek in te gaan. Die afspraak was voor eind september 2001.

'Je begrijpt wel dat de politieke realiteit veranderd is, hè,' zei hij, terwijl hij met zijn vork in zijn salade prikte.

'Hoe bedoel je?' vroeg ik, heel goed wetend wat hij bedoelde. We keken beiden naar de krant die naast hem lag. Op de voorpagina stond Osama bin Laden.

'Wat een toestand, hè?' zei hij, hoofdschuddend. 'Wat een pech. Je kunt je naam natuurlijk niet veranderen. Zoiets vinden de kiezers verdacht. Als je aan het begin van je carrière stond, had je misschien nog een bijnaam kunnen gebruiken of zoiets. Maar nu...' Zijn stem stierf weg en hij haalde verontschuldigend zijn schouders op voor hij de kelner om de rekening wenkte.

Hij had gelijk, dacht ik, en dat besef vrat aan me. Voor het eerst in mijn carrière was ik jaloers op jongere politici die slaagden waar ik gefaald had – ze kwamen op hogere posten terecht, kregen meer dingen gedaan. De leuke kanten van de politiek – de adrenaline van het debat, de dierlijke warmte van het handen schudden en je in een publiek storten – begonnen te verbleken bij de rottige kanten van het vak: het bedelen om geld, de lange ritten naar huis na een diner dat twee uur langer had geduurd dan de bedoeling was, slecht eten, muffe lucht en de korte telefoongesprekken met een vrouw die tot nu toe bij me was gebleven, maar die het behoorlijk zat was onze kinderen alleen op te voeden en vraagtekens begon te zetten bij mijn prioriteiten. Zelfs het parlementaire werk, de politieke besluitvorming waar het me allemaal om begonnen was, scheen me nu te beperkt, te ver verwijderd van de grote strijdpunten – belastingen, veiligheid, gezondheidszorg, banen – die op het nationale toneel werden bevochten. Ik begon te twijfelen over het pad dat ik gekozen had;

ik voelde me zoals ik denk dat een sporter of een acteur zich voelt die – na jaren zijn droom te hebben nagejaagd, na jaren van ploeteren in de derde divisie of als kelner tussen audities door – tot het inzicht komt dat hij met zijn talent of met zijn geluk niet verder gaat komen. De droom gaat niet uitkomen, en hij staat nu voor een keus: dit volwassen accepteren en iets zinnigers gaan doen, of weigeren de waarheid te aanvaarden en verbitterd, ruziënd en ietwat meelijwekkend eindigen.

Ontkenning, boosheid, afdingen, wanhoop – ik weet niet of ik door alle fasen ging die de deskundigen voorschrijven. Maar uiteindelijk kwam ik uit bij aanvaarding – van mijn beperkingen en, in zekere zin, van mijn sterfelijkheid. Ik concentreerde me weer op mijn werk in de senaat van Illinois en vond bevrediging in de hervormingen en initiatieven waar ik wel invloed op had. Ik was vaker thuis, zag hoe mijn dochters opgroeiden, had mijn vrouw lief zoals het hoort en dacht na over mijn financiële verplichtingen op lange termijn. Ik sportte, las boeken, begon te waarderen hoe de aarde om de zon draaide en de seizoenen elkaar afwisselden zonder bijzondere inspanningen van mijn kant.

Het was deze aanvaarding, denk ik, die me op het dwaze idee bracht me kandidaat te stellen voor de Amerikaanse Senaat. Omhoog of eruit, zo omschreef ik het tegenover mijn vrouw: een laatste poging om mijn ideeën tegen het licht te houden voor ik zou kiezen voor een rustiger, stabieler en beter betaald bestaan. Misschien was het meer uit medelijden dan uit overtuiging, maar mijn vrouw ging akkoord, al liet ze wel doorschemeren dat ze, gezien het ordelijke leven waaraan ze voor ons gezin de voorkeur gaf, niet per se op me zou stemmen.

Ik stelde haar gerust: mijn kansen waren minimaal. De Republikeinse senator uit Illinois, Peter Fitzgerald, had negentien miljoen dollar uit eigen zak uitgegeven om zijn voorganger te verslaan, Carol Moseley Braun. Fitzgerald was niet heel populair; eigenlijk leek hij politiek niet echt leuk te vinden. Maar hij had nog altijd onuitputtelijke sommen geld in z'n familie, en ook een authentieke rechtschapenheid waardoor de kiezers hem schoorvoetend respecteerden.

Even kwam Carol Moseley Braun terug op het toneel, terug van een ambassadeurschap in Nieuw-Zeeland. Ze dacht erover te proberen haar oude zetel terug te winnen, waardoor ik in de wachtkamer terechtkwam. Toen ze in plaats daarvan besloot zich kandidaat te stellen voor het presidentschap, liet iedereen zijn oog op de Senaatszetel vallen. Toen Fitzgerald bekendmaakte dat hij zich niet herkiesbaar stelde, had ik te maken met zes serieuze tegenkandidaten, onder wie de zittende thesaurier van Illinois; een zakenman met een vermogen van honderden miljoenen dollars; de voormalige rechterhand van burgemeester Richard Daley van Chicago; en een zwarte vrouw uit de zorgsector, die volgens de deskundigen het zwarte electoraat zou splitsen en mijn toch al geringe kansen zou torpederen.

Ik trok me er niets van aan. Bevrijd van zorgen door de lage verwachtingen, en met een reputatie die was opgevijzeld door enkele welkome steunbetuigingen, gooide ik mezelf in de verkiezingsstrijd met een plezier en een energie die ik dacht te zijn kwijtgeraakt. Ik trok vier medewerkers aan, allemaal slim, in de twintig of begin dertig, en niet te duur. We vonden een klein kantoor, lieten briefpapier drukken en sloten telefoonlijnen en een paar computers aan. Vier of vijf uur per dag belde ik met grote geldschieters van de Democratische Partij om te proberen teruggebeld te worden. Ik gaf persconferenties waar niemand op af kwam. We deden mee aan de jaarlijkse optocht op St. Patrick's Day en kregen de allerlaatste plaats in de stoet toegewezen, zodat mijn tien vrijwilligers en ik net voor de wagens van de stadsreiniging uit liepen, zwaaiend naar de paar achterblijvers die nog langs de route stonden terwijl de vuilnismannen het afval opveegden en de groene stickers met Ierse klavertjes van de lantarenpalen peuterden.

Maar meestal was ik op weg, vaak alleen in de auto, eerst van kieskring naar kieskring in Chicago, daarna van district naar district en van stad naar stad, en uiteindelijk de hele staat door, langs kilometers en kilometers korenvelden en bonenakkers en spoorrails en graansilo's. Dit was geen efficiënte gang van zaken. Zonder de Democratische partijorganisatie, zonder echte mailinglijst of internethulpmiddelen, was ik afhankelijk van vrienden en kennissen die hun huis openstelden voor wie er maar wilde komen of die mijn bezoek aan hun kerk, vakbond, kaartvereniging of Rotary Club organiseerden. Soms zaten er, na uren rijden, maar twee of drie mensen op me te wachten aan een keukentafel. Dan moest ik de gastheren en gastvrouwen verzekeren dat het een prima opkomst was en ze complimenteren met de hapjes en de drankjes. Soms zat ik een kerkdienst uit en vergat de geestelijke mijn naam te noemen, of de plaatselijke vakbondsleider liet me zijn leden toespreken om vervolgens aan te kondigen dat de bond besloten had een andere kandidaat te steunen.

Maar of er nu twee mensen waren of vijftig; of het nu in een lommerrijk, statig huis op de North Shore van Chicago was, een etagewoning in de West Side of een boerderij buiten Bloomington; of de mensen nu vriendelijk, onverschillig of zelfs vijandig waren, ik deed mijn best om vooral mijn mond te houden en te luisteren naar wat ze te zeggen hadden. Ik hoorde mensen praten over hun baan, hun zaak, de plaatselijke school; over hun woede over Bush en hun woede over de Democraten; over hun hond, de pijn in hun rug, de oorlog waarin ze hadden gediend en dingen die ze zich herinnerden van hun kinderjaren. Sommigen hadden uitgewerkte theorieën waarmee ze het verlies van banen in de industrie verklaarden of de hoge kosten van de gezondheidszorg. Sommigen riepen dingen die ze op de radio gehoord hadden, op de publieke zender of in het programma van Rush Limbaugh. Maar de meesten waren te druk met hun werk of kinderen om veel aandacht aan politiek te besteden, en hadden het in plaats daarvan over dingen die ze voor hun neus zagen: een fabriek die dichtging, een promotie, een hoge gasrekening, een ouder in een verzorgingshuis, de eerste stapjes van een kind.

Die maanden van gesprekken leverden geen verbluffende inzichten op. Wat me nog het meest opviel was hoe bescheiden de verlangens van de mensen waren, en hoeveel er hetzelfde leek te zijn in hun opvattingen, ongeacht afkomst, regio, religie en sociale klasse. De meesten vonden dat iedereen die wilde werken een baan moest kunnen vinden waarmee hij of zij zichzelf kon bedruipen. Ze vonden het verkeerd dat mensen failliet gingen alleen omdat ze ziek werden. Ze vonden dat alle kinderen een echt goede opvoeding moesten krijgen – dat dat niet alleen bij mooie woorden moest blijven – en dat diezelfde kinderen moesten kunnen studeren, ook als hun ouders niet rijk waren. Ze wilden veilig zijn voor criminelen en terroristen. Ze wilden schone lucht, schoon water en tijd om met hun kinderen door te brengen. En als ze oud werden wilden ze waardig van hun oude dag kunnen genieten.

Dat was het zo'n beetje. Het was niet veel. En hoewel ze begrepen dat ze vooral zelf verantwoordelijk waren voor hun eigen leven – ze verwachtten niet dat de overheid al hun problemen oploste, en ze wilden zeker niet dat hun belastinggeld werd verspild –, vonden ze wel dat de overheid moest helpen.

Ik zei tegen ze dat ze gelijk hadden: de overheid kon niet al hun problemen oplossen. Maar met iets bijgestelde prioriteiten konden we ervoor zorgen dat ieder kind een behoorlijke kans kreeg in het leven, en konden we de uitdagingen het hoofd bieden waarvoor het land stond. Heel vaak knikten de mensen dan instemmend, en vroegen ze hoe ze daaraan konden bijdragen. En als ik dan weer in de auto zat, met een kaart op de passagiersstoel onderweg naar mijn volgende bestemming, dan wist ik weer waarom ik de politiek in was gegaan.

Ik had het gevoel dat ik harder werkte dan ik ooit in mijn leven had gedaan.

Dit boek komt rechtstreeks voort uit die gesprekken op het campagnepad. Mijn ontmoetingen met de kiezers bevestigden niet alleen dat Amerikanen in beginsel fatsoenlijke mensen zijn, maar ze herinnerden me er ook aan dat er aan de Amerikaanse samenleving een aantal idealen ten grondslag liggen die ons gemeenschappelijk bewustzijn nog steeds prikkelen; gemeenschappelijke waarden die ons aan elkaar verbinden, ondanks onze verschillen; een leidraad van hoop die ons onwaarschijnlijke democratische experiment laat functioneren. Deze waarden en idealen worden niet alleen uitgedrukt op marmeren monumenten en in geschiedenisboeken. Ze leven nog altijd in het hart en in de geest van de meeste Amerikanen, en kunnen ons inspireren tot trots, plichtsbetrachting en opofferingsgezindheid.

Ik weet hoe riskant het is om zo te praten. In een tijd van globalisering en duizelingwekkende technische veranderingen, politiek met het mes op de keel en niet-aflatende cultuurstrijd lijken we niet eens een gemeenschappelijke taal te hebben waarin we onze idealen kunnen bespreken, laat staan dat we de middelen hebben om een ruwe consensus te bereiken over hoe we in ons land kunnen samenwerken om deze idealen te verwezenlijken. De meesten van ons zijn zich bewust van de invloeden van reclamemakers, opiniepeilers, toespraakschrijvers en deskundologen. We weten hoe bevlogen woorden kunnen worden ingezet voor cynische doeleinden, en hoe nobele idealen ontwricht kunnen worden in dienst van macht, eigenbelang, hebzucht of onverdraagzaamheid. Zelfs in het standaard geschiedenisboek op de middelbare scholen wordt opgemerkt hoezeer het werkelijke leven in Amerika al vanaf het ontstaan ervan is afgedwaald van de mythe. In dat klimaat lijkt praten over gemeenschappelijke idealen misschien hopeloos naïef, of zelfs gevaarlijk: een poging om grote verschillen in beleid en prestaties onder het vloerkleed te vegen, of nog erger, een manier om de klachten terzijde te schuiven van mensen die zich slecht behandeld voelen door de overheid zoals die nu is ingericht.

Wat ik zeg is echter dat we geen keus hebben. Je hebt geen peiling nodig om te weten dat de grote meerderheid van de Amerikanen – Republikeinen, Democraten en onafhankelijken – moe is van het slagveld dat de politiek geworden is, waar beperkte belangen strijden om gewin en ideologische minderheden hun uitleg van de absolute waarheid willen opleggen. Of we nu uit een door de Republikeinen of een door de Democraten gedomineerde staat komen, in ons hart voelen we allemaal het gebrek aan eerlijkheid, standvastigheid en gezond verstand in het politieke debat, en voelen we een afkeer van de verkeerde of verwrongen keuzes die we telkens voorgelegd lijken te krijgen. Religieus of ongelovig, zwart, blank of bruin, we hebben – terecht – het gevoel dat de belangrijkste uitdagingen waarvoor het land staat, genegeerd worden, en dat als we niet snel van koers veranderen, wij misschien de eerste generatie Amerikanen in heel lange tijd zullen zijn die het land zwakker en meer verdeeld achterlaat dan ze het ontving. Misschien meer dan ooit in onze recente geschiedenis hebben we een nieuw soort politiek nodig, een politiek die die gemeenschappelijke waarden die ons als Amerikanen verbinden, kan uitgraven en die daarop kan bouwen.

Dat is het onderwerp van dit boek: hoe we zouden kunnen beginnen met het proces om onze politiek en ons openbare leven te veranderen. Dat wil niet zeggen dat ik precies weet hoe dat moet. Dat weet ik niet. Ik bespreek in elk hoofdstuk enkele urgente uitdagingen voor de politiek, en ik geef in grote trekken aan welke kant we volgens mij op moeten, maar ik behandel de vraagstukken vaak gedeeltelijk en onvolledig. Ik heb geen allesomvattende theorie hoe Amerika bestuurd moet worden, en u vindt in dit boek ook geen actieprogramma met tabellen en grafieken en tienpuntenplannen.

Wat ik te bieden heb, is bescheidener. Het zijn mijn persoonlijke overdenkingen over die waarden en idealen die mij ertoe gebracht hebben de politiek in te gaan, en gedachten over hoe ons huidige politieke debat ons onnodig verdeelt. En ik beschrijf hoe we naar mijn beste overtuiging – die is gebaseerd op mijn ervaringen als senator en jurist, als echtgenoot en vader, als christen en scepticus – onze politiek kunnen grondvesten op een basis van wat goed is voor iedereen.

Laat ik wat meer vertellen over hoe het boek is opgezet. Hoofdstuk 1 inventariseert de recente politieke geschiedenis van Amerika en probeert de oorzaken te verklaren van de huidige bittere tweestrijd tussen de grote partijen. In hoofdstuk 2 bespreek ik die gemeenschappelijke waarden die als grondslag zouden kunnen dienen voor een nieuwe politieke consensus. Hoofdstuk 3 beschouwt de Amerikaanse grondwet, niet alleen als bron van de rechten van het individu, maar ook als middel om een democratisch debat te organiseren over onze gemeenschappelijke toekomst. In hoofdstuk 4 heb ik het over een paar gevestigde machten – geld, de media, belangengroepen en het parlementaire proces – die elke politicus verstikken, al heeft hij de beste bedoelingen. En in de overige vijf hoofdstukken geef ik aan hoe we onze verschillen achter ons zouden kunnen laten om concrete problemen effectief aan te pakken: de toenemende economische onzekerheid voor vele Amerikaanse gezinnen; de raciale en religieuze spanningen in de samenleving; en de internationale bedreigingen – van terrorisme tot pandemieën – voor de Verenigde Staten.

Ik vermoed dat sommige lezers mijn voorstelling van deze kwesties onvoldoende evenwichtig zullen vinden. Op deze aanklacht moet ik schuld bekennen. Ik ben tenslotte een Democraat; mijn mening over de meeste kwesties ligt dichter bij de redactionele commentaren van de *New York Times* dan die van de *Wall Street Journal*. Ik ben kwaad over een beleid dat voortdurend de rijken en machtigen bevoordeelt ten opzichte van gewone Amerikanen, en ik maak me sterk dat de overheid een belangrijke rol te vervullen heeft in het bieden van gelijke kansen aan iedereen. Ik geloof in de evolutietheorie, in wetenschappelijk onderzoek en dat de aarde opwarmt. Ik geloof in vrijheid van meningsuiting, of die nu politiek correct is of niet, en ik wantrouw het inzetten van de overheid om mensen een religieuze overtuiging op te leggen, ook als het die van mezelf is. Verder ben ik een product van mijn geschiedenis: ik kan niet anders dan het Amerikaanse leven bezien door de ogen van een zwarte man van gemengde afkomst. Ik zal me er altijd bewust van zijn hoe generaties mensen die eruitzagen zoals ik, onder het juk werden gebracht en gestigmatiseerd; en van de subtiele en niet zo subtiele manieren waarop etniciteit en klasse nog steeds ons leven beïnvloeden.

Maar dat is niet alles waar ik voor sta. Ik vind ook dat mijn partij soms zelfvoldaan, ver van de mensen verwijderd en dogmatisch kan zijn. Ik geloof in het marktmechanisme, in concurrentie en ondernemerschap, en ik denk dat een heleboel overheidsprogramma's niet werken zoals de bedoeling is. Ik wou dat ons land minder advocaten had en meer ingenieurs. Ik geloof dat Amerika vaker goed heeft gedaan in de wereld dan slecht. Ik ben niet naïef over onze vijanden en heb diep respect voor de dapperheid en de kundigheid van onze strijdkrachten. Ik wijs een beleid af dat is gebaseerd op slachtofferschap, of het daarbij nu gaat om etniciteit, geslacht, seksuele geaardheid of wat dan ook. Ik geloof dat veel wat er mis is in de oude binnensteden te maken heeft met een culturele teloorgang die niet met geld alleen is op te lossen, en dat onze normen en waarden en ons geestelijk welzijn er minstens zoveel toe doen als ons nationaal inkomen.

Ongetwijfeld zullen sommige van mijn denkbeelden me moeilijkheden bezorgen. Ik geniet nu genoeg landelijke bekendheid om als een leeg scherm te fungeren waarop mensen van allerlei politieke pluimage hun eigen visie projecteren. Als zodanig zal ik zeker een aantal van hen teleurstellen, zo niet allemaal. Waarmee ik misschien wel een tweede, meer persoonlijk thema van dit boek aansnijd, namelijk hoe ik, of wie dan ook in een openbare functie, de valkuilen van de roem kan ontlopen, het verlangen om iedereen te vriend te houden en de angst om te verliezen; en zo op het pad van de waarheid kan blijven, luisterend naar die stem in ieder van ons die ons herinnert aan onze diepste overtuigingen.

Pas geleden, toen ik op weg was naar mijn kantoor, sprak een politiek verslaggever op Capitol Hill me aan. Ze zei dat ze mijn eerste boek met plezier gelezen had. 'Ik ben benieuwd,' zei ze, 'of je in je volgende boek nog zo interessant kunt zijn.' Ze bedoelde: of ik nog eerlijk kan zijn nu ik in de federale Senaat zit.

Dat vraag ik me soms ook af. Ik hoop dat het schrijven van dit boek me helpt die vraag te beantwoorden.

HOOFDSTUK I

Republikeinen en Democraten

Meestal kom ik het Capitool binnen via de kelder. Een treintje rijdt me van het Hart Building, waar ik mijn kantoor heb, door een ondergrondse tunnel die is versierd met de vlaggen en zegels van de vijftig staten. Het treintje komt piepend tot stilstand en ik loop, langs gehaaste medewerkers, onderhoudsmensen en soms een groep van een rondleiding, naar de oude roltrappen die me naar de eerste verdieping brengen. Als ik boven kom zwaai ik naar de horde journalisten die zich daar gewoonlijk ophoudt, ik zeg de agenten van de Capitol Police gedag en ga, door een stel statige dubbele deuren, de Amerikaanse Senaat binnen.

De Senaatskamer is niet de mooiste ruimte in het Capitool, maar niettemin indrukwekkend. De donkere wanden zijn afgezet met panelen van blauw damast en zuilen van fijn generfd marmer. Het plafond vormt een roomwit ovaal, met in het midden de Amerikaanse adelaar. Boven de publieke tribune rusten plechtig de borstbeelden van de eerste twintig presidenten.

En in kleine stapjes lopen vanaf de vloer van de Senaat honderd mahoniehouten bankjes omhoog, in vier hoefijzervormige rijen. Sommige dateren van 1819. In de tafelbladen bevindt zich een keurige uitsparing voor inktpot en ganzenveer. Open de la van een willekeurige bank en je vindt binnenin de namen van de senatoren die hem ooit hebben gebruikt – Taft, Long, Stennis, Kennedy –, gekerfd of geschreven in hun eigen handschrift. Soms, als ik daar in de Kamer sta, stel ik me Paul Douglas of Hubert Humphrey bij een van die bankjes voor, alweer pleitend voor wetgeving op het gebied van de burgerrechten; of Joe McCarthy, een paar bankjes verderop, lijsten doorbladerend om straks weer namen te gaan noemen; of Lyndon B. Johnson die de rijen afgaat, senatoren bij de revers pakkend om stemmen te winnen. Soms loop ik naar de bank waar Daniel Webster eens zat, en stel me dan voor hoe hij opstond voor een stampvolle publieke tribune en zijn collega's, om met vlammende ogen en donderende stem de Unie te verdedigen tegen de afscheidingsbeweging.

Maar die momenten vervliegen snel. Behalve de paar minuten die het stemmen kost, brengen mijn collega's en ik niet veel tijd in de Senaatskamer door. De meeste beslissingen – welke wetsvoorstellen er in stemming worden gebracht en wanneer, hoe amendementen worden afgehandeld en hoe onwillige senatoren kunnen worden omgepraat – zijn ruim van tevoren uitgewerkt door de leider van de meerderheidsfractie, de betrokken commissievoorzitter, hun medewerkers en (als het een controversieel onderwerp is, en afhankelijk van de grootmoedigheid van de Republikein die het wetsvoorstel heeft ingediend) hun Democratische tegenhangers. Tegen de tijd dat we in de Kamer komen en de griffier de namen begint op te lezen, heeft iedere senator al bepaald hoe hij zich zal opstellen, na overleg met zijn of haar medewerkers, fractieleider, bevriende lobbyisten, belangengroepen en rekening houdend met brieven van kiezers en ideologische voorkeur.

Het is een efficiënte gang van zaken, die de leden op prijs stellen. Zij maken werkdagen van twaalf of dertien uur en willen terug naar hun kantoor om kiezers te spreken of mensen terug te bellen, naar een hotel in de buurt om donateurs voor zich te winnen, of naar de televisiestudio voor een live-interview. Maar als je blijft zitten, zie je soms een eenzame senator bij zijn bank staan nadat de anderen vertrokken zijn. Hij vraagt het woord. Hij wil een toelichting geven op een wetsvoorstel dat hij wil indienen, of een algemener betoog houden over een kwestie die nog niet de aandacht heeft. De senator spreekt misschien wel vol passie – over de bezuinigingen op de armoedebestrijding, of de obstructie van benoemingen van magistraten, of de noodzaak Amerika onafhankelijk te maken op energiegebied – en zijn betoog is wellicht uitstekend onderbouwd. Maar de Kamer is leeg, op de voorzitter, een paar medewerkers, een stenograaf en het onbewogen oog van de parlementaire televisiecamera na. De spreker rondt af. Een bode in een blauw uniform neemt de verklaring mee voor de officiële stukken. Misschien komt een andere senator binnen terwijl de eerste weggaat. Zij gaat bij haar bank staan, vraagt het woord en legt haar verklaring af. Het ritueel herhaalt zich.

In 's werelds belangrijkste vergadering luistert er niemand.

Ik herinner me 4 januari 2005 – de dag dat ik en een derde deel van de Senaat werden beëdigd als leden van het 109e Congres – als een prachtig waas. De zon scheen, het was warm voor de tijd van het jaar. Familie en vrienden van mij uit Illinois, Hawaii, Londen en Kenia zaten op de publieke tribune van de Senaat om er getuige van te zijn hoe mijn nieuwe collega's en ik naast het marmeren podium stonden en onze rechterhand opstaken om de eed af te leggen. In de oude Senaatskamer wachtten mijn vrouw, Michelle, en onze twee dochters. De ceremonie werd er nog eens overgedaan en we gingen op de foto met vicepresident Cheney. Geheel volgens hun aard schudde Malia, die toen zes was, hem ernstig de hand, maar de driejarige Sasha kletste haar handpalm tegen die van de vicepresident en draaide toen rond om naar de camera's te zwaaien. Nadien zag ik de meisjes van de trappen van de oostvleugel van het Capitool af springen, waarbij hun roze met rode jurkjes opwaaiden en waarbij de witte zuilen van het Hooggerechtshof als majestueus decor voor hun spel dienden. Michelle en ik namen ze bij de hand en met zijn vieren wandelden we naar de bibliotheek van het Congres, waar we een paar honderd mensen ontmoetten die voor ons naar Washington waren gereisd, en een paar uur lang waren we druk met handen schudden, omhelzen, op de foto gaan en handtekeningen zetten.

Een dag van vrolijke gezichten en bedankjes, van pracht en praal, dat moet de indruk zijn geweest van de bezoekers aan het Capitool. Maar ook al deed Washington die dag zijn best om zich te gedragen en stil te staan bij de continuïteit van de democratie, er hing toch een zekere spanning in de lucht, een besef dat deze stemming niet zou voortduren. Als familie en vrienden naar huis waren, als de recepties afgelopen waren en de zon in de grijze sluier was verdwenen, dan zou de zekerheid van één, schijnbaar onafwendbaar feit boven de stad blijven hangen: het land was verdeeld, en Washington was verdeeld. De politieke verdeeldheid was sinds voor de Tweede Wereldoorlog niet zo groot geweest.

Zowel de presidentsverkiezingen als allerlei statistische gegevens leken de stem van het volk te beïnvloeden. Om welke kwestie het ook ging, Amerika was het er niet over eens: over Irak, belastingen, abortus, wapenbezit, de tien geboden, het homohuwelijk, immigratie, handel, onderwijs, het milieu, de rol van de overheid en de rol van justitie. En we waren het niet een beetje oneens, we waren het heftig oneens. Partijgangers aan beide zijden van de scheidslijn matigden zich niet in het modder gooien naar elkaar. We waren het ook niet eens over de draagwijdte van onze verdeeldheid, de aard van onze verdeeldheid en de redenen van onze verdeeldheid. Alles was omstreden, of het nu de oorzaak van de klimaatverandering was of de vraag of er wel sprake was van klimaatverandering, de omvang van het begrotingstekort of wie er schuldig was aan het tekort.

Ik was niet helemaal verrast door dit alles. Van een afstand had ik de meedogenloze escalatie van de politieke veldslagen in Washington gevolgd: het Iran-Contraschandaal en Oliver North, de voordrachten van Robert Bork en Willie Horton, Clarence Thomas en Anita Hill, de verkiezing van Clinton en de revolutie van Newt Gingrich, Whitewater en het onderzoek van Kenneth Starr, het lamleggen van de regering en de impeachmentprocedure, ponsstemkaarten en Bush tegen Gore. Net als de rest van de burgers had ik gezien hoe de mores van de verkiezingsstrijd zich uitzaaiden over de hele samenleving. Een continubedrijf van beledigingen, op de een of andere manier profijtelijk, nam de gesprekken op televisie en radio en de bestsellerlijst van de *New York Times* over.

In mijn acht jaar in het parlement van Illinois had ik ook al ondervonden hoe het spel tegenwoordig gespeeld wordt. Toen ik in 1997 naar Springfield kwam, had de Republikeinse meerderheid in de senaat van Illinois dezelfde regels overgenomen die voorzitter Gingrich in het federale Huis van Afgevaardigden gebruikte om daar een absolute heerschappij uit te oefenen. De Democraten konden zelfs een bescheiden amendement niet op de agenda krijgen, laat staan aangenomen krijgen. De Democraten riepen en schreeuwden en fulmineerden, maar keken vervolgens hulpeloos toe terwijl de Republikeinen het bedrijfsleven grote belastingverlagingen gaven, de werknemers het gelag lieten betalen en de sociale zekerheid aanpakten. Langzamerhand maakte een bittere woede zich van de Democraten meester, en mijn collega's legden elke grote of kleine misdraging van de GOP* zorgvuldig vast. Zes jaar later kwamen de Democraten aan de macht, en verging het de Republikeinen

* Grand Old Party: de Republikeinse Partij. – *vert.*

niet beter. Een paar oude veteranen herinnerden zich weemoedig hoe Republikeinen en Democraten vroeger samen gingen dineren en een compromis bereikten bij een biefstuk en een sigaar. Maar zelfs deze oude knarren vergaten deze zoete herinneringen als ze door de politieke handarbeiders van de andere zijde op de korrel werden genomen, en hun kiesdistrict werd overstroomd met post waarin ze beschuldigd werden van ambtsmisdrijven, corruptie, onbekwaamheid en morele verdorvenheid.

Ik zeg niet dat ik bij dit alles passief langs de zijlijn heb gestaan. Ik beschouwde de politiek als een mannelijke sport: een elleboog of een klap uit een onverwachte hoek hoorde erbij. Maar aangezien mijn district een Democratisch bolwerk was, bleef ik van het ergste Republikeinse gescheld verschoond. Soms werkte ik zelfs met uiterst conservatieve collega's samen aan een wetsvoorstel, en bij een spelletje poker of een biertje kwamen we soms tot de slotsom dat we meer gemeen hadden dan we in het openbaar durfden toe te geven. Dat verklaart misschien waarom ik gedurende mijn tijd in Springfield bleef vasthouden aan de gedachte dat de politiek anders kon, en dat de kiezers ook iets anders wilden; dat ze de verkeerde voorstelling van zaken zat waren, het gescheld, de simplificatie van ingewikkelde problemen tot soundbites. Als ik deze kiezers rechtstreeks kon aanspreken, dacht ik, de dingen kon uiteenzetten zoals ik ze zag, en de keuzes zo eerlijk als ik kon aan ze kon voorleggen, dan zou hun zin voor eerlijkheid en hun gezond verstand ze wel overhalen. Als genoeg politici dat risico namen, dacht ik, zou niet alleen de politiek in dit land, maar ook het beleid verbeteren.

Met dat idee had ik me in 2004 verkiesbaar gesteld voor de federale Senaat. Gedurende de hele campagne deed ik mijn best om te zeggen wat ik dacht, niet met vuiligheid te gooien en over de inhoud te praten. Toen ik de Democratische voorverkiezing won en daarna de Senaatszetel, in beide gevallen met een ruime voorsprong, was het verleidelijk te denken dat ik mijn gelijk bewezen had.

Maar er was een maar: mijn campagne was zo goed gegaan dat het stom geluk leek. Politieke analisten wezen erop dat in de Democratische voorverkiezing niet één van de zeven kandidaten een negatief tv-spotje had gemaakt. De rijkste kandidaat van allemaal, een voormalig zakenman met een vermogen van zeker driehonderd miljoen dollar, gaf achtentwintig miljoen dollar uit, voornamelijk aan een bombardement van positieve reclameboodschappen, maar in de laatste weken kwam er zand in de machine doordat de pers een scheidingszaak ontdekte waarin hij er niet best vanaf kwam. Mijn Republikeinse opponent, een goed uitziende en welgestelde voormalige bankier van Goldman Sachs die leraar in de binnenstad geworden was, begon mij bijna meteen aan te vallen, maar voor zijn campagne van de grond kwam werd ook hij geveld door een scheidingsschandaal. Een paar weken lang reisde ik Illinois af, zonder dat ik onder vuur kwam te liggen, en daarna werd ik gekozen om de programmaverklaring uit te spreken op de Democratische nationale conventie – zeventien minuten onversneden, ononderbroken spreektijd op de landelijke televisie. En als klap op de vuurpijl maakte de Republikeinse Partij in Illinois een onverklaarbare keuze – mijn tegenstander werd de voormalige presidentskandidaat Alan Keyes, een man die nooit in Illinois had gewoond en zulke boude en onbuigzame standpunten innam dat zelfs conservatieve Republikeinen bang voor hem waren.

Later noemden sommige journalisten me de meest bemazzelde politicus van het hele land. Binnenskamers waren sommigen van mijn medewerkers daar nijdig over, ze vonden dat onze inspanningen en de aantrekkingskracht van onze boodschap werden gebagatelliseerd. Maar we konden moeilijk ontkennen dat ik griezelig veel geluk had gehad. Ik was een geïsoleerd geval, een rariteit; voor de kenners van de politiek bewees mijn overwinning niets.

Geen wonder dat ik me, toen ik die januarimaand aankwam in Washington, voelde als een jonge voetballer die het veld in wil als de wedstrijd al is afgelopen, met een smetteloos tenue, terwijl zijn bemodderde ploeggenoten hun wonden likken. Terwijl ik druk was met interviews en fotosessies, vol van verheven gedachten over de noodzaak de partijpolitiek en de scherpslijperij terug te dringen, waren de Democraten overal verslagen – voor het presidentschap, voor zetels in de Senaat en in het Huis van Afgevaardigden. Mijn nieuwe Democratische collega's hadden me niet hartelijker kunnen verwelkomen; ze noemden mijn overwinning een van de weinige lichtpuntjes. Maar in de wandelgangen of op een rustig moment in de Senaat namen ze me apart om me eraan te herinneren hoe een typische verkiezingscampagne voor de Senaat er tegenwoordig uitzag.

Ze vertelden me over hun gevallen leider, Tom Daschle uit South Dakota, die voor miljoenen dollars aan negatieve reclame op zijn hoofd had zien neerregenen – paginagrote advertenties in kranten en televisiespotjes die zijn streekgenoten er dag in, dag uit aan herinnerden dat hij voor het vermoorden van baby's en voor kerels in bruidsjurken was. Sommige suggereerden zelfs dat hij zijn eerste vrouw slecht behandeld had, hoewel ze naar South Dakota was gekomen om hem te helpen met zijn herverkiezing. Ze noemden ook Max Cleland, de oud-senator uit Georgia, een gehandicapte oorlogsveteraan die in de vorige verkiezingsronde zijn zetel had verloren nadat hij beschuldigd was van een gebrek aan vaderlandsliefde, en van hulp aan Osama bin Laden.

Er was ook het zaakje van de Swift Boat Veterans for Truth: met een schokkende doeltreffendheid konden een paar slimme advertenties en een koor van conservatieve media een gedecoreerde held uit de Vietnamoorlog als John Kerry als zwakkeling neerzetten.

Ongetwijfeld waren er Republikeinen die zich net zo slecht behandeld voelden. Misschien hadden de redactionele commentaren die die eerste week van de nieuwe termijn verschenen gelijk: misschien was het tijd om de verkiezingen achter ons te laten, tijd dat de twee partijen hun vijandigheid en hun munitie opborgen om zich, in elk geval voor twee jaar, bezig te gaan houden met het regeren van het land. Misschien was dat mogelijk geweest als de verkiezingsuitslag niet zo nipt was geweest, of als de oorlog in Irak niet nog aan de gang was geweest, of als de belangengroepen, de commentatoren en allerhande media niet klaar hadden gestaan om het vuur op te stoken. Misschien zou de politieke vrede zijn uitgebroken met een ander soort regering in het Witte Huis, een die niet permanent campagne bleef voeren – een regering die een overwinning met eenenvijftig tegen achtenveertig procent niet beschouwde als een onomstotelijk mandaat, maar wat nederigheid en compromisbereidheid zou betrachten.

Maar welke omstandigheden er ook vereist zouden zijn geweest voor zo'n ontspanning, ze waren er niet in 2005. Er werden geen concessies gedaan, geen gebaren van goede wil gemaakt. Twee dagen na de verkiezingen verscheen president Bush voor de camera's. Hij zei dat hij een ruim politiek budget gekregen had en dat hij dat wilde gebruiken ook. Dezelfde dag verklaarde de conservatieve activist Grover Norquist, die zich niet zo netjes hoefde uit te drukken, in verband met de situatie van de Democraten dat 'iedere boer weet dat sommige beesten maar blijven rondrennen en zich nurks gedragen, tot ze gecastreerd zijn, dan zijn ze tevreden en zoet'. Twee dagen na mijn beëdiging diende het Congreslid

Stephanie Tubbs Jones uit Cleveland in het Huis van Afgevaardigden een motie van afkeuring in tegen de bevoegdverklaring van de kiesmannen uit Ohio, zich beroepend op de waslijst van onregelmatigheden die op de verkiezingsdag in die staat hadden plaatsgevonden. De Republikeinse gelederen keken chagrijnig ('Sneue losers', hoorde ik sputteren), maar voorzitter Hastert en de Republikeinse fractieleider DeLay keken neer vanaf het podium zonder een spier te vertrekken, wetende dat zij de meerderheid en de voorzittershamer hadden. Senator Barbara Boxer uit Californië besloot de motie mede te ondertekenen en toen we terug waren in de Senaatskamer bracht ik mijn eerste stem uit. Samen met drieënzeventig anderen die die dag stemden, installeerde ik George W. Bush voor een tweede termijn als president van de Verenigde Staten.

Na deze stemming kreeg ik mijn eerste lading telefoontjes en afkeurende brieven. Ik belde een aantal van mijn teleurgestelde Democratische aanhangers terug. Ja, zei ik tegen ze, ik wist van de problemen in Ohio en ja, ik vond dat de zaak onderzocht moest worden, maar ik geloofde dat George Bush de verkiezingen wel gewonnen had, en nee, het was voor zover ik wist niet zo dat ik de zaak verraden had of na twee dagen in functie door de andere partij was ingepalmd. Diezelfde week kwam ik senator Zell Miller tegen, de magere, scherpziende Democraat uit Georgia, tevens bestuurslid van de National Rifle Association, die de Democratische Partij de rug had toegekeerd en de vlammende programmaverklaring had uitgesproken op de Republikeinse nationale conventie – een tirade zonder enige scrupules tegen de verraderlijkheid van John Kerry en zijn vermeende zwakheid als het ging om de nationale veiligheid. Miller en ik hadden een kort gesprek, vol onuitgesproken ironie. De oudere zuiderling hield ermee op en de jonge zwarte noorderling begon net, dat was het contrast dat de pers had opgemerkt in onze beide toespraken op de nationale conventies. Senator Miller was heel hoffelijk en hij wenste me succes in mijn nieuwe functie. Later kwam ik een uittreksel van zijn boek *A Deficit of Decency* tegen, waarin hij mijn toespraak op de conventie een van de beste noemde die hij ooit gehoord had. Maar hij schreef erbij, naar ik me voorstel met een sluwe grijns, dat het misschien niet de meest effectieve toespraak was als het erom ging de verkiezingen te winnen.

Met andere woorden: mijn man had verloren. Zell Millers man had gewonnen. Dat was de harde, koude politieke realiteit. Al het andere was maar sentimenteel gedoe.

Mijn vrouw kan u vertellen dat ik van nature niet iemand ben die snel opgewonden raakt over dingen. Als ik Ann Coulter of Sean Hannity met hun conservatieve gekef op de televisie zie, kan ik ze moeilijk serieus nemen; ik neem aan dat ze vooral zeggen wat ze zeggen om meer boeken te verkopen, of voor de kijkcijfers, al vraag ik me wel af wie zijn kostbare avonden met zulke zuurpruimen wil doorbrengen. Als Democraten tegen me zeggen dat we in vreselijke politieke tijden leven, en dat het fascisme langzaam onze keel dichtknijpt, dan wijs ik ze wel eens op de internering van de Amerikanen van Japanse afkomst onder Franklin D. Roosevelt, of op de Alien and Sedition Acts van president Adams, of op de lynchpraktijken die gedurende tientallen regeringen voortduurden. Dat was allemaal misschien wel erger, zeg ik dan, we moeten allemaal maar even tot tien tellen. Als mensen me tijdens etentjes vragen hoe ik in vredesnaam kan werken in het huidige politieke klimaat, met al die negatieve campagnes en persoonlijke aanvallen, dan wijs ik wel eens op Nelson Mandela, Aleksandr Solzjenitsyn of een vent ergens in een Chinese of Egyptische gevangenis. Uitgescholden worden is eigenlijk niet zo erg.

Maar ik ben niet van steen. En net als de meeste Amerikanen kan ik me niet onttrekken aan het gevoel dat er iets goed scheef is gelopen in onze democratie.

Het punt is niet alleen maar dat er een verschil bestaat tussen wat we zeggen dat de idealen van ons land zijn en dat wat we elke dag zien gebeuren. In een of andere vorm is dat verschil er sinds de geboorte van Amerika geweest. Er zijn oorlogen uitgevochten, wetten aangenomen, stelsels hervormd, vakbonden opgericht en protestbetogingen gehouden om de belofte en de praktijk meer met elkaar in overeenstemming te brengen.

Nee, wat zorgelijk is, is het verschil tussen de omvang van de problemen waarvoor we staan en de kleinheid van de politiek. We laten ons makkelijk afleiden door onbelangrijke en triviale zaken, we gaan moeilijke beslissingen uit de weg, we zijn schijnbaar niet in staat een praktische consensus te bereiken om welk groot probleem dan ook aan te pakken.

We weten dat de globalisering – om maar te zwijgen van echt iets doen aan het bieden van gelijke kansen en mogelijkheden om op te klimmen op de sociale ladder – vereist dat we ons onderwijsstelsel van top tot teen vernieuwen, ons lerarenkorps aanvullen, de lessen in de exacte vakken verbeteren en voorkomen dat kinderen uit de oude binnensteden als analfabeet eindigen. Toch lijkt ons onderwijsdebat alleen maar te gaan tussen degenen die het openbaar onderwijs willen opheffen en degenen die een onhoudbare toestand willen verdedigen – tussen degenen die zeggen dat geld niet het verschil maakt in het onderwijs en degenen die meer geld willen, zonder dat wordt aangetoond dat het goed wordt gebruikt.

We weten dat onze gezondheidszorg gebrekkig is: belachelijk duur, vreselijk inefficiënt en niet berekend op een economie waarin mensen niet meer hun hele leven voor dezelfde baas werken – het is een stelsel dat hardwerkende Amerikanen blootstelt aan chronische onzekerheid en op de loer liggende armoede. Maar jaar in, jaar uit voorkomen ideologie en politieke spelletjes dat er iets gebeurt, behalve in 2003, toen we een wet op de medicijnen op recept kregen die erin slaagde de slechtste kanten van de publieke en de private sector te combineren: prijsopdrijving en bureaucratische verwarring, gaten in de dekking en een exorbitante rekening voor de belastingbetaler.

We weten dat de strijd tegen het internationale terrorisme zowel een gewapende strijd is als een ideeënstrijd, dat onze veiligheid op de lange termijn zowel afhangt van een verstandig gebruik van militaire macht als van meer samenwerking met andere landen, en dat de aanpak van de wereldwijde armoede en van falende staten een wezenlijk belang van ons land is en niet alleen maar liefdadigheid. Maar als je onze debatten over de buitenlandse politiek volgt, krijg je de indruk dat we maar twee mogelijkheden hebben – de oorlogstrom of isolationisme.

We beschouwen ons geloof als een bron van troost en begrip, maar we merken dat onze geloofsuitingen verdeeldheid zaaien; we vinden onszelf tolerant, maar toch wervelen etnische, religieuze en culturele spanningen door het landschap. En onze politici lossen deze spanningen niet op, bemiddelen niet in deze conflicten, maar jagen ze juist aan, gebruiken ze, en drijven ons verder uit elkaar.

Onder vier ogen beamen mensen die bij het landbestuur betrokken zijn dit verschil tussen de politiek die we hebben en de politiek die we nodig hebben. Zeker de Democraten zijn niet blij met de huidige toestand, want in elk geval voorlopig zijn zij de verliezende partij, overheerst door Republikeinen die, dankzij onze *winner-take-all*-verkiezingen, elk overheidsorgaan in handen hebben en geen noodzaak zien om compromissen te sluiten. Verstandige Republikeinen zouden echter niet al te opgewekt moeten zijn, want het mag dan zo zijn dat de Democraten niet konden winnen, maar het lijkt erop dat de Republikeinen – die de verkiezingen wonnen met vaak irreële beloften (belastingverlagingen zonder bezuinigingen op de overheidsdiensten, privatisering van de sociale zekerheid zonder gevolgen voor de uitkeringen, oorlog zonder offers) – niet kunnen regeren.

En toch vind je aan weerszijden van de breuklijn in het openbaar weinig zelfonderzoek, weinig introspectie, en niemand voelt ook maar enige verantwoordelijkheid voor het vastlopen van de politiek. Wat we in plaats daarvan zien gebeuren, niet alleen in de campagnes, maar ook in redactionele commentaren, in toespraken en in het almaar uitdijende universum van weblogs, is dat de kritiek wordt afgeketst en dat de schuld ergens anders wordt gelegd. Afhankelijk van uw voorkeur is de toestand het natuurlijke gevolg van radicaal conservatisme of ontaarde progressiviteit, van Tom DeLay of Nancy Pelosi, van het grote oliegeld of hebberige advocaten, van religieuze fanatici of homoactivisten, van Fox News of *The New York Times*. Hoe geloofwaardig deze verhalen zijn, hoe geraffineerd de argumenten en hoe goed de bewijzen, hangt af van de auteur, en ik zal niet verhullen dat ik de voorkeur geef aan het verhaal van de Democraten, en ook niet dat ik denk dat de argumenten van de progressieven vaker gefundeerd zijn op gezond verstand en feiten. Maar in de kern is de uitleg van links een spiegel van de uitleg van rechts. Het zijn samenzweringstheorieën waarin Amerika gegijzeld is door een boosaardig complot. Net als alle goede samenzweringstheorieën bevatten beide varianten net genoeg waarheidsgehalte om de mensen te overtuigen die er vatbaar voor zijn, zonder dat de tegenstrijdigheden aan de orde komen die het verhaal op losse schroeven zetten. De functie ervan is niet om de andere partij over te halen, maar om de eigen achterban strijdbaar te houden en ervan te overtuigen dat de eigen partij het gelijk aan haar kant heeft, en om genoeg nieuwe aanhangers te werven om de andere partij te kunnen verslaan.

Natuurlijk is er een ander verhaal te vertellen, door de miljoenen Amerikanen die hun dagelijkse beslommeringen hebben. Zij zijn aan het werk of zoeken werk, beginnen een bedrijf, helpen hun kinderen met hun huiswerk en kampen met een hoge gasrekening, een ontoereikende ziektekostenverzekering en een pensioen dat volgens een of andere faillissementsrechter niet kan worden uitbetaald. Ze zijn afwisselend hoopvol en bezorgd over de toekomst. Hun leven is vol tegenstellingen en dubbelzinnigheden. En omdat de politiek zo weinig lijkt te gaan over wat zij meemaken – omdat ze inzien dat de politiek tegenwoordig een bedrijf is en geen missie, en dat wat voor debat moet doorgaan weinig meer is dan spektakel –, keren ze zich naar binnen, keren ze zich af van het politieke tumult en het eindeloze gekakel.

Een overheid die deze Amerikanen echt wil vertegenwoordigen – die ze echt wil dienen –, moet een ander soort politiek bedrijven. Die politiek moet gaan over onze levens zoals we die echt leven. Het moet geen voorverpakt beleid zijn dat klaarligt op de plank. Het moet opgebouwd worden uit onze beste tradities en moet rekening houden met de zwarte bladzijden van onze geschiedenis. We zullen moeten gaan inzien hoe we beland zijn in een land van stammenstrijd. En we zullen onszelf eraan moeten herinneren hoeveel we, ondanks al onze verschillen, eigenlijk gemeen hebben: dezelfde hoop, dezelfde dromen, een verbond dat niet zal breken.

Een van de eerste dingen die me in Washington opvielen was dat de oudere senatoren tamelijk vriendelijk met elkaar omgingen. Nooit ontbrak de hoffelijkheid in contacten tussen John Warner en Robert Byrd, en er was echte vriendschap tussen de Republikein Ted Stevens en de Democraat Daniel Inouye. Vaak wordt gezegd dat dit de laatsten van een uitstervend ras zijn, mannen die niet alleen van de Senaat houden, maar ook een minder scherp partijgebonden politiek vertegenwoordigen. En eigenlijk is een van de weinige dingen waarover conservatieve en progressieve commentatoren het eens zijn het idee dat er een tijdperk voor de zondeval was, een gouden eeuw in Washington waarin, ongeacht welke partij er aan de macht was, de beschaafdheid regeerde en de regering functioneerde.

Op een avond, op een receptie, maakte ik een praatje met een oude rot in Washington die bijna vijftig jaar lang in en om het Capitool gewerkt had. Ik vroeg wat volgens hem het verschil in sfeer veroorzaakte tussen toen en nu.

'Het is een generatiekwestie,' zei hij zonder aarzelen. 'In die tijd had bijna iedereen die iets te vertellen had in Washington, in de Tweede Wereldoorlog gediend. We vlogen elkaar flink in de haren over bepaalde zaken. Velen kwamen uit verschillende achtergronden, uit verschillende milieus, hadden verschillende politieke opvattingen. Maar door de oorlog hadden we allemaal iets gemeen. Die gemeenschappelijke ervaring kweekte een zeker vertrouwen en respect. Het hielp onze meningverschillen te overwinnen en dingen gedaan te krijgen.'

Ik luisterde naar de herinneringen die de oude man ophaalde, over Dwight Eisenhower en Sam Rayburn, Dean Acheson en Everett Dirksen, en het was moeilijk niet mee te gaan in het wazige beeld dat hij schilderde van een tijd waarin het nieuws niet vierentwintig uur per dag doorging en politici niet constant bezig waren met fondsen werven – een tijd van grote mannen die met grote zaken bezig waren. Ik moest mezelf eraan herinneren dat hij wel wat last had van een selectief geheugen in zijn zwak voor dat vervlogen tijdperk. Hij had de beelden weggeretoucheerd van de leden uit de zuidelijke staten die in de Senaat de voorgestelde burgerrechtenwetgeving afwezen; en het geniepige machtsmisbruik in de tijd van McCarthy; en de verlammende armoede waarvoor Bobby Kennedy voor zijn dood de aandacht vroeg; en de afwezigheid van vrouwen en minderheden in het machtscentrum.

Ik realiseerde me ook dat het unieke omstandigheden waren die ten grondslag lagen aan het stabiele, eensgezinde landsbestuur waarvan hij deel had uitgemaakt: niet alleen de gemeenschappelijke oorlogservaringen, maar ook de eensgezindheid die gesmeed werd door de Koude Oorlog en de Sovjetdreiging, en misschien nog belangrijker, de onbedreigde dominantie van de Amerikaanse economie in de jaren vijftig en zestig, toen Europa en Japan zich uit de puinhopen van de oorlog aan het graven waren.

Toch valt niet te ontkennen dat de Amerikaanse politiek in de jaren na 1945 veel minder ideologisch getint was – en de betekenis van partijbinding veel minder dwingend – dan vandaag. De Democratische coalitie die het grootste deel van die periode de meerderheid had in het Congres, was een mengelmoes van Democraten uit het noorden, zoals Hubert Humphrey, conservatieve Democraten uit het zuiden, zoals James Eastland, en wat voor loyalisten er maar omhoogkwamen uit de grote steden. Wat deze coalitie bij elkaar hield, was het economische populisme van de New Deal – een visie op eerlijke lonen en uitkeringen, staatssteun en publieke werken en een almaar toenemende levensstandaard. Daarbij cultiveerde de Democratische Partij in zekere zin een gedachtegang van leven en laten leven: een gedachtegang gebaseerd op aanvaarding van of actieve ondersteuning van de rassenscheiding in het zuiden; een gedachtegang die afhing van een bredere cultuur waarin sociale normen – op het vlak van seksuele geaardheid bijvoorbeeld, of de rol van vrouwen – nog goeddeels onbesproken bleven; een cultuur die nog niet over de woorden beschikte om verlegenheid te zaaien over zulke zaken, laat staan om er een politiek debat over uit te lokken.

Gedurende de jaren vijftig en de vroege jaren zestig aanvaardde ook de GOP allerlei ideologische scheuringen in de eigen gelederen – tussen de westelijke vrijheidsgezindheid van Barry Goldwater en het oostelijke paternalisme van Nelson Rockefeller; tussen degenen die Abraham Lincoln en Teddy Roosevelt als het Republikeinse voorbeeld zagen, met hun nadruk op optreden door de federale overheid, en de aanhangers van het conservatisme van Edmund Burke, dat aan tradities de voorkeur gaf boven sociale experimenten. Het binnenboord houden van al deze regionale en temperamentvolle meningsverschillen – over burgerrechten, federale invloed, of zelfs over de belastingen – verliep niet altijd gladjes. Maar net als bij de Democraten het geval was, werd de GOP bij elkaar gehouden door voornamelijk economische belangen: door een filosofie gebaseerd op de vrije markt en fiscale terughoudendheid die alle Republikeinse geledingen aansprak, van de winkeliers in Main Street tot de directeuren op de golfclub. (De Republikeinen waren wellicht ook feller tegen het communisme gekant in de jaren vijftig, hoewel de Democraten, zoals John F. Kennedy liet zien, meer dan bereid waren om de GOP op dit punt rechts in te halen als er verkiezingen aan zaten te komen.)

De jaren zestig maakten een einde aan deze politieke overeenstemming. De oorzaak daarvan en de manier waarop dat ging zijn uitvoerig gedocumenteerd. Eerst kwam de burgerrechtenbeweging, die al vanaf haar voorzichtige begin de bijl zette in de bestaande sociale structuur en de Amerikanen dwong partij te kiezen. Lyndon Johnson koos uiteindelijk de goede kant in dit conflict, maar als zoon van het zuiden begreep hij beter dan wie ook de prijs van deze keuze: nadat hij in 1964 de Civil Rights Act ondertekend had, zei hij tegen zijn assistent Bill Moyers dat hij zojuist met één pennenstreek de zuidelijke staten voor de afzienbare toekomst aan de GOP had overgeleverd.

Daarna kwamen de studentenprotesten tegen de Vietnamoorlog, en het idee dat Amerika niet altijd gelijk had, dat ons handelen niet altijd gerechtvaardigd was – en dat een nieuwe generatie niet automatisch de prijs betaalde of de last droeg die haar ouders haar voorschreven.

En toen, toen de muren van de status quo geslecht waren, stroomden allerlei 'buitenstaanders' van de samenleving door de poorten: feministen, latino's, hippies, Panthers, bijstandsmoeders, homo's – allemaal eisten ze erkenning, een plaats aan de tafel en een stuk van de taart.

Het duurde een paar jaar voor de logica achter deze veranderingen inzichtelijk werd. Nixon maakte bezwaar tegen de door rechters bevolen inzet van schoolbussen om een einde te maken aan de segregatie in het onderwijs in het zuiden. Deze strategie leverde direct electoraal voordeel op. Maar de filosofie van zijn regering kristalliseerde nooit uit tot een hechte ideologie. Het was tenslotte Nixon die met de eerste programma's voor positieve discriminatie op federaal niveau kwam, en het was Nixon die de federale instantie voor milieubescherming EPA en de arbeidsomstandighedeninspectie OSHA oprichtte. Jimmy Carter liet zien dat steun aan de gelijkberechtiging ook gecombineerd kon worden met een wat traditioneler en conservatiever Democratisch beleid; en hoewel sommigen deserteerden, bleven de meeste Democratische Congresleden uit het zuiden uit plichtsbetrachting zitten, waardoor de Democraten in elk geval de meerderheid behielden in het Huis van Afgevaardigden.

Maar de tektonische platen onder Amerika waren verschoven. Politiek was niet meer alleen een zaak van de portemonnee, maar ook een morele aangelegenheid, met morele verplichtingen en absolute waarden. En de politiek was onontkoombaar persoonlijk, zij drong zich tussen elk contact – tussen zwart en blank, tussen man en vrouw – en was aan de orde bij elke aanvaarding of verwerping van gezag.

Als gevolg ervoer het publiek de begrippen progressiviteit en conservatisme niet meer zozeer als een kwestie van sociale klasse, maar als een kwestie van opvattingen – het standpunt dat je innam over de traditionele cultuur en de tegencultuur. Het ging er niet alleen om wat je vond van het stakingsrecht of de vennootschapsbelasting, maar ook hoe je dacht over seks, drugs, rock-'n-roll, de Latijnse mis of de canon van de westerse cultuur. Mensen uit blanke minderheidsgroepen in het noorden, en blanken in het algemeen in het zuiden, voelden weinig voor de nieuwe progressieve beweging. Het geweld op straat en de excuses die voor dat geweld werden aangedragen in intellectuele kringen, dat er zwarten naast je kwamen wonen en dat je blanke kinderen in een schoolbus naar de andere kant van de stad moesten, het verbranden van de vlag en het afgeven op oorlogsveteranen, dat alles scheen de dingen die hun het liefste waren te beledigen, te kleineren, zo niet aan te vallen: hun familie, geloof, vlag, buurt en, zeker voor sommigen, hun blanke privilege. En toen, terwijl de maatschappij zo op z'n kop werd gezet, niet lang na de politieke moorden en de brandende steden en de bittere nederlaag in Vietnam, maakte de economische voorspoed ook nog plaats voor de oliecrisis en inflatie en sluitende fabrieken, en de beste oplossing die Jimmy Carter te bieden had was de verwarming lager zetten, terwijl een stel radicalen in Iran zout in de wonden van de OPEC wreef. Voor een groot deel van de New Deal-coalitie was dit de aanleiding om een ander politiek onderkomen te zoeken.

Ik heb altijd een vreemde verstandhouding gehad met de jaren zestig. In zekere zin ben ik puur een product van die tijd. Ik ben een kind uit een gemengd huwelijk. Mijn leven zou onmogelijk en kansloos zijn geweest zonder de sociale omwentelingen die toen plaatsvonden. Maar ik was toen te jong om de aard van die veranderingen goed te begrijpen, en ik was te ver weg – aangezien ik in Hawaii en in Indonesië woonde – om de bijwerkingen te zien die ze hadden op de Amerikaanse psyche. Veel van wat ik meekreeg van de jaren zestig kwam via mijn moeder, die tegen het einde van haar leven trots verklaarde dat ze een volbloed progressief was. Vooral voor de burgerrechtenbeweging had ze diepe bewondering. Ze deed altijd haar best om me de waarden bij te brengen die ze daar zag: tolerantie, gelijkheid, opkomen voor de achtergestelden.

Maar in veel opzichten was mijn moeders begrip van de jaren zestig ook beperkt, door de afstand (ze had het Amerikaanse vasteland verlaten in 1960) en door haar onverbeterlijke romantische inborst. Verstandelijk gezien kon ze wel proberen de Black Power-beweging te begrijpen, of de Students for a Democratic Society, of die vriendinnen van haar die hun benen niet meer schoren, maar de woede, de drang om te protesteren zat gewoon niet in haar. Emotioneel gezien zou haar progressiviteit altijd van een bouwjaar van voor 1967 blijven, en haar hart een tijdmachine gevuld met beelden van het ruimtevaartprogramma, het Peace Corps, de Freedom Rides, Mahalia Jackson en Joan Baez.

Derhalve begreep ik pas toen ik ouder werd, in de jaren zeventig, dat mensen die de bepalende gebeurtenissen van de jaren zestig zelf hadden meegemaakt, vonden dat de dingen flink uit de hand liepen. Deels begreep ik dit door het gemopper van mijn grootouders van moederskant, die altijd Democraat waren geweest, maar toegaven in 1968 op Nixon te hebben gestemd – een verraad dat mijn moeder ze altijd bleef inpeperen. Grotendeels kwam mijn begrip van de jaren zestig voort uit mijn eigen naspeuringen, want mijn rebelsheid als tiener zocht een rechtvaardiging in de politieke en culturele veranderingen die toen al aan het wegebben waren. Ik was gefascineerd door de extatische 'alles kan'-mentaliteit van dit tijdperk. Uit boeken, films en muziek bouwde ik een visie op de jaren zestig op die heel anders was dan die waarover mijn moeder praatte, met beelden van Huey Newton, de Democratische nationale conventie van 1968, de luchtbrug uit Saigon, de Stones in Altamont. Ik had weliswaar geen duidelijke reden om een revolutie te beginnen, maar in stijl en houding kon ik ook een rebel zijn, dacht ik, niet gebonden aan de gevestigde wijsheid van ouderen van boven de dertig.

Uiteindelijk leidde mijn afwijzing van het gezag tot zelfingenomenheid en zelfvernietiging, en tegen de tijd dat ik ging studeren begreep ik dat elke beweging tegen de gevestigde orde de kiem van haar eigen excessen en haar eigen orthodoxie in zich draagt. Ik begon mijn aannames te heroverwegen en herinnerde me de waarden die mijn moeder en mijn grootouders me hadden bijgebracht. Het was een langdurig, wisselvallig proces waarin ik op een rij zette waarin ik echt geloofde. In gesprekken in de studentenflats begon ik het punt te registreren waarop mijn studievrienden en ikzelf ophielden met nadenken en vervielen in makkelijke praat: het punt waarop de veroordelingen van het kapitalisme of het Amerikaanse imperialisme al te simpel werden, en waarop de bevrijding van de knellende banden van monogamie of religie werd gepredikt, zonder dat we de deugden van die banden goed begrepen. We namen ook te makkelijk de slachtofferrol aan, een manier om verantwoordelijkheid af te schuiven, om rechten op te eisen of om ons beter te voelen dan mensen die niet tot de slachtoffers behoorden.

Dat alles verklaart misschien waarom ik de aantrekkingskracht van Ronald Reagan begreep, ook al maakte ik me zorgen over zijn verkiezing in 1980 en was ik allesbehalve overtuigd door zijn vaderlijke John Wayne-pose, zijn regeren per anekdote en zijn goedkope aanvallen op de armen. Reagans aantrekkingskracht was dezelfde die de militaire bases op Hawaii altijd op me hadden in mijn jeugd, met hun schone straten en geoliede gang van zaken, hun onberispelijke uniformen en onberispelijke militaire groeten. Het had te maken met de vreugde die ik nog steeds put uit het bekijken van een goed gespeelde honkbalwedstrijd, of die mijn vrouw put uit het bekijken van herhalingen van *The Dick Van Dyke Show*. Reagan beantwoordde aan Amerika's verlangen naar orde, aan onze behoefte om te geloven dat we niet onderworpen zijn aan blinde, onpersoonlijke krachten, maar dat we ons lot individueel en collectief kunnen bepalen, als we maar terugkeren naar onze traditionele waarden – hard werken, vaderlandsliefde, persoonlijke verantwoordelijkheid, optimisme en het geloof.

Dat Reagans boodschap zoveel weerklank vond, getuigde niet alleen van zijn gaven als communicator. Het getuigde ook van het falen van de progressieve regering in een tijd van economische stagnatie; de regering gaf de kiezers uit de middenklasse niet het idee dat zij voor hen opkwam. Want het was waar dat de overheid op elk niveau te nonchalant was geworden in het uitgeven van het geld van de belastingbetaler. Maar al te vaak verloren bureaucratische organen de kosten die ze maakten uit het oog. Veel progressieve retoriek had meer aandacht voor rechten dan voor plichten en verantwoordelijkheden. Reagan zal de misdragingen van de verzorgingsstaat wel overdreven hebben, en de progressieven hadden zeker gelijk met hun klacht dat zijn binnenlandse beleid alleen voor de economische elite zorgde. Roofkapitalisten maakten knappe winsten gedurende de jaren tachtig, terwijl de vakbonden kapot werden gemaakt en het inkomen van de middeninkomens op de nullijn werd gezet.

Maar toch: door zich solidair te verklaren met mensen die hard werkten, zich aan de wet hielden, voor hun gezin zorgden en van hun land hielden, gaf Reagan de Amerikanen het gevoel van een gemeenschappelijk doel, iets wat de progressieven niet meer te bieden leken te hebben. En hoe meer zijn critici klaagden, hoe meer ze meespeelden in de rol die hij voor ze bedacht had: die van een politiek correcte elite in een ivoren toren, die het belastinggeld over de balk smeet en Amerika overal de schuld van gaf.

Wat ik opmerkelijk vind, is niet dat Reagans politieke formule in die tijd werkte, maar wel hoe duurzaam het verhaal is gebleken dat hij hielp verspreiden. Er zijn nu veertig jaar verstreken, maar het tumult van de jaren zestig en de daaropvolgende terugslag bepalen nog steeds ons politieke debat. Deels onderstreept dit wat een indruk de conflicten van de jaren zestig moeten hebben gemaakt op de mannen en vrouwen die toen volwassen werden, en de mate waarin de strijdpunten van die tijd niet als gewone politieke meningsverschillen werden gezien, maar als individuele keuzes die je persoonlijke identiteit en je morele status bepaalden.

Ik denk dat het ook onderstreept dat de grote conflicten van de jaren zestig nooit helemaal zijn opgelost. De woede van de tegencultuur heeft geresulteerd in consumentisme, lifestylekeuzes en muziekvoorkeuren, in plaats van politieke activiteit, maar de problemen van etniciteit, oorlog, armoede en de verhouding tussen de seksen zijn er nog steeds.

Misschien heeft het gewoon ook te maken met de omvang van de babyboomgeneratie. Deze demografische macht doet zich net zozeer gelden in de politiek als op alle andere terreinen, van de markt voor Viagra tot het aantal bekerhouders dat autofabrikanten in hun voertuigen monteren.

Wat de verklaring ook is, sinds Reagan worden de scheidslijnen tussen Republikeins en Democratisch, tussen progressief en conservatief, scherper in ideologische termen getrokken. Natuurlijk gold dit voor de hete hangijzers positieve discriminatie, criminaliteit, sociale zekerheid, abortus en het bidden op school; deze kwamen voort uit eerdere conflicten. Maar het ging nu ook op voor elke andere kwestie, groot of klein, binnenlands of buitenlands. Alles werd teruggebracht tot een keuzemenu van of-of, voor of tegen, panklaar voor de soundbites. Het economische beleid was niet langer een afweging van compromissen tussen productiviteit en een eerlijke verdeling, tussen het groter maken van de taart en het verdelen ervan. Je was nu of voor belastingverláging of voor belastingverhóging, voor een kléíne of een gróte overheid. Het milieubeleid was niet langer een afweging tussen gezond rentmeesterschap over onze natuurlijke hulpbronnen en de belangen van een moderne economie; je was nu voor ongebreidelde economische ontwikkeling, onbeperkt boren en bovengrondse mijnbouw, óf je was voor een verstikkende bureaucratie en een papierwinkel die groei tegenhield. In de politiek, en zelfs in het beleid, was een simpele voorstelling van zaken een deugd geworden.

Soms denk ik dat zelfs de Republikeinse leiders die meteen na Reagan kwamen zich niet helemaal lekker voelden met de kant die de politiek op was gegaan. Uit de mond van mannen als George H.W. Bush en Bob

Dole klonk de polariserende retoriek van de politiek van haat en nijd geforceerd, meer als een manier om Democratische kiezers los te weken dan als een recept om te regeren.

Maar voor een jongere generatie van conservatieve politici die spoedig omhoog zouden komen, voor Newt Gingrich en Karl Rove en Grover Norquist en Ralph Reed, was de vlammende retoriek meer dan een kwestie van campagnestrategie. Zij geloofden echt in wat ze zeiden, of dat nu 'Geen nieuwe belastingen' was of 'Wij zijn een christelijk land'. Eigenlijk leken deze nieuwe conservatieve voormannen, met hun starre doctrines, hun kaalslagmethoden en hun overdreven verongelijktheid, griezelig veel op sommige leiders van de New Left-beweging in de jaren zestig. Net als hun linkse tegenhangers zag deze nieuwe rechtse voorhoede de politiek als een krachtmeting niet alleen tussen rivaliserende beleidsvisies, maar tussen goed en kwaad. Scherpslijpers in beide partijen kwamen met lakmoesproeven om te controleren of iedereen wel recht genoeg in de leer was. Een Democraat die vraagtekens zette bij abortus kwam steeds meer alleen te staan, een Republikein die het wapenbezit wilde inperken werd praktisch verstoten. In deze gepolariseerde strijd werd compromisbereidheid een zwakheid die bestraft of weggezuiverd moest worden. Je was vóór ons of tegen ons. Je moest partij kiezen.

Het was Bill Clintons grote verdienste dat hij probeerde deze ideologische impasse te doorbreken. Hij begreep dat wat nu werd verstaan onder de begrippen 'conservatief' en 'progressief' ('liberal') in het voordeel van de Republikeinen werkte; maar ook dat deze etiketten niet werkten bij het aanpakken van onze problemen. Tijdens zijn eerste campagne waren zijn avances richting ontevreden kiezers die onder Reagan bij de Democraten waren weggelopen, soms wat onhandig en doorzichtig (hoe is het toch afgelopen met Sister Souljah?) of vreselijk ongevoelig (hij liet de executie doorgaan van een zwakbegaafde ter dood veroordeelde aan de vooravond van een belangrijke voorverkiezing). In de eerste twee jaar van zijn presidentschap moest hij enkele van zijn belangrijkste programmapunten opgeven – een algeheel zorgstelsel, grote investeringen in onderwijs en scholing – waarmee hij meer had kunnen doen tegen de structurele verslechtering van de positie van werkende mensen met een gezin in de nieuwe economie.

Ondanks deze minpunten zag Clinton instinctief hoe onecht de keuzes waren die de Amerikaanse bevolking kreeg voorgelegd. Hij zag dat uitgaven en regulering door de overheid, als de aanpak deugde, een belangrijk ingrediënt en niet een rem op de economie konden zijn; en hij zag ook hoe de markt en een zuinige overheid sociale rechtvaardigheid konden bevorderen. Hij zag in dat niet alleen de maatschappij, maar ook individuen hun verantwoordelijkheid moesten nemen om de armoede te bestrijden. Het was niet altijd zichtbaar in zijn dagelijkse politiek, maar Clintons Derde Weg-programma deed meer dan een compromis sluiten: het sprak de praktische, niet-ideologische denkwijze van de meeste Amerikanen aan.

Inderdaad genoot Clintons beleid – herkenbaar progressief, maar bescheiden in zijn doelstellingen – tegen het einde van zijn presidentschap brede steun van het publiek. Politiek gezien had hij enkele uitwassen uit de Democratische Partij gewrongen die verkiezingszeges in de weg hadden gestaan. Dat hij, ondanks een bloeiende economie, er toch niet in slaagde een populair beleid om te zetten in een breed gesteunde regering, zegt iets over de demografische moeilijkheden waarmee de Democraten te maken hadden (in het bijzonder de verschuiving van de bevolkingsgroei in Amerika naar het zuiden, dat steeds meer een Republikeins bastion werd) en de structurele voorsprong die de Republikeinen genoten in de Senaat, waar de stemmen van twee Republikeinse senatoren uit Wyoming, 493.782 inwoners, even zwaar wogen als die van twee Democratische senatoren uit Californië, 33.871.648 inwoners.

Maar dat dit Clinton niet lukte kwam ook doordat Gingrich, Rove, Norquist en consorten de conservatieve beweging vakkundig wisten te consolideren en te institutionaliseren. Ze boorden de onuitputtelijke donaties van bedrijven en rijke individuen aan om een netwerk van denktanks en media op te zetten. Ze gebruikten de nieuwste technologie om de achterban te mobiliseren, en centraliseerden de macht in het Huis van Afgevaardigden om de partijdiscipline te vergroten.

En ze begrepen dat Clinton een bedreiging was voor hun visioen van een langdurige conservatieve meerderheid, wat de felheid verklaart waarmee ze hem te lijf gingen. Het verklaart ook waarom ze vooral Clintons zedelijk gedrag aanvielen, want Clinton was dan wel geen linkse radicaal, maar zijn cv (het verhaal over het ontduiken van de dienstplicht, de marihuana, het intellectualisme, de werkende vrouw die geen koekjes bakte en bovenal de seks) was koren op de conservatieve molen. Door dit allemaal vaak genoeg te herhalen, door de feiten niet te nauw te nemen en dankzij de steken die de president zelf liet vallen, kon Clinton als de belichaming worden afgeschilderd van de linkse jaren zestig die de conservatieve beweging aanvankelijk in het zadel hadden geholpen. Clinton had het tegen die beweging tot een gelijkspel geschopt, maar zij kwam hier des te sterker uit tevoorschijn – en nam in de eerste termijn van George W. Bush de regering van de Verenigde Staten over.

Deze weergave van het verhaal is iets te bondig, dat weet ik. Belangrijke verhaallijnen komen niet aan bod: hoe het wegkwijnen van de verwerkende industrie en het ontslaan van de luchtverkeersleiders door Reagan de Amerikaanse vakbeweging aantastte; hoe de vorming van kiesdistricten waarin minderheden in de meerderheid waren in het zuiden zorgde voor meer zwarte afgevaardigden, maar tegelijk voor minder Democratische zetels; het gebrek aan medewerking dat Clinton kreeg van de Democratische parlementariërs, die lui en zelfvoldaan waren geworden en niet beseften welk gevecht er gaande was. Ook komt de mate waarin het toenemende politieke geknoei met kiesdistricten het Congres polariseerde, niet uit de verf, noch hoe effectief geld en negatieve tv-spotjes de politieke atmosfeer hebben vergiftigd.

Maar toch, als ik denk aan wat die oude rot in Washington me die avond vertelde, als ik het werk van een George Kennan of een George Marshall overdenk, als ik de toespraken van een Bobby Kennedy of een Everett Dirksen lees, dan kan ik me niet aan de indruk onttrekken dat de huidige politiek aan een ontwikkelingsstoornis lijdt. Voor deze mannen waren de problemen waar Amerika mee te maken had, nooit abstract en dus nooit simpel. Oorlog was hels en toch moest er misschien oorlog worden gevoerd. Er kon zich een economische crisis voordoen ondanks de best uitgewerkte plannen. Mensen konden hun hele leven hard werken en toch alles verliezen.

De generatie leiders die daarna kwam was in betrekkelijke voorspoed opgegroeid, en hun andere ervaringen resulteerden in een andere houding tegenover de politiek. Als ik naar het getouwtrek tussen Clinton en Gingrich keek, en naar de verkiezingen van 2000 en 2004, dan had ik soms het gevoel dat de babyboomgeneratie een therapeutisch rollenspel aan het opvoeren was – een verhaal van wraakoefeningen en rancunes die terug te voeren waren tot een handjevol universiteitscampussen heel lang geleden. De overwinningen die de generatie van de jaren zestig boekte – de volledige gelijkberechtiging van minderheden en vrouwen, de versterking van de individuele vrijheden en de gezonde bereidheid om vragen te stellen aan het gezag – hebben van Amerika een veel betere samenleving gemaakt voor al zijn burgers. Maar wat in de hitte van de strijd verloren is gegaan en nog altijd niet is vervangen, zijn de gedeelde waarden van vertrouwen en gemeenschapszin die ons als Amerikanen samenbrengen.

Dus waar staan we nu? Theoretisch gezien had de Republikeinse Partij zijn eigen Clinton kunnen voortbrengen, een centrumrechtse leider die Clintons financiële conservatisme had kunnen combineren met een hardere aanpak van de krakkemikkige federale bureaucratie en experimenten met sociaal beleid gebaseerd op de markt of religie. En eigenlijk zou zo'n leider nog steeds kunnen opstaan. Niet alle Republikeinse verkozen functionarissen staan achter de dogma's van de huidige conservatieve beweging. Zowel in het Huis als in de Senaat, en in de hoofdsteden van staten overal in het land, zijn er mensen die vasthouden aan de traditionelere conservatieve waarden gematigdheid en terughoudendheid – mannen en vrouwen die inzien dat het onverantwoordelijk is om de staatsschuld te laten oplopen om belastingverlagingen voor de rijken te financieren, dat je het begrotingstekort niet over de rug van de armen kunt terugbrengen, dat de scheiding van kerk en staat de kerk zowel als de staat beschermt, dat milieubehoud en conservatisme elkaar niet hoeven te bijten en dat het buitenlands beleid op feiten en niet op wensdromen gebaseerd moet zijn.

Maar dit zijn niet de Republikeinen die de afgelopen zes jaar vooraan hebben gestaan in het debat. In plaats van het 'barmhartige conservatisme' dat George Bush beloofde in zijn campagne in 2000, wordt de ideologische kern van de GOP van vandaag gekenmerkt door absolutisme, niet door conservatisme. Er is het absolutisme van de vrije markt, met als ideologie: geen belastingen, geen regels en geen opvangnet, zelfs geen overheid die verder gaat dan wat noodzakelijk is om het privébezit te beschermen en het leger te onderhouden.

Er is ook het religieuze absolutisme van de rechtse christenen, een beweging die vaste grond onder de voeten kreeg op het ontegenzeggelijk moeilijke terrein abortus, maar die algauw opbloeide tot een veel bredere beweging, die niet alleen eist dat in Amerika het christendom de dominante godsdienst is, maar ook dat één bepaalde fundamentalistische denominatie van dat geloof het overheidsbeleid moet bepalen zonder acht te slaan op enige andere bron van inzicht, of dat nu de geschriften zijn van progressieve theologen, de onderzoeksresultaten van de Nationale Academie van Wetenschappen of de woorden van Thomas Jefferson.

En er is het absolute geloof in het gezag van de meerderheid, of in elk geval van hen die de macht opeisen uit naam van de meerderheid, met een verachting voor de door de samenleving ingebouwde controles (justitie, de grondwet, de pers, de Geneefse Conventies, de regels van de Senaat of de tradities bij het herindelen in kiesdistricten) die onze onstuitbare opmars naar het Nieuwe Jeruzalem zouden kunnen vertragen.

Natuurlijk zijn er in de Democratische Partij mensen die neigen tot eenzelfde fanatisme. Maar deze mensen zijn nooit in de buurt geweest van de macht van een Rove of een DeLay – zij konden niet de partij overnemen, haar volstoppen met gelijkgezinden en hun radicale gedachtegoed tot wet verheffen. De grote invloed van regionale, etnische en economische verschillen in de partij; de electorale landkaart en de samenstelling van de Senaat; en de behoefte om geld voor verkiezingscampagnes te werven bij de economische elite: dit alles zorgt er gewoonlijk voor dat Democraten in een openbaar ambt niet te ver van het politieke centrum afdwalen. Eigenlijk ken ik maar heel weinig Democratische verkozen functionarissen die lijken op de linkse karikatuur. Ook John Kerry gelooft dat Amerika zijn militaire superioriteit in stand moet houden, ook Hillary Clinton gelooft in de deugden van het kapitalisme en vrijwel ieder zwart Congreslid gelooft dat Jezus Christus voor zijn of haar zonden is gestorven.

Wat wij Democraten wel zijn, is in verwarring. Er zijn er die nog steeds het oude geloof verkondigen, die elk New Deal- of Great Society-programma tegen aantasting door de Republikeinen verdedigen en daarbij honderd procent steun krijgen van de linkse belangengroepen. Maar dit zijn achterhoedegevechten, gevoerd vanuit de verdediging, zonder de energie en de nieuwe ideeën die nodig zijn om ons aan te passen aan de veranderende omstandigheden van de globalisering of de van de samenleving geïsoleerde oude wijken. Anderen volgen een koers van het midden – als we het verschil delen met de conservatieve machthebbers, dat is toch redelijk, denken ze, en ze zien niet in dat ze steeds meer terrein verliezen, jaar in, jaar uit. Individuele Democratische parlementariërs en kandidaten komen wel met een hoop goede, zij het wat marginale ideeën, over energie en over onderwijs, over de gezondheidszorg en de beveiliging tegen het terrorisme, in de hoop dat deze verzameling ideeën samen op een regeringsfilosofie lijkt.

Maar de Democratische partij is vooral een partij van de reactie geworden. Als reactie op een onbezonnen oorlog lijken we iedere militaire actie te wantrouwen. Als reactie op degenen die zeggen dat de vrije markt alle kwalen kan genezen, verzetten we ons tegen pogingen om marktwerking te gebruiken om dringende problemen aan te pakken. Als de religie buiten haar oevers treedt, stellen wij tolerantie gelijk aan secularisme, en doen we niets met de moraliteit die onze politiek een diepere inhoud zou kunnen helpen geven. Wij verliezen verkiezingen en dan hopen we dat de rechter de Republikeinse plannen zal tegenhouden. We verliezen in de rechtbank en dan wachten we op een schandaal in het Witte Huis.

En steeds meer hebben we het gevoel dat we de rechtse Republikeinen met hun eigen scherpe en keiharde speeltrant moeten bestrijden. Vandaag de dag redeneren veel belangengroepen en Democratische actievoerders ongeveer zo: de Republikeinse Partij heeft verkiezing na verkiezing weten te winnen, niet door haar achterban te vergroten, maar door vuil te spuiten over Democraten, door wiggen in het electoraat te drijven, door haar rechtervleugel te versterken en door wie van de partijlijn afwijkt, tot de orde te roepen. Als de Democraten ooit weer aan de macht willen komen, dan zullen ze het op dezelfde manier moeten aanpakken.

Ik begrijp de frustratie van deze mensen. De manier waarop de Republikeinen steeds winnen door de campagnes op de spits te drijven, is inderdaad indrukwekkend. Ik zie het gevaar dat schuilt in redelijk en genuanceerd zijn tegenover de passie van de conservatieve beweging. En als u het mij vraagt, is een oprechte verontwaardiging over het beleid van de regering-Bush op heel wat punten gerechtvaardigd.

Maar uiteindelijk geloof ik dat we de situatie verkeerd inschatten als we als Democraten een nog sterker partijgebonden en ideologische strategie willen gaan volgen. Ik ben hiervan overtuigd: als we overdrijven of demoniseren, als we zaken te simpel voorstellen of belangrijker maken dan ze zijn, dan verliezen we. Als we het politieke debat infantiliseren, verliezen we. Want dat we geen nieuwe oplossingen weten te bedenken voor de problemen in het land, komt nu juist door het streven naar ideologische zuiverheid, door de starre dogmatiek en de voorspelbaarheid van het politieke debat. Dat is wat ons gevangen houdt in of-of-denken: het idee dat er alleen een grote overheid kan zijn of helemaal geen, dat we óf moeten accepteren dat zesenveertig miljoen Amerikanen zonder ziektekostenverzekering rondlopen, óf naar een staatsgezondheidszorg moeten.

Het is dit dogmatische denken en deze sterke partijgebondenheid waardoor de mensen de politiek de rug hebben toegekeerd. Voor rechts is dit geen probleem: een gepolariseerd electoraat – of een electoraat dat van allebei de partijen niets moet hebben vanwege de hatelijke, onoprechte toon van het debat – pakt goed uit voor mensen die de hele overheid het liefst willen opdoeken. Want een cynische kiezer denkt alleen aan zichzelf.

Maar voor de mensen die vinden dat er een taak ligt voor de overheid bij het bevorderen van kansen en voorspoed voor alle Amerikanen, zal een gepolariseerd electoraat nooit werken. Een krappe Democratische meerderheid bewerkstelligen is niet waar het om gaat. Wat we nodig hebben is een brede meerderheid van alle Amerikanen – Democraten, Republikeinen en goedwillende onafhankelijken die zich verbinden aan het project van onze nationale vernieuwing, en die hun eigenbelang beschouwen als onlosmakelijk verbonden aan de belangen van anderen.

Ik koester niet de illusie dat het vormen van zo'n werkzame meerderheid makkelijk zal zijn. Maar dat is wel wat er gebeuren moet, juist omdat Amerika's problemen moeilijk op te lossen zijn. Er zullen moeilijke keuzes moeten worden gemaakt en offers moeten worden gebracht. De politieke leiders zullen moeten openstaan voor nieuwe ideeën en niet alleen voor nieuwe verpakkingen, anders krijgen we niet genoeg mensen mee voor een echt energiebeleid of om het begrotingstekort te beteugelen. Dan krijgen we niet genoeg steun van de bevolking voor een buitenlands beleid dat antwoorden heeft op de globalisering en het terrorisme zonder terug te vallen op isolationisme of uitholling van de burgerrechten. Dan krijgen we niet het mandaat om de gebrekkige Amerikaanse gezondheidszorg onder handen te nemen. En dan komen de brede politieke steun en de effectieve aanpak niet van de grond die nodig zijn om velen van onze medeburgers uit de armoede omhoog te trekken.

Ik hield ditzelfde betoog in een brief die ik in september 2005 stuurde naar de linkse weblog Daily Kos, nadat een aantal belangengroepen en actievoerders kritiek hadden geuit op een aantal van mijn Democratische collega-senatoren, die voor de benoeming van opperrechter John Roberts hadden gestemd. Mijn medewerkers waren daar niet zo voor; ik had zelf tegen Roberts' benoeming gestemd en ze zagen niet in waarom ik een luidruchtige vleugel van de Democratische achterban in de gordijnen moest jagen. Maar ik was de gedachtewisselingen via weblogs gaan waarderen. In de dagen nadat mijn brief was geplaatst, schreven meer dan zeshonderd mensen een reactie, echt in de geest van de democratie. Sommigen waren het met me eens. Anderen vonden me te idealistisch; het soort politiek dat ik voorstond kon nooit opboksen tegen de Republikeinse pr-machine. Een flinke groep dacht dat ik door de partijleiding in Washington was gestuurd om de onrust in de gelederen te bezweren, en/of dat ik al te lang in Washington zat en de voeling met de burgers aan het verliezen was, en/of dat ik, zoals een latere blogger het uitdrukte, gewoon niet goed snik was.

Misschien hadden de critici gelijk. Misschien valt er niet aan ons grote politieke schisma te ontkomen, aan de eindeloze tweegevechten, en is elke poging om de spelregels te veranderen tot mislukken gedoemd. Of misschien laat de trivialisering zich al niet meer terugdraaien, zodat de meeste mensen de politiek als een spektakel of een sport zien: de politici zijn dikbuikige gladiatoren en de mensen die er nog aandacht aan besteden zijn de supporters langs de kant. We verven ons gezicht rood of blauw en we juichen voor ons team en fluiten de tegenpartij uit, en als er een buitenspeldoelpunt of een overtreding nodig is om de tegenpartij te verslaan, dan moet dat maar, want winnen is het enige dat telt.

Maar ik geloof het niet. Ze zijn er, zeg ik tegen mezelf, de gewone burgers die opgegroeid zijn te midden van alle politieke en culturele conflicten, maar die, in elk geval in hun eigen leven, hebben leren omgaan met hun buren en met elkaar. Ik denk aan de blanke zuiderling, die in zijn jeugd zijn vader hoorde praten over nikkers dit en nikkers dat, maar die bevriend is geraakt met de zwarte jongens op kantoor en zijn eigen zoon anders wil opvoeden; die discriminatie verkeerd vindt, maar die ook niet inziet waarom de zoon van een zwarte arts makkelijker op de universiteit zou moeten worden toegelaten dan zijn eigen zoon. Of aan de vroegere Black Panther die nu in onroerend goed handelt en een paar panden in de buurt heeft gekocht, en die de drugsdealers die voor die panden rondhangen net zo zat is als hij de banken zat is die hem geen geld willen lenen om uit te breiden. Ik denk aan de feministe van middelbare leeftijd die nog steeds spijt heeft van haar abortus, aan de christelijke vrouw die de abortus van haar dochter heeft betaald, aan de miljoenen serveersters en tijdelijke secretaresses en verpleeghulpen en Wal-Martmedewerkers die zich elke maand afvragen of ze wel genoeg geld in hun portemonnee zullen hebben om de kinderen te voeden die ze wel op de wereld hebben gezet.

Ik denk dat die mensen zitten te wachten op een politiek die volwassen genoeg is om een evenwicht aan te brengen tussen idealisme en realisme; om een onderscheid te maken tussen wat wel en niet haalbaar is; om toe te geven dat het zo zou kunnen zijn dat de andere partij af en toe gelijk heeft. Ze begrijpen niet altijd de twisten tussen rechts en links, tussen conservatief en progressief, maar ze zien wel het verschil tussen dogma's en gezond verstand, tussen verantwoordelijkheid en onverantwoordelijkheid, tussen dingen die blijven en dingen die voorbijgaan.

Die mensen zitten te wachten tot de Republikeinen en de Democraten zich weer bij hen aansluiten.

HOOFDSTUK 2

Waarden

De eerste keer dat ik het Witte Huis zag, was in 1984. Ik was net afgestudeerd en werkte als opbouwwerker vanuit de campus Harlem van het City College in New York. President Reagan wilde toen bezuinigen op de studiefinanciering, dus ik verzamelde samen met een groep studentenleiders – de meesten waren zwart, Porto Ricaans of van Oost-Europese afkomst, en bijna allemaal waren ze de eersten in hun familie die studeerden – handtekeningen tegen de bezuinigingen die we gingen afleveren bij de New Yorkse afvaardiging in het Congres.

Het was een kort bezoek, waarbij we voornamelijk door de eindeloze gangen van het Rayburn Building zwierven. We werden door medewerkers die niet veel ouder waren dan ik, beleefd doch vluchtig ontvangen. Maar uiteindelijk wandelden de studenten en ik de Mall af en langs het Washington Monument, en daarna stonden we een paar minuten bij het Witte Huis te kijken. We stonden op Pennsylvania Avenue, een paar meter van het wachtgebouw van de mariniers bij de hoofdingang. Voetgangers liepen tussen ons door en achter ons raasde het verkeer voorbij. Ik bewonderde niet zozeer de mooie oprijlaan van het Witte Huis, maar verbaasde me er meer over dat het zo blootgesteld was aan het rumoer van de stad; en dat we zo dicht bij de poort mochten staan, en dat we om het perceel heen konden lopen om aan de andere kant naar de rozentuin en het woonhuis daarachter te kijken. De openheid van het Witte Huis zei iets over ons vertrouwen in de democratie, dacht ik. Het belichaamde de gedachte dat onze leiders niet heel andere mensen waren dan wij, dat ze onderworpen waren aan de wet en aan onze gemeenschappelijke goedkeuring.

Twintig jaar later was het niet zo eenvoudig om dicht bij het Witte Huis te komen. Controleposten, gewapende bewakers, busjes, spiegels, honden en intrekbare versperringen schermden nu een zone van twee straten rondom het Witte Huis af. Auto's reden niet meer zonder speciale toelating over Pennsylvania Avenue. Op een koude middag in januari, de dag voor mijn beëdiging in de Senaat, was Lafayette Park bijna leeg, en toen ik het sein kreeg dat ik door de poorten van het Witte Huis de oprijlaan op mocht rijden, voelde ik een moment van spijt over wat er teloor was gegaan.

Van binnen is het Witte Huis niet zo magnifiek als het lijkt op tv of in een film. Het maakt een goed onderhouden maar sleetse indruk, een groot oud huis waarvan je het gevoel hebt dat het een beetje tochtig is in koude winternachten. Maar toen ik in de hal stond en mijn ogen door de gangen liet dwalen, kon ik niet om de geschiedenis heen die hier geschreven was. John en Bobby Kennedy die beraadslagen over de Cubacrisis; Franklin D. Roosevelt die op het laatste moment nog wat verandert aan een radiorede; Lincoln die alleen door de vertrekken loopt met het gewicht van een natie op zijn schouders. (Pas een paar maanden later kreeg ik Lincolns slaapkamer te zien, een bescheiden vertrek met antieke meubels, een hemelbed, een origineel exemplaar van de Gettysburgrede dat er discreet wordt getoond achter glas – en op een van de bureaus een grote flatscreen-tv. Wie, vroeg ik me af, zapt naar de sportzender als hij logeert in Lincolns slaapkamer?)

Ik werd begroet door een juridisch medewerker van het Witte Huis en de Gouden Kamer binnengeleid, waar de meeste nieuwe leden van het Huis en de Senaat al verzameld waren. Om vier uur precies werd president Bush aangekondigd en liep hij het podium op. Hij zag er energiek en fit uit, met die vlotte, besliste tred die zegt dat hij nog meer te doen heeft en zo min mogelijk afgeleid wil worden. Hij sprak een minuut of tien tot de zaal, maakte een paar grapjes, riep het land op tot eenheid en noodde ons toen naar de andere kant van het Witte Huis voor een hapje en een drankje en een foto met hem en de First Lady.

Ik rammelde op dat moment van de honger, dus terwijl de meeste andere volksvertegenwoordigers in de rij gingen staan voor hun foto, ging ik op het buffet af. Terwijl ik me te goed deed aan de hapjes en een praatje maakte met enkele leden van het Huis van Afgevaardigden, dacht ik aan de vorige twee keren dat ik met de president te maken had gehad.

De eerste keer was een korte telefonische felicitatie na mijn verkiezing, de tweede een klein ontbijt op het Witte Huis met mij en de andere nieuwe senatoren. Allebei de keren vond ik de president een aardige vent, intelligent en gedisciplineerd, maar rechtdoorzee in de omgang, zoals hij twee keer de verkiezingen had gewonnen. Je kon je hem goed voorstellen als eigenaar van het autobedrijf verderop, of als coach van het jeugdelftal of achter de barbecue in zijn achtertuin – prima gezelschap zolang het gesprek over sport en de kinderen gaat.

Maar er was een moment tijdens het ontbijt geweest, na de klopjes op de rug en de gesprekjes over ditjes en datjes, toen iedereen aan tafel zat, en vicepresident Cheney onverstoorbaar zijn *eggs benedict* at en Karl Rove aan het andere einde van de tafel onopvallend zijn BlackBerry bestudeerde, dat ik een andere kant van hem zag. De president zette zijn plannen voor zijn tweede termijn uiteen – voornamelijk een herhaling van zijn campagnepunten: dat het belangrijk was het roer recht te houden in Irak en de antiterrorismewet te vernieuwen, dat de sociale zekerheid en het belastingstelsel moesten worden hervormd, dat hij een stemming zonder vertragingstactieken wilde over zijn gerechtelijke benoemingen – toen het plotseling wel leek alsof iemand in een achterkamer een schakelaar had omgezet. De ogen van de president verstarden; hij begon opgewonden, snel te praten, zoals iemand die niet gewend en er ook niet van gediend is om in de rede te worden gevallen; zijn beminnelijkheid maakte plaats voor een bijna messiaanse overtuigdheid. Terwijl ik zag hoe mijn vooral Republikeinse collega-senatoren aan zijn lippen hingen, moest ik eraan denken dat macht gevaarlijk kan isoleren, en was ik de pioniers van de natie dankbaar dat ze een stelsel hebben ontworpen waarin de macht in toom wordt gehouden.

'Senator?'

Ik keek op, opgeschrikt uit mijn gedachten. Een van de zwarte bedienden van het Witte Huis stond naast me.

'Zal ik uw bord meenemen?'

Ik knikte, terwijl ik een mond vol kip probeerde door te slikken, en zag dat de rij van mensen die de president een hand wilden geven verdwenen was. Ik wilde de gastheer en gastvrouw bedanken en liep naar de Blauwe Kamer, maar een jonge marinier bij de deur maakte me beleefd duidelijk dat de fotosessie voorbij was en dat de president naar zijn volgende afspraak moest. Maar voor ik weg kon gaan, verscheen de president zelf in de deuropening en hij wenkte me naar binnen.

'Obama!' zei de president, terwijl hij mij de hand schudde. 'Kom binnen. Heb je Laura al ontmoet? Laura, dit is Obama, je weet wel. We zagen hem op tv op de verkiezingsavond. Geweldig leuk gezin. En die vrouw van je is een indrukwekkende dame.'

'We hebben allebei meer gekregen dan we verdienen, meneer de president,' zei ik, terwijl ik de First Lady een hand gaf en hoopte dat ik de kruimels van mijn gezicht had geveegd. De president wendde zich tot een medewerker, die een grote klodder handreiniger in zijn hand spoot.

'Wil je ook wat?' vroeg de president. 'Goed spul. Voorkomt dat je kou vat.'

Ik wilde niet onhygiënisch overkomen en nam een klodder in ontvangst.

'Loop even mee,' zei hij en leidde me naar een kant van de kamer. 'Weet je,' zei hij, 'hopelijk vind je het niet erg als ik je een raad geef.'

'Zeker niet, meneer de president.'

Hij knikte. 'Je hebt een mooie toekomst voor je,' zei hij. 'Een hele mooie toekomst. Maar ik loop al even mee hier in de stad en laat ik je dit zeggen: het valt soms niet mee. Als je in de belangstelling staat zoals jij gestaan hebt, gaan mensen je onder vuur nemen. En dat hoeft niet alleen van mijn kant te zijn, begrijp je. Ook van je eigen kant. Ze zitten allemaal te wachten tot je iets verkeerd doet, weet je wel? Dus pas goed op jezelf.'

'Dank u wel voor deze raad, meneer de president.'

'Goed zo. Ik moet er vandoor. Weet je dat we iets gemeen hebben, jij en ik?'

'Wat dan?'

'We moesten allebei in debat met Alan Keyes. Die vent is me er eentje, hè?'

Ik lachte, en terwijl we naar de deur liepen vertelde ik hem een paar anekdotes over de campagne. Pas toen hij de kamer uit was, besefte ik dat ik mijn arm kort op zijn schouder had gelegd terwijl we praatten – iets wat ik onbewust doe, maar ik denk dat in dit geval mijn vrienden er de wenkbrauwen over zouden hebben gefronst, om maar te zwijgen van de agenten van de geheime dienst in de kamer.

Sinds ik in de Senaat zit, ben ik een constante en soms felle criticus geweest van het beleid van de regering-Bush. Ik acht zijn belastingverlagingen voor de rijken zowel begrotingstechnisch onverantwoordelijk als moreel aanvechtbaar. Ik heb de regering verweten geen serieuze ideeën te hebben over de gezondheidszorg, geen echt energiebeleid, geen strategie om Amerika concurrerender te maken. In 2002, kort voor ik bekendmaakte dat ik de Senaat in wilde, hield ik een toespraak op een van de eerste antioorlogsdemonstraties in Chicago. Ik zette vraagtekens bij de bewijzen die de regering had van massavernietigingswapens en voorspelde dat een invasie in Irak een dure vergissing zou zijn. Niets uit het nieuws dat de laatste tijd uit Bagdad of de rest van het Midden-Oosten komt, wijst erop dat ik ongelijk had.

Dus zijn Democratische toehoorders vaak verbaasd als ik ze zeg dat ik George Bush niet als een slechte vent zie, en dat ik ervan uitga dat hij en de leden van zijn regering doen wat ze denken dat het beste voor het land is.

Ik zeg dit niet omdat ik bedwelmd ben door de nabijheid van de macht. Ik kan mijn uitnodigingen naar het Witte Huis in het juiste licht zien – het zijn uitingen van gangbare politieke hoffelijkheid, en ik besef hoe snel de lange messen tevoorschijn kunnen komen als de plannen van de regering in gevaar komen. Bovendien, als ik weer eens een brief schrijf aan een familie die een dierbare heeft verloren in Irak, of een e-mail krijg van een kiezer die haar studie heeft moeten staken omdat haar toelage is verlaagd, dan besef ik dat de daden van machthebbers grote gevolgen hebben – gevolgen die zij zelf bijna nooit hoeven te ondergaan.

Ik zeg wel dat ik, als ik al het uiterlijke vertoon van het ambt wegdenk – de titels, het personeel en de beveiliging – de president en de mensen om hem heen dan niet veel anders ervaar dan wie dan ook. Ook zij hebben hun goede en minder goede kanten, hun dingen waarover ze onzeker zijn en hun oude wonden, net als ieder van ons. Hoe verkeerd ik hun beleid ook vind – en hoezeer ik ze ook aansprakelijk stel voor de gevolgen ervan –, als ik met deze mannen en vrouwen praat, kan ik wel begrijpen wat ze ermee voor hebben en herken ik er waarden in die ik met ze deel.

Het valt niet mee om je zo op te stellen in Washington. De belangen die met de debatten in Washington gemoeid zijn, zijn vaak zo groot – of we onze jonge mannen en vrouwen de oorlog in sturen; of we stamcelonderzoek toelaten – dat ook kleine verschillen in zienswijze uitvergroot worden. De vereiste loyaliteit aan de partijlijn, de verplichtingen van de verkiezingscampagnes en het inzoomen op meningsverschillen door de media, dat alles schept een sfeer van achterdocht. Bovendien zijn de meeste mensen die in Washington zitten, juridisch of politiek geschoold – het zijn beroepsmensen die meer gericht zijn op het winnen van een debat dan op het oplossen van een probleem. Ik zie wel hoe je, als je een tijdje in de hoofdstad meedraait, het gevoel kunt krijgen dat degenen die het niet met je eens zijn, heel andere waarden hebben dan jij – dat ze te kwader trouw en misschien zelfs slechte mensen zijn.

Buiten Washington lijkt Amerika minder diep verdeeld. Illinois bijvoorbeeld wordt niet langer als graadmeter voor het hele land beschouwd. Sinds meer dan tien jaar wordt de staat steeds Democratischer, deels als gevolg van de toenemende verstedelijking, deels omdat het sociale conservatisme van de GOP van tegenwoordig niet goed valt in het land van Lincoln. Maar toch blijft Illinois een microkosmos van Amerika, een hutspot van het noorden en het zuiden, van het oosten en het westen, van stedelijk en landelijk, van zwart en wit en van alles ertussenin. Chicago heeft alle kosmopolitische verfijning van Los Angeles of New York, maar geografisch en cultureel ligt het zuiden van Illinois dichter bij Little Rock of Louisville, en grote delen van de staat zijn, in het moderne politieke spraakgebruik, tot in de vezels rood gekleurd [Republikeins – *vert.*].

In 1997 reisde ik voor het eerst door het zuiden van Illinois. Het was de zomer na mijn eerste termijn in het parlement van Illinois. Michelle en ik hadden nog geen kinderen. Het parlement was met reces, ik hoefde geen colleges te geven aan de rechtenfaculteit en Michelle had het druk met haar eigen werk. Ik kreeg mijn persoonlijk medewerker, Dan Shomon, zover dat we een wegenkaart en een zak golfclubs in de auto gooiden en een week door de staat zouden gaan toeren. Dan was verslaggever voor UPI geweest en coördinator van verschillende verkiezingscampagnes in het zuiden van de staat, dus hij kende het gebied behoorlijk goed. Maar toen de dag van ons vertrek naderde, bleek dat hij er niet zo zeker van was hoe ik zou worden ontvangen in de districten die we wilden bezoeken. Wel vier keer herinnerde hij me eraan wat ik moest meenemen – katoenen broeken en poloshirts, zei hij, geen chique linnen broeken of zijden overhemden. Ik legde hem uit dat ik die niet had. Op de weg erheen stopten we bij een TGI Friday's en ik bestelde een cheeseburger. Toen de serveerster het eten kwam brengen, vroeg ik of ze dijonmosterd had. Dan schudde zijn hoofd.

'Hij hoeft geen dijon,' zei hij, de serveerster wegwuivend. Hij schoof een gele fles French's Mustard naar me toe. 'Hier heb je mosterd.'

De serveerster wist niet wat ze ervan moest denken. 'We hebben dijon als u wilt,' zei ze tegen me.

Ik glimlachte. 'Heel graag, dank je.' Terwijl ze wegliep, boog ik me naar Dan toe en fluisterde dat er volgens mij geen fotografen in de buurt waren.

We reisden dus rond, waarbij we eens per dag stopten om in de drukkende hitte een partijtje te golfen. We reden langs kilometers korenvelden en dichte essen- en eikenbossen en glinsterende meren omzoomd door boomstronken en riet, en we kwamen door grote plaatsen als Carbondale en Mount Vernon, bezaaid met winkelcentra en Wal-Marts, en door kleine plaatsen als Sparta en Pinckneyville, vaak met een bakstenen provinciehuis in het midden en met zieltogende winkelstraten waar de helft van de winkels gesloten was, en stalletjes langs de kant van de weg die verse perziken of maïskolven verkochten, of, in het geval van een echtpaar dat ik zag, 'Vuurwapens en zwaarden voor mooie prijzen'.

We stopten bij een eetcafé om gebak te eten met de burgemeester van Chester. We poseerden voor het vijf meter hoge standbeeld van Superman in het centrum van Metropolis. We hoorden over jongeren die naar de grote steden trokken omdat de banen in de industrie en in de kolenmijnen verdwenen. We werden geïnformeerd over de kansen van de footballploegen van de plaatselijke middelbare scholen in het nieuwe seizoen, en over de grote afstanden die oorlogsveteranen moesten afleggen naar de dichtstbijzijnde veteranenkliniek. We ontmoetten vrouwen die zendeling waren geweest in Kenia en me begroetten in het Swahili, en boeren die de financiële pagina's van de *Wall Street Journal* checkten voor ze op hun trekker klommen. Meermalen per dag wees ik Dan op de mannen in witte linnen broeken of zijden Hawaii-overhemden die we tegenkwamen. In de kleine eetkamer van een Democratische partijfunctionaris in Du Quoin vroeg ik de plaatselijke officier van justitie naar de criminele trends in zijn bijna geheel blanke plattelandsdistrict – ik verwachtte dat hij zou beginnen over joyriden of jagen buiten het seizoen.

'De Gangster Disciples,' zei hij, terwijl hij aan een wortel knabbelde. 'We hebben hier een blanke afdeling – jongens zonder werk die drugs en speed verkopen.'

Aan het einde van die week vond ik het jammer dat ik wegging. Niet omdat ik zoveel nieuwe vrienden had gemaakt, maar omdat ik iets van mezelf herkende in de gezichten van al die mannen en vrouwen. Ik zag de openheid van mijn opa, de nuchterheid van mijn oma, de vriendelijkheid van mijn moeder. De gebraden kip, de aardappelsalade, de halve druiven in de Jell-O-puddingvorm, het voelde allemaal vertrouwd.

Het is dat vertrouwde gevoel dat over me komt als ik door Illinois reis. Ik voel het als ik in een restaurantje zit in de West Side van Chicago. Ik voel het als ik latino's zie voetballen in een park in Pilsen, terwijl hun familie ze toejuicht. Ik voel het als ik een Indiase bruiloft bijwoon in een noordelijke buitenwijk van Chicago.

Niet ver onder de oppervlakte krijgen we steeds meer met elkaar gemeen, denk ik, en niet minder.

Ik wil niet overdrijven als ik dat zeg, ik wil niet zeggen dat de peilingen ernaast zitten en dat onze verschillen – etnisch, godsdienstig, regionaal of economisch – niets voorstellen. In Illinois is abortus een heet hangijzer, net als overal. In sommige delen van de staat is het heiligschennis om het woord wapenvergunning in de mond te nemen. De meningen over alles, van de inkomstenbelasting tot seks op tv lopen van plaats tot plaats enorm uiteen.

Ik zeg wel dat door heel Illinois en door heel Amerika een voortdurende kruisbestuiving plaatsvindt, een niet geheel ordelijke maar veelal vreedzame aanraking tussen mensen en culturen. Identiteiten worden door elkaar geklutst en klonteren op nieuwe manieren samen. Overtuigingen laten zich niet vangen in het net van de voorspelbaarheid. Oppervlakkige verwachtingen en makkelijke verklaringen worden voortdurend omvergekegeld. Als je de tijd neemt om echt met Amerikanen te praten, dan merk je dat de meeste evangelische christenen toleranter en de meeste onkerkelijken spiritueler zijn dan de media ons willen doen geloven. De meeste rijke mensen zien graag dat de armen vooruitkomen, en de meeste armen hebben meer zelfkritiek en meer ambitie dan algemeen wordt aangenomen. De meeste Republikeinse bolwerken zijn voor veertig procent Democratisch, en andersom. De politieke etiketten progressief en conservatief dekken maar zelden hoe mensen in elkaar zitten.

Hetgeen de vraag opwerpt: wat zijn de kernwaarden die wij als Amerikanen gemeen hebben? Dat is uiteraard niet hoe we de zaak gewoonlijk bekijken; onze politieke cultuur kijkt juist waar onze waarden botsen. Meteen na de verkiezingen van 2004 werd bijvoorbeeld een grote landelijke opiniepeiling gepubliceerd waarin de kiezers aangaven dat 'morele waarden' hun stem hadden bepaald. Commentatoren stortten zich op de gegevens en concludeerden dat de meest omstreden sociale kwesties in deze verkiezingen – vooral het homohuwelijk – een aantal staten hadden doen omslaan. De conservatieven verwelkomden de cijfers, ervan overtuigd dat ze de toenemende macht van christelijk rechts bewezen.

Toen deze peiling later geanalyseerd werd, bleek dat de deskundigen en de voorspellers een beetje te stellig waren geweest. In werkelijkheid had de kiezer de nationale veiligheid als het belangrijkste verkiezingsonderwerp beschouwd, en hoewel grote aantallen kiezers 'morele waarden' wel beschouwden als een belangrijke factor in hun stemgedrag, was de betekenis van deze term zo vaag dat hij alles omvatte van abortus tot fraude in het bedrijfsleven. Onmiddellijk kon je sommige Democraten een zucht van verlichting horen slaken, alsof het in het voordeel van de progressieven zou werken als waarden een minder grote rol speelden; alsof een discussie over onze waarden ons op gevaarlijke en onnodige wijze zou afleiden van de materiële zaken die centraal stonden in het Democratische partijprogramma.

Ik denk dat de Democraten fout zitten als ze weglopen voor een debat over waarden, net zo fout als de conservatieven, die waarden alleen maar als een wig zien waarmee ze de kiezers uit de werkende klasse bij de Democraten kunnen los wrikken. Mensen gebruiken de taal van waarden om hun wereld in kaart te brengen. Waarden kunnen hen motiveren om in actie te komen en zich los te maken uit hun afzondering. De vraagstelling bij die exitpoll deugde niet, maar de bredere vraag wat onze gemeenschappelijke waarden zijn – de normen en principes die de meerderheid van de Amerikanen belangrijk acht in hun leven en in het leven van de natie –, dat zou de hoeksteen van de politiek moeten zijn, de hoeksteen van elk zinnig debat over begrotingen en projecten, over regelgeving en beleid.

'Wij vinden het vanzelfsprekend dat alle mensen gelijk geschapen zijn, dat zij van hun Schepper onvervreemdbare rechten gekregen hebben en dat in deze rechten zijn begrepen leven, vrijheid en het nastreven van geluk.'

Deze eenvoudige woorden zijn het vertrekpunt voor ons Amerikanen; ze omschrijven niet alleen het fundament van onze overheid, maar ook het wezen van ons gemeenschappelijk credo. Niet iedere Amerikaan kan ze misschien zo opzeggen, en weinig mensen zouden desgevraagd de oorsprong van onze Onafhankelijkheidsverklaring kunnen plaatsen in het 18e-eeuwse gedachtegoed, dat zowel progressief was als republikeins. Maar de kerngedachte achter deze verklaring is er een die iedere Amerikaan begrijpt – dat we als vrij mens geboren worden, ieder van ons; dat we allemaal op aarde komen met een bundel rechten die ons door geen enkele persoon of staat kan worden afgenomen zonder goede rechtvaardiging; en dat we op eigen kracht iets van ons leven kunnen en moeten maken. Dit is ons baken, dit is wat onze koers bepaalt, elke dag weer.

Onze individuele vrijheid is een waarde die zo in ons gebakken zit dat we haar als vanzelfsprekend beschouwen. We vergeten maar al te makkelijk dat toen de Verenigde Staten gesticht werden, dat idee uitermate radicaal was, even radicaal als de stellingen die Luther op de kerkdeur spijkerde. Het is een idee dat in een deel van de wereld nog steeds wordt afgewezen, en dat voor een nog groter deel van de mensheid in het dagelijks leven niet opgaat.

Dat ik zoveel waardering heb voor onze Bill of Rights* komt in niet onbelangrijke mate doordat ik mijn kindertijd deels in Indonesië heb doorgebracht, en nog steeds familie in Kenia heb. Dit zijn landen waar de individuele rechten vrijwel helemaal afhangen van de zelfbeheersing van legergeneraals of de grillen van corrupte bureaucraten. Ik weet nog goed dat ik Michelle voor het eerst meenam naar Kenia, kort voor we trouwden. Als zwarte Amerikaanse kon ze niet wachten om het continent van haar voorouders te bezoeken, en we hadden er een heerlijke tijd. We bezochten mijn grootmoeder in het binnenland, wandelden door de straten van Nairobi, kampeerden in de Serengeti en visten bij het eiland Lamu.

* Het deel van de Amerikaanse grondwet waarin de burgerrechten geregeld worden. – *vert.*

Maar op onze reis werd Michelle er ook mee geconfronteerd, net als ik op mijn eerste reis naar Afrika, dat de meeste Kenianen het vreselijke gevoel hebben dat ze hun lot niet in eigen hand hebben. Mijn neven vertelden haar hoe moeilijk het was een baan te vinden of voor zichzelf te beginnen zonder steekpenningen te betalen. Activisten vertelden ons dat ze de gevangenis in gingen als ze bezwaren uitten tegen het regeringsbeleid. Zelfs in mijn eigen familie zag Michelle hoe knellend familiebanden en stamverbanden kunnen zijn – verre neven vroegen voortdurend om gunsten, ooms en tantes kwamen zonder aankondiging op bezoek. Tijdens de vlucht terug naar Chicago gaf Michelle toe dat ze blij was dat ze weer naar huis ging. 'Ik heb nooit beseft hoe Amerikaans ik eigenlijk ben,' zei ze. Ze had nooit beseft hoe vrij ze was – en hoe dierbaar die vrijheid haar was.

Op het meest elementaire niveau begrijpen we in negatieve zin wat onze vrijheid is. In het algemeen geloven we in het recht om met rust gelaten te worden en we wantrouwen mensen – of ze nu van de overheid zijn of nieuwsgierige buren – die hun neus in onze zaken steken. Maar we begrijpen ook in positievere zin wat vrijheid is, want we geloven in het benutten van kansen en in de bijbehorende waarden die ons helpen om daarin te slagen, de traditionele volkswaarden die Benjamin Franklin verbreidde met zijn *Poor Richard's Almanack*, en die onze burgerzin door de generaties heen zijn blijven inspireren. De waarde van zelfredzaamheid en de waarde van zelfverbetering. De waarden doorzettingsvermogen, discipline, gematigdheid en hard werken. De waarden spaarzaamheid en persoonlijke verantwoordelijkheid.

Deze waarden zijn verankerd in fundamenteel levensoptimisme en geloof in de vrije wil – het geloof dat ieder van ons, met durf en zweet en hersens, kan uitstijgen boven de omstandigheden waarin hij of zij geboren is. Maar deze waarden drukken ook het bredere vertrouwen uit dat onze maatschappij wel zal varen zolang afzonderlijke mannen en vrouwen in vrijheid hun eigen belangen kunnen nastreven. De legitimiteit van onze overheid en onze economie hangen af van de mate waarin deze waarden worden beloond. Dit is de reden dat de waarden gelijke kansen en gelijke behandeling onze vrijheid vervolledigen en niet inperken.

Wij Amerikanen zijn individualistisch van aard, we voelen wrijving met een verleden vol stammenverbanden, tradities, gebruiken en kasten.

Maar het zou een vergissing zijn te denken dat we alleen maar dat zijn. Ons individualisme is altijd begrensd door een aantal gemeenschappelijke waarden: het cement in elke gezonde samenleving. We hechten waarde aan familiebanden, waaruit verplichtingen voortvloeien jegens de generaties voor en na ons. We hechten waarde aan gemeenschapszin, aan het nabuurschap dat zich uit in het samen bouwen van de schuur* of in het begeleiden van een voetbalteam. We hechten waarde aan vaderlandsliefde en aan de verplichtingen van ons staatsburgerschap, een gevoel van dienstbaarheid en opofferingsgezindheid jegens ons land. We hechten waarde aan het geloof in iets dat groter is dan wijzelf, of dat iets zich nu uit in een formele religie of in ethische leefregels. En we hechten waarde aan de gedragingen waarin we onze achting voor elkaar uitdrukken: eerlijkheid, redelijkheid, menselijkheid, vriendelijkheid, hoffelijkheid en barmhartigheid.

In elke samenleving (en in elk individu) bestaan er spanningen tussen deze twee bestanddelen – het individuele en het gemeenschappelijke, zelfstandigheid en solidariteit. Het is een van de zegeningen van Amerika dat de omstandigheden waarin dit land geboren is, ons in staat stelden om beter met deze spanningen om te gaan dan veel andere naties. Wij hoefden niet de gewelddadige omwentelingen te doorstaan die Europa moest ondergaan om zijn feodale verleden van zich af te schudden. Onze overgang van een agrarische naar een industriële samenleving werd makkelijker gemaakt door de omvang van het Amerikaanse continent; dankzij oneindige lappen land en overvloedige natuurlijke hulpbronnen konden nieuwe immigranten steeds opnieuw beginnen.

Maar wij kunnen die spanningen niet helemaal ontlopen. Af en toe botsen onze waarden, want in mensenhanden staan deze waarden bloot aan ontwrichting en aan excessen. Zelfredzaamheid en onafhankelijkheid kunnen omslaan in egoïsme en losbandigheid, ambitie in hebzucht en een koortsachtig verlangen om tegen elke prijs te slagen. In onze geschiedenis hebben we meer dan eens gezien dat vaderlandsliefde afgleed tot chauvinisme, xenofobie en onderdrukking van andersdenkenden, en hoe geloof verkalkte tot zelfingenomenheid, kortzichtigheid en wreedheid jegens anderen. Zelfs liefdadigheid kan omslaan in een wurgend

* Bij het bouwen van de boerenschuur voor een (nieuw) gezin hielp in Amerika traditioneel de hele buurt. – *vert.*

paternalisme, in onwil om te erkennen dat anderen best voor zichzelf kunnen zorgen.

Als dit gebeurt – als een bedrijf zich op de vrijheid beroept als excuus voor het lozen van gif in onze rivieren, of als onze gemeenschappelijke behoefte aan winkelvoorzieningen wordt aangevoerd om de sloop van iemands huis te rechtvaardigen –, dan hebben we het tegenwicht van andere waarden nodig om tot een evenwichtige beoordeling te komen en excessen te voorkomen.

Soms is het betrekkelijk makkelijk om de juiste balans te vinden. Iedereen is het er bijvoorbeeld over eens dat de maatschappij het recht heeft de individuele vrijheid in te perken als die anderen kwaad dreigt te doen. De vrijheid van meningsuiting geeft je niet het recht om 'brand!' te roepen in een vol theater; je recht om je godsdienst uit te oefenen gaat niet zover dat je mensenoffers mag brengen. Zo zijn we het er ook allemaal over eens dat er grenzen moeten zijn aan de macht van de staat om ons gedrag te beïnvloeden, ook als die voor onze eigen bestwil is. Weinig Amerikanen zouden het prettig vinden als de overheid bijhield wat we aten, ook al gaan er nog zoveel mensen dood aan overgewicht en veroorzaakt dit nog zulke hoge medische kosten.

Maar meestal is het moeilijk de juiste balans te vinden tussen tegenstrijdige waarden. Spanningen doen zich niet voor omdat we een verkeerde koers hebben gevolgd, maar gewoon omdat we in een ingewikkelde wereld vol tegenstrijdigheden leven. Sinds 11 september zijn we in de strijd tegen het terrorisme onstandvastig omgesprongen met de beginselen van de grondwet. Maar ik geef toe dat zelfs een heel wijze president en een heel verstandig Congres zouden worstelen met de afweging tussen het cruciale belang van onze gemeenschappelijke veiligheid en de even dwingende noodzaak de burgerlijke vrijheden hoog te houden. Ik vind dat ons economische beleid te weinig aandacht heeft voor de verplaatsing van fabrieksarbeid en de uitzichtloze toestand van fabriekssteden. Maar ik kan ook niet doen alsof de soms tegenstrijdige belangen van economische zekerheid en de noodzaak om concurrerend te blijven niet bestaan.

Helaas komen we in onze nationale debatten vaak niet eens toe aan deze moeilijke afwegingen. In plaats daarvan overdrijven we ofwel de mate waarin beleid dat ons niet aanstaat inbreuk maakt op onze heiligste waarden, of we houden ons dom als het beleid van onze eigen voorkeur botst met belangrijke waarden van anderen. De conservatieven reageren gewoonlijk als door een wesp gestoken als het gaat over overheidsingrijpen op de vrije markt of aantasting van hun recht om wapens te dragen. Maar veel van diezelfde conservatieven maken zich nauwelijks druk als de overheid mensen afluistert zonder vergunning of probeert hun seksuele gewoonten te beïnvloeden. Andersom zijn de meeste progressieven makkelijk op de kast te krijgen als het gaat om de aantasting van de persvrijheid of het recht van vrouwen om zich al of niet voort te planten. Maar als je diezelfde progressieven wijst op de kosten van regelgeving voor een kleine ondernemer, dan staren ze je vaak niet-begrijpend aan.

In een land dat zo divers is als Amerika zal er altijd een verhit debat zijn over de vraag waar de invloedssfeer van de overheid moet ophouden. Dat is hoe onze democratie werkt. Maar onze democratie zou wellicht een beetje beter werken als we erkenden dat ieder van ons waarden heeft die gerespecteerd verdienen te worden. We zouden een stukje verder zijn als de progressieven tenminste toegaven dat voor een hobbyjager zijn geweer hetzelfde betekent als voor hen de boeken in hun kast; en als de conservatieven inzagen dat de meeste vrouwen hun recht om baas in eigen buik te zijn net zo belangrijk vinden als evangelische christenen hun recht om te bidden.

Als je met de ander meedenkt, zijn de resultaten vaak verrassend. In het jaar dat de Democraten de meerderheid terugkregen in de senaat van Illinois, diende ik een wetsvoorstel in om verplicht te stellen dat ondervragingen en bekentenissen van verdachten die de doodstraf kunnen krijgen op video vastgelegd worden. Het is genoegzaam aangetoond dat de doodstraf criminelen nauwelijks afschrikt, maar ik geloof dat sommige misdrijven – massamoord, kinderverkrachting en -moord – zo gruwelijk, zo buiten alle perken zijn dat de gemeenschap het recht heeft zijn grote verontwaardiging uit te drukken door de ultieme straf op te leggen. Aan de andere kant ging er destijds bij de berechting van halsmisdrijven in Illinois zoveel mis – dubieuze politiemethoden, raciale vooroordelen en een ondeugdelijke rechtsgang – dat dertien gevangenen in de dodencel alsnog werden vrijgesproken en een Republikeinse gouverneur besloot alle executies uit te stellen.

Hoewel de berechting van halsmisdrijven hard aan herziening toe leek, gaven weinigen mijn wetsvoorstel veel kans. Het openbaar ministerie en de politie waren fel tegen; ze zeiden dat het vastleggen op video duur en onhandig was en de afronding van zaken zou frustreren. Sommige tegenstanders van de doodstraf vreesden dat een hervorming de aandacht zou afleiden van de afschaffing. Mijn collega-senatoren waren bang om de indruk te wekken dat ze de misdaad niet hard genoeg aanpakten. En de nieuwe Democratische gouverneur had zich in zijn campagne tegen het vastleggen op video uitgesproken.

Het zou typerend zijn geweest voor de politiek van vandaag de dag als beide partijen hun hakken in het zand hadden gezet; als de tegenstanders van de doodstraf een klaagzang hadden gehouden over racisme en politionele misstanden, en als politie en justitie hadden beweerd dat mijn wet misdadigers in de watten legde. In plaats daarvan kwamen we in een tijd van een aantal weken soms dagelijks bijeen, met openbare aanklagers, advocaten, politieorganisaties en tegenstanders van de doodstraf. We hielden onze besprekingen zo veel mogelijk uit de pers.

Ik richtte me niet op de grote meningsverschillen die om de tafel bestonden, maar sprak over de waarde die we volgens mij allemaal gemeenschappelijk hadden, hoe we ook dachten over de doodstraf: namelijk het beginsel dat niemand onschuldig in de dodencel mag belanden en dat niemand die schuldig is aan een halsmisdrijf vrijuit mag gaan. Toen de politievertegenwoordigers concrete bezwaren tegen punten in het wetsvoorstel aanvoerden die onderzoeken zouden belemmeren, pasten we de wet aan. Toen de politievertegenwoordigers voorstelden alleen bekentenissen vast te leggen, hielden wij onze poot stijf. We legden uit dat de wet de bedoeling had het publiek het vertrouwen te geven dat bekentenissen zonder dwang werden verkregen. Aan het einde van de rit had het wetsvoorstel de steun van alle betrokken partijen. De senaat van Illinois nam het unaniem aan en het werd tot wet verheven.

Natuurlijk werkt een dergelijke benadering van beleid maken niet altijd. Soms zitten politici en belangengroepen op een conflict te wachten, omdat ze een hoger ideologisch doel nastreven. De meeste antiabortusactivisten hebben hun medestanders onder de volksvertegenwoordigers openlijk afgeraden compromissen te sluiten die het aantal gevallen van zogenaamde abortus op halfgeborenen aanzienlijk zouden terugbrengen, omdat het beeld dat het publiek van deze praktijk heeft, mensen tot een antiabortusstandpunt heeft bekeerd.

En soms liggen onze ideologische vooronderstellingen zo vast dat we voor de hand liggende dingen niet zien. Toen ik nog in Illinois in de senaat zat, luisterde ik eens naar een Republikeinse collega die zichzelf het schuim op de mond praatte in zijn verzet tegen een voorstel om schoolontbijten te verstrekken aan kleuters. Dit zou, beweerde hij, hun zelfredzaamheid aantasten. Ik moest hem erop wijzen dat ik niet veel zelfredzame vijfjarigen kende, maar dat er een grote kans is dat kinderen die in hun vroege jeugd te weinig voedsel krijgen, eindigen als probleemgeval voor de staat.

Ondanks mijn inspanningen haalde het wetsvoorstel het niet; de kleuters van Illinois bleven voorlopig verschoond van de ondermijnende effecten van cornflakes en melk (later werd het wetsvoorstel in aangepaste vorm aangenomen). Maar de woorden van mijn collega-volksvertegenwoordiger onderstrepen een van de verschillen tussen ideologieën en waarden: waarden passen we oprecht toe op de feiten waarmee we te maken hebben, terwijl ideologieën alle feiten opzij schuiven die de theorie in twijfel trekken.

De verwarring in het waardendebat vloeit vaak voort uit het misverstand, bij zowel politici als het publiek, dat politiek en de overheid hetzelfde zijn. Dat een waarde belangrijk is, betekent niet dat deze in regelgeving gevat moet worden en dat er een nieuwe instantie voor moet worden opgericht. Maar dat een waarde niet in regelgeving kan worden gevat, betekent andersom niet dat het geen goed onderwerp is om een publiek debat over te voeren.

Ik hecht bijvoorbeeld waarde aan goede manieren. Elke keer dat ik een kind ontmoet dat duidelijk spreekt en me aankijkt en 'ja, meneer' zegt en 'dank u wel' en 'alstublieft' en 'pardon', voel ik me optimistischer over dit land. Ik denk dat ik niet de enige ben. Ik kan goede manieren niet in wetgeving vatten. Maar ik kan ze wel aanmoedigen als ik met een groep jonge mensen te maken heb.

Hetzelfde geldt voor gedrevenheid. Het kan mijn dag helemaal goed maken als ik met iemand te maken heb, wie dan ook, die trots is op zijn werk en iets extra's doet – een boekhouder, een loodgieter, een driesterrengeneraal, iemand aan de andere kant van de lijn die je probleem echt lijkt te willen oplossen. Ik heb de indruk dat ik die gedrevenheid minder vaak tegenkom de laatste tijd; het lijkt alsof ik langer moet wachten op iemand die me helpt in winkels en langer moet wachten tot een bezorger komt opdagen. Dat zal andere mensen ook wel opvallen; het maakt ons allemaal wat chagrijnig, en de overheid kan zo'n indruk net zomin negeren als het bedrijfsleven. (Ik kan dit niet statistisch bewijzen, maar ik ben ervan overtuigd dat de sentimenten tegen de belastingen, tegen de overheid, tegen Washington aanzwellen elke keer dat mensen in de rij staan in een overheidskantoor waar maar één loket open is en drie of vier ambtenaren voor iedereen zichtbaar met elkaar staan te kletsen.)

Vooral voor de progressieven schijnt dit niet helemaal duidelijk te zijn, wat de reden is dat we zo vaak afgedroogd worden bij verkiezingen. Ik sprak laatst voor de Kaiser Family Foundation*, nadat zij een studie had gepubliceerd die aantoonde dat de hoeveelheid seks op televisie de laatste jaren is verdubbeld. Nu kijk ik ook graag naar een zender als HBO**, en in het algemeen kan het me niet schelen waar volwassenen naar kijken in hun eigen huis. Als het om kinderen gaat, denk ik dat het op de eerste plaats de taak van de ouders is om erop toe te zien waar zij naar kijken. In mijn toespraak zei ik zelfs dat het goed zou zijn als ouders – hoe verzin je het – de tv gewoon eens zouden uitzetten en een gesprek met hun kinderen zouden aanknopen.

Maar ik vertelde ook dat ik er niet blij mee ben als er elk kwartier een spotje voor middelen tegen erectiestoornissen voorbijkomt als ik naar een footballwedstrijd zit te kijken waar mijn dochters bij zijn. Ik merkte ook op dat een populair programma gericht op tieners, waarin jonge mensen die nooit schijnen te werken een paar maanden lang niets anders doen dan dronken worden en bij onbekenden in bad springen, niet 'de echte wereld' is. Ik rondde af door te zeggen dat de tv-stations en kabelmaatschappijen een beter beleid en betere technologie moesten ontwikkelen om ouders te helpen beheersen wat hun huis binnenstroomt.

Het leek wel of ik Cotton Mather† was. Reagerend op mijn toespraak benadrukte één redactioneel commentaar dat de overheid van de vrijheid van meningsuiting moest afblijven, hoewel ik niet voor regulering had gepleit. Journalisten opperden dat ik me berekenend tot het politieke midden richtte omdat ik me voorbereidde op een kandidatuur voor het presidentschap. Diverse aanhangers schreven naar ons kantoor,

---

* Een stichting die zich met volksgezondheidsvraagstukken bezighoudt. – *vert.*

** Home Box Office: een betaaltelevisiekanaal dat vloeken en seksscènes niet censureert, in tegenstelling tot de meeste Amerikaanse zenders. – *vert.*

† Cotton Mather (1663-1728) was een invloedrijke puriteinse geestelijke. – *vert.*

klagend dat ze van me verwachtten dat ik het beleid van Bush aanpakte en niet dat ik me gedroeg als een oude zeur.

Toch klagen alle ouders die ik ken, progressief of conservatief, over de verruwing van de cultuur, de zucht naar makkelijk materialisme en onmiddellijke bevrediging, en de verharding van de seksualiteit, weg van de intimiteit. Ze mogen dan wel geen overheidscensuur willen, maar ze willen wel dat hun zorgen worden opgepakt en hun ervaringen serieus worden genomen. Als progressieve politieke leiders dit probleem niet eens erkennen uit angst om als boekverbrander te worden aangemerkt, dan konden deze ouders wel eens hun heil zoeken bij leiders die daartoe wel bereid zijn en die zich misschien minder gelegen laten liggen aan de grondwet.

Natuurlijk hebben de conservatieven hun eigen blinde vlekken als het gaat om de aanpak van maatschappelijke problemen. Neem de topsalarissen. In 1980 verdiende de gemiddelde president-directeur tweeënveertig keer wat een doorsnee uurloner in zijn loonzakje kreeg. In 2005 was deze verhouding 262 tegen één. Conservatieve spreekbuizen zoals het redactionele commentaar van de *Wall Street Journal* beweren dat buitensporige salarissen met opties noodzakelijk zijn om toptalent aan te trekken en dat de economie het daadwerkelijk beter doet als de leiders van het Amerikaanse bedrijfsleven worden vetgemest. Maar de explosief toegenomen beloning van de CEO's heeft weinig te maken met verbeterde prestaties. Integendeel, een aantal van de dikstbetaalde CEO's heeft de afgelopen tien jaar de leiding gehad tijdens enorme verminderingen van winst en beurswaarde, massale ontslagen en onderfinanciering van de pensioenfondsen van hun werknemers.

De stijging van de topsalarissen wordt niet door de markt bepaald. Het is een culturele kwestie. In een tijd dat gewone werknemers hun inkomen weinig of niet zien toenemen, schamen veel CEO's in Amerika zich er totaal niet meer voor om alles te grijpen wat hun gedweeë, zorgvuldig geselecteerde raad van bestuur ze toestaat. De Amerikanen zijn op de hoogte van de schade die deze graaicultuur aanricht in onze samenleving. In een recent onderzoek zetten ze corruptie bij de overheid en in het bedrijfsleven, en hebzucht en materialisme, op de tweede plaats van de drie belangrijkste morele vraagstukken van het land ('kinderen opvoeden met de juiste waarden' stond op één). De conservatieven hebben misschien gelijk dat de overheid niet moet proberen de topsalarissen vast te stellen, maar de conservatieven zouden zich tenminste tegen onbehoorlijk gedrag in de directiekamers moeten willen uitspreken met dezelfde morele zeggingskracht en dezelfde verontwaardiging waarmee ze protesteren tegen smerige rapteksten.

Uiteraard zijn er grenzen aan wat je kunt uitrichten met donderpreken vanaf de kansel. Soms kan alleen de wet zorgen voor het volledig uitdragen van onze waarden, vooral als de rechten en kansen van de machtelozen in onze maatschappij op het spel staan. Dit is zeker het geval geweest in onze strijd tegen de rassendiscriminatie. Weliswaar speelden morele oproepen een heel belangrijke rol bij het winnen van de sympathie van de blanke Amerikanen in de tijd van de burgerrechtenbeweging, maar wat uiteindelijk de rassensegregatie de ruggengraat brak en een nieuw tijdperk van etnische verhoudingen inluidde waren rechtszaken in het Hooggerechtshof – met name de zaak-Brown tegen de Board of Education – en de burgerrechtenwet van 1964 en de kieswet van 1965. Tijdens de debatten over deze wetten zeiden sommigen dat de overheid zich niet zo in de samenleving moest mengen, dat een wet blanke mensen niet kon dwingen om met zwarten om te gaan. Toen hij dit argument hoorde zei dr. Martin Luther King: 'Het kan wel zijn dat de wet mensen niet kan dwingen om mij lief te hebben, maar de wet kan wel voorkomen dat ik gelyncht word en dat vind ik ook best belangrijk.'

Soms hebben we zowel een cultuuromslag nodig als overheidsingrijpen – een verandering in onze waarden en een beleidsverandering – om de samenleving te bevorderen die we willen hebben. De toestand van de scholen in onze oude binnensteden is een goed voorbeeld. Al het geld in de wereld zal de prestaties van leerlingen niet verbeteren als de ouders geen moeite doen om hun kinderen de waarden bij te brengen dat je hard moet werken en dat je daarvan pas later de vruchten plukt. Maar als we als samenleving doen alsof arme kinderen zich goed ontwikkelen in bouwvallige, onveilige scholen met achterhaalde spullen en onderwijzers die niet zijn opgeleid voor de vakken die ze geven, dan liegen we deze kinderen en onszelf voor. We plegen verraad aan onze waarden.

Dat is een van de redenen waarom ik een Democraat ben, denk ik: dat ik geloof dat onze gemeenschappelijke waarden, ons gevoel dat we voor elkaar verantwoordelijk zijn en solidair met elkaar zijn, niet alleen in de kerk of de moskee of de synagoge tot uitdrukking moet komen, niet alleen in de straat waar we wonen, niet alleen op onze werkplek en in ons eigen gezin, maar ook door onze overheid tot uitdrukking moet worden gebracht. Net als veel conservatieven geloof ik dat de heersende cultuur bepalend is voor zowel individueel succes als sociale samenhang, en ik geloof dat we ons in de vingers snijden door culturele factoren te negeren. Maar ik geloof ook dat onze overheid een rol kan spelen in het beïnvloeden van die cultuur, in positieve óf in negatieve zin.

Ik vraag me vaak af wat het voor politici zo moeilijk maakt om over waarden te praten zonder dat het berekend of hypocriet lijkt. Ik denk dat het deels komt doordat mensen in openbare functies zich zo laten regisseren, en doordat kandidaten standaardsymbolen gebruiken om hun waarden uit te drukken (een bezoek aan een zwarte kerk, een jachtpartij, een bezoek aan een autorally, een lezing in een kleuterschool), dat het voor het publiek steeds moeilijker wordt om een onderscheid te maken tussen oprechte gevoelens en politiek toneelspel.

Daarbij komt het feit dat het moderne politieke bedrijf zelf geen waarden lijkt te kennen. De politiek, en de politieke verslaggeving, staat gedrag toe dat we normaal schandalig zouden vinden en moedigt dit zelfs aan: het verzinnen van verhalen, het verdraaien van wat andere mensen bedoelen, ze beledigen, hun goede bedoelingen in twijfel trekken, in hun privéleven spitten op zoek naar beschadigende feiten.

Tijdens mijn verkiezingscampagne voor de Amerikaanse Senaat stelde mijn Republikeinse opponent bijvoorbeeld een jongeman aan die al mijn publieke optredens moest vastleggen met een videocamera. Dat is een vrij gebruikelijke praktijk geworden in campagnes, maar deze jongeman was ofwel overijverig, of hij had opdracht gekregen me te provoceren, want wat hij deed leek meer op stalken. Van 's ochtends tot 's avonds volgde hij me overal, gewoonlijk op niet meer dan twee of drie meter afstand. Hij filmde me als ik een roltrap afging. Hij filmde me als ik uit het toilet kwam. Hij filmde me als ik belde met mijn vrouw en kinderen.

Eerst probeerde ik met hem te praten. Ik hield halt en vroeg hoe hij heette. Ik zei dat ik begreep dat hij zijn werk moest doen, maar vroeg hem zoveel afstand te houden dat ik een gesprek kon voeren zonder dat hij meeluisterde. Hij zei heel weinig terug, behalve dat hij Justin heette. Ik vroeg hem zijn baas te bellen en te vragen of dit echt de bedoeling was. Toen zei hij dat ik gerust zelf mocht bellen en gaf hij me het nummer. Na twee of drie dagen had ik er genoeg van. Met Justin op mijn hielen wandelde ik de persruimte in het parlement van Illinois binnen en vroeg de aandacht van de journalisten die zaten te lunchen.

'Heren,' zei ik, 'ik wil jullie voorstellen aan Justin. Justin is door Ryan aangesteld om me overal waar ik ga te stalken.'

Terwijl ik de situatie uitlegde, stond Justin me nog steeds te filmen. De journalisten wendden zich tot hem en begonnen hem met vragen te bestoken.

'Volg je hem de wc in?'

'Blijf je de hele tijd zo dicht bij hem?'

Algauw kwamen er tv-ploegen die Justin filmden die mij filmde. Als een krijgsgevangene bleef Justin alleen zijn naam, zijn rang en het telefoonnummer van zijn campagnebureau herhalen. Tegen zessen werd het verhaal gebracht door de meeste plaatselijke media. Uiteindelijk stond Illinois er een week bol van – in spotprenten, in redactionele commentaren, in het sportprogramma op de radio. Na het een paar dagen te hebben volgehouden, bezweek mijn opponent voor de druk. Hij vroeg Justin een paar stappen terug te doen en bood excuses aan. Maar hij had zichzelf beschadigd. De mensen begrepen misschien onze meningsverschillen niet over de gezondheidszorg of het Midden-Oosten. Maar ze zagen dat mijn opponent een waarde die ze belangrijk vonden – je fatsoenlijk gedragen – met voeten had getreden.

De kloof tussen wat we in ons dagelijks leven fatsoenlijk gedrag vinden en wat je moet doen om een verkiezingscampagne te winnen, is maar één van de manieren waarop de waarden van een politicus op de proef worden gesteld. Er zijn weinig beroepen waarin je elke dag weer zoveel moet afwegen – tussen verschillende groepen kiezers, tussen de belangen van jouw staat en de belangen van het land, tussen de partijlijn en je eigen gevoel van onafhankelijkheid, tussen dienstbaarheid aan de samenleving en verplichtingen aan je familie. Voortdurend ligt te midden van de kakofonie van stemmen het gevaar op de loer dat een politicus zijn morele anker verliest en alleen nog meewaait met de winden van de publieke opinie.

Misschien verklaart dit waarom we zo verlangen naar een ongrijpbare kwaliteit bij onze leiders, namelijk de kwaliteit van authenticiteit, van zijn wie je zegt dat je bent, van een waarachtigheid die verder gaat dan woorden. Wijlen mijn vriend de senator Paul Simon bezat die kwaliteit. Gedurende een groot deel van zijn loopbaan verbijsterde hij de geleerden door de steun die hij kreeg van mensen die het oneens waren, soms fel oneens, met zijn progressieve zienswijzen. Het hielp dat hij er zo vertrouwenwekkend uitzag, als de dorpsdokter, met zijn bril en zijn vlinderdas en het gezicht van een bassethond. Maar de mensen voelden ook aan dat hij iemand was die naar zijn waarden leefde: dat hij eerlijk was, dat hij opkwam voor waar hij in geloofde en, misschien het belangrijkste, dat hij om de mensen gaf en om wat er met ze gebeurde.

Dat laatste aspect van Pauls karakter – inlevingsvermogen – vind ik zelf steeds belangrijker worden naarmate ik ouder word. Het staat centraal in mijn morele code, het is mijn opvatting van 'behandel anderen zoals u zelf behandeld wilt worden'. Dat is voor mij niet alleen een oproep tot vriendelijkheid of liefdadigheid, het gaat verder: het is een oproep om de zaken door de ogen van een ander te bekijken.

Zoals de meeste van mijn waarden leerde ik over inlevingsvermogen van mijn moeder. Zij had een afkeer van elke vorm van wreedheid of onnadenkendheid of machtsmisbruik, of die zich nu uitte in racistische vooroordelen, of in pesten op het schoolplein, of in onderbetaling van arbeiders. Als ze bij mij ook maar een zweem van zulk gedrag zag, keek ze me recht in mijn ogen en vroeg: 'Hoe zou jij dat vinden?'

Maar ik denk dat ik pas goed begreep wat inlevingsvermogen was door mijn omgang met mijn grootvader. Omdat mijn moeder in het buitenland werkte, woonde ik in mijn tienerjaren vaak bij mijn grootouders, en omdat er geen vader in huis was, was mijn grootvader meestal het mikpunt van mijn opstandigheid als puber. Hij was zelf niet altijd de makkelijkste om mee om te gaan; hij was hartelijk, maar hij werd ook gauw kwaad, en deels doordat zijn carrière niet erg succesvol was verlopen kon hij ook snel gekwetst zijn. Toen ik zestien was hadden we voortdurend woorden, gewoonlijk omdat ik me niet hield aan wat volgens mij een eindeloze reeks onbelangrijke en willekeurige regeltjes was: dat ik moest tanken elke keer dat ik zijn auto leende bijvoorbeeld, of dat ik het melkpak moest omspoelen voor ik het in de vuilnisbak gooide.

Dankzij een zeker talent voor retoriek en een absolute overtuigdheid van mijn eigen gelijk wist ik zo'n woordenstrijd meestal te winnen, in de zin dat mijn grootvader dan van de wijs raakte, boos werd en onredelijk klonk. Maar op een gegeven moment, misschien in mijn eindexamenjaar, voelde ik niet meer zoveel voldoening over zo'n overwinning. Ik begon na te denken over de moeilijkheden en teleurstellingen die hij in zijn leven had gehad. Ik begon te begrijpen dat het belangrijk voor hem was om in zijn eigen huis gerespecteerd te worden. Ik zag in dat het naleven van zijn regels een kleine moeite voor mij was, maar voor hem veel betekende. Ik gaf toe dat hij soms wel een beetje gelijk had, en dat ik, door altijd gelijk te willen krijgen, zonder rekening te houden met zijn gevoelens en behoeften, mezelf in zekere zin verlaagde.

Zo'n inzicht is natuurlijk niets bijzonders. Iedereen maakt wel een dergelijk proces door, dat hoort bij volwassen worden. Maar toch merk ik dat ik steeds weer terugkom bij dat eenvoudige beginsel van mijn moeder – 'Hoe zou jij dat vinden?' – als politieke richtlijn.

We stellen ons die vraag niet vaak genoeg, vind ik; als land lijden we aan een gebrek aan inlevingsvermogen. We zouden nooit akkoord gaan met scholen die geen echt onderwijs geven, die te weinig geld, te weinig personeel en te weinig bezieling hebben, als we het gevoel hadden dat er net zulke kinderen op zaten als onze eigen kinderen. De president-directeur van een bedrijf geeft zichzelf een miljoenenbonus en snijdt tegelijk in de zorgverzekering van zijn werknemers; je kunt je moeilijk voorstellen dat hij dat zou doen als hij hen als zijn gelijken zag. En je mag rustig aannemen dat machthebbers langer en harder zouden nadenken voor ze een oorlog begonnen als ze zich probeerden voor te stellen dat hun eigen zoons en dochters aan het front zaten.

Ik geloof dat een sterker inlevingsvermogen de balans van onze huidige politiek zou doen doorslaan in het voordeel van de mensen die het moeilijk hebben in onze maatschappij. Want als zij zijn zoals wij, dan zijn hun problemen onze problemen. Als we ze niet helpen, verlagen we onszelf.

Maar dat betekent niet dat degenen die het moeilijk hebben – of degenen die zeggen dat ze spreken namens degenen die het moeilijk hebben – zich niet hoeven in te leven in de zienswijze van degenen die het goed hebben. Zwarte leiders moeten de gerechtvaardigde zorgen begrijpen die er de reden van zijn dat sommige blanken tegen positieve discriminatie zijn. Vakbondsmensen kunnen het zich niet veroorloven om de concurrentiedruk niet te begrijpen waarmee hun werkgevers soms te maken hebben. Ik dien te proberen de wereld door de ogen van George Bush te zien, al ben ik het nog zo met hem oneens. Dat is wat inlevingsvermogen doet – het zet ons allemaal aan het werk, de conservatief en de progressief, de machtigen en de machtelozen, de onderdrukten en de onderdrukker. We worden wakker geschud uit onze zelfvoldaanheid. Het dwingt ons allemaal verder te kijken dan onze neus lang is.

Niemand is uitgezonderd van de oproep om uit te vinden wat we gemeenschappelijk hebben.

Uiteindelijk is wederzijds begrip natuurlijk niet genoeg. Het moet niet bij mooie woorden blijven; net als alle andere waarden moet ook inlevingsvermogen worden nageleefd. Toen ik in de jaren tachtig opbouwwerker was, vroeg ik leiders van wijkcomités vaak waar ze hun tijd, energie en geld in staken. Zo zie je pas echt wat we belangrijk vinden, zei ik tegen ze, wat we onszelf ook wijsmaken. Als we niet bereid zijn een prijs voor onze waarden te betalen, als we niet bereid zijn offers te brengen om ze te verwezenlijken, dan moeten we onszelf afvragen of we er echt in geloven.

In elk geval volgens deze definitie lijkt het er soms op dat de Amerikaan er vooral veel waarde aan hecht rijk, slank, jong, beroemd, veilig en van vermaak voorzien te zijn. We zeggen wel dat we waarde hechten aan de erfenis die we nalaten aan de volgende generatie, maar intussen zadelen we die op met een enorme schuldenberg. We zeggen dat we geloven in gelijke kansen, maar intussen staan we erbij en kijken ernaar hoe miljoenen Amerikaanse kinderen verkommeren in armoede. We houden vol dat we waarde hechten aan familie en gezin, maar intussen organiseren we onze economie en ons leven zo dat er steeds minder tijd voor hen is.

Maar iets in ons weet beter. We houden wel aan onze waarden vast, zelfs al lijken ze soms gerafeld en versleten, zelfs al hebben wij als land en als individu ze vaker met voeten getreden dan we ons wensen te herinneren. Want wat zou anders ons richtsnoer moeten zijn? Deze waarden zijn onze erfenis, zijn hetgeen ons maakt tot wat we zijn als volk. En hoewel we beseffen dat ze onder druk staan, dat erin gepord en geprikt wordt, dat intellectuelen en cultuurcritici ze aan de kaak stellen en binnenstebuiten keren, toch zijn onze waarden verrassend duurzaam en verrassend onveranderlijk gebleken, dwars door alle standen en rassen en geloven en generaties heen. We mogen ons erop beroepen, als we maar beseffen dat we onze waarden in de praktijk moeten beproeven aan de hand van feiten en ervaringen, als we maar onthouden dat ze vragen om daden en niet alleen om woorden.

Als we dat niet doen, geven we het beste in onszelf op.

HOOFDSTUK 3

Onze grondwet

Er is een gezegde dat senatoren vaak gebruiken als hun wordt gevraagd naar hun eerste jaar op Capitol Hill: 'Het is als drinken uit een brandslang.'

Dat is een treffende omschrijving, want in mijn eerste maanden in de Senaat leek alles tegelijk op me af te komen. Ik moest personeel aannemen en kantoren inrichten in Washington en Illinois. Ik moest onderhandelen over de commissies waar ik in kwam en me inlezen in de zaken die speelden in de commissies. Er lagen tienduizend brieven van kiezers te wachten die zich sinds de verkiezingsdag hadden opgehoopt, en er kwamen elke week driehonderd uitnodigingen binnen om een lezing te houden. In blokken van een halfuur werd ik van de Senaatskamer naar commissievergaderingen, naar hotellobby's, naar radiostudio's getransporteerd, waarbij ik helemaal vertrouwde op de twintigers en dertigers die ik zojuist als medewerkers had aangenomen om me aan mijn agenda te houden, me het juiste dossier aan te reiken, me eraan te herinneren met wie ik een afspraak had en me naar het dichtstbijzijnde toilet te leiden.

En 's avonds moest ik wennen aan het alleen wonen. Michelle en ik hadden besloten het gezin in Chicago te houden, deels omdat het ons beter leek de meisjes buiten de heksenketel van Washington te laten opgroeien, deels omdat Michelle daar een kring mensen had – haar moeder, haar broer, andere familieleden en vrienden – die haar konden helpen de lange perioden van afwezigheid op te vangen die mijn werk met zich zou meebrengen. Voor de drie nachten per week die ik in Washington doorbracht, huurde ik daarom een klein eenkamerappartement bij de

Georgetown Law School, in een flatgebouw tussen Capitol Hill en de binnenstad in.

In het begin probeerde ik mijn hervonden eenzaamheid positief tegemoet te treden. Ik dwong mezelf me de geneugten van het vrijgezellenbestaan te herinneren – ik had afhaalmenu's van alle restaurants in de buurt, keek basketbal of zat te lezen tot 's avonds laat, ging om middernacht naar de sportschool, liet de afwas in de gootsteen staan en maakte mijn bed niet op. Maar het werkte niet: na dertien jaar huwelijk was ik helemaal aan het huiselijk leven gewend, kwetsbaar en hulpeloos. De eerste ochtend in Washington besefte ik dat ik geen douchegordijn had gekocht en moest ik mezelf tegen de douchewand aandrukken om niet de hele badkamer onder water te zetten. 's Avonds, toen ik met een biertje naar een wedstrijd zat te kijken, viel ik in de rust in slaap: ik werd twee uur later wakker op de bank met een stijve nek. Afhaalmaaltijden smaakten niet zo goed meer; de stilte hinderde me. Ik belde steeds naar huis om de stemmen van mijn dochters te horen, verlangend naar hun warme omhelzing en de zoete geur van hun huid.

'Hoi schat!'

'Hoi papa.'

'Hoe gaat het?'

'Sinds de vorige keer dat je belde?'

'Ja.'

'Hetzelfde. Wil je mama hebben?'

Er waren een paar senatoren die ook een jong gezin hadden, en als we elkaar ontmoetten spraken we over de voor- en nadelen van het verhuizen naar Washington en over hoe moeilijk het was om je tijd voor je gezin te beschermen tegen overijverige medewerkers. Maar de meeste senatoren waren een stuk ouder – de gemiddelde leeftijd was zestig – en toen ik de ronde langs hun kantoren maakte, gingen hun adviezen dan ook meestal over senaatszaken. Ze legden me uit wat de voordelen waren van het lidmaatschap van verschillende commissies en vertelden over het humeur van de commissievoorzitters. Ze gaven tips over hoe ik mijn personeel moest organiseren en bij wie ik moest zijn voor extra kantoorruimte. De meeste adviezen waren nuttig; een enkele keer waren ze tegenstrijdig. Maar zeker bij de Democraten eindigde de ontmoeting altijd met dezelfde aanbeveling: ik moest zo snel mogelijk een afspraak maken met senator Byrd, niet alleen uit collegiale hoffelijkheid, maar ook omdat de vooraanstaande positie van senator Byrd in de commissie voor Bestedingen en zijn algehele status binnen de Senaat hem aanzienlijke invloed gaven.

Op zevenentachtigjarige leeftijd was senator Robert C. Byrd meer dan de nestor van de Senaat; hij was de belichaming van de Senaat geworden, een levend, ademend stuk geschiedenis. Hij was opgevoed door zijn tante en oom tussen de kolenmijnen van West Virginia. Hij bezat het aangeboren talent om lange gedichten uit het hoofd op te zeggen en prachtig viool te spelen. Hij kon het zich niet veroorloven om te studeren en werkte als slager, als groenteverkoper en als lasser op slagschepen in de Tweede Wereldoorlog. Toen hij na de oorlog in West Virginia terugkwam, werd hij in het parlement van de staat gekozen, en in 1952 kwam hij in het Congres.

In 1958 maakte hij de overstap naar de Senaat, en in de loop van zevenenveertig jaar had hij vrijwel elke mogelijke functie bekleed, waaronder zes jaar die van leider van de meerderheidsfractie en zes jaar die van leider van de minderheidsfractie. Al die tijd behield hij zijn volkse drijfveer waardoor hij zich richtte op het binnenhalen van tastbare verbeteringen voor zijn mensen thuis: compensatie voor stoflongen en vakbondsbescherming voor mijnwerkers; wegen en huizen en elektriciteit voor zeer arme dorpen. In tien jaar avondstudie terwijl hij in het Congres zat, had hij zijn rechtenbul gehaald, en zijn kennis van de regels van de Senaat was legendarisch. Uiteindelijk schreef hij een vierdelige geschiedenis van de Senaat, die niet alleen blijk gaf van eruditie en discipline, maar ook van een ongeëvenaarde liefde voor het instituut dat zijn levenswerk geworden was. Gezegd werd dat zijn passie voor de Senaat alleen werd overtroffen door zijn genegenheid voor zijn vrouw gedurende achtenzestig jaar (zij is intussen overleden) – en misschien door zijn eerbied voor de grondwet. Hij had altijd een pocketeditie van de grondwet op zak, die hij vaak tevoorschijn haalde om ermee te zwaaien in het heetst van een debat.

Ik had al een boodschap op het kantoor van senator Byrd achtergelaten met het verzoek om een afspraak, toen ik hem voor het eerst in levenden lijve zag. Het was de dag van onze beëdiging, en we waren bijeen geweest in de Oude Senaatskamer, een donkere, barokke ruimte die gedomineerd werd door een grote adelaar, net zo'n beeld dat water spuwt, die zich boven de voorzittersszetel uitstrekte op een luifel van donker, bloedrood fluweel. De sombere omgeving paste goed bij de gelegenheid, want hier was de Democratische fractie bijeen om zichzelf bijeen te rapen na de verloren verkiezingen en het verlies van haar leider. Fractieleider Harry Reid vroeg senator Byrd of hij een paar woorden wilde spreken. Langzaam rees de oude senator op uit zijn stoel: een slanke man met nog vol wit haar, bleekblauwe ogen en een scherpe, opvallende neus. Even stond hij daar zwijgend, steunend op zijn stok, met zijn hoofd omhoog en zijn ogen gericht op het plafond. Toen begon hij te spreken, op de zwaarmoedige, afgemeten toon die zijn wortels in de Appalachen verraadt.

Ik herinner me zijn woorden niet meer precies, maar wel de grote lijnen, zoals ze vanuit de ruimte van de Oude Senaatskamer golfden in een versnellend, shakespeareaans ritme. Het ging over het onvolprezen ontwerp van onze grondwet; over de Senaat als de essentie van de belofte van deze grondwet; over de gevaarlijke aantasting van de onafhankelijkheid van de Senaat door de uitvoerende macht, die jaar na jaar verder ging. Hij benadrukte dat iedere senator de documenten moest herlezen die aan onze republiek ten grondslag liggen, zodat we standvastig konden blijven en loyaal en trouw aan de bedoeling ervan. Terwijl hij sprak, werd zijn stem krachtiger; zijn wijsvinger priemde in de lucht; de donkere kamer scheen hem in te sluiten, tot hij bijna een schim leek, de geest van het verleden van de Senaat; zijn bijna vijftig jaar in deze kamers raakten de vijftig jaar daarvoor aan, en de vijftig jaar daarvoor, en de vijftig jaar daarvoor; hij voerde ons terug naar de tijd dat Jefferson, Adams en Madison door de zalen van het Capitool zwierven, en de stad Washington nog bestond uit wildernis en boerenland en moeras.

Terug naar de tijd dat noch ik, noch mensen die eruitzagen zoals ik, in deze kamers hadden kunnen zitten.

Terwijl ik naar senator Byrd zat te luisteren, voelde ik heel sterk de grote tegenstellingen in mezelf op deze voor mij nieuwe plek met zijn marmeren borstbeelden, zijn schimmige tradities, zijn herinneringen en zijn spoken. Ik dacht na over het feit dat senator Byrd, volgens zijn eigen autobiografie, voor het eerst van het leiderschap had geproefd toen hij voor in de twintig was, als lid van de Ku Klux Klan in Raleigh County. Het is iets waarvan hij allang afstand had genomen, een misstap die hij toeschreef – ongetwijfeld terecht – aan de tijd en de omgeving waarin hij opgroeide, maar die hem toch zijn hele loopbaan was blijven achtervolgen. Ik dacht erover na hoe hij andere giganten in de Senaat, zoals J. William Fulbright uit Arkansas en Richard Russell uit Georgia, had gesteund in het zuidelijke verzet tegen de burgerrechtenwetgeving. Ik vroeg me af of dit de progressieven iets uitmaakte die senator Byrd nu op een voetstuk hesen vanwege zijn principiële verzet tegen de goedkeuring van het gebruik van geweld tegen Irak – progressieven zoals die van MoveOn.org, die toch de erfgenamen zijn van de politieke tegencultuur die de senator het grootste deel van zijn loopbaan had geminacht.

Ik vroeg me ook af of het iets uitmaakte. Net als de meesten van ons heeft senator Byrd in zijn leven een worsteling gekend tussen strijdige impulsen, een vermenging van donker en licht. In die zin, besefte ik, was hij echt een goed boegbeeld voor de Senaat, de Senaat waarvan de regels en de hele opzet het grote compromis weerspiegelen van de stichting van Amerika; het akkoord tussen de noordelijke staten en de zuidelijke staten. De Senaat moest waken tegen de waan van de dag, en de rechten van minderheden verdedigen en de soevereiniteit van de staten; maar de Senaat was ook een instrument dat de rijken tegen het gepeupel verdedigde en slavenhouders ervan verzekerde dat hun eigenaardige bedrijf ongemoeid werd gelaten. Ingebrand in het weefsel, in de genen van de Senaat was dezelfde tweestrijd tussen macht en principes die Amerika als geheel kenmerkte. De Senaat was een permanente uiting van het grote debat tussen een paar briljante, maar feilbare mannen dat geëindigd was met de creatie van een regeringsvorm die uniek was in zijn genialiteit, maar toch de ogen sloot voor de zweep en de ketting.

De toespraak was afgelopen: zijn medesenatoren applaudisseerden en feliciteerden senator Byrd met zijn briljante betoog. Ik ging naar hem toe om me aan hem voor te stellen. Hij drukte me hartelijk de hand en zei dat hij zich verheugde op een nadere kennismaking. Terwijl ik terugliep naar mijn kantoor, besloot ik dat ik die avond mijn oude wetboeken zou uitpakken en de grondwet zou herlezen. Want senator Byrd had gelijk. Om te begrijpen wat zich anno 2005 in Washington afspeelde, om mijn nieuwe baan te begrijpen en senator Byrd te begrijpen, moest ik teruggaan naar het begin, naar de eerste debatten en grondbeginselen van ons land, om te zien hoe die in de loop van de tijd hadden doorgewerkt, en moest ik mijn oordelen vellen in het licht van de daaropvolgende geschiedenis.

Als je mijn dochter van acht vraagt wat ik voor de kost doe, zegt ze misschien dat ik wetten maak. Maar een van de vreemde dingen in Washington is dat er niet zozeer wordt gepraat over hoe de wet moet zijn, maar veel meer over hoe de wet wordt uitgelegd. De eenvoudigste verordening – bijvoorbeeld dat bedrijven hun uurloners plaspauzes moeten toestaan – kan het onderwerp worden van de meest uiteenlopende interpretaties, afhankelijk van met wie je te maken hebt: het Congreslid dat het voorstel heeft ingediend, de medewerker die het heeft opgesteld, het departement dat het moet uitvoeren, de advocaat wiens cliënt het niks vindt, of de rechter die er misschien aan te pas moet komen om de verordening bindend te verklaren.

Dit is gedeeltelijk zo bedoeld; het is een gevolg van het complexe controlemechanisme dat in ons stelsel is ingebouwd. De trias politica en de verdeling van de macht tussen de federale overheid en de staten maken dat geen wet ooit definitief is, geen strijd ooit echt beslist; er is altijd de mogelijkheid om te versterken of af te zwakken wat afgedaan lijkt, om water bij de wijn te doen of de doorvoering van een maatregel te blokkeren, om de macht van een instantie te beteugelen door haar budget te verlagen of door een kwestie op te lossen via een leemte in de wet.

Gedeeltelijk komt het ook door de aard van de wet zelf. Vaak is de wet stevig geworteld en duidelijk. Maar het leven brengt steeds nieuwe problemen voort, en dan stellen juristen, ambtenaren en burgers de betekenis van begrippen ter discussie die een paar jaar of een paar maanden eerder nog glashelder leken. Want uiteindelijk zijn wetten maar woorden op papier – woorden die soms kneedbaar of onduidelijk zijn, net zo afhankelijk van de context en van vertrouwen als de woorden in een gedicht of een belofte aan iemand; het zijn woorden die blootstaan aan erosie en soms in een oogwenk uit elkaar kunnen vallen.

De wetsconflicten die Washington in 2005 in beroering brachten gingen echter verder dan de gebruikelijke problemen met de interpretatie van de wet. Ze draaiden namelijk om de vraag of de machthebbers überhaupt aan regels gebonden waren.

In het veiligheidsvraagstuk na 11 september verzette het Witte Huis zich bijvoorbeeld tegen elke suggestie dat het verantwoording verschuldigd was aan het parlement of aan de rechterlijke macht. Tijdens de hoorzittingen voor de beëdiging van Condoleezza Rice tot minister van Buitenlandse Zaken werd getwist over hoever de resolutie strekte die de

Irakoorlog goedkeurde en over de bereidheid van bewindslieden om te getuigen onder ede. Tijdens het debat rond de beëdiging van procureur-generaal Alberto Gonzales kreeg ik memo's afkomstig uit zijn kantoor onder ogen waarin gesteld werd dat verhoortechnieken als slaaponthouding of bijna-verstikking niet onder martelen vielen, zolang ze geen 'hevige pijn' veroorzaakten 'zoals die zich voordoet bij een orgaanfalen, beschadiging van lichaamsfuncties of zelfs de dood'; en kopieën van memo's die stelden dat de Geneefse Conventies niet golden voor 'vijandelijke strijders' die gevangen waren genomen in een oorlog in Afghanistan; en memo's waarin de opvatting werd geuit dat het vierde amendement op de grondwet niet gold voor Amerikaanse staatsburgers die op Amerikaans grondgebied waren opgepakt, maar die als 'vijandelijke strijders' waren aangemerkt.

Deze houding beperkte zich geenszins tot het Witte Huis. Toen ik op een dag in maart naar de Senaatskamer liep, werd ik aangesproken door een jongeman met donker haar. Hij bracht me naar zijn ouders en legde uit dat zij uit Florida waren gekomen in een wanhopige poging om een jonge vrouw te redden – Terri Schiavo – die in een diep coma was geraakt en wier echtgenoot haar wilde afkoppelen van de voedingssonde. Het was een hartverscheurend verhaal, maar ik vertelde ze dat het niet gebruikelijk was dat het Congres zich met dergelijke gevallen bemoeide; ik wist nog niet dat Tom DeLay en Bill Frist een precedent zouden scheppen.

De grenzen van de macht van de president in oorlogstijd. Ethische kwesties rond het levenseinde. Dat waren geen makkelijke thema's; hoezeer ik het ook oneens was met het Republikeinse beleid, ik vond dat ze een behoorlijk debat waard waren. Maar wat me zorgen baarde was het gemak waarmee het Witte Huis en zijn bondgenoten in het Congres afwijkende meningen terzijde schoven. Je kreeg het gevoel dat de spelregels van het regeren niet meer golden, en dat er geen vaste betekenissen of normen meer waren waarop we ons konden beroepen. Het was alsof de machthebbers hadden besloten dat de rechten van gevangenen en de scheiding der machten toeters en bellen waren die alleen maar in de weg zaten, die verhinderden wat er overduidelijk moest gebeuren (terroristen stoppen) of dat bedreigden wat goed was (de onschendbaarheid van het leven) en daarom genegeerd konden worden, of op zijn minst omgebogen met voldoende sterke wil.

De ironie was dat deze veronachtzaming van de regels en de manipulatie van de taal om een bepaald resultaat te bereiken precies dat waren waarvan de conservatieven de progressieven lange tijd beschuldigd hadden. Dat was een van de beweegredenen achter het Contract met Amerika van Newt Gingrich – het idee dat de Democratische partijbaronnen die toen de macht hadden in het Huis van Afgevaardigden het parlementaire proces voortdurend misbruikten voor hun eigen gewin. Dat was de grondslag voor de impeachmentprocedure tegen Bill Clinton; de verontwaardiging die werd uitgestort over zijn betreurenswaardige uitspraak 'Het hangt ervan af wat de betekenis van het woord "is" is.' Dit was de munitie waarmee de conservatieven de progressieve academici de volle laag gaven, die hogepriesters van de politieke correctheid die weigerden te aanvaarden dat er bepaalde eeuwige waarheden waren, zo werd er gezegd, of een zekere hiërarchie in onze kennis, en die de Amerikaanse jeugd besmetten met een gevaarlijk moraalrelativisme.

En het was het mikpunt van de conservatieve aanvallen op de federale gerechtshoven.

De gerechtshoven in het algemeen en het Hooggerechtshof in het bijzonder onder controle krijgen was het heilige doel geworden voor een hele generatie conservatieve activisten – en dat niet alleen, volgens hen, omdat ze de gerechtshoven als het laatste bolwerk zagen van de linkse elite die voor abortus, voor positieve discriminatie, voor homoseksualiteit en voor criminaliteit, voor meer regelgeving en tegen de godsdienst was. Volgens deze activisten hadden de progressieve rechters zichzelf boven de wet geplaatst en baseerden ze hun uitspraken niet op de grondwet, maar op hun eigen verzinsels en voorkeuren. Ze vonden rechtsgronden voor abortus en sodomie in de grondwet die er helemaal niet in stonden, luidde de aanklacht; ze ondermijnden zo het democratische proces en verdraaiden de bedoelingen van de Founding Fathers. Opdat de federale gerechtshoven naar hun eigenlijke taak zouden terugkeren, moesten er rechters worden benoemd die een strikte uitleg aan de wet gaven; mannen en vrouwen die het verschil begrepen tussen wetten interpreteren en wetten maken; mannen en vrouwen die trouw bleven aan de oorspronkelijke bedoelingen van de stichters van het land; mannen en vrouwen die zich aan de regels hielden.

De linkerzijde zag het allemaal heel anders. De conservatieve Republikeinen boekten winst in de parlements- en presidentsverkiezingen, en veel progressieven zagen de gerechtshoven als het enige bolwerk dat het radicaal terugdraaien van de klok op het gebied van burgerrechten, vrouwenrechten, burgerlijke vrijheden, milieuwetgeving, de scheiding van kerk en staat en alle verworvenheden van de New Deal kon tegenhouden. Toen Robert Bork werd voorgedragen, brachten belangengroepen en Democratische leiders een oppositie in het veld met een zorgvuldigheid die nog nooit was vertoond bij een rechterlijke voordracht. Toen de voordracht werd afgewezen, beseften de conservatieven dat ook zij meer voetvolk op de been moesten brengen.

Sindsdien hebben beide kampen succesjes geboekt (de conservatieven met Scalia en Thomas, de progressieven met Ginsburg en Breyer) en tegenslagen geïncasseerd (voor de conservatieven het vermeende opschuiven naar het midden van O'Connor, Kennedy en vooral Souter; voor de progressieven de concentratie van door Reagan en Bush I benoemde rechters aan de lagere federale gerechtshoven). De Democraten klaagden luidkeels toen de Republikeinen hun meerderheid in de rechterlijke commissie gebruikten om eenenzestig benoemingen van Clinton aan de hoven van beroep en de districtsrechtbanken te blokkeren; gedurende de korte tijd dat zij de meerderheid hadden, probeerden de Democraten dezelfde tactiek uit op de voordrachten van George W. Bush.

Maar toen de Democraten in 2002 hun meerderheid in de Senaat verloren, hadden ze nog maar één pijl op hun boog, een strategie die in één woord kon worden samengevat, de strijdkreet waaromheen de Democratische getrouwen zich nu verzamelden: Filibusteren!

In de grondwet wordt het filibusteren niet genoemd. Het is een Senaatsregel die teruggaat tot het allereerste Congres. Het idee is eenvoudig: aangezien in de Senaat unanimiteit is vereist over de regeling van werkzaamheden, kan iedere senator de voortgang blokkeren door zijn recht op onbeperkte spreektijd te gebruiken en te weigeren over te gaan tot het volgende agendapunt. Met andere woorden, hij kan blijven praten. Zo lang hij maar wil. Hij kan het hebben over de inhoud van het voorliggende wetsvoorstel, of over de motie om het voorliggende wetsvoorstel in stemming te brengen. Hij mag de hele defensienota van zevenhonderd bladzijden voorlezen, regel voor regel, voor opname in de handelingen, of aspecten van de nota in verband brengen met de opkomst en ondergang van het Romeinse Rijk, of met de vlucht van de kolibrie, of met het telefoonboek van Atlanta. Zolang hij of gelijkgestemde collega's op de Senaatsvloer blijven staan en praten, moet al het andere wachten. Dit geeft iedere senator een enorme invloed en een vastbesloten minderheid de facto een vetorecht over welk stuk wetgeving dan ook.

De enige manier om een filibuster te breken, is dat drie vijfde van de Senaat stemt voor een *cloture* – het staken van het debat. Dat betekent in de praktijk dat elke stemming in de Senaat – elk wetsvoorstel, elke verordening, elke voordracht – de steun van zestig van de honderd senatoren nodig heeft in plaats van een gewone meerderheid. Er is een reeks ingewikkelde regels ontstaan waardoor filibusters en cloturestemmingen zonder veel poeha worden afgehandeld. Alleen al de dreiging van een filibuster is vaak genoeg om de aandacht te trekken van de leider van de meerderheidsfractie, en dan wordt er een cloturestemming georganiseerd zonder dat mensen de avonden slapend in armstoelen en op stretchers hoeven door te brengen. Maar door de hele moderne geschiedenis van de Senaat heen is het filibusteren een zorgvuldig bewaakt voorrecht gebleven, een van de kenmerken, zegt men – net als de termijn van zes jaar en de toekenning van twee senatoren aan elke staat, ongeacht het inwonertal – die de Senaat onderscheiden van het Huis van Afgevaardigden; een voorrecht ook dat fungeert als beveiliging tegen het gevaar van machtsmisbruik.

Er is nog een ander, grimmiger stuk geschiedenis aan het filibusteren verbonden, dat voor mij een bijzondere betekenis heeft. Bijna een eeuw lang was het het favoriete wapen van het zuiden in de pogingen om de rassensegregatie te beschermen tegen federale inmenging; het vormde de wettige blokkade waarmee het veertiende en vijftiende amendement op de grondwet onderuit werden gehaald. Tientallen jaren lang gebruikten hoffelijke, erudiete mannen als senator Richard B. Russell uit Georgia (naar wie de mooiste rij kantoren van de Senaat is genoemd) de filibuster om elk stukje burgerrechtenwetgeving in de Senaat te torpederen, of het nu wetsvoorstellen waren voor uitbreiding van het kiesrecht, voor eerlijke arbeidsvoorwaarden of tegen lynchpraktijken. Met woorden, met regels, met procedures – met de wet in de hand – wisten de zuidelijke senatoren de onderworpenheid van de zwarten te handhaven op een manier die met bot geweld onmogelijk was geweest. Het filibusteren had niet alleen wetten tegengehouden, voor veel zwarten in het zuiden had het de hoop de grond in geslagen.

De Democraten gebruikten de filibuster terughoudend in de eerste termijn van George W. Bush: van de meer dan tweehonderd rechterlijke voordrachten van de president werden er maar tien tegengehouden zodat er geen beslissende stemming over kon plaatsvinden. Dat waren wel allemaal voordrachten voor de hoven van beroep, de gerechtshoven die ertoe deden; alle keren ging het ook om vaandeldragers van de conservatieve zaak, en als de Democraten deze tien bekwame juristen bleven filibusteren, zeiden de conservatieven, dan zouden ze dat ook wel doen met toekomstige voordrachten voor het Hooggerechtshof.

Zo gebeurde het dat president Bush – aangemoedigd door een grotere Republikeinse meerderheid in het Huis van Afgevaardigden en door wat volgens hemzelf een 'mandaat van de kiezer' was – in de eerste paar weken van zijn tweede termijn besloot zeven eerder gefilibusterde rechters opnieuw voor te dragen. Als trap tegen de schenen van de Democraten miste dit besluit zijn uitwerking niet. De Democratische fractieleider Harry Reid noemde het 'een dikke natte kus voor uiterst rechts' en dreigde opnieuw met filibusteren. Belangengroepen links en rechts renden naar hun posten en riepen alle hens aan dek; ze stuurden mailings en e-mails waarin ze donateurs smeekten de komende veldslagen te bekostigen. De Republikeinen, die voelden dat dit het moment was om toe te slaan, kondigden aan dat, zouden de Democraten doorgaan met hun politieke obstructie, zij geen andere keus hadden dan de beruchte 'nucleaire optie' in te zetten; dit was een nieuwe procedurele manoeuvre waarbij de optredend voorzitter van de Senaat (misschien wel vicepresident Cheney zelf) de mening van zijn procedurele adviseur zou negeren, een tweehonderd jaar oude Senaatstraditie zou doorbreken en met een simpele klap met de voorzittershamer zou beslissen dat het gebruik van de filibuster niet langer toelaatbaar was volgens de regels van de Senaat, in elk geval als het om rechterlijke benoemingen ging.

Als je het mij vraagt, was het dreigement om het filibusteren bij rechterlijke benoemingen te verbieden weer eens een voorbeeld van het veranderen van de spelregels tijdens de wedstrijd door de Republikeinen. Bovendien kon je goed verdedigen dat een stemming over de voordracht van een rechter juist een situatie is waarbij de eis van een buitengewone meerderheid die door een filibuster wordt gesteld, redelijk is: aangezien federale rechters voor het leven worden benoemd, en dus vaak vele presidenten meegaan, past het een president – en komt het onze democratie ten goede – om gematigde kandidaten te vinden die een zekere mate van steun van beide partijen genieten. Bush' kandidaten vielen veelal niet in de 'gematigde' categorie; integendeel, ze stonden aantoonbaar vijandig tegenover de burgerrechten, het recht op privacy en de instrumenten om de uitvoerende macht in toom te houden, waarmee ze zelfs de meeste zittende Republikeinse rechters rechts inhaalden (een wel heel zorgwekkende kandidaat had de sociale zekerheid en andere programma's van de New Deal spottend 'de triomf van onze eigen socialistische revolutie' genoemd).

Desondanks herinner ik me dat ik een lach moest onderdrukken toen ik voor het eerst de term 'nucleaire optie' hoorde. Het was een prima illustratie van het onvermogen om de benoemingen van rechters in het juiste perspectief te zien; het was een onderdeel van dezelfde volksverlakkerij in het kader waarvan linkse groepen reclamespotjes uitzonden met fragmenten uit *Mr. Smith goes to Washington* met Jimmy Stewart, zonder te vermelden dat Mr. Smith in het echt gespeeld was door Strom Thurmond en Jim Eastland*; een schaamteloze mythevorming waardoor zuidelijke Republikeinen in de Senaat een somber verhaal konden afsteken over de ongepastheid van het filibusteren, zonder zelfs maar een hint te geven dat het politici uit hun staten waren – hun directe politieke voorvaderen – die de kunst van het filibusteren perfectioneerden voor een kwalijke zaak.

Niet veel van mijn Democratische partijgenoten begrepen deze ironie. Terwijl de rechterlijke benoemingsprocedure begon op te spelen, zei ik tegen een vriendin dat ik me zorgen maakte over de tactieken die we gebruikten om de kandidaten in diskrediet te brengen en te blokkeren. Ik twijfelde er niet aan hoeveel schade sommige kandidaat-rechters van Bush zouden kunnen aanrichten; ik zou een filibuster tegen sommigen steunen, al was het maar om het Witte Huis een signaal te geven dat het met meer gematigde kandidaten moest komen. Maar uiteindelijk betekenden verkiezingsuitslagen iets, zei ik tegen deze vriendin. We moesten het niet hebben van procedures in de Senaat. Er was één manier om te garanderen dat de rechters onze waarden uitdroegen, namelijk verkiezingen winnen.

* In de film uit 1939 is Mr. Smith een sympathieke filibusteraar. Thurmond en Eastland waren tegenstanders van de burgerrechten. – *vert.*

Mijn vriendin schudde beslist het hoofd. 'Denk je echt dat als de toestand omgekeerd was, de Republikeinen ook maar één ogenblik zouden aarzelen om te filibusteren?' vroeg ze.

Dat dacht ik niet. Maar ik dacht ook niet dat ons gebruik van de filibuster ons van het imago zou verlossen dat wij Democraten altijd in de verdediging waren. Er bestond een beeld dat we de rechtbanken en advocaten en procedurele trucs gebruikten in plaats van de bevolking van ons gelijk te overtuigen. Dit beeld was niet helemaal eerlijk: de Republikeinen stapten net zo vaak als de Democraten naar de rechter om democratisch genomen besluiten die hun niet bevielen terug te draaien (zoals wetten op de financiering van verkiezingscampagnes). Maar toch vroeg ik me af of wij progressieven, als we de gerechtshoven nodig hadden om niet alleen onze rechten, maar ook onze waarden te verdedigen, niet te veel het vertrouwen in de democratie verloren hadden.

Zoals de conservatieven het gevoel verloren schenen te hebben dat een democratie meer hoort in te houden dan het opleggen van de wil van de meerderheid. Ik dacht aan een middag een paar jaar terug, toen ik als parlementslid in Illinois een amendement had ingediend op een Republikeins wetvoorstel om abortus op halfgeborenen te verbieden; ik had voorgesteld een uitzondering te maken als de gezondheid van de moeder in gevaar was. Het amendement werd afgewezen in een stemming langs partijlijnen. Na afloop liep ik door de gang met een van mijn Republikeinse collega's. Zonder het amendement, zei ik, zou de wet door de gerechtshoven worden afgekeurd als zijnde ongrondwettelijk. Hij keek me aan en zei dat het helemaal niet uitmaakte welke amendementen eraan werden toegevoegd – de rechters zouden toch doen wat ze wilden. 'Het is allemaal politiek,' zei hij, 'en op dit moment hebben wij het voor het zeggen.'

Doen onze schermutselingen ertoe? Voor veel mensen zijn geschillen over procedures in de Senaat, de scheiding der machten, rechterlijke benoemingen en de interpretatie van de grondwet behoorlijk abstract, ver van hun bed – typisch voorbeelden van het partijpolitieke steekspel.

Maar ze doen er wel toe. Niet alleen omdat de procedurele regels de resultaten van het politieke bedrijf beïnvloeden – of de overheid vervuilers kan aanpakken, of de overheid uw telefoon mag aftappen –, maar ook omdat ze net zo bepalend zijn voor onze democratie als verkiezingen. Het stelsel waarin wij onszelf besturen is een delicate zaak. Via dit stelsel en door dit stelsel te respecteren, geven we vorm aan onze waarden, aan dat waarvoor we samen staan.

Natuurlijk ben ik bevooroordeeld. Tien jaar lang voor ik naar Washington kwam, gaf ik staatsrecht aan de University of Chicago. Ik hield van het rechtenlokaal: van de naakte soberheid ervan, van de spanning om voor een klas te gaan staan met niets dan een schoolbord en een krijtje. De studenten nemen je de maat. Sommigen zijn oplettend en scherpzinnig, anderen demonstreren hun verveeldheid. De spanning wordt gebroken door mijn eerste vraag: 'Waar gaat deze zaak over?' Handen gaan aarzelend de lucht in, de eerste antwoorden worden gegeven, ik bied een weerwoord tegen welke argumenten er ook worden ingebracht, tot uiteindelijk de woorden tot hun kern worden afgestroopt, en wat een paar minuten geleden nog saai en doods leek tot leven komt. De ogen van mijn studenten bewegen, de tekst is voor hen nu niet meer alleen een deel van de geschiedenis, maar ook van het heden en van hun toekomst.

Soms dacht ik dat mijn werk niet zoveel verschilde van dat van de theologieprofessoren die aan de overkant van de campus voor de klas stonden, want – en datzelfde geldt denk ik voor degenen die Bijbellessen geven – ik constateerde dat mijn studenten vaak dachten dat ze de grondwet kenden, zonder hem echt gelezen te hebben. Ze plukten er vaak frasen uit die ze gehoord hadden en gebruikten die om hun argument van het moment kracht bij te zetten, terwijl ze passages negeerden die strijdig leken te zijn met hun opvattingen.

Maar wat ik het meest waardeerde aan staatsrecht geven, wat ik mijn studenten wilde laten inzien, was hoe toegankelijk de documenten uit de beginjaren van de Verenigde Staten na twee eeuwen nog zijn. De studenten gebruikten mij dan wel als gids, maar ze hadden echt geen tolk nodig, want anders dan de boeken van Timothy of Luke maken de stichtingsdocumenten – de Onafhankelijkheidsverklaring, de Federalist Papers en onze grondwet – de indruk dat ze door mensenhanden geschreven zijn. Daardoor weten we wat de bedoelingen waren van de Founding Fathers, hield ik mijn studenten voor, wat hun geschillen en hun paleisintriges waren. We kunnen misschien niet altijd raden wat er in hun hart omging, maar we kunnen wel door de mist van de geschiedenis heen prikken en ons tenminste een idee vormen van de fundamentele idealen die hen motiveerden in hun werk.

Hoe moeten we onze grondwet dan begrijpen, en wat zegt die over het huidige conflict over de gerechtshoven? Om te beginnen: een zorgvuldige lezing van de stichtingsdocumenten doet je beseffen hoezeer al onze opvattingen door deze teksten gekneed zijn. Neem het beginsel van de onvervreemdbare rechten. Meer dan tweehonderd jaar nadat de Onafhankelijkheidsverklaring werd opgesteld en de Bill of Rights werd aangenomen, zijn we het er nog altijd niet over eens wat 'redelijke naspeuringen' zijn, en of het tweede amendement op de grondwet elke beperking op wapenbezit verbiedt, en of het verbranden van de vlag meningsuiting is. We zijn het er niet over eens of elementaire gewoonterechten, zoals het recht om te trouwen en de onschendbaarheid van het lichaam, impliciet, zo niet expliciet, door de grondwet erkend worden, en of in deze rechten dan ook persoonlijke beslissingen begrepen zijn aangaande abortus, het einde van het leven en homoseksuele relaties.

Maar ondanks al onze meningsverschillen is er vandaag in Amerika nauwelijks een conservatief of een progressief te vinden, of hij nu Republikein is of Democraat, of hij nu heeft gestudeerd of niet, die zich niet kan vinden in de elementaire individuele vrijheden die door de Founders zijn vastgesteld en opgenomen in onze grondwet en gewone wet: het recht op vrije meningsuiting; het recht om vreedzaam bijeen te komen om een petitie te richten tot de regering; het recht om eigendommen te bezitten, te kopen en te verkopen, en de garantie dat die eigendommen niet in beslag worden genomen zonder redelijke vergoeding; het recht om verschoond te blijven van onredelijke visitaties en confiscaties; het recht om niet door de staat te worden vastgehouden zonder een juiste rechtsgang; het recht op een eerlijk en spoedig proces; en het recht onze eigen beslissingen te nemen, met minimale beperkingen, over ons gezinsleven en de manier waarop we onze kinderen opvoeden.

We beschouwen deze rechten als universeel, als een codificatie van de betekenis van het begrip vrijheid waaraan alle overheden en alle mensen binnen de grenzen van ons politieke bestel gebonden zijn. Bovendien erkennen we dat de gedachte achter deze universele rechten van de vooronderstelling uitgaat dat ieder individu gelijkwaardig is. In die zin staan we allemaal achter de leer van de Founding Fathers, waar we ons ook bevinden op het politieke spectrum.

We begrijpen ook allemaal dat een verklaring geen regering is; een credo alleen is niet genoeg. De Founders zagen in dat het concept individuele vrijheid kiemen van anarchie in zich droeg, en het concept gelijkheid een bedwelmend gevaar; want als iedereen werkelijk vrij is, zonder de beperkingen van geboorte of stand of een overerfde sociale orde – als mijn opvatting van geloof niet beter of slechter is dan die van u, en mijn opvattingen over waarheid en goedheid en schoonheid net zo waar en goed en mooi zijn als die van u –, hoe kunnen we dan ooit een samenhangende samenleving vormen? Verlichtingsdenkers als Hobbes en Locke opperden dat vrije mensen regeringen vormen om zich ervan te verzekeren dat de vrijheid van de een niet de tirannie van de ander zou worden; dat ze hun individuele ongebondenheid opgeven om hun vrijheid te behouden. Voortbouwend op dit concept kwamen denkers van voor de Amerikaanse Revolutie tot de conclusie dat alleen een democratie kon zorgen voor zowel vrijheid als orde: een regeringsvorm waaraan de onderdanen hun goedkeuring verlenen en waarin de wetten die de vrijheid inperken eensluidend, voorspelbaar en transparant zijn, en gelden voor zowel de regering als de onderdanen.

De Founders waren doordrenkt van deze theorieën, maar ze konden niet om een ontmoedigend feit heen: in de wereldgeschiedenis tot dan toe waren er maar weinig voorbeelden van werkende democratieën, en geen enkele was groter geweest dan de stadstaten van de oude Grieken. Amerika bestond al uit dertien ver verspreide staten met een gevarieerde bevolking van drie of vier miljoen mensen; het Atheense democratische model was ondenkbaar, en de directe democratie van de dorpsraad in New England onwerkbaar. Een republikeinse regeringsvorm, waarbij de bevolking vertegenwoordigers aanwees, leek kansrijker, maar zelfs de meest optimistische republikeinen dachten dat zo'n stelsel alleen kon werken in een geografisch compacte en homogene politieke gemeenschap – een gemeenschap waarin geschillen beperkt bleven door een gemeenschappelijke cultuur, een gemeenschappelijk geloof en goed ontwikkelde burgerlijke waarden die door iedere burger werden gedeeld. De oplossing waar de Founders op uit kwamen, was hun nieuwe bijdrage aan de wereld. De contouren van het constitutionele bouwwerk van James Madison zijn zo bekend dat Amerikaanse schoolkinderen ze zo kunnen opnoemen: niet alleen grondrechten, maar ook de scheiding van de nationale overheid in drie gelijkwaardige machten, een Congres (parlement) met twee kamers en een federatief concept waardoor de overheden van de deelstaten zeggenschap behielden. Dit was allemaal bedoeld om macht te spreiden, interne strijd te bezweren, belangen af te wegen en tirannie door enkelen of door de meerderheid te voorkomen. Tevens heeft de geschiedenis een van de belangrijkste inzichten van de stichters gestaafd: dat onszelf regeren als een republiek in feite beter kon werken in een grote en diverse samenleving, waar, in de woorden van Hamilton, 'het botsen van partijen' en verschillen van mening bevorderlijk konden zijn voor 'zorgvuldige overweging en behoedzaamheid'. Net als onze uitleg van de grondwet staan details van ons constitutionele bouwwerk ter discussie: We kunnen bezwaar maken tegen het oneigenlijk gebruik door het Congres van de Commerce Clause (handelsclausule) om zichzelf meer bevoegdheden toe te eigenen ten koste van de staten, of tegen de uitholling van de bevoegdheid van het Congres om de oorlog te verklaren. Maar we hebben vertrouwen in de fundamentele deugdelijkheid van de bouwtekeningen van de Founders en van het democratische huis dat eruit is voortgekomen. Conservatief of progressief, we zijn allemaal constitutionalist.

Als we allemaal geloven in individuele vrijheid en als we allemaal geloven in deze democratische regels, waar gaat het huidige geschil tussen conservatieven en progressieven dan echt over? Als we eerlijk zijn, moeten we toegeven dat we vaak praten over de uitkomsten – de concrete beslissingen die rechters en parlementariërs nemen in de complexe en moeilijke kwesties die ons leven mede vormgeven. Moeten onderwijzers onze kinderen voorgaan in gebed, waarbij de kans bestaat dat de minderheidsreligies van sommige kinderen in het gedrang komen? Of verbieden we het bidden op school en dwingen we gelovige ouders om hun kinderen acht uur per dag aan een seculiere wereld over te dragen? Mag een universiteit rekening houden met de historische discriminatie en buitensluiting als er een beperkt aantal studieplaatsen aan een medische faculteit te vergeven is? Of vereist de rechtvaardigheid dat universiteiten iedere kandidaat kleurenblind behandelen? Als een bepaalde procedurele regel – het recht om te filibusteren bijvoorbeeld, of de uitleg van de grondwet door het Hooggerechtshof – ons helpt om aan het langste eind te trekken en de uitkomst te krijgen die we willen, dan vinden we het vaak een hele goede regel. Als we er geen voordeel bij hebben, hebben we minder met de regel op.

In die zin had mijn collega in het parlement van Illinois gelijk toen hij zei dat de huidige constitutionele kwesties niet los kunnen worden gezien van de dagelijkse politiek. Maar er staat meer op het spel dan een stel besluiten in de huidige debatten over de grondwet en de eigenlijke taak van de gerechtshoven. We redetwisten ook over hoe we moeten redetwisten – over hoe we in een grote, drukke, lawaaiige democratie onze geschillen op vreedzame wijze oplossen. We willen gelijk krijgen, maar de meesten van ons zien ook in dat dit een consequent, voorspelbaar en coherent proces moet zijn. We willen dat de spelregels van onze democratie eerlijk zijn.

Daarom doen we, als we overhoop liggen over abortus of het verbranden van de vlag, een beroep op een hogere instantie – de Founding Fathers en degenen die de grondwet hebben geratificeerd – om ons richting te geven. Sommige rechters, zoals Scalia, zeggen dat de oorspronkelijke bedoelingen gevolgd moeten worden en dat de democratie gerespecteerd wordt als we deze regel maar strikt toepassen.

Anderen, zoals rechter Breyer, ontkennen niet dat de oorspronkelijke bedoeling van de bepalingen in de grondwet ertoe doet; maar zij stellen dat je er met de oorspronkelijke uitleg soms niet uitkomt – dat je in de echt moeilijke gevallen, bij de echt grote geschillen, rekening moet houden met de context, de geschiedenis en de praktische gevolgen van een beslissing. In deze zienswijze hebben de Founders en degenen die de grondwet hebben geratificeerd, ons verteld *hoe* we moeten denken, maar ze zijn niet meer onder ons om ons te vertellen *wat* we moeten denken. We zijn op onszelf aangewezen, we moeten vertrouwen op ons eigen verstand en ons eigen oordeel.

Wie heeft er gelijk? Ik sta niet onwelwillend tegenover de zienswijze van rechter Scalia. Tenslotte zijn de bewoordingen van de grondwet in veel gevallen heel duidelijk; ze kunnen dan strikt worden toegepast. We hoeven bijvoorbeeld niet tussen de regels te lezen hoe vaak we verkiezingen moeten houden of hoe oud de president mag zijn. Waar mogelijk moeten rechters zich zo veel mogelijk voegen naar de duidelijke bedoeling van de tekst.

Ook begrijp ik het ontzag dat de strikte wetsuitleggers voor de stichters van dit land hebben. Ik vraag het mijzelf vaak af of de Founders zelf indertijd de reikwijdte van hun prestatie beseften. Ze stelden niet alleen, in het kielzog van een revolutie, de grondwet op; ze schreven ook de Federalist Papers om steun voor het document te krijgen, ze leidden het door het ratificatieproces en amendeerden het met de Bill of Rights – allemaal in een paar jaar tijd. Als we deze documenten lezen, zijn ze zo ongelofelijk goed dat je geneigd bent te denken dat ze voortkomen uit de 'natuurlijke wetten' van Hobbes, zo niet uit goddelijke inspiratie. Dus ik begrijp de neiging van rechter Scalia en anderen om onze democratie te beschouwen als vaststaand en onwrikbaar; het fundamentalistische geloof dat als we de grondwet maar zonder vragen te stellen en zonder af te wijken volgen, als we de regels van de Founders trouw blijven zoals zij ze bedoeld hebben, dat we dan beloond zullen worden en dat daar het heil uit zal voortkomen.

Maar uiteindelijk moet ik me toch aansluiten bij rechter Breyers visie op de grondwet – dat het geen statisch, maar een levend document is dat gelezen moet worden in de context van een steeds veranderende wereld.

Dat kan toch niet anders? De tekst van de grondwet voorziet ons van het algemene principe dat we niet mogen worden onderworpen aan onredelijke naspeuringen door de overheid. De tekst zegt niet wat de specifieke opvattingen van de Founders zijn over de redelijkheid van een databankanalyse door het National Security Agency. De tekst van de grondwet zegt ons dat de vrijheid van meningsuiting beschermd moet worden, maar vertelt ons niet wat die vrijheid inhoudt in de context van het internet.

Bovendien: hoewel de bewoordingen in de grondwet op veel punten duidelijk zijn en strikt kunnen worden opgevat, is onze opvatting van vele van de belangrijkste bepalingen – zoals het begrip 'juiste rechtsgang' en het amendement over gelijke behandeling – in de loop van de tijd sterk veranderd. De oorspronkelijke uitleg van het veertiende amendement zou bijvoorbeeld discriminatie op grond van sekse zeker toestaan, misschien zelfs rassendiscriminatie: een opvatting van gelijke behandeling waarnaar weinigen van ons terug zouden willen.

Ten slotte hebben degenen die onze hedendaagse constitutionele meningsverschillen met een strikte uitleg van de wet willen oplossen nog een probleem: de Founders en degenen die de grondwet ratificeerden, verschilden zelf diepgaand en hevig over de betekenissen. Voor de inkt van het grondwetsperkament droog was, waren er al meningsverschillen uitgebroken, niet alleen over minder belangrijke bepalingen maar over de eerste beginselen, niet alleen tussen figuren langs de zijlijn maar in het hart van de republiek. Ze waren het oneens over hoeveel macht de nationale regering moest krijgen – om de economie te reguleren, om wetten van staten te vernietigen, om een staand leger te vormen, om schulden aan te gaan. Ze waren het oneens over de rol van de president bij het sluiten van verdragen met vreemde mogendheden en over de rol van het Hooggerechtshof bij het vaststellen van de wet. Ze waren het oneens over de betekenis van fundamentele rechten als de vrijheid van meningsuiting en de vrijheid van vergadering, en bij verschillende gelegenheden toen de fragiele staat bedreigd leek te worden, waren ze er niet op tegen om deze rechten geheel te negeren. Gegeven wat we nu weten over deze heren, met hun wisselende allianties en soms verborgen agenda's, is het niet reëel dat een rechter tweehonderd jaar later op de een of andere manier hun oorspronkelijke bedoelingen kan onderscheiden.

Sommige historici en rechtsgeleerden gaan nog een stap verder in de kritiek op een strikte wetsuitleg. Zij komen tot de conclusie dat de grondwet voornamelijk een gelukkig toeval was, een document dat niet zozeer op principes was gestoeld, alswel van macht en passie aan elkaar hangt. En dat we de 'oorspronkelijke bedoelingen' van de Founders onmogelijk kunnen onderscheiden, aangezien Jefferson niet dezelfde bedoelingen had als Hamilton, en Hamilton er heel anders over dacht dan Adams. En dat, aangezien de 'regels' uit de grondwet afhankelijk zijn van de tijd en de plaats en de ambities van de mannen die hem opstelden, in onze interpretatie van de regels noodzakelijkerwijs dezelfde onzekere factoren zitten: hetzelfde ellebogenwerk, dezelfde oogmerken, gehuld in mooie woorden, van de partijen die uiteindelijk aan het langste eind trekken. Net zoals ik aan de ene kant de veiligheid op prijs stel die de strikte wetsuitleg biedt, vind ik aan de andere kant het doorprikken van de mythe van onze grondwet aantrekkelijk; het is een verleidelijke gedachte dat de tekst van de grondwet ons helemaal niet veel beperkingen stelt, dat we vrij zijn om voor onze eigen waarden op te komen, niet gehinderd door moeilijk te bevatten tradities uit een grijs verleden. Dat is de vrijheid van de relativist, de overtreder van de regels, de tiener die gemerkt heeft dat zijn ouders niet volmaakt zijn en die geleerd heeft de een tegen de ander uit te spelen: de vrijheid van de afvallige.

Maar die afvalligheid schenkt me uiteindelijk ook geen voldoening. Misschien ben ik te vol van de mythe van Amerika's stichting om deze helemaal te verwerpen. Misschien vind ik het prettiger om te denken dat er iemand aan het roer staat, net als degenen die aan de theorie van het intelligent design de voorkeur geven boven Darwin. Uiteindelijk stel ik mezelf steeds deze vraag: als de grondwet echt alleen over macht gaat en niet over principes, als het zo is dat we onszelf hierover steeds voor de gek blijven houden, hoe kan het dan dat onze republiek niet alleen nog steeds bestaat, maar in grote lijnen model heeft gestaan voor zoveel succesvolle samenlevingen op aarde?

Voor het antwoord waarop ik uitkom – ik heb het niet zelf bedacht – is een andere metafoor nodig, een die onze democratie niet ziet als een huis dat moet worden gebouwd, maar als een gesprek dat moet worden gevoerd. In deze voorstelling zit het geniale van Madisons ontwerp hem er niet in dat hij ons een precieze blauwdruk geeft van wat we moeten doen, zoals een technisch tekenaar de constructie van een huis op papier zet. Het voorziet ons van een raamwerk en regels, maar het volgen van deze regels garandeert niet dat we een rechtvaardige maatschappij krijgen of dat we het erover eens worden wat goed is. Onze grondwet kan ons niet vertellen of abortus goed of slecht is, en of de vrouw in kwestie erover moet beslissen of de wet. En ook niet of het schoolgebed beter is dan helemaal niet bidden.

Wat het raamwerk van de grondwet wel kan, is het debat over onze toekomst organiseren. Alle mechanieken die erin zitten – de scheiding der machten, de controlemechanismen, de tegenwichten, de federalistische beginselen, de grondrechten – zijn ontworpen om ons met elkaar in gesprek te dwingen in een 'overlegdemocratie' waarin alle burgers geacht worden deel te nemen aan een proces waarin ze hun ideeën toetsen aan een externe werkelijkheid, anderen proberen te overtuigen van hun zienswijze, en wisselende meerderheden vormen. Omdat de macht in onze overheid zo diffuus is, dwingt het wetgevende proces in Amerika ons om de mogelijkheid te overwegen dat we niet altijd gelijk hebben, en soms om onze mening te herzien; het daagt ons ertoe uit om voortdurend te kijken naar onze beweegredenen en belangen en het geeft ons in overweging dat zowel onze individuele als onze collectieve oordelen tegelijkertijd gewettigd en hoogst feilbaar zijn.

De geschiedenis steunt deze visie. Als er één drijfveer was die alle

Founders deelden, dan was het de afwijzing van elke vorm van absolute macht, of die nu van de koning was, van de theocraat, de generaal, de oligarch, de dictator, de meerderheid of van wie er ook zegt keuzes voor ons te maken. George Washington weigerde de koningskroon vanwege deze drijfveer en trad na twee termijnen af. De plannen van Hamilton, die een nieuwe legermacht wilde aanvoeren, liepen spaak en de reputatie van Adams had er na zijn wetten over vreemdelingen en staatsondermijnende activiteiten onder te lijden dat hij deze drijfveer niet trouw bleef. Het was Jefferson en niet een of andere linkse rechter in de jaren zestig die pleitte voor een muur tussen kerk en staat – en als wij Jeffersons advies niet hebben opgevolgd om elke twee of drie generaties een revolutie te ontketenen, dan is dat alleen maar omdat onze grondwet zelf een voldoende waarborg is gebleken tegen tirannie.

Niet alleen absolute macht wilden de Founders voorkomen. Impliciet aanwezig in de structuur, in het hele idee van de gereguleerde vrijheid, was een afwijzing van absolute waarheid, van de onfeilbaarheid van welk idee, welke ideologie of theologie of welk 'isme' dan ook, van elke tirannieke rechtlijnigheid die de volgende generaties op een enkele, onveranderlijke koers zou dwingen of die zowel meerderheden als minderheden in de klauwen van de inquisitie, de pogrom, de goelag of de jihad zou drijven. De Founders stelden hun vertrouwen in God, maar in de geest van de Verlichting vertrouwden ze ook op de hersenen en de zintuigen die ze van God gekregen hadden. Ze wantrouwden abstracties en stelden graag vragen; in de vroege geschiedenis van de VS week de theorie dan ook telkens voor feiten en praktische noodzaak. Jefferson hielp de macht van de nationale regering te consolideren, hoewel hij die macht zei te betreuren en te verwerpen. Adams' ideaal van een politiek die alleen maar op het publieke belang stoelde – een politiek zonder politiek – bleek achterhaald te zijn zodra hij Washington opvolgde. Het mag de visie van de Founders zijn die ons inspireert, maar het was hun realiteitszin, hun praktische, flexibele en nieuwsgierige geest die hun Unie deed overleven.

Ik geef toe dat dit verhaal over onze grondwet en ons democratisch proces enigszins ontluisterend overkomt. Het lijkt compromissen, bescheidenheid en doormodderen te verheerlijken, en vriendjespolitiek, handjeklap, handelen uit eigenbelang, cliëntelisme, onvermogen en ondoelmatigheid te rechtvaardigen – de politieke worstendraaierij die niemand wil zien en die commentatoren door onze hele geschiedenis heen als corrupt hebben bestempeld. En toch denk ik dat we ons vergissen als we denken dat een overlegdemocratie vereist dat we onze hoogste idealen opgeven, of ons geloof in wat goed is voor iedereen. Tenslotte geeft de grondwet ons de vrijheid van meningsuiting niet opdat we zo hard als we willen tegen elkaar kunnen schreeuwen, doof voor wat anderen wellicht te zeggen hebben (al hebben we daar het recht toe). Dit recht maakt ook een echte ideeënmarkt mogelijk, een markt waar het 'botsen van partijen' in dienst werkt van 'zorgvuldige overweging en behoedzaamheid'; een markt waar we door middel van debat en van wedijver onze horizon kunnen verruimen, van mening kunnen veranderen, en uiteindelijk niet alleen een overeenkomst kunnen bereiken, maar een goede en eerlijke overeenkomst.

Ons grondwettelijke stelsel van controlemechanismen en tegenwichten, scheiding van bevoegdheden en federalisme leidt misschien vaak tot de vorming van groeperingen met vaste belangen die hengelen naar en worstelen om klein gewin, maar dit hoeft niet zo te zijn. De spreiding van de macht kan groeperingen ook dwingen andere belangen in ogenschouw te nemen en kan op termijn zelfs het denken van deze groeperingen over hun eigen belangen veranderen.

Door de afwijzing van absolutisme, die impliciet in ons constitutionele stelsel aanwezig is, kan het er soms op lijken alsof ons politiek bestel geen principes heeft. Maar tijdens het grootste deel van onze geschiedenis bevorderde dit juist het proces van informatie verzamelen, analyseren en bediscussiëren dat ons in staat stelde om geen perfecte, maar wel betere keuzes te maken, niet alleen over de manieren om onze doelstellingen te bereiken, maar ook over de doelstellingen zelf. Of we nu voor of tegen positieve discriminatie zijn, voor of tegen bidden op school, we moeten onze idealen, inzichten en waarden toetsen aan de werkelijkheid van het echte leven, zodat ze in de loop van de tijd verfijnd kunnen worden, of weggegooid, of vervangen door nieuwe idealen, scherpere inzichten en diepere waarden. Het is dat proces, volgens Madison, dat de grondwet zelf heeft opgeleverd, dankzij een sfeer waarin 'niemand zich verplicht voelde langer aan zijn meningen vast te houden dan dat hij overtuigd was van hun juistheid en waarheid, en waarin men openstond voor de kracht van de rede'.

Kortom, onze grondwet voorziet in een soort handleiding om passie te verbinden aan rede en het ideaal van individuele vrijheid aan de behoeften van de gemeenschap. En het verbazingwekkende is dat dat gelukt is. De eerste jaren van de Unie, crises en wereldoorlogen, de vele transformaties van de economie, de tijd van de expansie naar het westen en van de aankomst van miljoenen immigranten op onze kusten: onze democratie heeft dat alles niet alleen overleefd, maar heeft welig getierd. Ze is natuurlijk wel op de proef gesteld in tijden van oorlog en angst, en wordt dat ongetwijfeld opnieuw in de toekomst.

Maar het gesprek is maar één keer helemaal gestopt. Dat was toen het ging over het enige onderwerp waarover de Founders niet wilden praten.

De Onafhankelijkheidsverklaring was, volgens de historicus Joseph Ellis, 'een moment dat de wereldgeschiedenis veranderde, het moment waarop alle wetten en alle menselijke relaties die op dwang gebaseerd waren, voorgoed werden weggevaagd'. Maar deze geest van vrijheid gold niet, volgens de Founders, voor de slaven die op hun akkers werkten, hun bed opmaakten en voor hun kinderen zorgden.

De prachtige machinerie van de grondwet garandeerde de rechten van burgers: degenen die als lid werden beschouwd van de Amerikaanse politieke gemeenschap. Maar ze bood geen bescherming aan wie buiten deze kring viel – de indianen, die met hun verdragen niet hoefden aan te komen voor de rechter van de veroveraar, of de zwarte Dred Scott, die als vrij man het Hooggerechtshof binnenwandelde en als slaaf weer naar buiten kwam.

De overlegdemocratie zou misschien in staat zijn geweest om ook blanke mannen zonder grondbezit, en uiteindelijk vrouwen, het burgerschap te verlenen; rede, debat en het Amerikaanse pragmatisme zouden de economische groeipijnen van deze grote natie misschien verlicht hebben en de godsdienstige spanningen en klassenstrijd verminderd hebben die andere landen plaagden. Maar de overlegdemocratie was niet in staat om de slaaf zijn vrijheid te verschaffen en Amerika van zijn erfzonde schoon te wassen. Uiteindelijk was het het zwaard dat zijn ketenen zou doorhakken.

Wat zegt dit over onze democratie? Er is een school die de Founding Fathers alleen als een stel hypocrieten ziet en de grondwet alleen als een verraad aan de grote idealen van de Onafhankelijkheidsverklaring; deze school is het met de vroege voorstanders van de afschaffing van de slavernij eens dat het Great Compromise tussen Noord en Zuid een pact met de duivel was. Anderen hangen de veilige, conventionele lezing aan dat alle compromissen over de slavernij in het constitutionele proces – het weglaten van opvattingen tegen de slavernij uit de oorspronkelijke tekst van de Onafhankelijkheidsverklaring; de Three-fifths Clause en de clausule over voortvluchtige slaven en de Importation Clause; de maatregelen die het Vierentwintigste Congres zichzelf oplegde om debatten over de slavernij te verhinderen; de hele federale structuur en die van de Senaat – een jammerlijke, maar noodzakelijke voorwaarde waren voor de vorming van de Unie. Deze school zegt dat de Founders er zeker van waren dat de slavernij uiteindelijk zou verdwijnen en dat ze, door te zwijgen, dat alleen wilden uitstellen; en dat deze misser niets afdoet aan het geniale van de grondwet, want die stond toe dat de voorstanders van afschaffing daarvoor betoogden en dat het debat erover doorging, en de grondwet schiep ook het raamwerk waarin, nadat de Burgeroorlog was uitgevochten, het dertiende, veertiende en vijftiende amendement konden worden aangenomen, waardoor de Unie uiteindelijk werd vervolmaakt.

Hoe kan ik, als een Amerikaan bij wie het bloed van Afrika door de aderen stroomt, partij kiezen in zo'n dispuut? Dat kan ik niet. Ik hou te veel van Amerika, ik ben te betrokken bij wat dit land geworden is, te verbonden aan zijn gebruiken, aan zijn schoonheid en zelfs aan zijn lelijkheid, om me helemaal te richten op de omstandigheden van zijn geboorte. Maar ik kan ook niet de omvang van het gedane onrecht onder het tapijt vegen of de geesten van vroegere generaties uitwissen, of de open wond negeren, de schrijnende ziel waar dit land nog steeds last van heeft.

Geconfronteerd met onze geschiedenis is het beste wat ik kan doen mezelf eraan herinneren dat het niet altijd de pragmaticus, de stem van de rede en de kracht van het compromis waren die de omstandigheden voor de vrijheid schiepen. De harde, kille feiten zeggen me dat het onbuigzame idealisten als William Lloyd Garrison waren die het eerst op de trom roffelden voor gerechtigheid; dat het slaven en voormalige slaven, mannen als Denmark Vesey en Frederick Douglass en vrouwen als Harriet Tubman waren, die inzagen dat de macht niet zou buigen zonder gevecht. Het waren de onbezonnen profetieën van John Brown, en zijn bereidheid om bloed en niet alleen woorden te laten vloeien voor zijn idealen, die de kwestie van een land dat voor de helft slaaf was en voor de helft vrij op de spits dreven. Dit herinnert me eraan dat overleg en de constitutionele orde soms een luxe van de machtigen zijn, en dat het soms de zonderlingen, de fanatiekelingen, de profeten, de onruststokers en de onredelijken zijn geweest die vochten voor een nieuwe orde. Dit wetende kan ik degenen die vandaag de dag zo'n overtuigdheid bezitten, niet zomaar afserveren – de antiabortusactivist die betoogt bij mijn gemeentebijeenkomst of de dierenrechtenactivist die een laboratorium te lijf gaat – ook al ben ik het nog zo oneens met hun zienswijzen. Zelfs dat niets zeker is, weet ik niet zeker, want soms zijn absolute waarheden wel eens absoluut.

Ik blijf zitten met Lincoln, die als geen ander voor of na hem zowel de overlegfunctie van onze democratie begreep als de beperkingen van het overleg. Men herinnert zich hem om zijn vastberadenheid en diepe overtuiging – zijn standvastige oppositie tegen de slavernij en zijn overtuiging dat een verdeeld huis niets kon worden. Maar in zijn presidentschap liet hij zich leiden door een pragmatisme dat ons tegenwoordig zou verontrusten. Hij gooide het verscheidene malen op een akkoordje met het zuiden om de Unie in stand te houden zonder oorlog; hij versleet de ene generaal en de ene strategie na de andere toen de oorlog was uitgebroken; en hij rekte de grondwet op tot op het breekpunt om de oorlog uiteindelijk te kunnen winnen. Ik denk graag dat het bij Lincoln niet een kwestie was van zijn overtuigingen opgeven wanneer het zo uitkwam. Het was een kwestie van voor zichzelf een balans vinden tussen twee tegenstrijdige ideeën: dat we moeten praten om tot gemeenschappelijke inzichten te komen, juist omdat we allemaal feilbaar zijn en nooit zeker kunnen weten dat God aan onze kant staat; maar dat we soms toch moeten handelen alsof we zeker zijn van onze zaak, alleen door de voorzienigheid beschermd tegen vergissingen.

Door deze zelfkennis, deze nederigheid, kon Lincoln zijn principes door de structuur van onze democratie naar voren brengen, door middel van toespraken en debat, van redelijke argumenten die wellicht gehoor zouden vinden bij, zoals hij zelf zei, de betere engelen in ons karakter. Dankzij diezelfde nederigheid weerstond hij, toen het gesprek tussen het noorden en het zuiden vastliep en oorlog onvermijdelijk werd, de verleiding om de vaders en zonen die aan de andere kant vochten te demoniseren of om de gruwelen van de oorlog te bagatelliseren, ook al was die nog zo rechtvaardig. Het bloed van de slaven herinnert ons eraan dat ons pragmatisme soms morele lafheid kan zijn. Lincoln en de graven in Gettysburg herinneren ons eraan dat we onze eigen absolute waarheden alleen mogen nastreven als we inzien dat daar mogelijk een vreselijke prijs voor moet worden betaald.

Dergelijke overdenkingen voor de late avond waren niet nodig toen ik mijn besluit moest nemen over de rechters die George W. Bush had voorgedragen voor het federale hof van beroep. Uiteindelijk werd een crisis in de Senaat afgewend, of in elk geval uitgesteld: zeven Democratische senatoren zegden toe drie van de vijf omstreden voordrachten niet te zullen filibusteren en beloofden dat ze de filibuster in de toekomst alleen zouden gebruiken in 'buitengewone omstandigheden'. In ruil stemden zeven Republikeinen tegen de 'nucleaire optie' die het filibusteren onmogelijk zou maken – ook hier onder het voorbehoud dat ze van gedachten konden veranderen als zich 'buitengewone omstandigheden' voordeden. Wat als 'buitengewone omstandigheden' gold wist niemand, en zowel Democratische als Republikeinse scherpslijpers, die wel zin hadden in een knokpartij, beklaagden zich bitter over wat ze zagen als een capitulatie van hun kant.

Ik bedankte voor het lidmaatschap van de zogenoemde Bende van Veertien; gezien de profielen van de betrokken rechters kon ik me moeilijk een rechterlijke voordracht voorstellen die nog zoveel erger zou zijn dat je zou kunnen spreken van 'buitengewone omstandigheden' die een filibuster zouden rechtvaardigen. Maar ik nam mijn collega's hun inspanningen niet kwalijk. De betrokken Democraten hadden een praktische afweging gemaakt – zonder dit akkoord was de knop van de 'nucleaire optie' waarschijnlijk ingedrukt.

Niemand was gelukkiger met deze uitkomst dan senator Byrd. De dag dat het akkoord bekend werd, liep hij triomfantelijk door de gangen van het Capitool, met de Republikein John Warner uit Virginia aan zijn zijde. Achter deze oude tijgers volgden de jongere bendeleden. 'De Republiek is behouden!' riep senator Byrd een peloton verslaggevers toe, en ik glimlachte, terugdenkend aan het bezoek dat ik hem een paar maanden eerder eindelijk had kunnen brengen.

Dat was in de kamer van senator Byrd op de begane grond van het Capitool, weggestopt tussen een reeks kleine, prachtig geschilderde kamers waar ooit Senaatscommissies bijeenkwamen. Zijn secretaresse had me naar zijn werkkamer gebracht, die vol stond met boeken en zo te zien oude manuscripten. Aan de muren hingen oude foto's en herinneringen uit verkiezingscampagnes. Senator Byrd vroeg of het goed was als er een paar foto's van ons samen werden gemaakt, en we schudden elkaar de hand en lachten voor de aanwezige fotograaf. Toen de secretaresse en de fotograaf weg waren, gingen we zitten in een paar sleetse stoelen. Ik informeerde naar zijn vrouw, ik had gehoord dat ze achteruit was gegaan, en vroeg wie een paar mensen op de foto's waren. Uiteindelijk vroeg ik hem welk advies hij een nieuw lid van de Senaat zou geven.

'Leer de regels,' zei hij. 'En niet alleen de regels, maar ook de gebruiken.' Hij wees op een rij dikke mappen achter hem, met handgeschreven etiketten. 'Weinig mensen doen tegenwoordig de moeite om ze te leren. Alles gaat zo gehaast, een senator moet zoveel. Maar deze regels zijn de sleutels tot de macht van de Senaat. De sleutels van het koninkrijk.'

We praatten over de geschiedenis van de Senaat, over de presidenten die hij gekend had, de wetsvoorstellen die hij behandeld had. Hij zei tegen me dat ik het goed zou doen in de Senaat, maar dat ik niet te veel haast moest hebben – veel senatoren dachten tegenwoordig alleen maar aan het Witte Huis, zonder te begrijpen dat in het constitutionele bestel de Senaat het allerhoogste was, het hart en de ziel van de Republiek.

'Zo weinig mensen lezen tegenwoordig de grondwet,' zei senator Byrd, terwijl hij zijn exemplaar uit zijn borstzak haalde. 'Ik heb altijd gezegd: dit document en de Bijbel, dat is alle goede raad die ik nodig heb.'

Voor ik vertrok, liet hij zijn secretaresse een exemplaar brengen van zijn geschiedenis van de Senaat, dat hij aan me wilde geven. Terwijl hij de prachtig gebonden boeken op tafel zette en een pen zocht, zei ik dat het opmerkelijk was dat hij tijd had gevonden om te schrijven.

'O, ik heb geluk gehad,' zei hij, knikkend tegen zichzelf. 'Veel om dankbaar voor te zijn. Er is niet veel dat ik niet opnieuw zou doen.' Opeens zweeg hij en keek me recht in mijn ogen. 'Weet je, ik heb maar van één ding spijt. Jeugdige stommiteit...'

Zo zaten we daar even, het verschil in jaren en in ervaring tussen ons overwegende.

'We hebben allemaal spijt van dingen, senator,' zei ik toen. 'We kunnen alleen maar vragen dat aan het einde Gods vergeving op ons schijnt.'

Hij bleef een ogenblik naar mijn gezicht kijken, knikte toen met een voorzichtige glimlach en sloeg een van de boeken open.

'Gods vergeving. Ja, inderdaad. Laat ik deze voor je signeren,' zei hij, en terwijl hij zijn ene hand ondersteunde met de andere, krabbelde hij langzaam zijn naam op het geschenk.

HOOFDSTUK 4

De politiek

Een van mijn favoriete taken als senator is een gemeentebijeenkomst houden. Ik hield er negenendertig in mijn eerste jaar in de Senaat, over heel Illinois, in kleine plattelandsplaatsjes als Anna en welvarende voorsteden als Naperville, in zwarte kerken in de South Side van Chicago en in een school in Rock Island. Dat gaat zonder veel ophef. Mijn personeel belt een plaatselijke school of bibliotheek om te vragen of de bijeenkomst daar gehouden mag worden. Ongeveer een week van tevoren adverteren we in de plaatselijke krant, in kerkbladen en op de lokale radio. Op de dag van de bijeenkomst zorg ik dat ik er een halfuur te vroeg ben en maak een praatje met leidende personen in de gemeente. Dan hebben we het over lokale zaken, bijvoorbeeld een weg die opnieuw geasfalteerd moet worden of het plan voor een nieuw bejaardencentrum. Er worden een paar foto's gemaakt en dan lopen we naar de zaal waar het publiek wacht. Ik schud wat handen op weg naar het podium, dat meestal leeg is op een spreekgestoelte, een microfoon, een fles water en een Amerikaanse vlag in zijn standaard na. En dan, een uur lang ongeveer, leg ik rekenschap af aan de mensen die me naar Washington hebben gestuurd.

De opkomst loopt uiteen bij deze bijeenkomsten. Soms komen er maar vijftig mensen, soms tweeduizend. Maar hoeveel het er ook zijn, ik ben dankbaar om ze te zien. Ze zijn een dwarsdoorsnede van de districten die we bezoeken: Republikeinen en Democraten, jong en oud, dik en dun, vrachtwagenchauffeurs, hoogleraren, huismoeders, oorlogsveteranen, onderwijzers, verzekeringsagenten, accountants, secretaresses, dokters en sociaal werkers. Ze zijn meestal beleefd en aandachtig, zelfs als ze het niet met me eens zijn (of met elkaar). Ze stellen me vragen over de medicijnen op recept, het begrotingstekort, de mensenrechten in Myanmar, ethanol, de vogelgriep, de financiering van scholen en het ruimtevaartprogramma. Vaak verrassen ze me: een jonge vrouw met vlasblond haar midden op het platteland houdt een vurig pleidooi voor ingrijpen in Darfur, of een oudere zwarte heer in een stadsbuurt ondervraagt me over bodembescherming.

En als ik naar het publiek kijk, voelt dat op de een of andere manier bemoedigend. Aan hun voorkomen zie ik dat ze hard werken. In hoe ze met hun kinderen omgaan zie ik hoop. Zo'n bijeenkomst is voor mij als een verfrissende duik in het water. Ik voel me na afloop gelouterd en blij met het werk dat ik gekozen heb.

Aan het einde van de bijeenkomst komen er meestal mensen naar voren om me een hand te geven, een foto te maken of hun kind aan te moedigen om een handtekening te vragen. Ze drukken me dingen in de hand – artikelen, visitekaartjes, handgeschreven briefjes, militaire medailles, kleine godsdienstige voorwerpen, amuletten. En soms grijpen mensen mijn hand en zeggen dat ze veel hoop in me stellen, maar dat ze bang zijn dat Washington me zal veranderen en dat ik net zo zal worden als al die andere hoge heren.

Blijf alsjeblieft wie je bent, zeggen ze tegen me.

Stel ons alsjeblieft niet teleur.

Het is in Amerika de gewoonte om de problemen van onze politiek te wijten aan de kwaliteit van onze politici. Soms wordt dat in niet mis te verstande bewoordingen uitgedrukt: de president is niet goed bij zijn hoofd, Congreslid die en die is een hufter. Soms wordt een algemenere beschuldiging uitgesproken, zoals in: 'Ze zitten allemaal in de zak bij de belangengroepen.' De meeste kiezers zeggen dat iedereen in Washington 'alleen maar politieke spelletjes speelt', waarmee bedoeld wordt dat ze standpunten innemen die tegen het geweten in gaan, dat hun handelen wordt bepaald door donaties en opiniepeilingen en niet door wat ze denken dat goed is. Vaak is de felste kritiek bestemd voor de politicus van de eigen politieke kleur, voor de Democraat 'die nergens voor staat' of de Republikein 'die dat alleen in naam is'. Dat alles leidt tot de conclusie dat de schoften eruit gegooid moeten worden als we iets in Washington willen veranderen.

Toch laten we die schoften zitten waar ze zitten, jaar na jaar. Voor het Huis van Afgevaardigden ligt het percentage van de leden dat herkozen wordt, op ongeveer zesennegentig procent.

Politicologen kunnen u een aantal verklaringen geven voor dit fenomeen. In de huidige informatiemaatschappij is het moeilijk om tot het bewustzijn van een druk en snel afgeleid electoraat door te dringen. Als gevolg daarvan komt het winnen van verkiezingen voornamelijk neer op doodeenvoudige naamsbekendheid. Om die reden besteden de meeste verkozenen tussen de verkiezingen in buitensporig veel tijd om hun naam genoemd te krijgen, of dat nu bij het doorknippen van linten is of bij de Fourth-of-July-parade of in de praatprogramma's op zondagochtend. Verder is bekend dat verkozenen in het voordeel zijn bij het binnenhalen van geld, want de belangengroepen – ter linker- en ter rechterzijde – kiezen meestal voor de grootste kanshebber als het op politieke donaties aankomt. En dan is er het geknoei met kiesdistricten, waardoor leden van het Huis van Afgevaardigden afgeschermd worden voor grote veranderingen: tegenwoordig worden de grenzen van vrijwel elk kiesdistrict door de regerende partij met de hulp van de computer zodanig getrokken dat er een duidelijke meerderheid van Democraten of Republikeinen woont. Het gaat niet te ver om te zeggen dat de meeste kiezers niet langer hun volksvertegenwoordiger kiezen; in plaats daarvan kiezen de volksvertegenwoordigers hun kiezers.

Er is nog een factor in het spel, een die zelden genoemd wordt, maar die helpt verklaren waarom opiniepeilingen steevast aangeven dat de kiezers een hekel hebben aan het Congres, maar gesteld zijn op hun Congreslid. Het is misschien moeilijk te geloven, maar de meeste politici zijn heel aardige mensen.

Dat geldt wat mij betreft zeker voor mijn collega's in de Senaat. Ieder afzonderlijk zijn ze prima gezelschap – ik ken weinig mensen die beter verhalen kunnen vertellen dan Ted Kennedy of Trent Lott, ik ken er weinig met een scherper verstand dan Kent Conrad of Richard Shelby en ik ken weinig warmere personen dan Debbie Stabenow of Mel Martinez. Door de bank genomen bleken zij intelligente, verstandige en hard werkende mensen te zijn, die bereid waren lange dagen en veel aandacht te besteden aan de problemen in hun staat. Zeker, er waren er die zich gedroegen volgens het stereotype, die nooit ophielden met praten of hun personeel koeioneerden; en hoe meer tijd ik in de Senaatskamer had doorgebracht, hoe vaker ik bij iedere senator de zwakheden zag waaraan we allemaal in zekere mate lijden: een slecht humeur hier, een grote mate van koppigheid of ongeneeslijke ijdelheid daar. Maar in het algemeen schenen dergelijke eigenschappen in de Senaat niet vaker voor te komen dan bij een willekeurige doorsnede van de hele bevolking. Zelfs als ik met de collega's sprak met wie ik het hartgrondig oneens was, viel het me doorgaans op hoe integer ze in beginsel waren – ze wilden de dingen goed doen en het land beter en sterker maken; ze wilden hun kiezers en hun waarden zo getrouw vertegenwoordigen als de omstandigheden toelieten.

Wat was er dan gebeurd waardoor deze mannen en vrouwen in het journaal overkomen als meedogenloze, halsstarrige, onoprechte en soms zelfs gemene karakters? Wat was er met het politieke proces mis dat het redelijke, gewetensvolle mensen ervan weerhield de landszaken te behartigen? Hoe langer ik in Washington was, hoe meer ik vrienden mijn gezicht zag bestuderen op zoek naar een verandering; ze speurden naar de eerste signalen van gewichtigdoenerij, keken of ik nog niet twistziek of behoedzaam werd. Ik begon mezelf ook zo te bekijken; ik begon bepaalde eigenschappen te zien die ik gemeen had met mijn nieuwe collega's, en ik vroeg me af hoe ik kon voorkomen dat ik zelf veranderde in de stereotiepe politicus uit slechte tv-films.

Een goede manier om dit zelfonderzoek te beginnen was te kijken naar de eigenschap ambitie, want in dit opzicht zijn senatoren in elk geval wel anders dan anderen. Weinig mensen belanden per ongeluk in de Amerikaanse Senaat; je moet op z'n minst een beetje megalomaan zijn om te denken dat van alle getalenteerde mensen in jouw staat jij op de een of andere manier de meest geschikte bent om namens hen te spreken; en dat moet je dan ook nog zo sterk voelen dat je bereid bent om het soms verheffende, af en toe schokkende, maar altijd enigszins ridicule proces te ondergaan dat we verkiezingscampagne noemen.

Daar komt nog bij dat ambitie alleen niet genoeg is. Wat de mengelmoes van motieven, zowel verheven als prozaïsche, die ons ertoe bewegen senator te willen worden ook is, degenen die daarin slagen moeten een bijna fanatieke vastberadenheid bezitten, waarbij ze vaak hun gezondheid, hun relaties, hun geestelijke balans en hun waardigheid verwaarlozen. Na mijn campagne voor de voorverkiezingen keek ik in mijn agenda en constateerde dat ik in een tijdsspanne van anderhalf jaar welgeteld zeven dagen vrij had genomen. De rest van de tijd had ik veelal twaalf tot zestien uur per dag gewerkt. Dat was niet iets waar ik erg trots op was. Zoals Michelle tijdens de campagne meermalen per week tegen me zei, het was gewoon niet normaal.

Ambitie en vastberadenheid kunnen echter het gedrag van politici niet helemaal verklaren. Er speelt nog iets mee, iets dat misschien diepgaander en zeker schadelijker is, een emotie die je, na je frivoliteit om je officieel kandidaat te stellen, snel in de greep neemt en je niet meer loslaat tot na de verkiezingsdag. Die emotie is angst. Niet alleen de angst om te verliezen – hoewel die al erg genoeg is –, maar de angst om compleet vernederd te worden.

Ik word bijvoorbeeld nog steeds nijdig als ik terugdenk aan mijn enige nederlaag in de politiek, een oorwassing van de kant van het zittende Democratische Congreslid Bobby Rush. Het was een verkiezingsstrijd waarin alles wat mis kon gaan mis ging, waarin mijn eigen fouten werden verergerd door drama's en slapsticks. Twee weken nadat ik mijn kandidatuur had bekendgemaakt, toen ik een paar duizend dollar had opgehaald, liet ik mijn eerste peiling houden, en ik kwam erachter dat de naamsbekendheid van Bobby Rush op zo'n negentig procent stond, en de mijne op elf procent. Hij kreeg de goedkeuring van ongeveer zeventig procent van de ondervraagden – ik van acht procent. Op die manier leerde ik een van de gouden regels van de moderne politiek: houd je peiling voor je je kandidaat stelt.

Hierna ging het nog slechter. In oktober, toen ik onderweg was om te proberen een steunbetuiging los te krijgen van een van de weinige partijfunctionarissen die zich nog niet voor mijn opponent hadden uitgesproken, hoorde ik op de radio het nieuws dat de zoon van Congreslid Rush voor zijn huis was doodgeschoten door een paar drugsdealers. Ik was geschokt en bedroefd voor Rush en ik schortte mijn campagne zo goed als een maand op.

In de kerstvakantie ging ik voor vijf dagen naar Hawaii om mijn grootmoeder te bezoeken, en om weer eens meer tijd te besteden met Michelle en mijn achttien maanden oude dochter Malia. Toen werd het parlement van Illinois van reces teruggeroepen voor een stemming over een wet op het gebied van wapenbezit. Malia was ziek en kon niet reizen; ik miste de stemming en de wet haalde het niet. Twee dagen later kwam ik met de nachtvlucht aan op Chicago-O'Hare, met een huilend kind achter me aan en Michelle die niet met me wilde praten, en de voorpagina van de *Chicago Tribune* begroette me met het verhaal dat de wapenwet een paar stemmen tekort was gekomen en dat staatssenator en kandidaat-Congreslid Obama 'had besloten zijn vakantie op Hawaii niet te onderbreken'. Mijn campagneleider belde en schetste me het spotje dat mijn opponent nu kon gaan uitzenden: palmbomen, een man met een strohoed die in een strandstoel aan een mai tai nipt, zachte Hawaiiaanse gitaarmuziek op de achtergrond, en de commentaarstem: 'Terwijl Chicago zuchtte onder het grootste aantal moorden in zijn geschiedenis, genoot Barack Obama...'

Hier onderbrak ik hem, ik had het wel ongeveer begrepen.

Terwijl de campagne nog niet eens halverwege was, wist ik dat ik ging verliezen. Vanaf dat moment werd ik elke ochtend wakker met een licht gevoel van afgrijzen als ik bedacht dat ik de hele dag moest lachen en handen schudden en doen alsof alles op rolletjes liep. Een paar weken voor de voorverkiezing ging het wat beter: ik deed het goed in de debatten, die echter weinig media-aandacht kregen, er verschenen wat positieve verhalen over mijn ideeën over de gezondheidszorg en het onderwijs, en ik kreeg zelfs een steunbetuiging van de *Chicago Tribune*. Maar het was te weinig en te laat. Toen ik op mijn verkiezingsfeest aankwam, ontdekte ik dat mijn opponent al tot winnaar was uitgeroepen en dat ik verloren had met eenendertig procentpunten verschil.

Ik zeg niet dat politici de enigen zijn die met zulke teleurstellingen te maken krijgen, maar het punt is dat de meeste mensen hun wonden in de privésfeer kunnen likken, terwijl het verlies van de politicus volop in de schijnwerpers staat. Je moet een opgewekte toespraak houden voor een halflege zaal. Je moet een stoer gezicht trekken als je je medewerkers en aanhangers geruststelt. Je moet de mensen die je geholpen hebben opbellen om ze te bedanken. Je krijgt gênante verzoeken of je nog iets kunt doen om de schulden te helpen aflossen. Je doet dit allemaal zo goed als je kunt, maar ook al zeg je tegen jezelf nog zo vaak het tegendeel – ook al klink je nog zo overtuigend als je het verlies wijt aan slechte timing of pech of geldgebrek –, toch ontkom je in meerdere of mindere mate niet aan het gevoel dat je persoonlijk bent verstoten door de hele gemeenschap, dat je tekortkomt, en dat overal waar je je vertoont de mensen denken: loser! Dat gevoel hebben de meeste mensen niet meer gehad sinds de middelbare school, toen het meisje waar je smoorverliefd op was je afwees met een grap in het bijzijn van haar vrienden, of toen je een strafschop miste in de beslissende wedstrijd. De meeste volwassenen richten hun leven wijselijk zo in dat ze dat gevoel vermijden.

Stelt u zich dan eens voor wat dit gevoel doet met de doorsnee vooraanstaande politicus, bij wie (anders dan bij mij) vrijwel alles gelukt is in het leven: hij was de aanvoerder van het elftal, hij was degene die de toespraak hield op de diploma-uitreiking, zijn vader was senator of admiraal en hij heeft van kindsbeen af te horen gekregen dat hij het ver zou schoppen. Ik sprak eens met de directeur van een bedrijf die veel steun had gegeven aan vicepresident Al Gore in de presidentsverkiezingen van 2000 [die Gore verloor – *vert.*]. We zaten in zijn luxueuze kantoor, van waaruit je uitkeek over heel Midtown Manhattan, en hij vertelde me over een ontmoeting die ze een maand of zes na de verkiezingen hadden gehad, toen Gore investeerders zocht voor zijn nieuwe televisieproject.

'Het was heel vreemd,' zei de directeur. 'Hij was de voormalige vicepresident, iemand die een paar maanden daarvoor op een haar na de machtigste man op aarde geworden was. Tijdens de campagne nam ik zijn telefoontjes altijd aan, ik verzette mijn afspraken als hij me wilde ontmoeten. Maar opeens, na de verkiezingen, ervoer ik het als een last als hij binnenkwam, ik kon het niet helpen. Ik geef het niet graag toe, want ik mag hem echt graag. Maar op de een of andere manier was dit niet Al Gore, de voormalige vicepresident. Het was gewoon een van de honderd mensen per dag die geld van me willen hebben. Toen besefte ik dat jullie politici op een hoge steile klip zitten.'

Een hoge steile klip met een diepe afgrond. De laatste vijf jaar heeft Al Gore aangetoond dat een leven na de politiek heel bevredigend en invloedrijk kan zijn, en ik vermoed dat de directeur de telefoontjes van de voormalige vicepresident weer gretig aanneemt. Maar na zijn nederlaag in 2000 zal Gore de verandering bij zijn vriend best wel gevoeld hebben, denk ik. Terwijl hij daar zat om zijn televisieplan te verkopen, het beste ervan makend, heeft hij misschien wel gedacht hoe belachelijk de situatie was: na een leven van hard werken kon hij alles verliezen door een stemkaart waarop de namen niet recht naast de ponsgaatjes stonden, terwijl zijn vriend de directeur die daar met een meewarig lachje tegenover hem zat, het zich kon veroorloven om jaar na jaar tweede te worden in zijn branche; de aandelen van zijn bedrijf konden omlaag gaan en hij kon een verkeerde investering doen en nog steeds zou hij als een succesvol man worden gezien, trots kunnen zijn op wat hij bereikt had, kunnen genieten van een rijkelijke beloning en van het uitoefenen van macht. Dat was niet eerlijk, maar de zaken lagen zoals ze lagen voor de voormalige vicepresident. Zoals de meeste mannen en vrouwen die voor een politieke carrière kiezen, wist Gore waar hij aan begon toen hij zich kandidaat stelde. Soms krijg je een tweede kans in de politiek, maar tweede worden telt niet.

De meeste andere zonden van de politiek komen voort uit deze grote zonde – de noodzaak om te winnen, maar ook de noodzaak om niet te verliezen. De jacht op geld is daar zeker debet aan. Er was een tijd, voor er wetten op de financiering van verkiezingscampagnes en rondsnuffelende journalisten waren, dat geld de politiek beïnvloedde door regelrechte omkoping. Een politicus kon zijn campagnefonds in die tijd beschouwen als zijn eigen bankrekening en snoepreisjes aannemen; grote betalingen van de kant van partijen die invloed wilden hebben, waren aan de orde van de dag en de wetgeving werd vormgegeven door de hoogste bieder. Als we recente nieuwsberichten mogen geloven, zijn deze grofste vormen van corruptie niet helemaal verdwenen; blijkbaar zijn er in Washington nog steeds lieden die de politiek zien als een manier om rijk te worden. Ze zijn meestal niet dom genoeg om tassen vol bankbiljetten in kleine coupures aan te nemen, maar ze zijn wel degelijk bereid om de belangen van donateurs te dienen en een graantje mee te pikken, tot de tijd er financieel rijp voor is om over te stappen op het lucratieve lobbywerk in dienst van dezelfde partijen die ze eerst met wetgeving moesten reguleren.

Maar in de meeste gevallen is dat niet de manier waarop geld de politiek beïnvloedt. Weinig lobbyisten bieden verkozen politici expliciet geld aan in ruil voor concrete toezeggingen. Dat hoeven ze niet te doen. Hun invloed komt eenvoudigweg voort uit het feit dat ze meer toegang tot deze politici en meer informatie hebben dan de gemiddelde kiezer. En ze hebben meer uithoudingsvermogen als het gaat om het bepleiten van een obscure verordening in de belastingwetgeving die hun cliënt miljarden oplevert en die verder niemand wat kan schelen.

De meeste politici hebben geld niet nodig om rijk te worden. De meesten zijn het al, zeker in de Senaat. Ze hebben geld nodig om hun positie en macht te behouden; om uitdagers bang te maken en hun eigen angst van zich af te schudden. Want geld kan je weliswaar geen overwinning garanderen – je kunt er geen passie van kopen, geen charisma, niet de kunst om iets uit te leggen; maar zonder geld en de televisiespotjes waar het aan opgaat, weet je vrijwel zeker dat je verliest.

De bedragen waar het om gaat zijn adembenemend, zeker bij verkiezingen in grote staten waar diverse regionale media zijn. In de tijd dat ik in Illinois in het parlement zat, heb ik nooit meer dan honderdduizend dollar uitgegeven voor een campagne. Ik werd ook als een beetje ouderwets beschouwd als het om campagnefinanciering ging. Ik werkte mee aan het ontwerp van de eerste wet op de campagnefinanciering die in vijfentwintig jaar tijd was aangenomen. Ik weigerde lobbyisten mijn maaltijden te laten betalen, ik weigerde cheques van de gok- en tabaksbranche. Toen ik besloot me kandidaat te stellen voor de Senaat, moest mijn media-adviseur David Axelrod me even uitleggen hoe het werkte in het leven. Ons campagneplan ging uit van een minimaal budget, sterk afhankelijk van hulp van de achterban en 'verdiende media-aandacht' – dat wil zeggen het zelf kunnen genereren van nieuws. Desalniettemin rekende David me voor dat één week spotjes uitzenden op de tv-kanalen in Chicago ongeveer een half miljoen dollar kostte. In de rest van de staat zou dat tweehonderdvijftigduizend dollar kosten. Als we uitgingen van vier weken tv-spotjes kwam het benodigde budget voor de voorverkiezingscampagne in de hele staat, inclusief alle overhead- en personeelskosten, op zo'n vijf miljoen dollar. Als ik de Democratische voorverkiezing won, moest ik daarna nog eens tien tot vijftien miljoen dollar bijeen zien te krijgen voor de algemene verkiezing.

Die avond schreef ik thuis in keurige rijtjes de namen van alle mensen die ik kende en die me misschien een bijdrage zouden willen geven. Achter hun namen schreef ik het grootste bedrag dat ik ze zou durven vragen.

Opgeteld kwam ik op vijfhonderdduizend dollar.

Als je niet steenrijk bent, is er eigenlijk maar één manier om de bedragen op te hoesten die je nodig hebt om deel te nemen aan een verkiezing voor de Amerikaanse Senaat: je moet er rijke mensen om vragen. In de eerste drie maanden van mijn campagne sloot ik mezelf samen met mijn fondsenwerver in een kamer op om vroegere donateurs van de Democraten ongevraagd op te bellen. Dat was niet leuk. Soms hingen mensen gewoon op. Vaker nam hun secretaresse de boodschap aan en belden ze niet terug, en dan belde ik nog twee of drie keer, tot ik het opgaf of eindelijk de persoon die ik hebben moest zo beleefd was om me persoonlijk een negatief antwoord te geven. Ik begon de belsessies uit de weg te gaan – ik ging veelvuldig naar het toilet, hield lange koffiepauzes en zei tegen mijn medewerkers dat we de toespraak over onderwijs voor de derde of vierde keer moesten bijschaven. Soms dacht ik aan mijn grootvader, die op middelbare leeftijd verzekeringen verkocht, maar daar niet heel goed in was. Ik herinner me hoe hij leed als hij probeerde afspraken te maken met mensen die nog liever een wortelkanaalbehandeling ondergingen dan dat ze praatten met een verzekeringsagent, en de afkeurende blikken die hij kreeg van mijn grootmoeder, die het grootste deel van hun huwelijk meer verdiende dan hij.

Meer dan ooit begreep ik hoe mijn grootvader zich gevoeld moet hebben.

Na drie maanden had onze campagne slechts tweehonderdvijftigduizend dollar binnen – een stuk minder dan het minimum dat nodig was om geloofwaardig te zijn. Alsof dit nog niet erg genoeg was, had ik in deze campagne te maken met wat volgens veel politici het ergste is dat je kan overkomen: een financieel onafhankelijke kandidaat met een bodemloze portemonnee. Hij heette Blair Hull en een paar jaar eerder had hij zijn financiële handelsbedrijf aan Goldman Sachs verkocht voor 531 miljoen dollar. Zijn wens om het land te dienen was ongetwijfeld oprecht, hoewel onbestemd, en iedereen was het erover eens dat hij een briljant man was. Maar op het campagnepad was hij bijna pijnlijk verlegen, met het eigengereide, introverte gedrag van iemand die het grootste deel van zijn leven alleen achter een computerscherm had doorgebracht. Zoals veel mensen dacht hij, vermoed ik, dat een politicus, anders dan een dokter, piloot of loodgieter, geen speciale bekwaamheid in iets nuttigs nodig heeft, en dat een zakenman zoals hijzelf het minstens net zo goed zou doen, en waarschijnlijk beter, dan de beroepspolitici die hij op tv zag. Meneer Hull beschouwde zijn bedrevenheid met cijfers trouwens als een groot voordeel. Op een gegeven moment tijdens de campagne onthulde hij tegenover een journalist een wiskundige formule die hij had ontwikkeld om verkiezingen te winnen, een algoritme dat begon met

Kans = 1/(1 + exp(-1 x (-3,9659056 + (General Election Weight x 1,92380219)...

en verscheidene onbegrijpelijke factoren later eindigde.

Je kon mijn opponent dus gerust afschrijven – tot ik op een ochtend in april mijn appartement verliet om naar kantoor te rijden en begroet werd door hele rijen grote rood-wit-blauwe borden in de tuinen – ze stonden in het gelid aan beide kanten van de straat. BLAIR HULL FOR US SENATE stond erop, en gedurende de volgende tien kilometer zag ik ze langs elke zijstraat en langs elke hoofdstraat, in alle richtingen en in alle hoeken en gaten, bij kapperszaken in het raam en op leegstaande gebouwen, bij bushaltes en achter de toonbank bij de groenteboer – overal borden van Hull, het landschap was ermee bezaaid als met madeliefjes in het voorjaar.

Er is in de politiek in Illinois een gezegde: 'Borden kunnen niet stemmen', waarmee bedoeld wordt dat je het verloop van de verkiezingen niet kunt beoordelen op grond van het aantal borden dat een kandidaat heeft neergezet. Maar niemand in Illinois had ooit in een hele campagne zoveel bordjes en affiches gezien als meneer Hull er in één dag had geplaatst, en ongekend was ook de angstaanjagende doelmatigheid waarmee zijn ploegen betaalde medewerkers de borden van alle anderen uit de tuinen weg konden krijgen en ze vervingen door borden van Hull, allemaal op één avond. Er verschenen berichten over bepaalde buurtleiders in de zwarte gemeenschap die opeens besloten hadden dat meneer Hull de kampioen van de oude binnenstad was, en bepaalde lokale leiders op het platteland staken de loftrompet over meneer Hulls steun voor de kleine boeren. En toen kwamen de televisiespotjes, zes maanden van tevoren en alomtegenwoordig tot op de verkiezingsdag, op elke zender in de staat en de hele dag: Blair Hull met ouderen, Blair Hull met kinderen, Blair Hull die klaarstond om Washington te verlossen uit de klauwen van de belangengroepen. In januari 2004 had meneer Hull de eerste plaats overgenomen in de peilingen en mijn aanhangers begonnen me nu te bedelven onder de telefoontjes. Ik moest iets doen, zeiden ze, ik moest onmiddellijk op de tv of alles was verloren.

Wat kon ik doen? Ik legde uit dat ik, in tegenstelling tot meneer Hull, praktisch een negatief vermogen had. Als het meezat, had onze campagne geld voor precies vier weken televisiespotjes, en het leek ons niet verstandig om het hele campagnebudget er in augustus al doorheen te jagen. Iedereen moet gewoon geduld hebben, zei ik tegen mijn aanhangers. Blijf erin geloven. Niet in paniek raken. Dan hing ik de telefoon op en keek uit het raam, en dan zag ik toevallig de camper rijden waarin Hull door de staat toerde – het ding was zo groot als een oceaanschip en naar men zei net zo compleet uitgerust – en dan vroeg ik me af of het misschien toch tijd was om in paniek te raken.

Ik had in veel opzichten meer geluk dan de meeste kandidaten in dergelijke omstandigheden. Het is mysterieus, ongrijpbaar hoe zoiets gaat, maar op een gegeven moment begon mijn campagne vaart te krijgen, te lopen; het werd onder de rijke donateurs bon ton om mij te steunen, en kleine donateurs in de hele staat begonnen via internet geld over te maken in een tempo dat we nooit verwacht hadden. Dat ik weinig kans maakte, beschermde me ironisch genoeg voor de gevaarlijkste valkuilen van het fondsen werven: de meeste belangencomités uit het bedrijfsleven gingen me uit de weg, dus was ik ze niets verschuldigd. De belangencomités die me wel geld gaven, zoals de milieugroep League of Conservation Voters, stonden in de regel voor dingen waar ik in geloofde en waarvoor ik zelf gestreden had. Uiteindelijk gaf meneer Hull toch nog zes keer zoveel uit als ik. Maar, en dit pleit voor hem (al heeft hij er misschien wel spijt van): hij zond geen enkel negatief tv-spotje over mij uit. In de peilingen bleef ik hem in het zicht houden en in de laatste weken van de campagne, net toen mijn eigen spotjes op tv kwamen en ik begon te stijgen, stortte zijn campagne in elkaar toen er beschuldigingen boven water kwamen dat hij ernstig overhoop lag met zijn ex-vrouw.

Althans voor mij stond niet rijk zijn en niet veel steun krijgen van het bedrijfsleven een overwinning dus niet in de weg. Maar ik weet niet zo zeker of de jacht op geld niets met me gedaan heeft. In elk geval schaamde ik me er niet meer voor om onbekenden om grote sommen geld te vragen. Tegen het einde van de campagne kleedde ik mijn bedeltelefoontjes niet meer in met een grapje en een praatje. Ik kwam snel ter zake en probeerde me geen nee te laten verkopen.

Maar ik ben bang dat er ook een andere verandering plaatsvond. Ik had steeds meer met welgestelde mensen te maken – partners in advocatenkantoren en beleggingsbankiers, managers van hedgefondsen en risico-ondernemers. In de regel waren het slimme, interessante mensen, die niets meer van me vroegen dan dat ik hun meningen aanhoorde in ruil voor een gift. Maar vrijwel allemaal spraken ze vanuit het perspectief van hun klasse: de bovenste een procent van de inkomensladder, de mensen die rustig een cheque van tweeduizend dollar uitschrijven voor een kandidaat-politicus. Ze geloofden in de vrije markt en in een samenleving die een goede opleiding beloont. Ze konden zich moeilijk voorstellen dat er sociale problemen zijn die je niet met goede eindexamencijfers kunt oplossen. Ze waren tegen protectionisme. Ze hadden moeite met vakbonden en niet al te veel sympathie voor de mensen van wie het bestaan op z'n kop wordt gezet door de wereldwijde kapitaalstromen. De meesten waren uitgesproken voor het recht op abortus en tegen vrij wapenbezit en stonden lichtelijk wantrouwend tegenover diep religieuze opvattingen.

En hoewel mijn eigen wereldbeeld in veel opzichten met dat van hen overeenkwam – tenslotte had ik op dezelfde scholen gezeten, had ik dezelfde boeken gelezen en maakte ik me dezelfde zorgen over mijn kinderen – merkte ik dat ik bepaalde onderwerpen uit de weg ging in de gesprekken met hen, dat ik mogelijke meningsverschillen achter het behang plakte, dat ik rekening hield met hun verwachtingen. Op de kernpunten was ik duidelijk: ik had er geen moeite mee om gefortuneerde aanhangers te vertellen dat de belastingverlagingen die ze van George Bush hadden gekregen moesten worden teruggedraaid. Wanneer ik maar kon, probeerde ik ze iets van de zienswijzen mee te geven die ik hoorde van andere kiezers: dat het geloof een gerechtvaardigde rol speelde in de politiek, bijvoorbeeld, of de diepgewortelde culturele betekenis van wapens op het platteland.

Maar toch, ik weet dat ik door het fondsen werven meer ging lijken op de rijke donateurs die ik ontmoette, omdat ik steeds minder tijd doorbracht onder het gewone volk, in de wereld van honger, teleurstelling, angst, irrationaliteit en veelvuldige tegenspoed van negenennegentig procent van de mensen – de mensen voor wie ik de politiek in was gegaan. En ik denk dat het iedere senator zo vergaat. Hoe langer je senator bent, hoe meer je met dezelfde soort mensen omgaat. Je kunt ertegen vechten, met gemeentebijeenkomsten en luistertournees en bezoeken aan de oude wijken. Maar je agenda eist dat je je in andere kringen beweegt dan de meeste mensen die je vertegenwoordigt.

En als de volgende verkiezingen eraan komen, zegt misschien een stem in je dat je niet weer de beproeving wilt doormaken dat je al dat geld in kleine beetjes bijeen moet harken. Je beseft dat je niet meer de frisse wind bent die door de politiek waait; je hebt Washington niet kunnen veranderen en je hebt een hoop mensen teleurgesteld met netelige stemmingen. De weg van de minste weerstand – langs fundraise-evenementen georganiseerd door belangengroepen, comités uit het bedrijfsleven en grote lobbybedrijven – wordt heel verleidelijk. De standpunten van deze insiders zijn niet echt jouw standpunten van vroeger, maar je leert de veranderingen voor jezelf te verdedigen – je moest realistisch zijn, je moest compromissen sluiten, je moest nog leren hoe het allemaal werkte. De problemen van de gewone mensen, de noodkreten uit de industriestad in het noordoosten of het zieltogende midden van het land worden een verre echo in plaats van een tastbare realiteit, worden abstracties waarmee je moet omgaan in plaats van een strijd die je wilt voeren.

Er zijn nog andere krachten die op een senator inwerken. Geld is heel belangrijk, maar het is niet alleen het fondsen werven waardoor kandidaten zichzelf verliezen. Als je wilt winnen in de politiek – als je niet wilt verliezen – kan een goede organisatie net zo belangrijk zijn als geld, vooral in de voorverkiezingen met een lage opkomst; want op een zorgvuldig in kiesdistricten opgedeelde politieke kaart met een gepolariseerd electoraat zijn dat voor een kandidaat vaak de belangrijkste verkiezingen. Tegenwoordig hebben weinig mensen tijd of zin om vrijwilliger te zijn in een politieke campagne, vooral omdat het alledaagse campagnewerk meestal bestaat uit enveloppen likken en aan deuren bellen, niet uit toespraken schrijven en grote gedachten uitdenken. Dus wat doe je als je kandidaat bent en politieke handwerkers en kiezerslijsten nodig hebt? Dan ga je naar bestaande organisaties. Voor de Democraten zijn dat de vakbonden, milieugroepen en pro-abortusgroepen. Voor de Republikeinen zijn het religieus rechts, lokale kamers van koophandel, de National Rifle Association en antibelastingorganisaties.

Ik heb me nooit helemaal thuis gevoeld bij het begrip 'belangengroepen', waarin ExxonMobil en de bouwvakkers op één hoop worden geveegd, en de farmaceutische lobby met de ouders van moeilijk lerende en gehandicapte kinderen. De meeste politicologen zijn het waarschijnlijk niet met me eens, maar naar mijn idee is er een verschil tussen een bedrijfslobby die het alleen maar om geld is te doen, en een groep gelijkgestemde mensen – of dat nu textielwerkers zijn, liefhebbers van vuurwapens, oorlogsveteranen of kleine boeren – die zich verenigen om hun belangen te verdedigen; een verschil tussen lieden die hun economische macht gebruiken om een politieke invloed te verwerven die veel groter is dan hun aantal rechtvaardigt, en kiezers die eenvoudigweg hun stem bundelen om hun volksvertegenwoordiger te beïnvloeden. De eersten ondermijnen het hele idee van de democratie. De laatsten zijn de essentie ervan.

Toch is de invloed van belangengroepen op kandidaten voor openbare functies niet altijd fraai. Belangengroepen zijn er niet op ingericht het algemeen belang te dienen. Ze moeten een actief ledenbestand zien te houden, de stroom donaties op peil houden en hun stem verheffen boven het gedruis. Ze zijn niet op zoek naar de meest bedachtzame, bekwame of verdraagzame kandidaat om te steunen. Ze hebben een paar punten waar ze zich druk om maken – hun pensioen, de subsidie voor hun gewassen, hun zaak. Met andere woorden, ze hebben een appeltje te schillen. En ze willen dat jij, de verkozen functionaris, ze helpt met schillen.

Tijdens mijn eigen voorverkiezingscampagne heb ik zeker vijftig vragenlijsten ingevuld. Ze waren nooit subtiel. Ze bevatten meestal tien of twaalf vragen in de trant van: 'Als u gekozen wordt, belooft u dan plechtig de Zakkenvullerswet te herroepen, die ertoe leidt dat weduwen en wezen op straat worden geschopt?'

Wegens tijdgebrek vulde ik alleen de vragenlijsten in van organisaties die me misschien echt zouden steunen (gezien mijn stemgedrag waren de National Rifle Association en de antiabortusbeweging daar bijvoorbeeld niet bij), dus op de meeste vragen kon ik wel ja antwoorden zonder me ongemakkelijk te voelen. Maar ik kwam ook vragen tegen waarbij ik weifelde. Ik was het met een vakbond eens dat arbeidsomstandigheden en milieunormen aan de orde moesten worden gesteld in onze handelsverdragen, maar vond ik dat de Noord-Amerikaanse vrijhandelsovereenkomst NAFTA moest worden opgezegd? Ik was het ermee eens dat een algeheel gezondheidszorgstelsel een van de belangrijkste prioriteiten voor ons land was, maar vond ik ook dat een amendement op de grondwet de beste manier was om dit te bereiken? Bij zulke vragen maakte ik voorbehouden, kanttekeningen waarin ik uitlegde hoe ingewikkeld de beleidskeuzes waren. Mijn medewerkers schudden dan het hoofd. Eén verkeerd antwoord, zeiden ze, en het stemadvies, de mankracht en de adreslijst gaan allemaal naar de andere kandidaat. Allemaal goede antwoorden, dacht ik, en je sluit jezelf op in het robotachtige, partijpolitieke steekspel waaraan je juist een einde wilde maken.

Zeg tijdens de campagne het ene en doe als je gekozen bent het andere en dan ben je de typische politicus met twee gezichten.

Ik verloor een paar stemadviezen doordat ik een verkeerd antwoord gaf. Een paar keer ook verrasten groepen ons en kreeg ik hun stemadvies toch, ondanks een verkeerd antwoord.

En soms maakte het niet uit hoe je je vragenlijst invulde. Naast meneer Hull was mijn grootste opponent in de Democratische voorverkiezing voor de Amerikaanse senaat de thesaurier van Illinois, Dan Hynes. Hij was een prima man, een goed overheidsdienaar – en zijn vader, Tom Hynes, was voormalig voorzitter van de staatssenaat, belastingschatter van Cook County, lid van een wijkraad, lid van het Democratische Nationale Comité en politiek figuur met een van de beste netwerken in de staat. Voor hij zich zelfs maar kandidaat stelde, had Dan zich al verzekerd van de steun van 85 van de 102 Democratische districtsvoorzitters in de staat; van de meerderheid van mijn collega's in het staatsparlement; en van Mike Madigan, die voorzitter was van zowel het Huis van Afgevaardigden in Illinois als van de Democratische Partij in de staat. Als je op Dans website langs de lijst met steunbetuigingen scrolde, was het alsof je naar de aftiteling van een film zat te kijken – je liep voor het einde weg.

Ondanks dat bleef ik hopen op een paar aanbevelingen voor mezelf, vooral van de vakbonden. Zeven jaar lang was ik hun bondgenoot geweest in het staatsparlement. Ik had veel wetsvoorstellen voor ze ingediend en hun zaak bepleit in de Senaatskamer. Ik wist dat de AFL-CIO* traditioneel altijd degene aanbeval die haar bij stemmingen het meest had gesteund. Maar toen de campagne op gang kwam, gebeurden er vreemde dingen. De wegtransportbond Teamsters hield zijn stemadviesvergadering in Chicago op een dag dat ik in Springfield moest zijn voor een stemming. Het verzetten van de vergadering werd geweigerd en meneer Hynes kreeg de aanbeveling zonder dat er met mij gesproken was. Toen we naar een vakbondsreceptie op de jaarbeurs van Illinois gingen,

---

* De grootste Amerikaanse vakbondsfederatie. – *vert.*

kregen we te horen dat campagnemateriaal niet was toegestaan; toen mijn medewerkers en ik aankwamen, zagen we dat de zaal volgehangen was met Hynes-posters. Op de avond van de stemadviesvergadering van de AFL-CIO merkte ik dat een aantal van mijn vakbondsvrienden wegkeek toen ik door de zaal liep. Een oudere man die een van de grootste regionale bonden voorzat, kwam naast me lopen en klopte me op de rug.

'Het is niet persoonlijk, Barack,' zei hij met een berouwvolle glimlach. 'Maar Tom Hynes en ik kennen elkaar al vijftig jaar. We komen uit dezelfde buurt, gingen naar dezelfde kerk. God, ik heb Danny zien opgroeien.'

Ik zei tegen hem dat ik het begreep.

'Misschien kun je je kandidaat stellen voor Danny's baan als hij naar de Senaat gaat. Wat denk je ervan? Jij zou een geweldige thesaurier zijn.'

Ik ging naar mijn medewerkers en vertelde ze dat we de aanbeveling van de AFL-CIO niet zouden krijgen.

Maar weer kwam het nog goed. De voorzitters van een paar grote dienstenbonden – de onderwijsbond van Illinois, de textielbond, de horecabond en de voedingsbond – deden niet mee en bevalen hun leden mij aan boven Hynes. Deze steun was cruciaal om mijn kandidatuur enig gewicht te geven. Van hun kant was het riskant: als ik had verloren, hadden deze bonden wellicht ingeboet aan politieke toegang en steun, en aan geloofwaardigheid bij hun leden.

Dus sta ik bij deze bonden in het krijt. Als hun voorzitters bellen, probeer ik meteen terug te bellen. Ik vind niet dat dit zweemt naar corruptie. Ik vind het helemaal niet erg dat ik een verplichting voel aan thuiszorgverleners die elke dag bedden verschonen voor weinig meer dan het minimumloon, of aan leraren aan scholen die tot de moeilijkste van het land behoren om daar les te geven, en die in veel gevallen aan het begin van elk schooljaar uit eigen zak potloden en boeken aanschaffen voor hun leerlingen. Ik ben in de politiek gegaan om het voor deze mensen op te nemen en ik ben blij dat er een vakbond is om me aan hun problemen te herinneren.

Maar ik weet ook dat het kan gebeuren dat deze verplichtingen botsen met andere verplichtingen – jegens de kinderen uit de oude binnensteden die niet kunnen lezen bijvoorbeeld, of jegens de kinderen die nog niet geboren zijn en die we opzadelen met schulden. Er zijn al wat spanningen geweest – ik heb bijvoorbeeld voorgesteld te experimenteren met prestatiebeloning voor leraren, en ik heb gepleit voor strengere brandstofverbruiksnormen, hoewel mijn vrienden van de United Auto Workers het daar niet mee eens waren. Ik beloof mezelf graag dat ik de zaken inhoudelijk zal blijven afwegen. En ik hoop dat mijn Republikeinse tegenhanger zijn verkiezingsbeloften dat er geen nieuwe belastingen komen of stamcelonderzoek, ook zal blijven afwegen in het licht van wat het beste is voor het land, ongeacht wat zijn aanhangers willen. Ik hoop dat ik altijd naar mijn vakbondsvrienden zal kunnen gaan en kan uitleggen waarom mijn standpunt redelijk is, omdat het in mijn eigen waarden past en in hun langetermijnbelangen.

Maar de vakbondsleiders zullen het wel niet altijd zo zien. Het zou kunnen gebeuren dat ze het zien als verraad. Dan vertellen ze hun leden misschien dat ik ze bedrogen heb. Dan krijg ik boze brieven en boze telefoontjes. Dan krijg ik misschien de volgende keer hun stemadvies niet.

En als dat je maar vaak genoeg overkomt, en als je een verkiezing bijna verliest omdat een belangrijke groep kiezers kwaad op je is, of als je je in de voorverkiezing moet verweren tegen een opponent die je een verrader noemt, dan heb je misschien niet zo'n zin meer in confrontaties. Dan ga je je afvragen wat je geweten van je verlangt: dat je voorkomt dat je door belangengroepen wordt ingepalmd, of dat je voorkomt dat je je vrienden laat zitten? Het antwoord daarop is niet vanzelfsprekend. Zo ga je stemmen op de manier waarop je zo'n vragenlijst invult. Je denkt niet te veel na over je standpunten. Je vult overal ja in.

Politici die de gevangene zijn van hun grote geldschieters of die bezwijken onder de druk van de belangengroepen – dat is een veelvuldig terugkerend verhaal in de politieke verslaggeving, en de kern van bijna iedere analyse van wat er mis is met onze democratie. Maar voor de politicus die zijn zetel wil behouden is er nog een derde macht die hem duwt en aan hem trekt. Die bepaalt het karakter van het politieke debat en wat hij denkt dat hij wel en niet kan doen, de standpunten die hij denkt dat hij wel of niet kan innemen. Veertig of vijftig jaar geleden was die macht het partijapparaat: de partijbaronnen in de grote steden, de politieke regelaars, de machtige mannen die een carrière met één telefoontje konden maken of breken. Vandaag de dag vormen de media die macht.

Ik moet zeggen: drie jaar lang, van het moment waarop ik mijn kandidatuur voor de Senaat bekendmaakte tot het einde van mijn eerste jaar als senator, heeft de pers ongewoon positief, en soms zelfs onverdiend positief bericht over mij. Ongetwijfeld had dit te maken met mijn rol van underdog in mijn senaatsvoorverkiezing, en met de nieuwigheid van een zwarte kandidaat met een exotische achtergrond. Misschien had het ook iets te maken met mijn manier van praten, die onsamenhangend, weifelachtig en breedsprakig kan zijn (zowel mijn medewerkers als Michelle wijzen me hier vaak op), maar die misschien sympathie wekt bij de geletterde klasse.

Bovendien: zelfs als er negatieve verhalen over me geschreven werden, waren de journalisten waar ik mee te maken had in het algemeen recht door zee. Ze namen onze gesprekken op band op, probeerden mijn uitspraken in hun context te plaatsen en belden me op om een reactie te vragen als ik bekritiseerd werd.

Althans persoonlijk heb ik dus niets te klagen. Maar dat betekent niet dat ik me niets van de pers hoef aan te trekken. Ik heb ervaren hoe de pers een beeld van me heeft geschetst waaraan ik soms maar moeilijk kan voldoen; juist daardoor ben ik me er bewust van hoe snel dat beeld weer kan worden neergehaald.

Een simpele rekensom leert het belang van de media. In de negenendertig gemeentebijeenkomsten die ik hield in mijn eerste jaar als senator, bedroeg de opkomst gemiddeld vier- tot vijfhonderd mensen, wat betekent dat ik vijftien- tot twintigduizend mensen heb kunnen ontmoeten. Zou ik de rest van mijn termijn in dit tempo doorgaan, dan heb ik rechtstreeks contact gehad met misschien vijfennegentig- tot honderdduizend kiezers voor er weer verkiezingen zijn.

Daarentegen bereikt een reportage van drie minuten op het nieuwsprogramma met de laagste kijkcijfers in Chicago misschien al tweehonderdduizend mensen. Met andere woorden, zoals iedere landelijke politicus ben ik vrijwel helemaal afhankelijk van de media om mijn kiezers te bereiken. De media zijn het filter dat mijn stemgedrag uitlegt, mijn uitspraken analyseert en mijn overtuigingen tegen het licht houdt. In elk geval voor het grote publiek ben ik wie de media zeggen dat ik ben. Ik zeg wat zij zeggen dat ik zeg. Ik word wat zij zeggen dat ik zal worden.

De invloed van de pers op onze politiek heeft vele verschijningsvormen. Wat vandaag de dag de meeste aandacht krijgt, is de groei van de ongegeneerd partijdige media: praatprogramma's op radio en televisie, redactionele commentatoren, Fox News en tegenwoordig ook de webloggers:

allemaal ventileren ze beledigingen, beschuldigingen, roddels en insinuaties, vierentwintig uur per dag, zeven dagen per week. Zoals anderen hebben opgemerkt, is deze stijl van opiniërende journalistiek niet echt nieuw: in sommige opzichten zien we hier een terugkeer naar de dominante traditie in de Amerikaanse journalistiek, naar een benadering van het nieuws zoals die werd gevoed door uitgevers als William Randolph Hearst en Colonel McCormick, tot na de Tweede Wereldoorlog een nettere, objectievere vorm van journalistiek ontstond.

Hoe dan ook, je kunt moeilijk ontkennen dat al dat rumoer en venijn, uitgebazuind over televisie en internet, de politieke cultuur verruwt. Het veroorzaakt woede-uitbarstingen en het zaait wantrouwen. En of wij politici het nu toegeven of niet, de voortdurende vergiftiging kan een ontmoedigende uitwerking hebben. Vreemd genoeg maak je je over het bottere werk niet zo druk. Als de luisteraars van Rush Limbaugh het lollig vinden als hij mij 'Osama Obama' noemt, dan denk ik, laat ze hun pleziertje hebben. Het zijn juist de meer subtiele beoefenaren van het genre die je raken, deels omdat het grote publiek meer van hen aanneemt en deels vanwege de vaardigheid waarmee ze zich op je uitspraken kunnen storten om je af te schilderen als een zak.

In april 2005 kwam ik bijvoorbeeld op de buis om de nieuwe President Lincoln Bibliotheek in Springfield te openen met een toespraak van vijf minuten waarin ik zei dat Abraham Lincolns menselijkheid en zijn zwakheden de eigenschappen waren die hem zo boeiend maakten. 'In de manier waarop [Lincoln] zich opwerkte uit de armoede,' zei ik onder meer, 'in zijn zelfstudie en zijn uiteindelijke beheersing van taal en recht, in zijn vermogen om persoonlijke verliezen te incasseren en standvastig te blijven ondanks herhaalde nederlagen – in dat alles zien we een basiselement van het Amerikaanse karakter: het geloof dat we onszelf steeds kunnen hervormen om aan grotere dromen plaats te bieden.'

Een paar maanden later vroeg het blad *Time* of ik een essay wilde schrijven voor een speciaal nummer over Lincoln. Ik had geen tijd om iets nieuws te schrijven, dus vroeg ik de redacteuren van het blad of ze mijn toespraak geschikt vonden. Ze vonden haar geschikt, maar ze vroegen of ik hem iets persoonlijker kon maken, of ik iets kon zeggen over Lincolns invloed op mijn leven. Tussen mijn afspraken door bracht ik snel een paar veranderingen aan, onder meer in het bovengenoemde citaat, dat nu luidde: 'In de manier waarop Lincoln zich opwerkte uit de armoede, in zijn zelfstudie en zijn uiteindelijke beheersing van taal en recht, in zijn vermogen om persoonlijke verliezen te incasseren en standvastig te blijven ondanks herhaalde nederlagen – in dat alles deed hij me niet alleen denken aan mijn eigen leven.'

Het essay was nauwelijks verschenen of Peggy Noonan, voormalig speechschrijfster van Ronald Reagan en columniste van de *Wall Street Journal*, deed een duit in het zakje. Onder de titel 'De verwaandheid van de macht' schreef ze: 'Deze week wappert de voorheen behoedzame senator Barack Obama met z'n vleugels in *Time*. Hij legt uit dat hij net Abraham Lincoln is, maar dan eigenlijk beter.' Voorts schreef ze: 'Er is niets mis met Barack Obama's cv, maar een blokhut komt er niet in voor. Grote daden tot nu toe ook niet. Als hij zo over zichzelf blijft praten, zal dat zo blijven ook.'

Oef!

Het is moeilijk te zeggen of mevrouw Noonan echt dacht dat ik mezelf met Lincoln vergeleek of dat ze het gewoon leuk vond om me zo elegant te fileren. Vergeleken met andere schoten voor open doel van de pers was dit heel mild, en ik had het wel een beetje verdiend.

Ik werd wel met mijn neus op de feiten gedrukt die mijn ervaren collega's al kenden – dat elke uitspraak die ik deed op de snijtafel gelegd zou worden door allerhande commentatoren, zou worden geïnterpreteerd op manieren waarop ik geen invloed had en zou worden doorzocht op mogelijke fouten, versprekingen, weglatingen en tegenstrijdigheden, die de oppositiepartij zou archiveren waarna ze in de toekomst zouden kunnen opduiken in een onaangenaam tv-spotje. In een klimaat waarin een enkele ondoordachte uitspraak meer negatieve publiciteit kan opleveren dan jaren van ondoordacht beleid, had het geen verrassing voor me hoeven zijn dat op Capitol Hill grapjes worden gescreend, dat ironie verdacht is, dat spontaniteit niet gewenst is en dat passie zelfs als gevaarlijk wordt beschouwd. Ik begon me af te vragen hoelang het duurt voor een politicus zich dit allemaal eigen heeft gemaakt; hoelang het duurt voor de batterij schrijvers en redacteuren en censors zich in je eigen hoofd nestelt; hoelang het duurt voor zelfs de 'spontane' momenten voorgekookt worden, zodat je je alleen nog maar geregisseerd druk maakt of boos wordt.

Hoelang duurt het voor je als een politicus gaat klinken?

Er viel hier nog een andere les uit te trekken: zodra mevrouw Noonans column verscheen, verspreidde die zich razendsnel over het internet. Elke rechtse website plaatste hem als bewijs dat ik een arrogante, oppervlakkige stommeling was (alleen het citaat dat mevrouw Noonan had uitgekozen, en niet het essay zelf verscheen in het algemeen op deze sites). In die zin wees dit voorval op een subtieler en schadelijker aspect van de moderne media: een bepaald verhaal, steeds maar herhaald en door cyberspace geslingerd met de snelheid van het licht, wordt uiteindelijk harde realiteit. Karikaturen en algemeen aanvaarde wijsheden nestelen zich in ons brein zonder dat we ooit de tijd nemen om ze tegen het licht te houden.

Als het bijvoorbeeld over de Democraten gaat, wordt er tegenwoordig steevast gezegd dat wij 'zwak' zijn en 'nergens voor staan'. De Republikeinen daarentegen zijn 'sterk' (wel een beetje gemeen) en Bush is 'besluitvaardig', maakt niet uit hoe vaak hij van mening verandert. Als Hillary Clinton in een toespraak of in stemgedrag niet beantwoordt aan het stereotiepe beeld van haar, dan is dat 'berekenend'; doet John McCain dat, dan maakt hij zijn reputatie van vrijbuiter waar. Het is bij wet verplicht, merkte een waarnemer ironisch op, dat mijn naam wordt voorafgegaan door de woorden 'rijzende ster' – hoewel het stuk van Noonan de grondslag levert voor een ander cliché: het stichtelijke verhaal van de jongeman die naar Washington komt, de kluts kwijtraakt door alle publiciteit en uiteindelijk ofwel berekenend, ofwel een slaafse partijganger wordt (tenzij hij er op een of andere manier in slaagt in de categorie vrijbuiters terecht te komen).

Natuurlijk helpt de pr-machine van de politici en hun partij de standaardverhalen voeden. In elk geval de laatste paar perioden zijn de Republikeinen veel beter geweest in dit 'overbrengen van de boodschap' dan de Democraten (dat cliché is, helaas voor ons Democraten, echt waar). Dit 'spinnen' kan echter alleen werken doordat de media het verwelkomen. Iedere verslaggever in Washington staat onder druk van zijn redacteuren en producers, die op hun beurt verantwoording moeten afleggen aan uitgevers en zenderbazen, die op hun beurt naar de kijkcijfers of de oplage kijken en proberen de toenemende voorkeur voor PlayStation en reality-tv te overleven. Om hun deadline te halen, hun marktaandeel te behouden en het journaalmonster te voeden, gaan verslaggevers in groepen opereren. Ze werken dezelfde persberichten af, dezelfde mediagebeurtenissen en dezelfde publieke figuren. En voor drukke en daarom vluchtige nieuwsconsumenten is een afgesleten verhaal niet helemaal onwelkom. Het kost ons niet zoveel denkwerk en tijd; het is snel en makkelijk te verteren. Het 'spinnen' is voor iedereen makkelijker.

De gemaksfactor verklaart ook waarom objectiviteit, zelfs bij de meest gewetensvolle journalisten, vaak betekent: de standpunten van beide kanten van een debat weergeven, zonder enig licht te laten schijnen op welke kant er gelijk zou kunnen hebben. Een typisch verhaal begint als volgt: 'Het Witte Huis meldde vandaag dat het begrotingstekort, ondanks de nieuwe belastingverlagingen, in het jaar 2010 zal zijn gehalveerd.' Op deze introductie volgt dan een quote van een progressieve analist die de cijfers van het Witte Huis aanvalt en een quote van een conservatieve analist die de cijfers van het Witte Huis verdedigt. Is de ene analist misschien geloofwaardiger dan de andere? Is er misschien ergens een onafhankelijke analist die iets over de cijfers kan zeggen? Wie zal het zeggen? De journalist heeft zelden tijd voor dergelijke details; het verhaal gaat eigenlijk niet over de voordelen van de belastingverlagingen en de gevaren van het tekort, maar over het geschil tussen de partijen. Na een paar alinea's kan de lezer de conclusie trekken dat de Republikeinen en de Democraten weer aan het bekvechten zijn en doorbladeren naar de sport, waar het verhaal minder voorspelbaar is en het scorebord je vertelt wie er gewonnen heeft.

Dat journalisten het zo aantrekkelijk vinden om tegenstrijdige persberichten naast elkaar te zetten, komt deels doordat dit het oude journalistieke stokpaardje voedt: schrijf over persoonlijke conflicten. Het valt moeilijk te ontkennen dat de beschaafdheid in de politiek de laatste tien jaar is afgenomen en dat de partijen sterk van mening verschillen over belangrijke beleidszaken. Maar op z'n minst een deel van de afname in beschaafdheid komt voort uit het feit dat beschaafdheid, vanuit het oogpunt van de pers, saai is. Je quote komt niet op tv als je zegt 'Ik begrijp het standpunt van de ander' of 'Het is echt een ingewikkelde kwestie'. Maar als je in de aanval gaat, zijn de camera's niet weg te slaan. Vaak doen verslaggevers alles om het vuurtje op te stoken, en proberen ze met hun vraagstelling een explosieve reactie uit te lokken. Een tv-verslaggever die ik vroeger in Chicago kende was er berucht om dat hij je de quote die hij wilde hebben in de mond legde; zijn interviews leken wel een sketch van Abbott en Costello.

'Voelt u zich verraden door het besluit van gisteren van de gouverneur?' vroeg hij bijvoorbeeld.

'Nee. Ik heb met de gouverneur gesproken en ik denk dat we onze meningsverschillen kunnen oplossen voor het einde van deze periode.'

'Ja... maar voelt u zich verraden door de gouverneur?'

'Dat woord zou ik niet gebruiken. Hij ziet het zo dat...'

'Maar is dit eigenlijk geen verraad van de kant van de gouverneur?'

Het 'spinnen', het uitvergroten van geschillen, het ongenuanceerd zoeken naar schandalen en blunders – het cumulatieve effect van dit alles is dat elke algemeen aanvaarde standaard die we hebben om te beoordelen wat waar is, wordt uitgehold. Er gaat een prachtig, misschien zelfs niet helemaal waar gebeurd verhaal over Daniel Patrick Moynihan, de briljante, kribbige en eigenzinnige senator uit New York. Kennelijk was Moynihan in een verhitte discussie met een collega over het een of ander. De andere senator, die voelde dat hij het debat verloor, flapte eruit: 'Je kunt het wel met me oneens zijn, Pat, maar ik heb recht op mijn eigen mening.' Waarop Moynihan ijzig antwoordde: 'Je hebt het recht om er je eigen mening op na te houden, maar niet je eigen feiten.'

Deze stelling van Moynihan houdt geen stand meer. We hebben geen gezaghebbende figuur meer, geen Walter Cronkite of Edward R. Murrow, naar wie we allemaal luisteren en op wie we vertrouwen om in de tegenstrijdige beweringen het kaf van het koren te scheiden. In plaats daarvan is het mediafirmament in duizenden stukken versplinterd. Allemaal komen ze met hun eigen versie van de waarheid, allemaal proberen ze de klandizie te winnen van een versplinterde natie. Afhankelijk van je favoriete zender is de klimaatverandering wel of niet gevaarlijk aan het versnellen, en gaat het begrotingstekort omlaag of omhoog.

Dit fenomeen beperkt zich niet eens tot de berichtgeving over ingewikkelde zaken. Begin 2005 publiceerde *Newsweek* beschuldigingen dat Amerikaanse bewakers en verhoorders in de gevangenis in Guantánamo Bay gedetineerden hadden getreiterd en onteerd, onder meer door een koran door het toilet te spoelen. Het Witte Huis verklaarde dat hier absoluut niets van waar was. *Newsweek* had geen harde bewijzen, en na gewelddadige protesten in Pakistan naar aanleiding van het artikel ging het blad door het stof en rectificeerde het. Een paar maanden later gaf het Pentagon een rapport vrij waarin stond dat Amerikaans personeel in Guantánamo zich wel degelijk meermalen schuldig had gemaakt aan ontoelaatbare activiteiten – onder meer gevallen waarin vrouwen onder het personeel zogenaamd menstruatiebloed op gevangenen smeerden tijdens verhoren, en minstens één geval waarin een bewaker op een koran en een gevangene had geürineerd. Wat was die middag de kop van Fox News? 'Pentagon vindt geen bewijs dat koran door toilet is gespoeld.'

Ik weet dat de naakte feiten onze politieke geschillen niet altijd kunnen oplossen. Onze opvatting over abortus wordt niet bepaald door de wetenschappelijke kennis over de ontwikkeling van de foetus, en onze inschatting of en wanneer we onze troepen uit Irak moeten terugtrekken is, dat kan niet anders, op aannames gebaseerd. Maar soms zijn er betere en soms zijn er minder goede antwoorden: soms zijn er feiten waaraan de spindokters geen draai kunnen geven, zoals je een discussie over de vraag of het regent kunt beslissen door naar buiten te lopen. Dat we het zelfs bij benadering niet eens zijn over de feiten, geeft elke mening evenveel waarde en haalt daardoor de basis voor een weloverwogen compromis onderuit. Niet degenen die gelijk hebben krijgen hun zin, maar degenen die – zoals de voorlichtingsdienst van het Witte Huis – hun argumenten het luidst, het vaakst, het hardnekkigst en het mooist naar voren brengen.

De moderne politicus begrijpt dit. Hij liegt misschien niet, maar hij weet dat de waarheid spreken niet veel oplevert, vooral als die waarheid een beetje ingewikkeld is. De waarheid kan opschudding veroorzaken; de waarheid zal betwist worden; de media zullen niet het geduld hebben om de feiten te gaan uitzoeken en dus zal het publiek wellicht niet weten wat waar is en niet waar. Waar het dus om gaat is jezelf positioneren. De politicus neemt in een kwestie een standpunt in dat opschudding vermijdt of gewenste publiciteit genereert; een positie die past in het beeld dat zijn voorlichters van hem hebben opgetrokken en ook in een van de vakjes met standaardverhaallijnen die de media voor de politiek klaar hebben liggen. Vanuit zijn persoonlijke integriteit staat de politicus er misschien nog steeds op de waarheid te vertellen zoals hij die ziet. Maar dat doet hij dan in de wetenschap dat het minder belangrijk is dat hij in zijn standpunt gelooft dan dat het eruitziet alsof hij in zijn standpunt gelooft; dat oprechtheid minder belangrijk is dan dat het oprecht klinkt op tv.

Vanuit mijn eigen waarneming zeg ik dat er talloze politici zijn die deze hindernissen hebben genomen en hun integriteit hebben weten te bewaren; mannen en vrouwen die campagnebijdragen werven zonder zich te laten corrumperen, die steun weten te krijgen zonder zich gevangen te laten nemen door de belangengroepen en die zichzelf blijven in de omgang met de media. Maar er is nog een laatste horde die je, als je eenmaal in Washington zit, niet helemaal kunt omzeilen en die er onvermijdelijk voor zorgt dat een flink deel van je kiezers slecht over je gaat denken. Ik bedoel de uiterst onbevredigende gang van zaken in het wetgevende proces.

Ik ken geen enkele parlementariër die niet geregeld gekweld wordt door een stem die hij of zij moet uitbrengen. Soms heb je het gevoel dat bepaalde wetgeving zo overduidelijk juist is dat je er nauwelijks met jezelf over in discussie hoeft (een goed voorbeeld is John McCains amendement dat marteling door de Amerikaanse regering verbiedt). En soms wordt er een wet in de Senaat ingebracht die zo schaamteloos eenzijdig is of zo slecht in elkaar zit dat je je afvraagt hoe de indiener zijn gezicht in de plooi kan houden in het debat.

Maar meestal is wetgeving een troebel brouwsel, het product van honderd grote en kleine compromissen, een mengsel van gerechtvaardigde politieke doelstellingen, politieke dikdoenerij, geïmproviseerde noodregelgeving en ouderwets cliëntelisme. In mijn eerste maanden in de Senaat, als ik nieuwe wetsvoorstellen las, werd ik er vaak mee geconfronteerd dat mijn principes minder duidelijkheid boden dan ik eerst dacht; dat zowel een ja- als een neestem me een enigszins bezwaard gemoed zou opleveren. Moet ik stemmen voor een energiewet die mijn bepaling bevat dat de productie van alternatieve brandstoffen gestimuleerd moet worden, en die de bestaande situatie verbetert, maar die volkomen ontoereikend is om Amerika's afhankelijkheid van buitenlandse olie te verminderen? Moet ik stemmen tegen een wijziging van de Clean Air Act (wet op de luchtkwaliteit) die de regels op sommige punten afzwakt, maar ze op andere punten aanscherpt en zorgt voor meer voorspelbaarheid in de naleving door het bedrijfsleven? Wat moet ik doen als deze wet de vervuiling vergroot, maar schone steenkooltechnologie financiert die banen kan opleveren in een verarmd deel van Illinois?

Telkens weer zit ik de argumenten, voor en tegen, zo goed mogelijk te wikken en te wegen in de beperkte beschikbare tijd. Mijn medewerkers melden dat de post en de telefoontjes voor en tegen gelijk opgaan en dat de belangengroepen aan beide kanten erbovenop zitten. Als het uur nadert dat ik mijn stem moet uitbrengen, moet ik vaak denken aan iets wat John F. Kennedy vijftig jaar geleden schreef in zijn boek *Portretten van moed*:

> Niemand, of bijna niemand, heeft te maken met zo'n vreeswekkende onomkeerbaarheid van zijn beslissing als een Senator in een belangrijke stemming. Hij wil misschien meer tijd om te beslissen; hij vindt misschien dat voor beide kanten iets te zeggen is; hij denkt misschien dat een klein amendement alle moeilijkheden zou kunnen wegnemen. Maar als de namen worden voorgelezen kan hij zich niet verstoppen, hij kan niet als een kat om de hete brij heen draaien, hij kan geen uitstel krijgen – en hij heeft het gevoel dat zijn kiezers, zoals de raaf in het gedicht van Poe, op zijn Senaatsbank zijn neergestreken en 'Nooit weer!' krassen, terwijl hij de stem uitbrengt die zijn politieke toekomst op het spel zet.

Dat is misschien een beetje al te dramatisch, maar geen parlementariër, op staatsniveau of op federaal niveau, heeft nooit zulke moeilijke momenten. Ze zijn altijd veel erger voor de partij die niet aan de macht is. Als lid van de meerderheid kun je enige invloed uitoefenen op een wetsontwerp dat je belangrijk vindt, voor het in stemming wordt gebracht. Je kunt de commissievoorzitter vragen bewoordingen toe te voegen die jouw kiezers helpen of bewoordingen te schrappen die hen schaden. Je kunt je fractieleider of de indiener zelfs vragen met het voorstel te wachten tot er een compromis is bereikt dat meer naar je zin is.

Als je in de minderheidsfractie zit, ben je niet zo beschermd. Je moet ja of nee stemmen, voor welk wetsvoorstel dan ook, ook al weet je dat het waarschijnlijk een compromis is dat noch jij, noch je aanhang beschouwt als eerlijk of rechtvaardig. In dit tijdperk van lukraak uitgedeelde goedmakertjes en veelomvattende 'omnibus'-begrotingswetten kun je er zeker van zijn dat, hoeveel slechte bepalingen er ook in een voorstel staan, er ook altijd wel iets in zit – geld voor kogelvrije vesten voor onze soldaten bijvoorbeeld, of een bescheiden verhoging van de steun voor oorlogsveteranen – dat tegenstemmen pijnlijk maakt.

In zijn eerste termijn speelde het Witte Huis van Bush dit parlementaire spel in elk geval meesterlijk. Er doet een leerzaam verhaal de ronde over de onderhandelingen over de eerste reeks belastingverlagingen onder Bush. Karl Rove nodigde toen een Democratische senator uit op het Witte Huis om de eventuele steun van de senator voor het maatregelenpakket van de president te bespreken. Bij de vorige verkiezingen had Bush in de staat van deze senator met een ruime marge gewonnen, deels dankzij de door hem beloofde belastingverlagingen, en de senator stond in het algemeen positief tegenover lagere progressieve tarieven. Maar hij had wel problemen met de mate waarin de voorgestelde belastingverlagingen de rijken bevoordeelden. Hij stelde een paar wijzigingen voor die de effecten van het pakket zouden matigen.

'Als je deze wijzigingen aanbrengt,' zei de senator tegen Rove, 'dan zal ik niet alleen voor het wetsvoorstel stemmen, maar dan garandeer ik je dat de Senaat met zeventig stemmen voor stemt.'

'We willen geen zeventig stemmen voor,' zou Rove hebben geantwoord. 'We willen er eenenvijftig*.'

Of Rove het wetsvoorstel van het Witte Huis nu goed beleid vond of niet, een politieke win-winsituatie herkende hij feilloos. Ofwel de senator stemde ja en dan hielp hij het plan van de president aannemen, of hij stemde nee en dan werd hij een niet te missen schietschijf bij de volgende verkiezingen.

Zoals verscheidene Democraten uit Republikeinse staten stemde de senator uiteindelijk ja, wat ongetwijfeld de overheersende mening in zijn staat over de belastingverlagingen weergaf. Toch illustreert zo'n verhaal de problemen voor een minderheidspartij als ze 'tweepartijdig' wil zijn, zoals dat in Amerika heet. 'Tweepartijdigheid' vindt iedereen goed. Vooral de media zijn dol op de term, vanwege de tegenstelling met 'partijpolitiek geruzie' dat de overheersende verhaallijn is in de verslaggeving op Capitol Hill.

Echte tweepartijdigheid vereist echter een eerlijk proces van geven en nemen, en ook dat de kwaliteit van een compromis afgemeten wordt aan hoe goed een overeengekomen doelstelling wordt gediend, bijvoorbeeld betere scholen of een lager tekort. Dit vereist op zijn beurt dat de meerderheid – gedwongen door nauwkeurige journalisten en via hen door een goed geïnformeerd electoraat – te goeder trouw moet onderhandelen. Als aan deze voorwaarden niet wordt voldaan – als niemand buiten Washington de inhoud van het wetsvoorstel iets kan schelen,

* De Senaat telt honderd zetels – *vert.*

als de echte kosten van de belastingverlaging met creatief boekhouden worden weggemoffeld en een slordige biljoen dollar te laag worden voorgesteld – dan kan de meerderheidspartij de onderhandelingen beginnen door honderd procent te vragen, een concessie van tien procent doen en dan iedereen van de minderheidspartij die niet met dit 'compromis' akkoord gaat, ervan beschuldigen een dwarsligger te zijn. Onder zulke omstandigheden betekent 'tweepartijdigheid' voor de minderheidspartij dat ze keer op keer wordt platgewalst – hoewel individuele senatoren er misschien een slaatje uit kunnen slaan door steeds met de meerderheid mee te gaan en zo de reputatie te krijgen 'gematigd' te zijn of een 'middenkoers' aan te hangen.

Het is niet verwonderlijk dat er activisten zijn die vinden dat de Democratische senatoren zich nu, uit principe, tegen elk Republikeins initiatief moeten verzetten, zelfs tegen initiatieven waar iets voor te zeggen is. De personen die dit zeggen hebben zich geen van allen ooit kandidaat gesteld voor een hoog openbaar ambt in een door de Republikeinen gedomineerde staat, en zijn ook nooit het mikpunt geweest van negatieve tv-spotjes ter waarde van miljoenen dollars. Iedere senator weet hoe makkelijk het is om iemands stemgedrag in een ingewikkelde kwestie als snood en verderfelijk af te schilderen in een televisiespotje van een halve minuut; en hoe moeilijk het vervolgens is om de redelijkheid van dat stemgedrag in minder dan twintig minuten uit te leggen. Iedere senator weet ook dat hij in één enkele termijn duizenden keren stemt. Potentieel heb je dus een heleboel uit te leggen als het weer verkiezingstijd wordt.

Waar ik misschien het meeste geluk mee heb gehad tijdens mijn eigen campagne voor de Senaat, was dat geen enkele kandidaat met een negatief tv-spotje over mij kwam. Dit kwam uitsluitend door de merkwaardige omstandigheden van die verkiezing, en niet omdat er geen materiaal voor zo'n spotje voorhanden was. Tenslotte had ik toen al zeven jaar in het parlement van de staat gezeten, waarvan zes jaar in de minderheid. Ik had dus duizenden keren een stem uitgebracht, en soms was de keuze moeilijk. Het Republikeinse Senaatsbureau had, al voor ik zelfs maar genomineerd was, een dikke map met onderzoeksgegevens over mij samengesteld – dat is tegenwoordig een standaardprocedure. Mijn eigen onderzoekers zaten ook urenlang mijn dossier door te spitten in een poging te anticiperen op de negatieve spotjes die de Republikeinen in petto zouden kunnen hebben.

Ze vonden niet veel, maar het was genoeg om de klus te klaren – een stuk of twaalf stemmen van mij die, als ze uit hun context werden gelicht, behoorlijk angstaanjagend konden overkomen. Mijn media-adviseur, David Axelrod, probeerde dit uit in een peiling en daarin daalde mijn populariteit meteen tien procentpunten. Er was een wetsvoorstel geweest dat beoogde het dealen in drugs op scholen aan te pakken, maar dat zo slecht in elkaar zat dat ik van mening was dat het niet doelmatig was en nog ongrondwettelijk ook. 'Obama stemde tegen het aanpakken van groepsverkrachters die in drugs dealen op scholen', heette het in mijn eigen proefpeiling. Er was ook een wetsvoorstel, ingediend door antiabortusactivisten, dat in eerste instantie heel redelijk klonk – het stelde levensreddende maatregelen voor premature baby's verplicht (er stond niet bij dat die maatregelen al wettelijk van kracht zijn). Maar het wetsvoorstel breidde ook het begrip 'individu' uit tot niet-levensvatbare foetussen, zodat het inging tegen het arrest Roe vs. Wade. In de peiling was ervan gemaakt dat ik had gestemd 'tegen maatregelen om het leven te redden van levendgeboren baby's'. Ik ging het lijstje verder af en stuitte op de bewering dat ik als senator in Illinois tegen een wetsvoorstel had gestemd om 'onze kinderen te beschermen tegen seksuele delinquenten'.

'Wacht even,' zei ik, terwijl ik het papier uit Davids handen trok. 'Bij die stemming drukte ik per ongeluk op de verkeerde knop. Ik wilde ja stemmen en ik heb dat ook meteen laten aantekenen in de officiële stukken.'

David lachte. 'Ik denk niet dat dat deel van de officiële stukken het Republikeinse spotje zal halen.' Hij nam de enquête weer van me over. 'Kop op,' zei hij, terwijl hij me op de rug klopte. 'Ik weet zeker dat dit je helpt als het over de stemming over zedendelinquenten gaat.'

Ik vraag me soms af hoe de zaken gelopen zouden zijn als die spotjes er wel gekomen waren. Niet zozeer of ik gewonnen of verloren zou hebben – tegen de tijd dat de voorverkiezing achter de rug was, had ik een voorsprong van twintig procentpunten op mijn Republikeinse opponent – maar meer welk beeld de kiezers van me gehad zouden hebben. Ik zou bij mijn intrede in de Senaat op een veel dunner kussentje van krediet hebben gezeten. Dat is hoe de meesten van mijn collega's, Republikeinen zowel als Democraten, de Senaat binnenkomen. Hun fouten zijn over de daken uitgeschreeuwd, hun woorden verdraaid en hun motieven in twijfel getrokken. Ze hebben hun vuurdoop gehad; de ervaring achtervolgt ze elke keer dat ze hun stem uitbrengen, elke keer ook dat ze een persbericht uitgeven of een verklaring afleggen. Ze zijn bang, niet alleen dat ze een politiek gevecht verliezen, maar ook dat de mensen die hen naar Washington hebben afgevaardigd hen de rug toekeren – al die mensen die ooit tegen hen gezegd hebben: 'We stellen veel hoop in je. Stel ons alsjeblieft niet teleur.'

Natuurlijk zijn er technische verbeteringen in onze democratie aan te brengen die deze druk op politici wat zouden kunnen verlichten; structurele veranderingen die de band tussen de kiezers en hun vertegenwoordigers zouden versterken. Een neutrale indeling van de kiesdistricten, inschrijving in het kiesregister op de verkiezingsdag zelf en verkiezingen in het weekeinde; al deze maatregelen zouden de competitiviteit van de verkiezingen verhogen en meer interesse van de kiezers kunnen wekken – en hoe meer interesse van de kiezers, hoe meer integere politici worden beloond. Openbare financiering van de campagnes en gratis zendtijd op televisie en radio zouden het voortdurende bietsen om geld, en daarmee de invloed van de belangengroepen, drastisch kunnen terugdringen. Veranderingen in de regels van het Huis van Afgevaardigden en de Senaat zouden de leden van de minderheid meer armslag kunnen geven, de transparantie in de gang van zaken kunnen vergroten en meer diepgang in de journalistiek kunnen bevorderen.

Maar dit gaat allemaal niet vanzelf. Al deze veranderingen vergen een mentaliteitsverandering bij degenen die aan de macht zijn. Allemaal vereisen ze dat individuele politici vraagtekens zetten bij de bestaande orde, dat ze hun greep opgeven op hun eigen zetel en dat ze bereid zijn zowel met hun vrienden als met hun vijanden op te komen voor abstracte ideeën waarvoor het grote publiek weinig belangstelling lijkt te hebben. Al deze veranderingen vergen van de dames en heren politici een bereidheid om op het spel te zetten wat ze al hebben.

Uiteindelijk komt het nog steeds neer op die eigenschap die John F. Kennedy probeerde te definiëren aan het begin van zijn carrière, toen hij herstellende was van een operatie. Hij dacht aan zijn heldhaftigheid in de oorlog, maar misschien ook aan de wat minder duidelijke politieke uitdagingen die voor hem lagen. Hij had het over moed. Hoe langer je in de politiek zit, hoe makkelijker het in zekere zin zou moeten worden om moedig te zijn. Want het is een soort opluchting als het besef doordringt dat er toch altijd wel iemand boos op je wordt, wat je ook doet; dat de politieke aanvallen toch wel komen, hoe behoedzaam je ook stemt; dat weldoordachtheid kan worden uitgelegd als lafheid en dat moed zelf kan worden uitgelegd als berekening. Ik vind troost in het feit dat ik populariteit minder koester naarmate ik langer in de politiek zit; dat een streven naar macht en roem en een hoge positie eigenlijk een armzalige ambitie is; en dat ik voornamelijk verantwoording verschuldigd ben aan de starende blik van mijn eigen geweten.

En aan mijn kiezers. Na een gemeentebijeenkomst in Godfrey kwam een oudere heer naar voren. Hij uitte zijn woede over het feit dat ik, ondanks mijn oppositie tegen de Irakoorlog, nog niet had opgeroepen tot een volledige terugtrekking van de troepen. We hadden een korte en plezierige discussie, waarin ik uitlegde dat ik vreesde dat een overhaaste terugtrekking zou leiden tot een algehele burgeroorlog in Irak, die zich mogelijk zou kunnen uitbreiden over het hele Midden-Oosten. Aan het eind van het gesprek gaf hij me een hand.

'Ik denk nog steeds dat u het verkeerd ziet,' zei hij, 'maar het lijkt er in elk geval op of u erover hebt nagedacht. En waarschijnlijk zou u me teleurstellen als u het altijd met me eens was.'

'Dank u wel,' zei ik. Toen ik wegliep, dacht ik aan iets wat rechter Louis Brandeis eens heeft gezegd: dat in een democratie het belangrijkste ambt het ambt van burger is.

HOOFDSTUK 5

Kansen

Iets wat je als Amerikaans senator veel doet, is vliegen. Je vliegt heen en terug naar Washington, minstens een keer per week. Je vliegt naar andere staten om een toespraak te houden, geld in te zamelen of campagne te voeren voor je collega's. Als je een grote staat als Illinois vertegenwoordigt, vlieg je ook de staat op en neer om gemeentebijeenkomsten bij te wonen, linten door te knippen en om te voorkomen dat de mensen denken dat je ze vergeten bent.

Meestal vlieg ik met een lijnvlucht, economy class. Ik hoop op een stoel aan het raam of aan het gangpad en ik duim dat de man voor me zijn stoelleuning niet laat zakken.

Maar soms, als ik bijvoorbeeld op meerdere plaatsen aan de westkust moet zijn, of nog naar een andere stad moet nadat de laatste lijnvlucht vertrokken is, vlieg ik met een privéjet. Eerst was ik me niet bewust van deze mogelijkheid, ik dacht dat het veel te duur was. Maar tijdens mijn campagne legden mijn medewerkers me uit dat er een Senaatsregel is dat senatoren en kandidaten andermans privéjet kunnen gebruiken en dan alleen hoeven te betalen wat een ticket in de eerste klasse zou kosten. Ik keek naar mijn campagneschema en dacht aan alle tijd die ik kon uitsparen, en ik besloot eens een privéjet te proberen.

Vliegen is een heel andere ervaring in zo'n privéjet. Het toestel vertrekt van een speciale, particulier geëxploiteerde terminal, met zitruimten waar grote zachte canapés en grote tv's staan en oude luchtvaartfoto's aan de muren hangen. De toiletten zijn gewoonlijk leeg en brandschoon, en voorzien van schoenpoetsmachines en mondwater en pepermuntjes in een schaaltje. Je hoeft je niet te haasten in zo'n terminal; het vliegtuig wacht op je als je te laat bent en het staat voor je klaar als je vroeg bent. Vaak kun je de hal voorbijrijden en met je auto zo het platform op. Zo niet, dan wachten de piloten je op in de terminal, ze nemen je bagage over en je loopt met ze mee naar het toestel.

En de vliegtuigen zijn fijn. De eerste keer dat ik zo vloog, was het een Citation x, een slank, compact, glanzend toestel met houten wanden en leren stoelen die je tegen elkaar kon schuiven om er een bed van te maken als je een dutje wilde doen. Op de stoel achter me stond een garnalensalade en een kaasplankje. De piloten hingen mijn jas op, overhandigden me de kranten van mijn keuze en vroegen of alles naar mijn zin was. Dat was het.

Het vliegtuig steeg op en zijn Rolls-Roycemotoren hadden vat op de lucht zoals een goede sportwagen grip heeft op de weg. Terwijl ik door de wolken schoot, zette ik de kleine tv-monitor voor mijn stoel aan. Er verscheen een kaart van de VS met een plaatje van ons vliegtuig dat naar het westen vloog, met daarbij onze snelheid en hoogte, de vliegtijd naar onze bestemming en de temperatuur buiten. Op veertigduizend voet hield het toestel op met stijgen. Ik keek neer op de kromming van de horizon, verspreide wolkjes en de geografie van de aarde die zich voor me uitspreidde – eerst het vlakke, geblokte akkerlandpatroon van het westen van Illinois, dan de kronkelende Mississippi, daarachter nog meer akkers en in de verte de pieken van de Rocky Mountains, nog met sneeuw bedekt – tot de zon onderging en de oranje lucht nog maar een streepje werd dat uiteindelijk werd opgeslokt door de nacht, de sterren en de maan.

Ik kon wel begrijpen hoe mensen hieraan gewend konden raken.

Het doel van die trip was voornamelijk fondsenwerving – als voorbereiding op mijn campagne voor de algemene verkiezingen hadden vrienden en aanhangers voor mij bijeenkomsten georganiseerd in LA, San Diego en San Francisco. Maar het meest gedenkwaardige van de trip was een bezoek dat ik bracht aan de Californische plaats Mountain View, een paar kilometer ten zuiden van de Stanford University en van Palo Alto, in het hart van Silicon Valley, waar de zoekmachineonderneming Google haar hoofdkwartier heeft.

Google had midden 2004 al de status van icoon bereikt. Het bedrijf stond niet alleen symbool voor de toenemende macht van het internet, maar ook voor de snelle gedaanteverandering van de wereldwijde economie. Tijdens de autorit vanuit San Francisco las ik de geschiedenis van het bedrijf na. Het was begonnen met twee promovendi in de computerwetenschappen van Stanford, Larry Page en Sergey Brin, die in hun studentenhuis samen waren gaan werken aan een betere manier om het internet af te zoeken. In 1998 richtten ze Google op, met een vermogen van een miljoen dollar dat ze met diverse contracten bij elkaar hadden gebracht. Ze werkten met drie medewerkers vanuit een garage. Ze bedachten een advertentieformule met niet te agressieve tekstadvertenties die verband hielden met de zoekopdracht van de gebruiker, en daarmee maakte het bedrijf winst, zelfs toen de internetzeepbel werd doorgeprikt. Zes jaar na de oprichting kon Google naar de beurs gaan voor een prijs per aandeel waardoor de heren Page en Brin tot de rijkste mensen op aarde gingen behoren.

Mountain View zag eruit als een typisch Californische voorstad – weinig mensen op straat, fonkelende nieuwe kantorenterreinen, huizen die er vrij gewoontjes uitzagen maar die, vanwege de koopkracht van de inwoners van Silicon Valley, waarschijnlijk een miljoen dollar of meer kostten. We stopten voor een stel moderne, modulaire bedrijfsgebouwen en werden begroet door de juridisch directeur van Google, David Drummond, een zwarte Amerikaan van mijn leeftijd die mijn bezoek had georganiseerd.

‘Toen Larry en Sergey bij me kwamen omdat ze een vennootschap wilden oprichten, dacht ik dat ze gewoon een paar hele slimme jongens met een idee waren zoals er zoveel zijn,’ zei David. ‘Ik kan niet zeggen dat ik dit allemaal verwacht had.’

Hij liet me het hoofdgebouw zien, dat meer op een studiecentrum van een universiteit leek dan op een kantoor. Er was een kantine op de begane grond waar de vroegere kok van de rockband Grateful Dead toezag op de bereiding van uitstekende maaltijden voor het hele personeel; en een tafeltennistafel en een volledig uitgeruste fitnessruimte. ‘Onze mensen brengen hier veel tijd door, dus we willen dat ze het naar hun zin hebben.’ Op de eerste verdieping liepen we langs groepjes mannen en vrouwen in spijkerbroeken en T-shirts, allemaal twintigers, die ingespannen zaten te werken achter hun computerscherm of geanimeerd zaten te praten op canapés en grote rubberen zitballen.

Uiteindelijk vonden we Larry Page, die een softwareprobleem besprak met een ingenieur. Hij was gekleed zoals zijn werknemers, en afgezien van een paar vroege grijze haren zag hij er ook geen dag ouder uit. We spraken over Googles doelstelling – alle informatie op de wereld ongefilterd voor iedereen toegankelijk en bereikbaar maken – en over Googles pagina-index, die toen al meer dan zes miljard webpagina's omvatte. Recent was het bedrijf gekomen met een nieuwe, via internet werkende e-mailfunctie met ingebouwde zoekfunctie; het werkte aan technologie waarmee je telefonisch kon zoeken met je stem; en het was ook bezig met het Book Project. Het doel daarvan was om elk boek dat ooit was uitgegeven te scannen en toegankelijk te maken via het web, waardoor een virtuele bibliotheek zou ontstaan waarin de totale kennis van de mensheid lag opgeslagen.

Tegen het einde van de rondleiding bracht Larry me naar een kamer waar een driedimensionale afbeelding van de aarde ronddraaide op een groot plat beeldscherm. Larry vroeg de jonge Indiase Amerikaan die er zat te werken om uit te leggen wat het was.

'De lichtjes geven alle zoekopdrachten weer die op dit moment worden uitgevoerd,' zei de ingenieur. 'Elke kleur is een andere taal. In de andere weergave' – hij drukte op een toets – 'zie je de verkeerspatronen van het hele internet.'

Het was een fascinerend beeld, dat er meer organisch dan mechanisch uitzag, alsof ik keek naar de eerste fasen van een of ander versnellend evolutionair proces dat alle grenzen tussen de mensen – nationaliteit, etniciteit, religie, inkomen – onzichtbaar en irrelevant maakte, zodat de natuurkundige in Cambridge, de beurshandelaar in Tokio, de scholier in een afgelegen dorp in India en de directeur van een warenhuis in Mexico City allemaal werden samengebracht in een enkele, permanente, gonzende conversatie; tijd en ruimte maakten plaats voor een wereld die helemaal was geweven met licht. Maar toen de wereld om zijn as draaide, zag ik grote donkere plekken – het grootste deel van Afrika, stukken van het Verre Oosten, zelfs een paar plekken in de Verenigde Staten waar de dikke lichtbundels oplosten tot een paar kleine straaltjes.

Mijn mijmering werd onderbroken door de komst van Sergey, een man met een stevig postuur die misschien een paar jaar jonger was dan Larry. Hij stelde voor dat ik met ze meeging naar hun vrijdagborrel, een traditie die ze in stand hadden gehouden sinds de begintijd van het bedrijf. Alle Google-werknemers kwamen samen met een hapje en een biertje en bespraken wat ze bezighield. We gingen een grote zaal binnen waar al drommen jonge mensen zaten. Sommigen dronken en lachten, anderen waren nog aan het typen op hun zakcomputer of laptop; er heerste een opgewonden sfeer. Een groep van een vijftigtal mensen leek meer op zijn hoede dan de rest. David legde uit dat dit nieuwe mensen waren, net van de universiteit; vandaag kregen ze hun introductie in het team van Google. Een voor een werden de nieuwe werknemers voorgesteld, hun gezichten kwamen voorbij op een groot scherm met informatie over hun studie, hobby's en interesses. Zeker de helft van de groep zag er Aziatisch uit; een groot deel van de blanken had een Oost-Europese naam. Ik zag er geen enkele zwarte of latino bij. Toen we later naar mijn auto liepen, zei ik dat tegen David en hij knikte.

'We weten dat dat een probleem is,' zei hij. Hij vertelde dat Google inspanningen deed om studiebeurzen te verstrekken om meer meisjes en jongeren uit etnische minderheden wiskunde en natuurkunde te laten studeren. Intussen moest Google concurrerend blijven en dus de beste afgestudeerden aannemen van de beste faculteiten natuurkunde, werktuigbouw en computerwetenschappen van Amerika: MIT, Caltech, Stanford, Berkeley. Het aantal zwarten en latino's dat daar studeerde, zei David, kon je op de vingers van twee handen tellen.

Zelfs in Amerika geboren ingenieurs, ongeacht hun etniciteit, werden volgens David schaars; daarom moest elk bedrijf in Silicon Valley het vooral hebben van buitenlandse studenten. Sinds kort hadden hightechbedrijven er een nieuw probleem bij: sinds 11 september schrokken veel buitenlandse studenten ervoor terug om in Amerika te komen studeren vanwege de moeilijkheid om een visum te krijgen. En de beste ingenieurs en softwareontwikkelaars hadden Silicon Valley niet meer nodig om een baan te vinden of een onderneming gefinancierd te krijgen. Hightechbedrijven sloegen in hoog tempo hun kamp op in India en China, en investeringsfondsen dachten tegenwoordig wereldwijd; ze investeerden net zo makkelijk in Bombay of Sjanghai als in Californië. Op de lange termijn, legde David uit, kon dat de Amerikaanse economie in moeilijkheden brengen.

'Wij zullen het talent wel kunnen blijven aantrekken,' zei hij, 'omdat we zo'n reputatie hebben. Maar hoe zal het zijn voor jonge en minder bekende bedrijven, voor het volgende Google? Ik hoop dat er in Washington iemand is die begrijpt hoe concurrerend alles geworden is. Onze dominantie is niet vanzelfsprekend.'

Rond dezelfde tijd dat ik Google bezocht, maakte ik nog een trip die me te denken gaf over wat er met de economie gebeurt. Deze trip was per auto, niet per vliegtuig, over kilometers lege autoweg naar een stad die Galesburg heet, ongeveer drie kwartier rijden van de grens met Iowa in het westen van Illinois.

Galesburg werd in 1836 gesticht als een universiteitsstadje, toen een groep presbyteriaanse en congregationalistische predikanten in New York besloot hun mengsel van sociale hervorming en praktisch onderwijs naar de nieuw gekoloniseerde gebieden in het westen te verbreiden. De school, Knox College, was voor de Burgeroorlog een bolwerk van het verzet tegen de slavernij – een aftakking van de Underground Railroad* liep via Galesburg, en de eerste zwarte Amerikaanse senator, Hiram Revels, doorliep er de voorbereidende middelbare school van de universiteit voor hij terugging naar Mississippi. Vanaf 1854 liep het spoor van de Chicago, Burlington & Quincy Railroad door Galesburg, wat er de handel deed opbloeien. En vier jaar later verzamelden zich er tienduizend mensen voor het vijfde debat tussen Abraham Lincoln en Stephen A. Douglas, waarin Lincoln zijn bezwaren tegen de slavernij voor het eerst als een morele kwestie uiteenzette.

Het was echter niet dit rijke verleden dat me naar Galesburg had gebracht. Ik was er voor een ontmoeting met een groep vakbondsleiders van de Maytag-fabriek, want het bedrijf wilde zestienhonderd werknemers ontslaan en de productie [van keukenapparaten – *vert.*] naar Mexico verplaatsen. Zoals vele plaatsen in het midden en westen van Illinois was Galesburg zwaar getroffen door de verplaatsing van fabrieken naar het buitenland. In de voorafgaande paar jaar was de stad al twee fabrieken kwijtgeraakt die machineonderdelen en rubberen slangen maakten, en ook Butler Manufacturing, een staalfabriek die onlangs in Australische handen was gekomen, stond op het punt zijn deuren te sluiten. Galesburgs werkloosheidscijfer schommelde al rond acht procent. Met de Maytag-fabriek zou de stad nog eens vijf tot tien procent van al zijn werkgelegenheid kwijtraken.

In het zaaltje van de vakbond voor fabrieksarbeiders hadden zich zeven of acht mannen en twee of drie vrouwen verzameld. Ze zaten op metalen klapstoeltjes met gedempte stem te praten; een paar rookten een

* Een vluchtroute voor ontsnapte slaven. – *vert.*

sigaret. De meesten waren achter in de veertig of voor in de vijftig en droegen spijkerbroeken of katoenen broeken en T-shirts of houthakkersoverhemden. De vakbondsleider, Dave Bevard, was een grote kleerkast van een jaar of vijfenvijftig met een donkere baard, getinte brillenglazen en een gleufhoed, waardoor hij op een bandlid van ZZ Top leek. Hij legde uit dat de bond alles had geprobeerd om Maytag van gedachten te laten veranderen – de pers inschakelen, praten met aandeelhouders, steun zoeken bij het lokale bestuur en de staat. Maar de directie was niet onder de indruk.

'Het is echt niet zo dat er geen winst wordt gemaakt,' vertelde Dave me. 'Als je het ze vraagt, zeggen ze zelfs dat wij een van de meest productieve fabrieken van het bedrijf zijn. Kwaliteitswerk. Kleine foutmarges. We hebben ingeleverd in loon, in arbeidsvoorwaarden, er zijn banen geschrapt. De staat en de gemeente hebben Maytag de laatste acht jaar zeker tien miljoen dollar belastingverlaging gegeven op grond van de belofte om te blijven. Maar het is nooit genoeg. Een of andere CEO die al miljoenen verdient, besluit dat hij de aandelenkoers moet zien op te schroeven zodat hij zijn opties kan verzilveren, en de makkelijkste manier om dat te doen is het werk naar Mexico sturen en de arbeiders daar een zesde te betalen van wat wij verdienen.'

Ik vroeg ze welke maatregelen de staat of de federale overheid had genomen om de werknemers om te scholen. De zaal barstte eendrachtig in lachen uit. 'Omscholing is een lachertje,' zei de vicevoorzitter van de bond, Doug Dennisson. 'Waar moet je je voor laten omscholen als er hier geen werk is?' Hij vertelde dat een werkgelegenheidsadviseur hem had aangeraden te proberen verpleeghulp te worden, met een salaris dat nauwelijks hoger was dan wat Wal-Mart aan winkelpersoneel betaalde. Een van de jongere mannen in de zaal vertelde me een bijzonder schrijnend verhaal. Hij had besloten zich om te scholen tot computermonteur, maar toen hij net een week op school zat riep Maytag hem terug. Het werk bij Maytag was tijdelijk, maar als hij het weigerde, had hij volgens de regels geen recht meer op een omscholingsbijdrage. Ging hij daarentegen terug naar Maytag en stopte hij met de cursus waar hij al aan begonnen was, dan had hij zijn eenmalige recht op omscholing verbruikt, volgens de federale overheidsdienst, en zou hij van die kant nooit meer een omscholingsbijdrage krijgen.

Ik zei ze dat ik hun verhaal tijdens mijn campagne zou vertellen en ik vertelde ze over een paar voorstellen die mijn medewerkers hadden uitgewerkt: de belastingwet aanpassen om bedrijven die hun productie naar het buitenland verplaatsen uit te sluiten van belastingvoordelen; en federale omscholingsprogramma's nieuw leven inblazen en er meer geld voor uittrekken. Toen ik weg wilde gaan, nam een grote, gespierde man met een honkbalpet op het woord. Hij heette Tim Wheeler en was vakbondsleider geweest bij de Butler-staalfabriek verderop. De werknemers daar hadden hun roze ontslagbrief al binnen en Tim leefde van zijn werkloosheidsuitkering terwijl hij probeerde te bedenken wat hij nu kon gaan doen. Zijn grote zorg was zijn ziektekostenverzekering.

'Mijn zoon Mark heeft een levertransplantatie nodig,' zei hij met een grimmig gezicht. 'We staan op de wachtlijst voor een donor, maar de uitkering van de zorgverzekering is opgebruikt en we proberen nu uit te zoeken of Medicaid de kosten dekt. Niemand kan die vraag beantwoorden. Ik wil alles wat ik heb voor Mark verkopen en me in de schulden steken, maar toch...' Zijn stem sloeg over. Zijn vrouw, die naast hem zat, sloeg haar handen voor haar gezicht. Ik probeerde hen ervan te verzekeren dat wij precies zouden uitzoeken wat Medicaid zou dekken. Tim knikte en sloeg zijn arm om de schouder van zijn vrouw.

Tijdens de rit terug naar Chicago probeerde ik me Tims wanhoop voor te stellen: geen werk, een ziek kind, je spaargeld raakt op.

Dat is een verhaal dat je niet hoort in een privéjet op veertigduizend voet.

Vandaag de dag zullen weinigen tegenspreken, links of rechts, dat we een fundamentele economische transformatie meemaken. De vooruitgang in de digitale technologie, glasvezels, het internet, satellieten en het transport hebben de economische schuttingen tussen landen en continenten omver gehaald. Het kapitaal trekt de wereld over op zoek naar het beste rendement; ontelbare dollars gaan de grenzen over met een paar tikken op een toetsenbord. Door de ineenstorting van de Sovjet-Unie, de invoering van marktmechanismen in India en China, de verlaging van importtarieven en de opkomst van megawinkels zoals Wal-Mart moeten Amerikaanse bedrijven en arbeiders nu direct concurreren met een paar miljard mensen. Misschien is de wereld al plat, zoals de columnist en schrijver Thomas Friedman zegt, maar in elk geval wordt hij met de dag platter.

Zonder twijfel heeft de globalisering de Amerikaanse consument grote voordelen gebracht. De prijs van veel goederen die voorheen als een luxe werden beschouwd, van tv's met grote schermen tot perziken in de winter, zijn verlaagd. De inflatie is erdoor beperkt; de opbrengsten zijn erdoor verhoogd voor de miljoenen Amerikanen die nu beleggen op de beurs; nieuwe markten zijn erdoor opengegaan voor Amerikaanse producten; en landen als China en India hebben de armoede drastisch kunnen terugdringen, wat op de lange termijn zorgt voor meer stabiliteit in de wereld.

Maar het valt ook niet ontkennen dat de globalisering de economische onzekerheid voor miljoenen gewone Amerikanen sterk heeft vergroot. Om concurrerend te blijven en de investeerders op de wereldwijde kapitaalmarkt tevreden te stellen, zijn Amerikaanse bedrijven aan het automatiseren, aan het afslanken, aan het uitbesteden en aan het verplaatsen geslagen. Ze hebben de lonen op de nullijn gezet en de oude ziektekosten- en pensioenregelingen vervangen door belastingvrije spaarplannen voor de oude dag en voor ziektekostenregelingen waarmee meer kosten en meer risico's op de werknemers worden afgewenteld.

Het resultaat is de opkomst van wat sommigen een 'winner-take-all-economie' noemen, waarin een opkomend economisch tij niet noodzakelijkerwijs alle schuitjes optilt. De laatste tien jaar hebben we sterke economische groei gehad, maar armzalige banengroei; grote stijgingen van de productiviteit maar gelijkblijvende lonen; enorme bedrijfswinsten, maar een afname in het deel van die winsten dat bij de werknemers terechtkomt. Voor mensen als Larry Page en Sergey Brin, voor mensen met bijzondere vaardigheden en talenten, en voor de kenniswerkers – ingenieurs, advocaten, adviseurs en marketingspecialisten – die de eerstgenoemden ondersteunen, biedt een wereldwijde markt ongekende kansen. Maar voor mensen als de arbeiders bij Maytag, met werk dat geautomatiseerd of gedigitaliseerd of naar lagelonenlanden verplaatst kan worden, kunnen de gevolgen vreselijk zijn: een toekomst in een almaar toenemend aantal slechtbetaalde banen in de dienstensector, met weinig voordelen, met het risico van een financiële ramp bij ziekte, en zonder uitzicht om te sparen voor hun oude dag of om hun kinderen te laten studeren.

De vraag is wat we daaraan moeten doen. Sinds het begin van de jaren negentig, toen deze ontwikkelingen zich aandienden, heeft een vleugel van de Democratische Partij – geleid door Bill Clinton – de nieuwe economie omarmd en gepleit voor vrije handel, begrotingsdiscipline en hervormingen in scholing en training die werknemers moeten helpen in aanmerking te komen voor de hoogwaardige, goedbetaalde banen van de toekomst. Maar een flink deel van de Democratische achterban – vooral blauwe boorden uit de vakbonden zoals Dave Bevard – heeft zich tegen deze koers verzet. Volgens hen heeft de vrije handel de belangen van Wall Street gediend, maar niet geholpen om het verlies van goedbetaalde Amerikaanse banen een halt toe te roepen.

De Republikeinse Partij is ook niet vrij van deze spanningen. Door het recente tumult over illegale immigranten bijvoorbeeld zou Pat Buchanans versie van het 'Amerika eerst'-conservatisme weer kunnen opleven binnen de GOP, en het kunnen opnemen tegen het vrijhandelsbeleid van de regering-Bush. En in zijn campagne in 2000 en in het begin van zijn eerste termijn had George W. Bush het over een gerechtvaardigde rol voor de overheid, een 'barmhartig conservatisme'. Volgens het Witte Huis is dit tot uiting gekomen in het Medicare-plan voor de medicijnen op recept en de onderwijshervorming die bekendstaat als 'Geen kind blijft achter' – en de conservatieven die een zo klein mogelijke overheid willen, hebben zelfs hier hartzeer van.

Maar voor het grootste deel is de Republikeinse economische agenda onder president Bush gewijd aan belastingverlagingen, vermindering van de regelgeving, privatisering van overheidsdiensten en nog meer belastingverlagingen. Regeringsfunctionarissen noemen dit de Ownership Society, de Eigendomssamenleving, maar de meeste punten behoren al zeker sinds de jaren 1930 tot de bestanddelen van de laisser-faire-economie. Het geloof is dat een sterke verlaging, en in sommige gevallen de afschaffing, van de belastingen op inkomens, vastgoed, kapitaalaanwas en dividend zal leiden tot meer kapitaalvorming, een hogere spaarrente, meer zakelijke investeringen en een hogere economische groei. Het geloof is ook dat overheidsregulering de werking van de vrije markt remt en verstoort; en dat de verstrekking van uitkeringen door de overheid inherent inefficiënt is, afhankelijkheid kweekt en slecht is voor het verantwoordelijkheidsgevoel, de ondernemingszin en de keuzevrijheid van het individu.

Of, zoals Ronald Reagan het zo kernachtig uitdrukte: 'De overheid is niet de oplossing voor het probleem; de overheid is het probleem.'

Tot nu toe heeft de regering-Bush maar de helft van dit programma uitgevoerd: het door de Republikeinen beheerste Congres heeft er belastingverlaging na belastingverlaging doorheen gedrukt, maar heeft geweigerd moeilijke keuzes te maken om de uitgaven terug te dringen. De bijzondere bestedingen voor de eigen programma's van het Congres, ook wel oormerken genoemd, zijn met vierenzestig procent gestegen sinds Bush president is. Intussen hebben Democratische parlementariërs (en de bevolking) zich verzet tegen drastische bezuinigingen op belangrijke investeringen, en de door de regering voorgestelde privatisering van WAO en AOW volledig afgewezen. Federale begrotingstekorten en een steeds meer oplopende staatsschuld zijn het gevolg: of de regering echt denkt dat dit niet erg is, is niet helemaal duidelijk. Wat wel duidelijk is, is dat alle rode cijfers het toekomstige regeringen moeilijker maken om nieuwe investeringen te doen die de problemen van de globalisering kunnen aanpakken of Amerika's sociale vangnet kunnen versterken.

Ik wil de gevolgen van deze impasse niet overdrijven. Een strategie van niets doen en de globalisering haar gang laten gaan zal niet meteen leiden tot het instorten van de Amerikaanse economie. Amerika's bruto nationaal product is nog altijd groter dan dat van India en China bij elkaar. Voorlopig hebben Amerikaanse bedrijven nog een voorsprong in kennissectoren als softwareontwikkeling en farmaceutisch onderzoek, en de wereld is nog steeds jaloers op ons netwerk van universiteiten en scholen.

Maar op de lange termijn betekent niets doen waarschijnlijk dat we een heel ander land krijgen dan het Amerika waarin de meesten van ons zijn opgegroeid. Het wordt een land dat economisch en sociaal nog gelaagder is dan nu; waarin de steeds rijkere leden van de kennisklasse, die wonen in exclusieve enclaves, alles op de vrije markt kunnen kopen wat hun hart begeert – privaat onderwijs, private gezondheidszorg, private beveiliging en privéjets – terwijl een steeds groter aantal van hun medeburgers zijn aangewezen op slechtbetaalde, kwetsbare banen in de dienstverlening. Zij staan onder druk om lange dagen te werken en zijn afhankelijk van een ondergefinancierde, overbelaste en slecht presterende publieke sector voor hun gezondheidszorg, hun oude dag en het onderwijs voor hun kinderen.

Het wordt een Amerika dat zijn bezittingen blijft verpanden aan buitenlandse schuldeisers en zich blootstelt aan de grillen van de olieproducenten; een Amerika waarin we onvoldoende investeren in fundamenteel wetenschappelijk onderzoek en de scholing van onze arbeidskrachten waarvan onze economische vooruitzichten op de lange termijn afhangen, en waarin we mogelijke milieucatastrofes negeren. Het wordt een Amerika dat politiek gepolariseerder en politiek onstabieler is; waarin economische frustraties tot uitbarsting komen en mensen zich tegen elkaar keren.

Het ergste is dat het betekent dat er minder mogelijkheden zijn voor jonge Amerikanen, een terugval in de stijgende lijn die dit land kenmerkt sinds haar stichting.

Dat is niet het Amerika dat we willen voor onszelf en voor onze kinderen. En ik ben ervan overtuigd dat we het talent en de middelen hebben om een betere toekomst te scheppen, een toekomst waarin de economie groeit en de welvaart wordt verdeeld. Wat ons ervan weerhoudt die toekomst vorm te geven is niet een gebrek aan goede ideeën. Het is het gebrek aan een nationaal engagement om de harde maatregelen te nemen die nodig zijn om Amerika concurrerender te maken, en het gebrek aan een nieuwe consensus over de rol van de overheid op de vrije markt.

Om tot die consensus te komen moeten we eens kijken hoe ons marktstelsel zich in de loop van de tijd heeft ontwikkeld. President Coolidge zei eens 'de belangrijkste zaken voor Amerika zijn zaken' en er is inderdaad vrijwel geen land op aarde te vinden dat het marktdenken zo consequent heeft omarmd. Volgens onze grondwet is het privébezit van goederen een van de belangrijkste elementen van onze vrijheid. Onze godsdienstige tradities benadrukken de waarde van hard werken en geven uiting aan de overtuiging dat nijverheid in het aardse leven materieel zal worden beloond. De rijken worden hier niet uitgescholden, ze zijn rolmodellen. Onze mythes gaan over mensen vol ambitie: de immigrant die met niets hierheen komt en miljonair wordt, de jonge man die naar het westen trekt op zoek naar fortuin. Zoals een beroemde uitspraak van Ted Turner* luidt: in Amerika houden we de stand bij door het geld te tellen.

Het gevolg van deze zakencultuur is een welvaart die zijn gelijke in de menselijke geschiedenis niet kent. Je moet naar het buitenland reizen om in te zien hoe goed de Amerikaan het eigenlijk heeft: bij ons vinden zelfs arme mensen goederen en diensten vanzelfsprekend – elektriciteit, schoon en stromend water thuis, telefoons, televisies en huishoudelijke

---

* Zakenman en oprichter van CNN. – *vert.*

apparaten – die voor het grootste deel van de wereld nog onbereikbaar zijn. Amerika is gezegend met grond die tot de beste van de planeet behoort, maar het zijn duidelijk niet alleen onze natuurlijke hulpbronnen die ons economisch succes verklaren. On hoogste goed is onze sociale organisatie geweest, een systeem dat generaties lang voortdurend innovatie, individueel initiatief en een efficiënt gebruik van middelen heeft bevorderd.

Het is daarom niet vreemd dat we de neiging hebben ons vrijemarktstelsel als een gegeven te beschouwen; om te denken dat het op natuurlijke wijze voortvloeit uit de wet van vraag en aanbod en uit de onzichtbare hand van Adam Smith.* En van dat denken is het maar een kleine stap om aan te nemen dat elk overheidsingrijpen op de magische werking van de vrije markt – of het nu gaat om belastingheffing, regulering, rechtszaken, invoerrechten, arbeidsomstandighedenwetgeving of sociale uitkeringen – noodzakelijkerwijs het vrije ondernemerschap ondermijnt en de economische groei belemmert. Het bankroet van het communisme en het socialisme als alternatieve economische modellen heeft deze overtuiging alleen maar versterkt. In onze economieschoolboeken en in het huidige politieke debat is laisser faire de norm; wie daar vraagtekens bij zet, zwemt tegen de stroom in.

Het is goed onszelf eraan te herinneren dat onze vrijemarkteconomie niet het resultaat is van natuurwetten of van goddelijke voorzienigheid. Zij is voortgekomen uit een pijnlijk proces van vallen en opstaan, een reeks moeilijke keuzes tussen efficiëntie en eerlijkheid, tussen stabiliteit en verandering. En hoewel de baten van onze vrijemarkteconomie hoofdzakelijk zijn voortgekomen uit de individuele inspanningen van mannen en vrouwen die hun eigen visioenen van het geluk nastreefden, zijn we toch in perioden van economische onrust en transformatie elke keer weer aangewezen geweest op de overheid om kansen te scheppen, de concurrentie te bevorderen en de markt beter te laten functioneren.

In grote lijnen kunnen we hierbij drie vormen van overheidsoptreden onderscheiden. Ten eerste verwachtten we onze hele geschiedenis door van de overheid dat zij zorgde voor de infrastructuur, voor scholing en in het algemeen voor de fundamenten waarop de economie kan groeien. De

---

* Volgens de Schotse econoom Smith (1723-1790) zou de 'onzichtbare hand' van de vrije markt voor harmonie en evenwicht in de samenleving zorgen.

Founding Fathers legden allemaal het verband tussen privébezit en vrijheid, maar van hen zag Alexander Hamilton ook het enorme potentieel van een nationale economie, die niet was gebaseerd op Amerika's agrarische verleden, maar op handel en industrie. Om dit potentieel aan te boren, betoogde Hamilton, had Amerika een sterke en actieve nationale overheid nodig, en als Amerika's eerste minister van Financiën begon hij zijn ideeën in de praktijk te brengen. Hij nationaliseerde de schulden van de Onafhankelijkheidsoorlog, waardoor de economieën van de afzonderlijke staten aan elkaar werden gekoppeld en een nationale markt voor krediet en vlottend kapitaal kon ontstaan. Met zijn maatregelen, van krachtige patentwetten tot hoge invoerrechten, bevorderde hij de Amerikaanse nijverheid, en hij stelde voor te investeren in wegen en bruggen die nodig waren om producten naar de markt te brengen.

Hamilton kreeg felle tegenstand van Thomas Jefferson, die vreesde dat een sterke nationale regering, verbonden aan de belangen van rijke ondernemers, zijn visioen zou ondermijnen van een egalitaire, in de landbouwgrond gewortelde democratie. Maar Hamilton begreep dat het kapitaal van plaatselijke belangen moest worden losgemaakt, wilde Amerika profiteren van zijn voornaamste hulpbron, namelijk de energie en de ondernemingszin van de Amerikaanse bevolking. Dit idee van sociale mobiliteit was een van de grote pluspunten van het vroege Amerikaanse kapitalisme: het kapitalisme van industrie en handel kon instabiliteit veroorzaken, maar het zou een dynamische economie zijn waarin iedereen met genoeg energie en talent de top kon bereiken. En van dat laatste was Jefferson wel een voorstander. Op grond van zijn geloof in een meritocratie in plaats van een erfelijke aristocratie bepleitte Jefferson de stichting van een nationale, door de regering gefinancierde universiteit die talent uit de hele nieuwe natie kon opleiden. Hij beschouwde de stichting van de universiteit van Virginia later als een van zijn grootste verdiensten.

Bij de traditie dat de overheid in Amerika's fysieke infrastructuur en in de bevolking investeerde, sloten Abraham Lincoln en de jonge Republikeinse Partij zich volmondig aan. Voor Lincoln waren kansen in het leven – de mogelijkheden voor 'vrije arbeidskracht' om vooruit te komen – de essentie van Amerika. Lincoln beschouwde het kapitalisme als de beste manier om die kansen te scheppen, maar hij zag ook hoe de overgang van een agrarische naar een industriële samenleving levens ontregelde en gemeenschappen vernietigde.

Daarom nam Lincoln midden in de Burgeroorlog een aantal maatregelen die niet alleen de grondslag legden voor een volledig geïntegreerde nationale economie, maar die de ladders van de kansen ook naar beneden uitschoven naar steeds meer mensen. Hij ijverde voor de aanleg van de eerste transcontinentale spoorlijn. Hij richtte de Nationale Academie van Wetenschappen op om fundamenteel wetenschappelijk onderzoek en wetenschappelijke ontdekkingen te stimuleren die nieuwe technologie en commerciële toepassingen konden opleveren. Hij was verantwoordelijk voor een mijlpaal in de wet, de Homestead Act van 1862, die enorme lappen openbare grond in het westen van de Verenigde Staten overdroeg aan kolonisten uit het oosten en aan immigranten uit de hele wereld, zodat ook zij een aandeel konden hebben in de groeiende economie van het land. En vervolgens liet hij deze pioniers niet aan hun lot over, maar richtte speciale scholen op om boeren de nieuwste landbouwtechnieken bij te brengen en ze het vrijzinnige onderwijs te bieden waardoor hun dromen verder konden reiken dan de omheining van de boerderij.

Dit fundamentele inzicht van Hamilton en Lincoln – dat de middelen en de macht van een nationale overheid niet in de plaats hoefden te komen van een gezonde vrije markt, maar die juist konden bevorderen – is een hoeksteen gebleven van zowel Republikeins als Democratisch beleid in alle fasen van de ontwikkeling van het land. De Hooverdam, de stuwdammen in de Tennessee Valley, het nationale snelwegennet, het internet, het menselijk genoomproject – telkens weer hebben overheidsinvesteringen de weg gebaand voor een stormachtige particuliere economische activiteit. En door te zorgen voor een stelsel van openbare scholen en instituten voor hoger onderwijs, alsmede programma's als de GI Bill (Soldatenwet), die academisch onderwijs voor miljoenen mensen mogelijk maakten, heeft de regering ertoe bijgedragen dat individuele burgers zich konden aanpassen en innoveren in een klimaat van voortdurende technische verandering.

Een actieve nationale overheid is niet alleen nodig om investeringen te doen die private ondernemers niet kunnen of willen doen, maar is ook onmisbaar gebleken in gevallen van marktfalen – in elk kapitalistisch systeem treedt af en toe stagnatie op die schadelijk is voor de doelmatige werking van de markt, of voor de burgerij. Teddy Roosevelt zag in dat monopolies de concurrentie beperken en stelde antitrustmaatregelen centraal in zijn beleid. Woodrow Wilson richtte de Federal Reserve Bank op, die de toevoer van geld moest regelen en de periodieke paniekaanvallen op de financiële markten moest beteugelen. De federale overheid en de staten namen de eerste consumentenwetten aan – de Pure Food and Drug Act en de Meat Inspection Act – om de bevolking tegen schadelijke (voedings)producten te beschermen.

Bij de beurskrach van 1929 en de daaropvolgende crisis werd de belangrijke rol voor de overheid bij het reguleren van de markt pas goed duidelijk. Omdat het vertrouwen van de beleggers was geschokt, het financiële stelsel dreigde in te storten doordat spaarders massaal hun geld van de bank haalden en de consumentenbestedingen en de bedrijfsinvesteringen in een neerwaartse spiraal zaten, nam Franklin D. Roosevelt een reeks overheidsmaatregelen die de economische krimp een halt toeriepen. In de acht jaar daarop werd in het kader van de New Deal-politiek geëxperimenteerd met programma's om de economie weer op gang te krijgen, en hoewel deze niet allemaal het gewenste resultaat hadden, bleef er een regulerende structuur achter die de kans op een economische crisis verkleint: de beurswaakhond SEC, die de transparantie in de financiële markten garandeert en kleinere beleggers beschermt tegen fraude en manipulatie door ingewijden; het banktegoedenverzekeringsinstituut FDIC, dat de klanten van banken vertrouwen moet geven; en anticyclisch fiscaal en monetair beleid in de vorm van belastingverlaging, liquiditeitsverhoging of directe overheidsinvesteringen om de vraag te vergroten in die gevallen waarin het bedrijfsleven en de consumenten zich van de markt hebben teruggetrokken.

Ten slotte – en dat is het meest omstreden – heeft de overheid de sociale verbintenis tussen het bedrijfsleven en de Amerikaanse werknemer helpen vormgeven. In de eerste honderdvijftig jaar van de geschiedenis van de Verenigde Staten werden de arbeiders er met wetgeving en geweld van weerhouden om vakbonden op te richten die hun positie zouden versterken – terwijl het kapitaal steeds meer werd ondergebracht in trusts en vennootschappen met beperkte aansprakelijkheid. Werknemers hadden nauwelijks enige bescherming tegen onveilige of onmenselijke arbeidsomstandigheden, bijvoorbeeld in naaiateliers of in de vleesverwerkende industrie. Ook had de Amerikaanse cultuur weinig medelijden met arbeiders die aan lager wal raakten als gevolg van de 'creatieve verwoesting' die werd aangericht door de periodieke stormwinden van het kapitalisme: het recept voor individueel succes was harder werken, en niet vertroeteling door de staat. Voor zover er een sociaal vangnet bestond, kwam dat voort uit de onregelmatige en bescheiden middelen van de liefdadigheid.

Opnieuw moest de crisis van de jaren 1930 – waarin een derde van de bevolking werkloos werd en geen geld meer had voor behoorlijke huisvesting, kleding en voeding – eraan te pas komen om de overheid te laten ingrijpen. Toen hij twee jaar president was, kon FDR de Social Security Act van 1935 door het Congres loodsen, die centraal stond in de nieuwe welvaartsstaat: een vangnet dat bijna de helft van alle bejaarde burgers uit de armoede verloste, een werkloosheidsuitkering verstrekte aan mensen die hun baan waren kwijtgeraakt en bescheiden steun gaf aan gehandicapten en oude behoeftigen. FDR kwam ook met wetten die de verhouding tussen kapitaal en arbeid fundamenteel veranderden: de veertigurige werkweek, wetten tegen kinderarbeid en voor een minimumloon en de National Labor Relations Act (Arbeidsverhoudingenwet), die de oprichting van algemene vakbonden in de industrie mogelijk maakte en werkgevers dwong te goeder trouw te onderhandelen.

FDR's beweegreden voor deze wetten was pure keynesiaanse economie: een manier om een economische recessie aan te pakken is meer besteedbaar inkomen in de zakken van de werknemers stoppen. Maar FDR begreep ook dat het kapitalisme in een democratie de instemming van de burgers vereist. Met zijn hervormingen – door de arbeiders een groter stuk van de economische taart te geven – drukte hij de eventuele aantrekkingskracht van de overheidsgestuurde commando-economieën de kop in – fascistische, socialistische of communistische – zoals die destijds in heel Europa steeds meer steun verwierven. Zoals hij in 1944 uitlegde: 'Mensen die honger hebben en mensen die geen baan hebben, van dat materiaal worden dictaturen gemaakt.'

Een tijdlang leek het erop dat het verhaal hier zou eindigen – FDR had het kapitalisme tegen zichzelf beschermd door een actieve federale overheid te creëren die investeert in mensen en infrastructuur, de markt reguleert en de werknemers beschermt tegen chronische uitbuiting. Vijfentwintig jaar lang, onder Republikeinse en Democratische regeringen, was er brede overeenstemming over dit model van de Amerikaanse welvaartsstaat. Er waren mensen ter rechterzijde die klaagden over insluipend socialisme, en mensen ter linkerzijde die vonden dat FDR niet ver genoeg was gegaan. Maar de enorme groei van de Amerikaanse massaproductie-economie, en het enorme verschil in productiecapaciteit tussen de Verenigde Staten en de door de oorlog verwoeste economieën van Europa en Azië, deden de ideologische strijd grotendeels verflauwen. De Amerikaanse bedrijven hadden geen serieuze concurrentie en konden hun hogere arbeidslasten en de kosten van de regulering gewoon doorberekenen aan hun klanten. De volledige werkgelegenheid deed de in vakbonden georganiseerde fabrieksarbeider opschuiven naar de middenklasse. Hij kon een gezin onderhouden van één inkomen, in de wetenschap dat zijn ziektekosten en zijn oude dag verzekerd waren. En in dit klimaat van stabiele bedrijfswinsten en stijgende lonen ondervonden beleidsmakers niet al te veel verzet tegen hogere belastingen en meer regelgeving om dringende sociale problemen aan te pakken. Zo ontstonden de Great Society-regelingen, zoals de ziektekostenverzekeringen Medicare en Medicaid en de bijstand onder president Johnson; en de federale instantie voor milieubescherming EPA en de arbeidsomstandighedeninspectie OSHA onder Nixon.

Deze progressieve triomf kende maar één probleem – het kapitalisme stond niet stil. Omstreeks 1970 begon de groei van de Amerikaanse arbeidsproductiviteit, de motor van de naoorlogse economie, te stagneren. Het nieuwe zelfbewustzijn van de OPEC stelde buitenlandse olieproducenten in staat een veel groter stuk van de wereldeconomie voor zichzelf op te eisen. Amerika bleek kwetsbaar op het gebied van zijn energievoorziening. Amerikaanse bedrijven begonnen concurrentie te ondervinden van goedkope producenten in Azië. Omstreeks 1980 hadden enorme hoeveelheden goedkope importproducten – textiel, schoenen, elektronica en zelfs auto's – al grote stukken van de Amerikaanse markt veroverd. Intussen begonnen grote Amerikaanse bedrijven een deel van hun productiefaciliteiten naar het buitenland te verplaatsen – deels om toegang te krijgen tot de markt daar, maar ook om te profiteren van lage lonen.

In deze meer concurrerende, wereldwijde omgeving werkte de oude formule van constante winsten en omvangrijke directies niet meer. Bedrijven konden hogere kosten niet langer zomaar doorberekenen aan de consument en ze raakten hun inferieure producten niet meer kwijt. Winsten en marktaandelen krompen en aandeelhouders begonnen meer waarde voor hun geld te eisen. Sommige bedrijven wisten hun productiviteit te verhogen door innovatie en automatisering. Andere probeerden het met brute ontslaggolven, verzet tegen de oprichting van vakbonden en de verplaatsing van nog meer werk naar het buitenland. Directies die zich niet aanpasten werden kwetsbaar voor speculanten en beurspiraten die de veranderingen wel doorvoerden – zonder te denken aan de levens van de werknemers die ze overhoop haalden en de gemeenschappen die ze uit elkaar rukten. Goedschiks of kwaadschiks werden de Amerikaanse bedrijven slanker en slagvaardiger gemaakt – waarbij vooral de fabrieksarbeiders van de oude stempel en plaatsen als Galesburg het gelag van de transformatie betaalden.

Niet alleen het bedrijfsleven moest zich aanpassen aan de nieuwe omgeving. Zoals de verkiezing van Ronald Reagan duidelijk maakte, wilden de mensen dat ook de overheid zich aanpaste.

In zijn retoriek overdreef Reagan vaak de groei van de welvaartsstaat in de vijfentwintig jaar daarvoor. Op haar hoogtepunt was de federale begroting, uitgedrukt als percentage van de totale Amerikaanse economie, nog steeds veel lager dan vergelijkbare cijfers in West-Europa, zelfs als je de enorme Amerikaanse defensiebegroting meetelt. Toch kreeg de conservatieve revolutie die Reagan inluidde grond onder de voeten, omdat er veel waarheid school in Reagans belangrijkste punt: dat de progressieve welvaartsstaat zelfvoldaan en bureaucratisch geworden was, en dat de Democratische beleidsmakers meer bezig waren met het verdelen van de taart dan dat ze hem groter probeerden te maken. Zoals te veel bedrijven die geen concurrentie ondervonden geen kwaliteit meer leverden, zo vroegen veel overheidsapparaten zich ook niet meer af of hun aandeelhouders (de Amerikaanse belastingbetalers) en hun klanten (de afnemers van de overheidsdiensten) waar kregen voor hun geld.

Niet alle overheidsprogramma's werkten naar wens. Sommige taken kon de private sector beter uitvoeren, zoals met marktprikkels in sommige gevallen dezelfde resultaten konden worden geboekt als met opgelegde en afgedwongen regelgeving, tegen lagere kosten en met meer flexibiliteit. De sterk progressieve belastingtarieven die golden toen Reagan aantrad, zullen de drijfveer om hard te werken of te investeren niet hebben weggenomen, maar ze hadden wel invloed op investeringsbeslissingen, en ze leidden ook tot verspillende belastingvluchtpraktijken. En hoewel de liefdadigheid zeker redding bracht voor veel aan lager wal geraakte Amerikanen, bracht zij ook wel verkeerde prikkels voort op het gebied van arbeidsethos en familiewaarden.

Reagan moest compromissen sluiten met een door de Democraten beheerst Congres, en zo kon hij veel van zijn ambitieuze plannen voor minder overheid nooit waarmaken. Maar hij veranderde fundamenteel het kader van het politieke debat. De belastingrevolte van de middenklasse werd een gegeven in de nationale politiek en limiteerde de expansie van de overheid. Voor veel Republikeinen werd de vrije markt een geloofsartikel.

Natuurlijk deden veel kiezers nog steeds een beroep op de overheid bij economische tegenwind. Bill Clinton wilde dat de regering zich actiever met de economie bemoeide, en dat hielp hem de verkiezingen te winnen. Clinton moest zijn ambities bijstellen na de politiek rampzalige mislukking van zijn plan voor de gezondheidszorg en de overname van het Congres door de Republikeinen in 1994; maar toch wist hij een progressieve draai te geven aan bepaalde oogmerken van Reagan. Clinton verklaarde dat de grote overheid zijn tijd had gehad, legde de hervorming van de sociale zekerheid wettelijk vast, drukte belastingverlagingen voor de middenklasse en de werkende armen door en ijverde voor het terugdringen van de bureaucratie. En Clinton deed wat Reagan nooit was gelukt: hij bracht het nationale huishoudboekje op orde terwijl hij tegelijk de armoede terugdrong en bescheiden nieuwe investeringen deed in onderwijs en scholing. Toen Clinton het Witte Huis verliet, leek het of er een nieuw evenwicht was bereikt – met een kleinere overheid, die wel het sociale vangnet in stand hield dat FDR had gespannen.

Alleen, het kapitalisme staat nog steeds niet stil. De maatregelen van Reagan en Clinton hebben de progressieve welvaartsstaat wel wat afgeslankt, maar zij konden de onderliggende werkelijkheid van wereldwijde concurrentie en snelle technologische vooruitgang niet veranderen. Er verhuizen nog steeds banen naar het buitenland – niet alleen fabrieksarbeid, maar ook steeds meer werk in de dienstensector dat digitaal kan worden overgedragen, zoals eenvoudig computerprogrammeerwerk. Het bedrijfsleven kampt nog steeds met onze hoge ziektekosten. Amerika importeert nog steeds veel meer dan het exporteert, en leent veel meer dan het uitleent.

Het antwoord hierop van de regering-Bush – die er geen duidelijke filosofie op na houdt – en haar bondgenoten in het Congres is dat ze de conservatieve revolutie willen voltooien: nog lagere belastingen, nog minder regels, een nog beperkter vangnet. Maar door voor deze aanpak te kiezen, doen de Republikeinen de oorlog nog eens over die ze in de jaren tachtig al gevoerd en gewonnen hebben, terwijl de Democraten worden gedwongen tot een achterhoedegevecht: zij verdedigen de New Deal-programma's uit de jaren dertig.

Beide strategieën werken niet meer. Amerika kan niet met China en India concurreren door eenvoudigweg kosten te besparen en de overheid in te krimpen – tenzij we een drastisch verlaagde levensstandaard willen aanvaarden, met steden die stikken in de smog en bedelaars op elke straathoek. Ook kan Amerika niet concurreren door gewoon handelsmuren op te trekken en het minimumloon te verhogen – tenzij we alle computers op aarde in beslag nemen.

Maar onze geschiedenis zou ons het vertrouwen moeten geven dat we niet hoeven te kiezen tussen een tirannieke, door de staat geleide economie en chaotisch, genadeloos kapitalisme. De geschiedenis vertelt ons dat we sterker uit economische omwentelingen tevoorschijn kunnen komen, niet zwakker. Net als de vorige generaties moeten we onszelf afvragen welke combinatie van maatregelen leidt tot een dynamische vrije markt en een brede economische zekerheid, tot innovatief ondernemerschap en opwaartse sociale mobiliteit. En daarbij mogen we ons laten leiden door Lincolns simpele stelregel: we doen alleen die dingen samen, via onze overheid, die we individueel en privaat minder goed kunnen of helemaal niet.

Met andere woorden, we moeten ons laten leiden door wat werkt.

Hoe zou zo'n nieuwe economische consensus eruit kunnen zien? Ik wil niet doen alsof ik alle antwoorden klaar heb, en een uitvoerige bespreking van het Amerikaanse economische beleid zou verscheidene boekdelen vullen. Maar ik kan wel een paar voorbeelden geven hoe we de huidige politieke impasse kunnen doorbreken; hoe we, in de traditie van Hamilton en Lincoln, kunnen investeren in onze infrastructuur en onze mensen; hoe we het sociale contract kunnen moderniseren en herbouwen dat FDR in het midden van de vorige eeuw in elkaar zette.

Laten we eerst kijken naar de investeringen die Amerika concurrerender kunnen maken in de wereldeconomie: investeringen in onderwijs, wetenschappen en technologie, en in een onafhankelijke energievoorziening.

Door de geschiedenis heen heeft onderwijs centraal gestaan in de afspraak die dit land met zijn burgers maakt: als je hard werkt en je verantwoordelijkheid neemt, dan krijg je kansen op een beter leven. En in een wereld waar kennis je waarde op de arbeidsmarkt bepaalt – waarin een kind in Los Angeles niet alleen met een kind in Boston moet concurreren, maar ook met miljoenen kinderen in Bangalore en Peking – komen te veel Amerikaanse scholen hun kant van deze afspraak niet na.

In 2005 bezocht ik de Thornton Township High School, een merendeels zwarte middelbare school in een zuidelijke voorstad van Chicago. Mijn medewerkers hadden met de leraren samen een bijeenkomst voor jongeren georganiseerd. Vertegenwoordigers van alle klassen waren weken met enquêtes bezig om erachter te komen over welke onderwerpen hun medeleerlingen zich zorgen maakten, en daarna presenteerden ze de resultaten in een reeks vragen voor mij. Op de bijeenkomst hadden ze het over geweld in de buurten en het tekort aan computers in de klaslokalen. Maar hun eerste punt van zorg was dit. Omdat het onderwijsdistrict de leraren geen volledige schooldag kon betalen, ging de Thornton-school elke dag om halftwee 's middags uit. Door het ingekorte rooster konden de leerlingen geen natuur- en scheikundepractica doen en geen lessen in vreemde talen volgen.

Waarom wordt er op ons bezuinigd, vroegen ze me. Het lijkt wel alsof iedereen denkt dat wij toch niet naar de universiteit gaan, zeiden ze.

Ze wilden meer school.

We zijn aan zulke verhalen gewend geraakt: verhalen van arme zwarte en latino kinderen die verkommeren in scholen die hen niet kunnen klaarstomen voor de oude industriële economie, laat staan voor het informatietijdperk. Maar de problemen met ons onderwijsstelsel blijven niet beperkt tot de oude binnensteden. Amerika heeft tegenwoordig een van de hoogste percentages schooluitvallers in de geïndustrialiseerde wereld. In het examenjaar van de middelbare school doen Amerikaanse leerlingen het bij wis- en natuurkundetoetsen slechter dan hun leeftijdsgenoten in de meeste andere landen. De helft van alle tieners begrijpt eenvoudige breuken niet, de helft van alle negenjarigen kan geen getallen vermenigvuldigen of delen en hoewel meer leerlingen dan ooit toelatingsexamen voor de universiteit doen, is maar tweeëntwintig procent in staat lessen Engels, wiskunde en natuurkunde te volgen op universitair niveau.

Ik geloof niet dat de overheid deze statistieken in haar eentje kan doen omslaan. Ouders zijn op de eerste plaats verantwoordelijk om hun kinderen het ethos van hard werken en je best doen op school bij te brengen. Maar de ouders verwachten wel terecht van de overheid dat die, via de openbare scholen, volop haar bijdrage levert aan het educatieve proces, zoals de overheid dat ook voor vroegere generaties Amerikanen heeft gedaan.

Helaas zien we geen innovatie op onze scholen – niet de ingrijpende hervormingen waardoor de kinderen op de Thornton-school zouden kunnen meedingen naar een baan bij Google. Al bijna twintig jaar loopt de overheid de kantjes eraf en wordt middelmatigheid tot norm verheven. Deels is dat het gevolg van ideologische gevechten die net zo verouderd als voorspelbaar zijn. Veel conservatieven beweren dat het verbeteren van de schoolprestaties geen kwestie van geld is; dat de problemen op de openbare scholen veroorzaakt worden door bureaucratische toestanden en onbuigzame onderwijsvakbonden; en dat de enige oplossing het uitdelen van beurzen voor particuliere scholen is om zo het overheidsmonopolie op het onderwijs te doorbreken. Intussen probeert de linkerzijde vaak een onverdedigbare stelling te verdedigen door te beweren dat louter meer geld de schoolprestaties zal verbeteren.

Beide veronderstellingen deugen niet. Geld doet er wel toe in het onderwijs – waarom zouden ouders er anders zoveel voor over hebben om in bemiddelde onderwijsdistricten in de voorsteden te wonen? Veel scholen in de steden en op het platteland hebben nog steeds te kampen met overvolle klassen, achterhaalde boeken, onvoldoende uitrusting en leraren die basisbenodigdheden uit hun eigen zak moeten betalen. Maar het valt niet te ontkennen dat de manier waarop veel openbare scholen bestuurd worden, minstens net zo'n groot probleem is als de financiering.

Wat we moeten doen is vaststellen welke hervormingen het meeste effect hebben op de schoolprestaties, deze maatregelen goed financieren en programma's die niet werken stopzetten. Er zijn al harde bewijzen van hervormingen die werken: een uitdagender, veeleisender studiepakket met de nadruk op wis- en natuurkunde en lees- en schrijfvaardigheid; meer en langere onderwijsdagen om de kinderen de tijd en de aandacht te geven die ze nodig hebben; onderwijs in de jonge jaren aan alle kinderen, zodat ze niet al met een achterstand beginnen op hun eerste schooldag; zinnige, op prestaties gebaseerde beoordelingen die een beter beeld geven van hoe een leerling het doet; en de aanstelling en opleiding van veranderingsgezinde schoolhoofden en beter presterende leraren.

Het laatste punt – dat we goede leraren nodig hebben – kan niet genoeg worden benadrukt. Recent onderzoek toont aan dat de allerbelangrijkste factor in de prestaties van een leerling niet zijn huidskleur is of de plaats waar hij vandaan komt, maar wie zijn leraar is. Helaas moeten veel scholen het hebben van onervaren leraren die nauwelijks zijn opgeleid voor de vakken die ze geven, en heel vaak vind je deze leraren op scholen die het toch al moeilijk hebben. Die toestand wordt erger, niet beter: elk jaar raken de onderwijsdistricten ervaren leraren kwijt omdat de babyboomers de pensioengerechtigde leeftijd bereiken; en in het volgende decennium moeten we twee miljoen leraren aantrekken, alleen al om het toenemende aantal leerlingen op te vangen.

Het probleem is niet dat niemand les wil geven. Ik kom voortdurend jonge mensen tegen die van de beste universiteiten komen en die zich, via Teach for America of een soortgelijk programma, hebben aangemeld om twee jaar les te gaan geven aan een probleemschool. Ze ervaren het werk als buitengewoon dankbaar; en de kinderen aan wie ze les geven hebben profijt van hun creativiteit en enthousiasme. Maar aan het einde van de twee jaar hebben ze meestal voor een andere loopbaan gekozen of zijn ze overgestapt naar een betere school – als gevolg van een laag salaris, een gebrek aan ondersteuning van de kant van de onderwijsbureaucratie en een algemeen gevoel dat ze alleen staan.

Als we een 21e-eeuws onderwijsstelsel willen opbouwen, moeten we het vak van leraar serieus nemen. Dat betekent dat we naar de onderwijsbevoegdheden moeten kijken: iemand die scheikunde heeft gestudeerd en voor de klas wil gaan staan, moet geen dure opleidingen meer hoeven volgen. We moeten nieuwe leerkrachten koppelen aan ervaren rotten om hun isolement te doorbreken; en ervaren leraren meer zeggenschap geven over wat er in hun klas gebeurt.

Dat betekent ook dat we leraren naar behoren moeten betalen. Er is geen reden waarom een ervaren, vakkundige en doeltreffende leerkracht niet honderdduizend dollar per jaar zou mogen verdienen op het hoogtepunt van zijn of haar carrière. Bekwame leraren die cruciale vakken als wis- en natuurkunde geven, of willen werken op de moeilijkste probleemscholen in de steden, zouden nog meer moeten verdienen.

Er is één maar: in ruil voor meer salaris moeten leraren beter kunnen worden afgerekend op hun prestaties, en de onderwijsdistricten moeten makkelijker van leraren af kunnen komen die niet presteren.

Tot nu toe verzetten de onderwijsbonden zich tegen het idee van prestatiebeloningen, deels omdat ze bepaald zouden kunnen worden door het humeur van de hoofdmeester. De bonden zeggen ook – terecht, denk ik – dat de meeste onderwijsdistricten alleen maar de toetsuitslagen van de leerlingen hebben om de prestaties van een leraar te beoordelen, en dat deze toetsuitslagen sterk afhankelijk kunnen zijn van factoren waarop een leraar geen invloed heeft, zoals het aantal leerlingen uit lage inkomensgroepen of het aantal leerlingen met speciale behoeften in hun klas.

Maar dit zijn problemen die je kunt oplossen. Als ze met de onderwijsbonden samenwerken kunnen staten en onderwijsdistricten betere meetinstrumenten ontwikkelen, die de toetsuitslagen combineren met een beoordeling door collega's (leraren kunnen je met een verbazingwekkende eensluidendheid vertellen welke leraren op hun school echt goed zijn en welke echt slecht zijn). We kunnen ervoor zorgen dat kinderen die willen leren niet langer belemmerd worden door leraren die niet presteren.

Sterker nog, als we de investeringen willen doen die nodig zijn om onze scholen te renoveren, dan moeten we ons geloof herwinnen dat ieder kind *kan* leren. Onlangs was ik in de gelegenheid om de Dodge-basisschool in de West Side van Chicago te bezoeken, een school die ooit in alle statistieken onderaan stond, maar die druk bezig is een ommekeer te maken. Ik sprak met een paar leerkrachten over de problemen waarmee ze te maken hadden en daarbij sprak een jonge onderwijzeres over wat ze het 'diekinderensyndroom' noemde – het gemak waarmee onze samenleving talloze excuses vindt waarom 'die kinderen' niet kunnen leren; omdat ze 'uit een moeilijk milieu komen' of omdat ze 'te ver achter zijn'.

'Als ik die term hoor word ik wild,' zei de onderwijzeres tegen me. 'Het zijn niet "die kinderen". Het zijn *onze* kinderen.'

Hoe de Amerikaanse economie in de komende jaren zal presteren, hangt grotendeels af van de vraag hoe goed we deze wijze woorden ter harte nemen.

Onze investeringen in het onderwijs mogen niet ophouden bij betere basisscholen en middelbare scholen. We leven in een kenniseconomie waarin acht van de negen snelst groeiende beroepen van dit decennium wetenschappelijke of technologische vaardigheden vereisen. Om de banen van de toekomst te kunnen invullen, zullen de meeste arbeidskrachten een vorm van hoger onderwijs nodig hebben. Aan het begin van de

20e eeuw stelde de overheid gratis en verplicht middelbaar onderwijs in om de arbeiders de vaardigheden bij te brengen die ze nodig hadden in het industriële tijdperk. En zo moet onze overheid de beroepsbevolking van vandaag helpen zich aan te passen aan de 21e-eeuwse werkelijkheid.

In veel opzichten zouden we het nu makkelijker moeten hebben dan de beleidsmakers van honderd jaar geleden. We hebben al een netwerk van hoger onderwijs, dat goed is toegerust om meer studenten aan te nemen. En de Amerikanen hoeven ook niet meer overtuigd te worden van het belang van hoger onderwijs. Het percentage jonge volwassenen dat een academische titel haalt, neemt nog elk decennium toe: van circa zestien procent in 1980 tot bijna drieëndertig procent nu.

Waar de Amerikanen wel hulp bij nodig hebben, en wel meteen, zijn de toenemende kosten van een universitaire studie. Michelle en ik kunnen hierover meepraten (de eerste tien jaar van ons huwelijk waren we samen een stuk meer kwijt aan de aflossing van onze studieschulden dan aan onze hypotheek). In de laatste vijf jaar is het gemiddelde collegegeld voor een vierjarige studie aan een openbare universiteit met veertig procent gestegen, en dat cijfer is aangepast aan de inflatie. Om deze kosten te kunnen behappen gaan studenten steeds hogere schulden aan, wat velen ervan weerhoudt om een loopbaan te kiezen in minder goed betaalde sectoren zoals het onderwijs. En naar schatting tweehonderdduizend leerlingen per jaar die gekwalificeerd zijn voor een universitaire studie, zien ervan af omdat ze niet weten hoe ze de rekeningen moeten betalen.

We kunnen een aantal maatregelen nemen om de kosten te beheersen en de toegang tot het hoger onderwijs te verbeteren. De staten kunnen de jaarlijkse verhoging van de collegegelden aan openbare universiteiten begrenzen. Niet iedereen is een traditionele student: voor velen kunnen technische scholen en opleidingen via het internet een kosteneffectievere manier zijn om zich bij te scholen in een steeds veranderende economie. En studenten kunnen eisen dat hun instelling haar geld in de verbetering van de kwaliteit van het onderricht steekt en niet in een nieuw footballstadion.

Maar ook al doen we nog zo ons best om de almaar stijgende kosten van het onderwijs te beheersen, dan nog zullen we een of andere vorm van meer directe steun moeten geven aan veel studenten en ouders, zodat ze de studiekosten kunnen ophoesten: beurzen, goedkope leningen, een belastingvrije studiespaarregeling of een volledige aftrekbaarheid van studiekosten. Tot nu toe beweegt het Congres de andere kant op door de rente te verhogen op studieleningen waarvoor de federale overheid garant staat, en door beurzen voor onbemiddelde studenten niet aan te passen aan de inflatie. Dit beleid is niet te rechtvaardigen – tenminste niet als we willen dat de Amerikaanse economie de economie van de kansen en de opwaartse sociale mobiliteit blijft.

Er is nog een aspect van ons onderwijsstelsel dat de aandacht verdient – een aspect dat de concurrentiepositie van Amerika rechtstreeks aangaat. Sinds Lincoln de Morrill Act ondertekende en de pioniersscholen stichtte, hebben de hogere onderwijsinstellingen altijd gediend als de belangrijkste onderzoeks- en ontwikkelingslaboratoria van het land. Aan deze instellingen zijn de toekomstige vernieuwers gevormd. En de federale overheid zorgt voor de onmisbare infrastructuur – van scheikundelabs tot deeltjesversnellers – en betaalt onderzoek dat misschien niet meteen commercieel toepasbaar is, maar uiteindelijk kan resulteren in grote wetenschappelijke doorbraken.

Ook hier gaat het beleid de verkeerde kant op. In 2006, bij de opening van het academische jaar aan de Northwestern University [in Evanston, Illinois – *vert.*] raakte ik in gesprek met dr. Robert Langer, universiteitshoogleraar in de chemische technologie aan het Massachusetts Institute of Technology en een van de meest vooraanstaande wetenschappers van het land. Langer is geen studeerkamergeleerde. Er staan meer dan vijfhonderd patenten op zijn naam; zijn onderzoek heeft onder meer geleid tot de ontwikkeling van nicotinepleisters en behandelingen voor hersenkanker. Terwijl we op het begin van de ceremonie stonden te wachten, vroeg ik hem waar hij op het ogenblik mee bezig was. Hij vertelde over zijn onderzoek naar cel- en weefseltechnologie, onderzoek dat nieuwe en betere manieren kan opleveren om medicijnen toe te dienen. Ik dacht aan de recente controverse over stamcelonderzoek en vroeg of de beperking van het aantal stamcellijnen door Bush het grootste struikelblok was voor vooruitgang op dit vlak.* Hij schudde het hoofd.

'Het zou zeker nuttig zijn als we meer stamcellijnen hadden,' vertelde

* Stamcellen in menselijke embryo's hebben het vermogen om uit te groeien tot alle soorten cellen in het lichaam. Een stamcellijn is een groep stamcellen die in het laboratorium vermeerderd kan worden. In 2001 bepaalde Bush dat met federale fondsen alleen onderzoek mag worden gedaan met bestaande cellijnen, afkomstig uit overtollige bevruchte eicellen uit IVF-klinieken. – *vert.*

Langer me, 'maar het echte probleem is dat de federale subsidies behoorlijk gekort worden.' Vijftien jaar geleden kreeg twintig tot dertig procent van alle onderzoeksvoorstellen aanmerkelijke federale subsidie, legde hij uit, maar dit cijfer ligt nu dichter bij tien procent. Voor wetenschappers en onderzoekers betekent dat dat ze meer bezig zijn met fondsen werven en minder bezig zijn met onderzoek. Het betekent ook dat elk jaar meer veelbelovende onderzoekspaden worden afgesneden – in het bijzonder onderzoek met een hoog risico, waarvan we uiteindelijk de meeste vruchten zouden kunnen plukken.

De visie van dr. Langer staat niet op zichzelf. Het lijkt wel of ik elke maand wetenschappers en ingenieurs op bezoek krijg die het willen hebben over de afnemende bereidheid van de federale overheid om fundamenteel wetenschappelijk onderzoek te financieren. De laatste dertig jaar zijn de federale uitgaven aan natuurkundig, wiskundig en technisch wetenschappelijk onderzoek, uitgedrukt als percentage van het bruto nationaal product, afgenomen, terwijl andere landen hun budget voor onderzoek en ontwikkeling juist verhogen. Zoals dr. Langer aangeeft, heeft onze afnemende steun voor het fundamenteel onderzoek een rechtstreekse invloed op het aantal jonge mensen dat wiskunde, natuurkunde en technische wetenschappen gaat studeren, en dat verklaart waarom er in China elk jaar acht keer zoveel ingenieurs afstuderen als in de Verenigde Staten.

Als we een innovatie-economie willen, een economie die elk jaar nieuwe Googles voortbrengt, dan zullen we moeten investeren in de innovators van de toekomst – door in de komende vijf jaar het federale budget voor fundamenteel onderzoek te verdubbelen; door in de komende vier jaar honderdduizend nieuwe ingenieurs en wetenschappers op te leiden; of door nieuwe onderzoeksbeurzen toe te kennen aan 's lands meest briljante beginnende onderzoekers. Het prijskaartje voor het behoud van onze wetenschappelijke en technologische voorsprong komt op ongeveer tweeënveertig miljard dollar voor vijf jaar – een aardige duit, daar niet van, maar slechts vijftien procent van de laatste begroting voor het federale snelwegennet.

Met andere woorden, we kunnen ons veroorloven wat er moet gebeuren. Wat ontbreekt is niet het geld, maar het gevoel dat dit een nationale prioriteit is.

Een laatste cruciale investering die we moeten doen om Amerika concurrerender te maken, is een investering in een energievoorziening die ons richting onafhankelijkheid leidt op het gebied van energie. In het verleden is het voorgekomen dat een oorlog of een rechtstreekse bedreiging van de nationale veiligheid Amerika wakker schudde; dan werd er meer in onderwijs en wetenschappen geïnvesteerd, met het oogmerk onze kwetsbare punten aan te pakken. Dat gebeurde bijvoorbeeld op het hoogtepunt van de Koude Oorlog, toen de lancering van de satelliet de Spoetnik aanleiding was voor de vrees dat de Russen ons voorbijstreefden op technologisch gebied. Als antwoord verdubbelde president Eisenhower de federale steun aan het onderwijs en kreeg een hele generatie wetenschappers en ingenieurs de opleiding die ze nodig hadden om revolutionaire vorderingen te boeken. Datzelfde jaar nog werd het defensie-instituut voor hoogwaardige onderzoeksprojecten DARPA opgericht, waarbij miljarden dollars beschikbaar kwamen voor fundamenteel onderzoek dat uiteindelijk het internet, de streepjescode en het ontwerpen met behulp van de computer, CAD, opleverde. En in 1961 lanceerde president Kennedy het Apollo-ruimtevaartprogramma, dat jonge mensen in het hele land nog meer inspireerde om de wetenschappelijke grenzen te verleggen.

Onze huidige situatie vraagt van ons dat we ons energieprobleem op dezelfde manier aanpakken. Ik overdrijf niet als ik zeg dat onze verslaving aan olie onze toekomst ondermijnt. Als er niets verandert aan ons energiebeleid, zal Amerika's vraag naar olie in de komende twintig jaar met veertig procent stijgen, zo heeft de nationale commissie voor het energiebeleid becijferd. Over diezelfde periode zal de wereldwijde vraag naar verwachting minstens dertig procent toenemen, vooral doordat zich snel ontwikkelde landen als India en China hun industriële capaciteit vergroten en honderdveertig miljoen extra auto's op de weg brengen.

Onze afhankelijkheid van olie treft niet alleen onze economie, maar ondermijnt ook onze nationale veiligheid. Een groot deel van de achthonderd miljoen dollar die wij elke dag aan buitenlandse olie uitgeven, gaat naar de onstabiele regimes van Saudi-Arabië, Nigeria en Venezuela, en in elk geval indirect ook naar Iran. Het maakt niet uit of dit dictaturen met nucleaire ambities zijn of vrijplaatsen voor Koranscholen die het zaad van de terreur zaaien in het hoofd van jongeren – ze krijgen ons geld omdat we hun olie nodig hebben.

Erger nog, het potentiële gevaar van een kink in de aanvoer is enorm. Al-Qaida probeert al jaren aanslagen te plegen op slecht verdedigde olieraffinaderijen in de Perzische Golf. Eén geslaagde aanval op een groot Saudisch oliecomplex zou de Amerikaanse economie in een vrije val kunnen storten. Osama bin Laden zelf heeft tegen zijn volgelingen gezegd: 'Richt je operaties op [olie], vooral in Irak en de Golf, want dan sterven ze een langzame dood.'

En dan zijn er de milieugevolgen van de fossiele brandstoffen waarop onze economie draait. Vrijwel iedere wetenschapper buiten het Witte Huis is ervan overtuigd dat de klimaatverandering een feit is, ernstig is en versneld wordt door de voortgaande uitstoot van kooldioxide. In het verschiet liggen smeltende poolkappen, stijgende zeespiegels, veranderende weerpatronen, meer orkanen, verwoestende tornado's, eindeloze stofstormen, wegkwijnende bossen, stervende koraalriffen, en meer aandoeningen aan de luchtwegen en meer door insecten overgebrachte ziekten. Als dat alles niet een ernstige bedreiging is, dan weet ik het niet meer.

Tot nu toe bestaat het energiebeleid van de regering-Bush er vooral in de grote oliemaatschappijen te subsidiëren om meer te boren – daarnaast worden symbolische investeringen gedaan in de ontwikkeling van alternatieve brandstoffen. Deze aanpak zou economisch gezien ergens op slaan als Amerika rijke en onontgonnen olievoorraden had waarmee we onze behoefte konden dekken (en als die oliemaatschappijen geen recordwinsten maakten). Maar die voorraden bestaan niet. De Verenigde Staten hebben drie procent van de wereldwijde oliereserves. We zijn goed voor vijfentwintig procent van het wereldwijde olieverbruik. We kunnen het probleem niet de wereld uit boren.

Maar we kunnen wel schonere, duurzamere energiebronnen creëren voor de 21e eeuw. We moeten de olie-industrie niet subsidiëren, we moeten een einde maken aan de belastingvoordelen die zij momenteel ontvangt en eisen dat een procent van de winst van oliemaatschappijen die meer dan een miljard dollar winst per kwartaal maken, besteed wordt aan onderzoek naar alternatieve energie en de daarvoor benodigde infrastructuur. Een dergelijk programma zou niet alleen enorme voordelen hebben voor de economie, het buitenlandse beleid en het milieu, het kan ook de kar zijn die de opleiding van een hele nieuwe generatie Amerikaanse wetenschappers en ingenieurs kan trekken. En er kunnen nieuwe exportindustrieën en nieuwe hoogwaardige banen uit voortkomen.

Een land als Brazilië heeft dat al gedaan. De laatste dertig jaar heeft Brazilië, met een gemengd pakket van regulering en directe overheidsinvesteringen, een hoogst efficiënte biobrandstofindustrie ontwikkeld; zeventig procent van de nieuwe voertuigen rijdt er niet op benzine, maar op ethanol uit suikerriet. De Amerikaanse ethanolindustrie, die niet zoveel aandacht van de overheid geniet, begint nu pas. Vrijemarktdenkers voeren aan dat er voor de intensieve bemoeienis van de Braziliaanse overheid geen plaats is op de vrijere Amerikaanse markt. Maar als regulering flexibel en met gevoel voor de krachten van de markt wordt doorgevoerd, kan zij wel degelijk de aanzet zijn voor innovatie en investeringen in de energiesector van de kant van de private sector.

Neem de brandstofverbruiksnormen. Als we deze normen de afgelopen twee decennia hadden opgeschroefd, toen de benzine nog goedkoop was, dan hadden de Amerikaanse autofabrikanten wellicht nieuwe, zuinige modellen ontwikkeld in plaats van brandstofverslindende SUV's, en dan hadden ze een betere concurrentiepositie gehad toen de benzineprijs ging stijgen. Nu cirkelt de Japanse concurrentie rondjes om 'Detroit' heen. Toyota denkt in 2006 honderdduizend exemplaren van de populaire Prius te verkopen, terwijl de hybride van General Motors niet voor 2007 op de markt komt. Te verwachten valt dat bedrijven als Toyota de Amerikaanse autofabrikanten het nakijken zullen geven op de Chinese groeimarkt, aangezien China nu al strengere brandstofverbruiksnormen heeft dan wij.

Hoe je het ook wendt of keert, zuinige auto's en alternatieve brandstoffen als E85 – dat voor vijfentachtig procent uit ethanol bestaat – vertegenwoordigen de toekomst van de auto-industrie. Het is een toekomst die de Amerikaanse autofabrikanten nog kunnen meemaken als ze nu enkele moeilijke beslissingen nemen. Jarenlang hebben de Amerikaanse auto-industrie en de vakbond UAW zich verzet tegen strengere brandstofverbruiksnormen, omdat het aanpassen van productielijnen geld kost en omdat Detroit nu al zucht onder de hoge ziektekosten van gepensioneerde werknemers en zware concurrentie. In mijn eerste jaar in de Senaat stelde ik daarom wetgeving voor die ik 'Zorg voor hybrides' noemde. Het wetsvoorstel is een afspraak met de Amerikaanse autofabrikanten: in ruil voor een federale financiële tegemoetkoming in de ziektekosten van hun gepensioneerde arbeiders moesten de grote drie* het bespaarde geld investeren in de ontwikkeling van zuinige auto's.

Ambitieus investeren in alternatieve brandstoffen kan ook duizenden nieuwe banen opleveren. Over tien of twintig jaar heropent die oude Maytag-fabriek in Galesburg misschien zijn deuren als raffinaderij voor ethanol uit cellulose. Verderop in een onderzoekslaboratorium werken wetenschappers misschien aan een nieuwe waterstofcel. En aan de overkant komen misschien bij een nieuwe autofabrikant de hybrides van de lopende band. De nieuwe vacatures zouden vervuld kunnen worden door Amerikaanse werknemers die nieuwe vaardigheden hebben geleerd dankzij onderwijs dat tot het beste van de wereld behoort, van basisschool tot universiteit.

Maar we mogen niet langer dralen. Ik kreeg een inkijkje in wat afhankelijkheid van buitenlandse energie met een land kan doen in de zomer van 2005, toen senator Dick Lugar en ik Oekraïne bezochten en de pas gekozen president van het land ontmoetten, Viktor Joesjtsjenko. Het verhaal van Joesjtsjenko's verkiezing was voorpaginanieuws geweest in de hele wereld. Hij had het opgenomen tegen een regeringspartij die jaren naar de pijpen van Rusland had gedanst. Hij kreeg een moordaanslag te verwerken, verkiezingsfraude en bedreigingen van Moskou, maar toen ging de Oekraïense bevolking de straat op in een Oranje Revolutie – een reeks vreedzame massabetogingen die uiteindelijk leidden tot de installatie van Joesjtsjenko als president.

Er had een optimistische roes door de voormalige Sovjetstaat moeten gaan, en inderdaad werd overal waar we kwamen gesproken over democratische liberalisering en economische hervormingen. Maar in onze gesprekken met Joesjtsjenko en zijn kabinet ontdekten we algauw dat Oekraïne een groot probleem had: het was nog helemaal afhankelijk van Rusland voor zijn olie en aardgas. Rusland had al aangekondigd dat het deze energie niet langer onder de wereldmarktprijzen aan Oekraïne zou leveren, hetgeen zou leiden tot een verdriedubbeling van de huisbrandolieprijzen in de wintermaanden voorafgaande aan de parlementsverkiezingen. De pro-Russische krachten in het land wachtten hun tijd af, wetende dat Oekraïne, ondanks alle gezwollen retoriek, ondanks de oranje vlaggen, de betogingen en de moed van

---

* Ford, Chrysler en General Motors. – *vert.*

Joesjtsjenko, nog steeds aan de genade van zijn vroegere beschermheer was overgeleverd.

Een land dat zijn energievoorziening niet beheerst, beheerst zijn toekomst niet. Oekraïne kan hier misschien weinig aan veranderen, maar het rijkste en machtigste land op aarde kan dat zeker wel.

Onderwijs. Wetenschap en technologie. Energie. Investeringen op deze drie cruciale terreinen zouden een heleboel doen om Amerika's concurrentiepositie te verbeteren. Natuurlijk zullen deze investeringen niet van de ene dag op de andere vruchten afwerpen. Ze zullen controversieel zijn. Investeringen in onderzoek, ontwikkeling en onderwijs zullen geld kosten in een tijd dat ons federale begroting toch al onder druk staat. Om het brandstofverbruik van Amerikaanse auto's terug te dringen en prestatiebeloning in het openbaar onderwijs in te voeren, moet je het wantrouwen overwinnen van werknemers die toch al het gevoel hebben dat ze onder vuur liggen. En de discussies over de voor- en nadelen van particuliere scholen en de toepasbaarheid van waterstofcellen in auto's zullen nog wel een tijdje doorgaan.

Over de manieren waarop we de genoemde doelen willen bereiken moet vooral een energiek en open debat worden gevoerd. Maar de doelen zelf zouden geen punt van discussie moeten zijn. Als we niet handelen, zal onze concurrentiepositie in de wereld achteruitgaan. Als we krachtdadig handelen, maken we onze economie minder kwetsbaar voor ontwrichting, verbetert onze handelsbalans, versnellen we onze technologische innovatie en komt de Amerikaanse werknemer in een betere positie te verkeren om zich aan te passen aan de globalisering.

Is dat genoeg? Stel dat we onze ideologische geschillen gedeeltelijk kunnen overbruggen en we kunnen zorgen dat de Amerikaanse economie blijft groeien, kan ik die arbeiders in Galesburg dan recht in de ogen kijken en ze vertellen dat de globalisering goed kan uitpakken voor hen en hun kinderen?

Dat was de vraag die me bezighield tijdens het debat, in 2005, over de Midden-Amerikaanse Vrijhandelsovereenkomst, CAFTA. Op zichzelf bezien bevatte deze overeenkomst weinig wat onze arbeiders zou kunnen bedreigen – de economieën van de betrokken Midden-Amerikaanse landen waren samen ongeveer net zo groot als die van de stad New Haven in Connecticut. Het verdrag opende nieuwe markten voor landbouwproducten uit de VS en beloofde broodnodige buitenlandse investeringen in landen als Honduras en de Dominicaanse Republiek. Er waren wat probleempjes met het verdrag, maar over het geheel was CAFTA waarschijnlijk gunstig voor de economie van de VS.

Toen ik echter met vertegenwoordigers van de vakbonden sprak, wilden zij er niets van weten. Volgens hen was NAFTA een ramp geweest voor de Amerikaanse arbeider en was CAFTA één pot nat. Wat zij nodig hadden, zeiden ze, was niet alleen vrije handel maar eerlijke handel: een betere rechtspositie voor arbeiders in de landen die zaken doen met de Verenigde Staten, inclusief het recht op vakbonden en een verbod op kinderarbeid; strengere milieunormen in diezelfde landen; afschaffing van oneerlijke overheidssubsidies voor buitenlandse exporteurs; afschaffing van niet alleen de invoerrechten, maar ook de andere importbeperkingen die Amerikaanse exporteurs moeten overwinnen; betere bescherming van Amerikaans geestelijk eigendom; en – specifiek in het geval van China – opwaardering van een kunstmatig laag gehouden munt waardoor Amerikaanse bedrijven almaar in het nadeel zijn.

Net als de meeste Democraten ben ik een groot voorstander van al deze dingen. En toch vond ik dat ik de vakbondsvertegenwoordigers moest uitleggen dat al deze maatregelen niets zouden veranderen aan de onderliggende feiten van de globalisering. Bepalingen over arbeidsvoorwaarden en het milieu in een handelsverdrag kunnen een land onder druk zetten om werk te maken van de verbetering van de positie van de arbeiders. Hetzelfde geldt voor inspanningen om Amerikaanse winkelketens te laten beloven alleen goederen te verkopen die voor een eerlijk loon vervaardigd zijn. Maar dit neemt het enorme verschil in uurloon niet weg tussen Amerikaanse werknemers en werknemers in Honduras, Indonesië, Mozambique of Bangladesh – landen waar een baan in een smerige fabriek of in een snikheet naaiatelier vaak beschouwd wordt als een stap omhoog op de economische ladder.

Als China bereid is zijn munt in waarde te laten stijgen, dan zullen in China vervaardigde goederen iets duurder worden, waardoor de concurrentiepositie van Amerikaanse goederen enigszins zal verbeteren. Maar als dat gebeurd is, loopt er op het Chinese platteland nog steeds een surplus aan arbeidskrachten rond dat in aantal gelijk is aan de helft van de voltallige bevolking van de Verenigde Staten – wat betekent dat de Wal-Mart nog heel, heel lang zaken zal blijven doen met producenten daar.

Het handelsvraagstuk vraagt om een nieuwe benadering, zou ik zeggen, een benadering die deze realiteit erkent.

Mijn broeders en zusters van de vakbonden knikken en zeggen dat ze graag met me over mijn ideeën willen praten, maar kunnen ze me ondertussen noteren als een neestem tegen CAFTA?

Eigenlijk is er in het fundamentele debat over vrijhandel sinds 1980 weinig veranderd; en de werknemers en hun bondgenoten trekken gewoonlijk aan het kortste eind. De algemeen erkende waarheid in de politiek, de pers en het bedrijfsleven is tegenwoordig dat met vrijhandel iedereen beter af is. Er kunnen door vrijhandel wel eens Amerikaanse banen verloren gaan, redeneert men, en dat veroorzaakt dan plaatselijk pijn en ongemak – maar voor elke duizend banen die er in de industrie verloren gaan door de sluiting van een fabriek, komen evenveel of zelfs meer banen terug in de nieuwe, uitdijende dienstensectoren van de economie.

Nu de globalisering op stoom is gekomen, zijn het echter niet alleen meer de vakbonden die zich zorgen maken over de langetermijnvooruitzichten voor de Amerikaanse werknemers. Economen constateren dat er in de hele wereld – inclusief China en India – steeds meer economische groei nodig lijkt te zijn om hetzelfde aantal banen te scheppen; een gevolg van de steeds toenemende automatisering en hoge productiviteit. Sommige analisten betwijfelen of een Amerikaanse economie die meer door diensten wordt gedomineerd dezelfde productiviteitsgroei, en daarmee dezelfde toenemende levensstandaard, zal kennen als we in het verleden hebben gezien. Statistieken over de afgelopen vijf jaar tonen eensluidend aan dat het salaris dat hoorde bij de banen die in Amerika verloren gaan, hoger ligt dan het salaris van de banen die er in Amerika bij komen.

En hoewel het opvijzelen van het opleidingsniveau van de Amerikaanse werknemers ze beter in staat zal stellen om zich aan te passen aan de globalisering, beschermt een betere opleiding alleen ze niet noodzakelijkerwijs tegen de toenemende concurrentie. Ook al brengt Amerika twee keer zoveel computerprogrammeurs per hoofd van de bevolking voort als China, India of een land in Oost-Europa, dan nog betekent het enorme aantal nieuwe kandidaten dat zich meldt op de wereldwijde markt dat er veel meer programmeurs in het buitenland zijn dan in de Verenigde Staten, en die zijn allemaal voor een vijfde van het salaris beschikbaar voor elk bedrijf dat breedbandinternet heeft.

Met andere woorden, vrijhandel kan de taart van de wereldeconomie wel laten groeien, maar er is geen wet die zegt dat de werknemers in de Verenigde Staten daarvan een steeds grotere punt krijgen.

Gezien deze feiten is het niet zo vreemd dat sommige mensen de globalisering graag zouden willen stoppen – ze willen de bestaande toestand bevriezen en ons afschermen voor economische verstoringen. Tijdens een bezoek aan New York, in de tijd van het CAFTA-debat, haalde ik een paar studies die ik gelezen had aan in een gesprek met Robert Rubin, de vroegere Amerikaanse minister van Financiën onder Clinton, die ik had leren kennen tijdens mijn campagne. Er is bijna geen Democraat te vinden die zo vereenzelvigd wordt met de globalisering als Rubin. Hij was niet alleen tientallen jaren lang een van de meest invloedrijke bankiers op Wall Street geweest; in de jaren negentig had hij de koers van de financiële wereld helpen bepalen. Hij is ook nog eens een wijs en bescheiden man. Ik vroeg hem of de angst van de Maytag-arbeiders in Galesburg in elk geval deels gerechtvaardigd was – of een achteruitgang van de Amerikaanse levensstandaard op lange termijn onvermijdelijk is als we ons helemaal openstellen voor de concurrentie van veel goedkopere arbeid elders op de wereld.

'Dat is een ingewikkelde kwestie,' zei Rubin. 'De meeste economen zeggen dat er geen inherente grens is aan het aantal goede, nieuwe banen dat de Amerikaanse economie kan genereren, omdat de menselijke inventiviteit onbegrensd is. Mensen bedenken nieuwe activiteiten, nieuwe behoeften en wensen. Ik denk dat de economen daar gelijk in hebben. Historisch is het zo gegaan. Natuurlijk is er geen garantie dat het patroon dit keer weer in stand blijft. Door de snelheid van de technologische veranderingen, de omvang van de economieën waarmee we concurreren en de kostenverschillen met deze landen zou er een andere dynamiek tevoorschijn kunnen komen. Dus het lijkt me denkbaar dat we toch problemen krijgen, zelfs als we alles goed doen.'

Ik merkte op dat de mensen in Galesburg dit antwoord misschien niet erg geruststellend zouden vinden.

'Ik zei dat het denkbaar was, niet waarschijnlijk,' zei hij. 'Als we onze financiële huishouding op orde brengen en ons onderwijsstelsel verbeteren, ben ik voorzichtig optimistisch dat hun kinderen het prima zullen hebben. In elk geval zou ik de mensen in Galesburg vertellen dat één ding wel zeker is. Elke poging tot protectionisme is contraproductief, hun kinderen zullen daar slechter mee af zijn.'

Ik vond het goed dat Rubin erkende dat de Amerikaanse werknemers zich wel eens terecht zorgen zouden kunnen maken over de globalisering. Mijn ervaring is dat de meeste vakbondsleiders dit vraagstuk goed hebben overdacht en niet als verstokte protectionisten kunnen worden afgedaan.

Toch was er weinig in te brengen tegen Rubins uitgangsstelling: we kunnen de globalisering proberen te vertragen, maar we kunnen haar niet tegenhouden. De Amerikaanse economie is tegenwoordig zo verbonden met de rest van de wereld, en de digitale handel is zo wijdverbreid, dat je je een protectionistisch bestel nauwelijks kunt voorstellen, laat staan dat je het kunt handhaven. Een heffing op geïmporteerd staal mag de Amerikaanse staalfabrieken tijdelijk wat lucht geven, maar maakt elk Amerikaans bedrijf dat staal in zijn producten verwerkt, minder concurrerend op de wereldmarkt. Het is moeilijk om Amerikaanse waar te kopen als een videospelletje dat door een Amerikaans bedrijf verkocht wordt, ontwikkeld is door Japanse softwareschrijvers en verpakt is in Mexico. Amerikaanse douaniers kunnen de diensten van een callcenter in India niet onderscheppen, noch verhinderen dat een elektronisch ingenieur in Praag zijn werk per e-mail verstuurt naar een bedrijf in Iowa. De handel kent nog maar weinig grenzen.

Dat betekent niet dat we onze handen maar in de lucht moeten steken en tegen de werknemers zeggen dat ze zichzelf maar moeten zien te redden. Dat was de strekking van wat ik tegen president Bush zei toen het CAFTA-debat op zijn eind liep en ik met een groep senatoren op het Witte Huis was uitgenodigd om de zaak te bespreken. Ik zei tegen de president dat ik voor handel was en dat ik er niet aan twijfelde dat het Witte Huis de nodige stemmen zou krijgen voor deze overeenkomst. Maar, zei ik, het verzet tegen CAFTA had niet zozeer te maken met wat er precies in die overeenkomst stond, alswel met de groeiende onzekerheid voor de Amerikaanse werknemer. We moesten iets doen om die angst weg te nemen, we moesten de Amerikaanse werknemers een duidelijk signaal geven dat de federale overheid aan hun kant stond; anders zouden de protectionistische sentimenten alleen maar toenemen.

De president luisterde beleefd en zei dat hij in mijn ideeën geïnteresseerd was. Intussen, zei hij, hoopte hij dat hij op mijn stem kon rekenen.

Dat kon hij niet. Ik stemde uiteindelijk tegen de CAFTA-overeenkomst, die door de Senaat werd aangenomen met vijfenvijftig stemmen voor en vijfenveertig tegen. Ik was niet gelukkig met mijn stem, maar ik vond dat het de enige manier was om protest aan te tekenen tegen wat volgens mij Bush' ongevoeligheid was voor de verliezers in de vrijhandel. Net als Bob Rubin ben ik optimistisch over de langetermijnvooruitzichten voor de Amerikaanse economie en het vermogen van de Amerikaanse werknemers om concurrerend te werken in een klimaat van vrijhandel; maar alleen indien we de baten en de lasten van de globalisering eerlijker over de bevolking verdelen.

De laatste keer dat we zo'n ingrijpende economische transformatie doormaakten als nu, leidde FDR het land naar een nieuw sociaal contract – tussen de overheid, het bedrijfsleven en de werknemers – dat meer dan vijftig jaar lang grote voorspoed en economische zekerheid bracht. Voor de gemiddelde Amerikaanse werknemer berustte die zekerheid op drie peilers: de mogelijkheid om een baan te krijgen die genoeg betaalde om een gezin van te onderhouden en te sparen voor noodgevallen; een pakket ziektekosten- en oudedagsvoorzieningen van de kant van zijn werkgever; en een vangnet van de kant van de overheid – Social Security (AOW en WAO), Medicaid en Medicare, een werkloosheidsverzekering en in mindere mate federale faillissementsbescherming en pensioengarantie – om de val te verzachten van wie in het leven tegenslag ondervond.

In dit New Deal-contract zat zeker een gevoel van sociale solidariteit: het idee dat werkgevers goed voor hun werknemers moesten zijn, en dat als iemand van ons struikelde – door het lot of een verkeerde inschatting –, de Amerikaanse samenleving klaar zou staan om ons overeind te helpen.

Maar het contract berustte ook op het inzicht dat een stelsel waarin risico's en baten verdeeld worden, de marktwerking in feite verbetert. FDR zag in dat behoorlijke salarissen en arbeidsvoorwaarden voor de arbeiders een middenklasse van consumenten konden scheppen die de Amerikaanse economie zou stabiliseren en de motor zou zijn van haar groei. En FDR begreep dat we allemaal meer bereid zouden zijn om risico's te nemen in ons leven – om van baan te veranderen of een bedrijf te beginnen of concurrentie uit andere landen positief tegemoet te treden – als we wisten dat we enige mate van bescherming zouden krijgen als het mislukte.

Dit is wat de sociale zekerheid, de kern van de New Deal-wetgeving, bood – een zekere bescherming tegen risico's. We sluiten ook commerciële verzekeringen voor onszelf af, want ook al kunnen we onszelf nog zo goed redden, we beseffen dat de dingen niet altijd zo gaan als we willen – een kind wordt ziek, het bedrijf waarvoor we werken sluit zijn deuren, een van onze ouders krijgt alzheimer, onze aandelenportefeuille keldert. Hoe groter het aantal verzekerden, hoe meer het risico gespreid wordt, hoe meer dekking er gegeven wordt en hoe lager de kosten zijn. Maar voor sommige risico's kunnen we op de markt geen verzekering afsluiten – gewoonlijk omdat die voor de verzekeringsmaatschappijen niet rendabel is. Soms is de verzekering die we via ons werk krijgen niet voldoende, en kunnen we het ons niet veroorloven om ons bij te verzekeren. Soms worden we onverwacht door een ramp getroffen en blijken we niet voldoende verzekerd te zijn. Om al die redenen vragen we de overheid om bij te springen en een verzekering in te stellen met alle Amerikanen als deelnemers.

Vandaag de dag begint het sociale contract dat FDR tot stand bracht af te brokkelen. Als antwoord op de toegenomen buitenlandse concurrentie en op de druk van een effectenbeurs die elk kwartaal een hogere winst eist, zijn de werkgevers aan het automatiseren, aan het afslanken en aan het verplaatsen geslagen. Door dat alles komen banen op de tocht te staan en zijn werknemers minder in een positie om meer salaris of betere arbeidsvoorwaarden te eisen. Hoewel de federale overheid een royaal belastingvoordeel geeft aan bedrijven die een ziektekostenverzekering aanbieden, schuiven de bedrijven de de pan uitrijzende kosten daarvan af op de werknemers in de vorm van een hogere premie, een eigen risico of inhoudingen; intussen kan de helft van de kleine bedrijven, waar miljoenen Amerikanen werken, het zich helemaal niet veroorloven de werknemers een verzekering aan te bieden. In hetzelfde stramien verruilen bedrijven het traditionele pensioenplan met een vastgestelde opbrengst voor belastingvrije spaarregelingen, en in sommige gevallen gebruiken ze de faillissementswetgeving om onder bestaande pensioenverplichtingen uit te komen.

Alles bij elkaar zijn de gevolgen daarvan voor onze gezinnen enorm. Het salaris van de doorsnee Amerikaanse werknemer heeft de afgelopen twintig jaar nauwelijks gelijke tred gehouden met de inflatie. Sinds 1988 is de ziektekostenpremie van het gemiddelde gezin verviervoudigd. Sparen doen particulieren minder dan ooit, en ze steken zich meer in de schulden dan ooit.

De regering-Bush heeft niet geprobeerd de gevolgen van deze trends te verminderen, maar ze juist aangemoedigd. Dat is het uitgangspunt van de Ownership Society: als we de werkgevers ontslaan van elke verplichting jegens hun werknemers en ontmantelen wat er nog van de New Deal over is – de sociale verzekeringsprogramma's van de overheid – dan zorgt de magie van de markt verder overal voor. Terwijl je de gedachte achter het traditionele stelsel van sociale verzekeringen zou kunnen omschrijven als 'We zitten allemaal in hetzelfde schuitje', luidt de filosofie achter de Ownership Society kennelijk 'Je staat er alleen voor'.

Het is een verleidelijk idee, elegant in zijn eenvoud, en het ontslaat ons van elke verplichting die we jegens elkaar hebben. Er is maar één ding mis mee: het werkt niet – in elk geval niet voor de mensen die nu al achteropraken in de wereldwijde economie.

Neem de poging van de regering om de Social Security te privatiseren. De regering voert aan dat de effectenbeurs mensen een hoger rendement kan geven op hun inleg, en in het grote geheel klopt dat; op de financiële markt is meer te verdienen dan de inflatiecorrectie voor de kosten van het levensonderhoud door de Social Security. Maar individuele beleggingsbeslissingen zullen altijd winnaars en verliezers opleveren – degenen die vroeg aandelen Microsoft hebben gekocht, en degenen die laat Enron hebben gekocht. Wat wil de Ownership Society met de verliezers doen? Tenzij we graag ouderen zien verhongeren op straat, zullen we de kosten van hun levensonderhoud op de een of andere manier moeten dekken – en aangezien we niet van tevoren weten wie van ons de verliezers zullen zijn, is het slim als we allemaal deelnemen aan een verzekering die ons althans enig inkomen voor onze levensavond garandeert. Dat betekent niet dat we individuele burgers niet moeten aanmoedigen om beleggingen te doen met een hoger risico en een hoger rendement. Dat moeten ze vooral wel doen. Maar ze moeten dat doen met andere spaargelden dan de premie voor de Social Security.

Hetzelfde principe geldt als het gaat over het door de regering gestimuleerde overstappen van de door de werkgever of door de overheid ingestelde ziektekostenverzekering op een individuele zorgspaarrekening. Dit zou misschien een zinnig idee zijn als het jaarlijks daarop ontvangen bedrag voldoende was om een behoorlijk zorgplan bij je werkgever in te kopen, en als dit bedrag gelijke tred hield met de kostenstijging in de gezondheidszorg. Maar wat als je voor een baas werkt die geen zorgplan aanbiedt? Of als de theorie van de regering over de inflatie van de zorgkosten niet blijkt te kloppen – als blijkt dat de hoge kosten niet veroorzaakt worden doordat mensen achteloos met hun gezondheid omgaan of doordat ze meer zorg willen dan ze eigenlijk nodig hebben? Dan betekent 'keuzevrijheid' alleen maar dat de werknemers het leeuwendeel betalen van toekomstige kostenstijgingen in de gezondheidszorg, en dat ze met het geld op hun zorgspaarrekening elk jaar minder zorg zullen kunnen kopen.

Met andere woorden, de Ownership Society probeert niet eens de risico's en de baten van de nieuwe economie over de Amerikanen te verdelen. De ongelijke risico's en baten van de huidige winner-take-all-economie worden alleen maar versterkt. Als je gezond of rijk bent of gewoon geluk hebt, dan word je nog gezonder, rijker en gelukkiger. Als je arm of ziek bent of een keer pech hebt, dan hoef je van niemand hulp te verwachten. Dat is geen recept voor aanhoudende economische groei, dat is geen recept voor de instandhouding van een sterke Amerikaanse middenklasse. Dat is zeker geen recept voor sociale samenhang. Dat staat haaks op die waarden van ons die zeggen dat we een belang hebben bij elkaars succes.

Dat is niet wat wij zijn als volk.

Gelukkig is er een alternatieve aanpak, die het sociale contract van FDR in een 21e-eeuwse vorm giet. Op elk vlak waar werknemers kwetsbaar zijn – lonen, werkloosheid, oude dag en gezondheidszorg – zijn er goede ideeën voorhanden, oude en nieuwe, die de Amerikanen heel wat meer zekerheid zouden kunnen geven.

Laten we beginnen met de lonen. Amerikanen geloven in werken. Werken is niet alleen een manier om in je eigen onderhoud te voorzien, maar ook een manier om je leven zin en richting te geven, orde en waardigheid. Het oude bijstandsprogramma met de naam Hulp voor Gezinnen met Opgroeiende Kinderen (AFDC)* verloor deze kernwaarde vaak uit het oog, wat niet alleen verklaart waarom het zo impopulair was bij de bevolking, maar ook waarom het de mensen vaak isoleerde die het juist moest helpen.

---

* Aid to Families with Dependent Children: Steun voor ouders met afhankelijke kinderen. – *vert.*

Aan de andere kant vinden wij Amerikanen ook dat we onszelf en onze kinderen moeten kunnen bedruipen als we een volledige baan hebben. Voor veel mensen in de onderste geledingen van de economie – voornamelijk laaggeschoolde werknemers in de snel groeiende dienstensector – wordt aan deze verwachting niet voldaan.

Overheidsmaatregelen kunnen deze werknemers helpen, zonder dat de goede werking van de markt in het gedrang komt. Om te beginnen kunnen we het minimumloon verhogen. Het mag waar zijn, zoals sommige economen zeggen, dat een flinke stijging van het minimumloon werkgevers ervan kan weerhouden nieuwe mensen aan te nemen. Maar dit argument snijdt weinig hout in een situatie waarin het minimumloon in negen jaar niet is veranderd en minder reële koopkracht verschaft dan het minimumloon van 1955, zodat een minimumloner niet genoeg verdient om zich uit de armoede omhoog te werken, ook al heeft hij een volledige baan. Het Earned Income Tax Credit, een door Ronald Reagan gestimuleerd programma waarin werknemers met een laag loon een aanvulling op hun inkomen krijgen via het belastingstelsel, moet ook worden uitgebreid en gestroomlijnd, zodat meer gezinnen ervan kunnen profiteren.

Om alle werknemers te helpen zich aan te passen aan een snel veranderende economie, moeten we ook het bestaande stelsel van werkloosheidsverzekeringen en de Trade Adjustment Assistance* moderniseren. Er zijn een hoop goede ideeën in omloop over hoe je mensen die van baan moeten veranderen beter kunt ondersteunen. We kunnen de ondersteuning uitbreiden naar de dienstensector, flexibele tegoeden voor scholing creëren die werknemers kunnen gebruiken voor omscholing, of werknemers in sectoren die gevoelig zijn voor verplaatsing van werk omscholingsondersteuning bieden voor ze hun baan verliezen. En in een economie waar je oude baan vaak beter betaalde dan je nieuwe baan, kunnen we ook het concept loonsverzekering uitproberen, waarbij je vijftig procent van het verschil tussen je oude en je nieuwe loon vergoed krijgt voor een periode van één tot twee jaar.

Ten slotte moet, om werknemers aan hogere lonen en betere arbeidsvoorwaarden te helpen, het speelveld tussen de vakbonden en de werk-

* Een steunprogramma voor werknemers die als gevolg van importen (deels) hun werk verliezen. – *vert.*

gevers weer vlak gestreken worden. Sinds begin jaren tachtig hebben de vakbonden steeds meer terrein verloren, niet alleen door veranderingen in de economie, maar ook omdat de huidige arbeidswetten en de samenstelling van de Nationale Arbeidsverhoudingenraad (NLRB) de werknemers heel weinig bescherming verschaffen. Elk jaar worden meer dan twintigduizend werknemers ontslagen of op hun salaris gekort, alleen omdat ze proberen vakbonden te vormen of zich daarbij aansluiten. Er zijn zwaardere straffen nodig om te voorkomen dat werkgevers mensen ontslaan of benadelen die betrokken zijn bij vakbondswerk. Werkgevers zouden verplicht moeten worden een vakbond te erkennen als een meerderheid van de werknemers zich door die bond wenst te laten vertegenwoordigen. En er moet federale bemiddeling beschikbaar zijn om een werkgever en een nieuwe vakbond te helpen binnen een redelijke tijd tot een overeenkomst te komen.

Zakelijke belangengroepen zullen zeggen dat een grotere rol voor de vakbonden de Amerikaanse economie berooft van haar flexibiliteit en haar concurrentievoordelen. Maar juist als gevolg van de globalisering mogen we verwachten dat in vakbonden georganiseerde werknemers met de werkgevers willen samenwerken – als ze maar een eerlijk deel krijgen van een hogere productiviteit.

Zoals regeringsmaatregelen de lonen van de werknemers kunnen verhogen zonder de concurrentiekracht van het Amerikaanse bedrijfsleven aan te tasten, zo kunnen we ook een waardige oude dag bevorderen.

Allereerst moeten we achter de essentie van de Social Security-wetgeving gaan staan en zorgen dat er genoeg geld voor is. Er is een probleem met de fondsen van de Social Security, maar dat is oplosbaar. In 1983, toen er een soortgelijk probleem was, gingen Ronald Reagan en de voorzitter van het Huis van Afgevaardigden, Tip O'Neill, om de tafel zitten en stelden namens beide grote partijen een plan op dat het stelsel voor zestig jaar moest stabiliseren. Er is geen reden waarom dat vandaag niet opnieuw kan.

Met betrekking tot de particuliere oudedagsvoorzieningen moeten we erkennen dat de pensioenplannen met een vaste waarde in het slop zijn geraakt, maar erop staan dat bedrijven nog uitstaande verplichtingen aan hun werknemers en oud-werknemers nakomen. De faillissementswetgeving moet zodanig worden aangepast dat pensioengerechtigden vooraan komen te staan in de rij van schuldeisers, zodat bedrijven hun werknemers niet kunnen oplichten door uitstel van betaling aan te vragen. Bovendien moeten er nieuwe regels komen die bedrijven dwingen hun pensioenfonds behoorlijk te financieren, ook opdat het niet de belastingbetaler is die uiteindelijk voor de rekening opdraait.

En als het dan zo is dat de burgers aangewezen zijn op belastingvrije spaarplannen zoals de zogenaamde 401(k)-regelingen om de Social Security aan te vullen, dan moet de overheid zorgen dat die voor iedereen beschikbaar zijn en effectiever zijn in het aanmoedigen van het sparen. Clintons voormalige economisch adviseur Gene Sperling heeft voorgesteld een algehele 401(k)-regeling in te voeren, waarbij de overheid de spaargelden zou verdubbelen die gezinnen met een laag of middeninkomen op een nieuw soort oudedagsrekening storten. Andere deskundigen stellen een eenvoudige maatregel voor die niets kost: laat werkgevers hun personeel automatisch en op het maximale niveau inschrijven voor hun 401(k)-plan. Mensen kunnen er dan nog steeds voor kiezen minder dan het maximum te sparen of helemaal niet mee te doen, maar de ervaring leert dat de deelname van de werknemers drastisch toeneemt als je de standaardregeling aanpast. Om de Social Security aan te vullen moeten we de beste en de meest betaalbare van deze ideeën oppakken. We moeten toe naar een versterkt, voor iedereen toegankelijk pensioenstelsel dat niet alleen sparen bevordert, maar alle Amerikanen een groter aandeel geeft in de vruchten van de globalisering.

Hoe belangrijk het ook is om de lonen van de Amerikaanse werknemers te verhogen en hun oudedagsvoorzieningen te waarborgen, onze allerbelangrijkste taak is misschien wel het repareren van onze gebrekkige gezondheidszorg. Anders dan de Social Security liggen de twee grote door de overheid gefinancierde ziektekostenprogramma's – Medicare en Medicaid – echt op hun gat. Als we niets doen, eten deze beide regelingen, samen met de Social Security, in 2050 net zo'n groot deel van ons nationale inkomen op als nu de hele federale begroting. De toevoeging van een buitensporig dure voorziening voor medicijnen op recept, die maar beperkte dekking biedt en niets doet om de kosten van medicijnen in de hand te houden, heeft het probleem alleen maar verergerd. En het particuliere stelsel is ontaard in een verzameling inefficiënte bureaucratieën, eindeloos papierwerk, overbelaste zorgaanbieders en ontevreden patiënten.

In 1993 deed president Clinton een poging om een algeheel zorgstelsel op te zetten, maar hij werd gedwarsboomd. Sindsdien is het publieke debat vastgelopen. Sommigen, aan de rechterkant, pleiten voor een flinke dosis marktwerking via de ziektekostenspaarregelingen; anderen, ter linkerzijde, voor een door de overheid geregeld nationaal gezondheidszorgstelsel zoals dat in Canada en Europa bestaat; terwijl deskundigen van alle politieke richtingen een aantal verstandige, maar marginale aanpassingen van het bestaande stelsel aanbevelen. Het is tijd dat we de impasse doorbreken door een paar simpele feiten vast te stellen.

Gezien de hoeveelheid geld die we aan gezondheidszorg uitgeven (meer per inwoner dan welk ander land ook) zouden we iedere Amerikaan een basiszorg moeten kunnen geven. Maar de huidige jaarlijkse stijging van de ziektekosten kunnen we niet blijven opbrengen; we moeten de kosten van het algehele stelsel, inclusief Medicare en Medicaid, zien te beheersen.

Amerikanen veranderen steeds vaker van baan, zijn tussendoor vaker een poosje werkloos en werken vaker in deeltijd of voor zichzelf. Daarom kan de ziektekostenverzekering gewoon niet meer via de werkgevers lopen. Je moet je verzekering met je kunnen meenemen.

De markt alleen kan de stuipen van onze gezondheidszorg niet oplossen – deels doordat de markt niet in staat is gebleken om verzekeringen te creëren met voldoende deelnemers om de kosten voor ieder afzonderlijk betaalbaar te houden, deels doordat gezondheidszorg niet gewoon een product of dienst is als alle andere (als je kind ziek wordt, ga je niet winkelen op zoek naar de beste aanbieding).

En de laatste vaststelling: welke hervormingen we ook doorvoeren, er moeten sterke stimuli van uitgaan voor betere kwaliteit, voor preventie en voor een efficiëntere levering van de zorg.

Met deze uitgangspunten in gedachten wil ik een voorbeeld schetsen van hoe een goed plan voor de hervorming van de gezondheidszorg eruit zou kunnen zien. Om te beginnen laten we een neutrale partij, zoals het Instituut voor de Geneeskunde (IOM) van de Nationale Academie van Wetenschappen, vaststellen hoe een basiszorgplan van hoge kwaliteit eruit zou moeten zien en wat dit zou moeten kosten. Bij het ontwerpen van dit modelplan onderzoekt het IOM welke bestaande gezondheidszorgprogramma's de beste zorg leveren tegen de laagste kosten. Het modelplan legt de nadruk op de eerstelijns gezondheidszorg, preventie, tweedelijns zorg en de behandeling van chronische aandoeningen zoals astma en diabetes. Globaal is twintig procent van alle patiënten goed voor tachtig procent van de zorg. Als we kunnen voorkomen dat ziekten zich voordoen of als we hun uitwerking kunnen beheersen met eenvoudige maatregelen – zorgen dat patiënten zich aan hun dieet houden bijvoorbeeld, of hun medicijnen regelmatig innemen – dan kunnen we de resultaten voor de patiënt drastisch verbeteren en een hele hoop geld besparen.

Vervolgens stellen we iedereen in staat zich volgens dit modelplan te verzekeren, ofwel via een bestaand verzekeringsfonds zoals dat voor federale ambtenaren, of via een nieuw verzekeringsfonds in elke Amerikaanse staat. Particuliere ziektekostenverzekeraars mogen meedingen en zich aanbieden aan de deelnemers in deze fondsen, maar de aangeboden zorgplannen moeten voldoen aan de criteria voor kwaliteit en kostenbeheersing van het IOM.

Om de kosten verder omlaag te brengen, eisen we dat verzekeraars en zorgaanbieders die in Medicare, Medicaid of de nieuwe zorgplannen deelnemen, elektronische declaraties en elektronische dossiers gebruiken en moderne systemen hebben om fouten bij behandelingen van patiënten te rapporteren. Dat zal de administratiekosten drastisch beperken, evenals het aantal medische fouten en nadelige uitwerkingen (en daarmee de kostbare rechtszaken daarover). Alleen al deze simpele maatregel kan de totale ziektekosten met misschien wel tien procent terugdringen; volgens sommige deskundigen zijn de besparingen zelfs nog groter.

Met het geld dat we besparen met meer preventieve zorg, lagere administratiekosten en minder schadevergoedingen kunnen we een subsidie geven aan gezinnen met een laag inkomen die zich volgens het modelplan willen verzekeren via het fonds in hun staat, en onmiddellijk zorgen dat alle onverzekerde kinderen dekking krijgen. Indien nodig kunnen we deze subsidie ook financieren door het belastingvoordeel te herzien dat bedrijven gebruiken om gezondheidszorg aan hun personeel aan te bieden: de bedrijven zouden nog steeds een belastingverlaging krijgen voor een gangbaar zorgplan voor werknemers, maar we zouden het belastingvoordeel kunnen heroverwegen voor de extravagante, goudgerande zorgplannen voor managers, waar niemand gezonder van wordt.

Met deze gedachteoefening wil ik niet doen alsof er een eenvoudig wondermiddel bestaat waarmee we ons zorgstelsel weer gezond kunnen maken – dat is er niet. Er zouden veel details uitgewerkt moeten worden voor we een plan als het bovenstaande zouden kunnen uitvoeren; bovenal zouden we ervoor moeten waken dat de vorming van een nieuw verzekeringsfonds per staat er niet toe leidt dat werkgevers de ziektekostenplannen laten vallen die ze nu aan hun personeel aanbieden. En misschien zijn er wel andere, goedkopere en elegantere manieren om ons gezondheidszorgstelsel te verbeteren.

Het punt is echter dat, als we besluiten dat we gaan zorgen dat iedereen fatsoenlijke gezondheidszorg geniet, dat bereikt kan worden zonder de federale schatkist leeg te plunderen of over te gaan tot rantsoenering.

En als we willen dat de Amerikanen bereid zijn te leven met de harde wetten van de globalisering, dan zullen we voor een betere gezondheidszorg moeten zorgen. Vijf jaar geleden werden Michelle en ik 's nachts wakker van het gehuil van onze jongste dochter. Sasha was toen pas drie maanden, dus het was niet ongewoon dat ze 's nachts wakker werd. Maar ze huilde op een manier dat we ons zorgen maakten. Uiteindelijk belden we onze kinderarts, die zei dat we bij het krieken van de dag naar zijn praktijk mochten komen. Hij onderzocht haar en zei dat ze mogelijk hersenvliesontsteking had. Hij stuurde ons meteen door naar het ziekenhuis.

Sasha had inderdaad hersenvliesontsteking, maar in een vorm die behandelbaar was met intraveneuze antibiotica. Als de diagnose niet op tijd was gesteld, had ze haar gehoor kunnen verliezen of mogelijk zelfs dood kunnen gaan. Michelle en ik brachten drie dagen bij ons kind in het ziekenhuis door. We keken toe hoe de verpleegsters haar vasthielden terwijl een arts een ruggenmergpunctie uitvoerde, we hoorden haar huilen, en baden dat het allemaal goed zou gaan.

Het gaat nu goed met Sasha, ze is zo gezond en gelukkig als een vijfjarige hoort te zijn. Maar ik huiver nog als ik aan die drie dagen denk, waarin mijn leven tot één thema werd teruggebracht, waarin ik voor niets of niemand buiten de vier muren van die ziekenhuiskamer belangstelling had – niet voor mijn werk, niet voor mijn agenda, niet voor mijn toekomst. En dan prijs ik mezelf gelukkig dat ik, anders dan Tim Wheeler, de staalarbeider die ik sprak in Galesburg en wiens zoon een levertransplantatie nodig had, anders dan miljoenen Amerikanen die door een soortgelijke beproeving zijn gegaan, een baan had en verzekerd was op dat moment.

De Amerikanen zijn bereid de concurrentie met de wereld aan te gaan.

We werken harder dan de mensen in welk ander rijk land ook. We zijn bereid te leven met meer economische onzekerheid en we zijn bereid grotere persoonlijke risico's te nemen om vooruit te komen. Maar we kunnen dat alleen als onze overheid de investeringen doet die ons een redelijke kans geven om te slagen – en als we weten dat ons gezin een soort vangnet onder zich heeft, zodat het niet dieper kan vallen dan dat.

Dat is een afspraak met het Amerikaanse volk die het waard is om gemaakt te worden.

Investeringen om Amerika's concurrentiepositie te verbeteren, en een nieuw Amerikaans sociaal contract – als die twee algemene ideeën samen worden uitgevoerd, wijzen ze de weg naar een betere toekomst voor onze kinderen en kleinkinderen. Maar de puzzel is nog niet compleet. Er is die eeuwige vraag die zich aandient in elk beleidsdebat in Washington. Hoe betalen we het?

Aan het einde van het presidentschap van Bill Clinton hadden we een antwoord. Voor het eerst in bijna dertig jaar hadden we grote overschotten op de begroting en een snel afnemende staatsschuld. De president van de centrale banken, Alan Greenspan, uitte zelfs enige bezorgdheid dat de schuld te snel werd afbetaald, waardoor de mogelijkheden van de centrale banken om monetair beleid te voeren werden beperkt. Zelfs nadat de zeepbel van de internetbedrijven was doorgeprikt en de economie de schok van 11 september had moeten opvangen, hadden we nog de kans om een aanbetaling te doen op langdurige economische groei en betere kansen voor alle Amerikanen.

Maar dat is niet de weg die we insloegen. In plaats daarvan maakte onze president ons wijs dat we twee oorlogen konden voeren, ons militaire budget met vierenzeventig procent konden vergroten, ons grondgebied konden beschermen, meer konden uitgeven aan onderwijs, een begin konden maken met een nieuw plan voor medicijnen op recept voor ouderen én de ene gigantische belastingverlaging na de andere konden doorvoeren – allemaal tegelijkertijd. Onze leiders in het Congres maakten ons wijs dat ze de verminderde belastingopbrengst konden compenseren door verspilling en fraude aan te pakken, maar intussen nam het aantal projecten die blijk geven van cliëntelisme toe met een verbijsterende vierenzestig procent.

Het gevolg van dit staaltje collectieve ontkenning is de zorgwekkendste begroting die we in jaren hebben gehad. We hebben nu een jaarlijks begrotingstekort van bijna driehonderd miljard dollar. Daar is niet bijgeteld een bedrag van meer dan honderdtachtig miljard dollar dat we elk jaar lenen van het Social Security-fonds. Dat alles draagt rechtstreeks bij aan onze staatsschuld. Die bedraagt nu negen biljoen dollar – ongeveer dertigduizend dollar voor elke man, elke vrouw en elk kind in dit land.

Het is niet de schuld op zich die de meeste zorgen baart. Een deel van de schulden zou misschien gerechtvaardigd zijn geweest als het geld was gestoken in dingen die onze concurrentiepositie verbeteren: in de renovatie van onze scholen, in uitbreiding van ons breedbandnetwerk, in de installatie van ethanolpompen in tankstations over het hele land. We hadden het geld kunnen gebruiken om de Social Security te versterken of om ons gezondheidszorgstelsel te hervormen. Maar in plaats daarvan is het leeuwendeel van de schuld een rechtstreeks gevolg van de belastingverlagingen van de president, waarvan 47,4 procent naar de rijkste vijf procent van de inkomens ging, waarvan 36,7 procent naar de rijkste een procent ging en waarvan vijftien procent naar de rijkste tiende van een procent ging – mensen die minstens 1,6 miljoen dollar per jaar verdienen.

Met andere woorden, we hebben de schuld op de nationale creditcard laten oplopen om degenen die het meest profiteren van de wereldwijde economie een nog grotere punt van de taart te geven.

Tot nu toe komen we weg met onze schuldenberg omdat de centrale banken van andere landen – vooral China – willen dat we hun exportproducten blijven afnemen. Maar we kunnen niet eeuwig op de pof blijven kopen. Op een zeker moment leent het buitenland ons geen geld meer, gaat de rente omhoog en zullen we het meeste van wat ons land verdient, moeten aanwenden om onze schulden af te lossen.

Als we dat toekomstbeeld willen vermijden, zullen we moeten beginnen onszelf uit deze kuil te graven. In elk geval op papier weten we wat ons te doen staat. We kunnen bezuinigen op niet-essentiële projecten. We kunnen de gezondheidszorguitgaven beteugelen. We kunnen subsidies afschaffen die niet langer zinvol zijn en we kunnen de mazen in de wet dichten waardoor bedrijven onder hun belastingplicht uitkomen. En we kunnen een wet herstellen die gold onder Clintons presidentschap: de Paygo-wet, die verbiedt dat geld de federale schatkist verlaat

– in de vorm van nieuwe uitgaven of van belastingverlagingen – zonder dat dit op de een of andere manier wordt gecompenseerd.

Als we al deze maatregelen nemen, zal het nog steeds niet meevallen om ons uit de huidige begrotingstoestand omhoog te worstelen. We zullen waarschijnlijk een deel van de investeringen moeten uitstellen die nodig zijn om onze concurrentiepositie in de wereld te verbeteren, en we zullen prioriteiten moeten stellen bij het geven van hulp aan Amerikaanse gezinnen die het moeilijk hebben.

Maar terwijl we deze moeilijke keuzes maken, moeten we ook eens nadenken over de les van de afgelopen zes jaar en ons afvragen of onze begrotingen en ons belastingbeleid echt de waarden vertegenwoordigen waarvoor we zeggen dat we staan.

'Als er in Amerika een klassenstrijd gaande is, dan is mijn klasse aan de winnende hand.'

Ik zat in het kantoor van Warren Buffett, president-commissaris van [holdingbedrijf – *vert.*] Berkshire Hathaway en de op een na rijkste man van de wereld. Ik had gehoord van Buffetts veelbesproken eenvoud – dat hij nog steeds in hetzelfde bescheiden huis woonde dat hij gekocht had in 1967, en dat hij al zijn kinderen naar de openbare school had gestuurd.

Toch was ik een beetje verbaasd toen ik een onaanzienlijk kantoorgebouw in Omaha binnenliep en een kantoor binnenging dat deed denken aan dat van een verzekeringsagent, met wandpanelen van imitatiehout en een paar afbeeldingen aan de muur. En er was niemand te zien. 'Kom maar naar achteren,' riep een vrouwenstem, en toen ik de hoek omging zag ik het Orakel van Omaha in levenden lijve. Hij stond ergens over te grinniken met zijn dochter Susie en zijn assistent Debbie. Zijn pak was een beetje verfomfaaid en zijn borstelige wenkbrauwen kwamen hoog boven zijn bril uit.

Buffett had me in Omaha uitgenodigd om over het belastingbeleid te praten. Om precies te zijn wilde hij weten waarom Washington de belastingen voor mensen in zijn inkomensschaal bleef verlagen terwijl het land platzak was.

'Ik zat gisteren te rekenen,' zei hij, toen we in zijn kantoor zaten. 'Ik heb nooit geprobeerd om onder belastingen uit te komen en nooit een belastingadviseur gehad. Maar als je de loonbelasting meerekent, betaal ik dit jaar een lager netto belastingtarief dan mijn receptioniste. Ik weet zelfs bijna zeker dat ik een lager tarief betaal dan de gemiddelde Amerikaan. En als de president zijn zin krijgt, ga ik nog minder betalen.'

Buffetts lage belastingaanslagen waren een gevolg van het feit dat zijn inkomen, zoals dat van de meeste vermogende Amerikanen, bijna helemaal bestond uit dividend en beleggingswinsten – inkomen op investeringen dat sinds 2003 voor slechts vijftien procent belast wordt. Het salaris van de receptioniste werd daarentegen bijna tweemaal zo zwaar belast, als je de sociale premies meetelde. In Buffetts zienswijze was dat verschil volkomen onredelijk.

'De vrije markt is het beste mechanisme dat ooit bedacht is om ervoor te zorgen dat middelen zo efficiënt en productief mogelijk worden gebruikt,' zei hij. 'De overheid is daar niet zo goed in. Maar de markt is er niet zo goed in om ervoor te zorgen dat de welvaart die geproduceerd wordt, eerlijk of verstandig wordt verdeeld. Een deel van die welvaart moet in het onderwijs worden gestoken, zodat de volgende generatie een eerlijke kans heeft; en in het onderhoud van onze infrastructuur; en in een soort vangnet voor de verliezers in een markteconomie. En het is niet meer dan logisch dat degenen van ons die het meest van de markt geprofiteerd hebben, een groter deel daarvan betalen.'

We spraken een uur lang over de globalisering, de topsalarissen, het toenemende tekort op de Amerikaanse handelsbalans en de staatsschuld. Hij was in het bijzonder bezorgd over de door Bush voorgestelde afschaffing van de successierechten. Hij vond dat deze maatregel een aristocratie zou scheppen gebaseerd op rijkdom en niet meer op verdienste.

'Als je de successierechten afschaft,' zei hij, 'draag je in wezen de zeggenschap over de middelen van het land over aan mensen die dit niet verdiend hebben. Het is alsof je de olympische ploeg voor 2020 samenstelt door de kinderen te selecteren van alle winnaars van de Spelen van 2000.'

Voor ik vertrok, vroeg ik Buffett hoeveel van zijn collega-miljardairs zijn denkbeelden deelden. Hij lachte.

'Niet heel veel, zeg ik je,' zei hij. 'Ze hebben het idee dat het "hun geld" is en dat ze het verdiend hebben dat ze elke cent mogen houden. Maar wat ze niet incalculeren, zijn alle openbare investeringen waardoor we ons leven kunnen leiden zoals we doen. Neem mij nou. Ik heb een talent om kapitaal goed aan te wenden. Maar mijn mogelijkheden om dat talent te gebruiken zijn volkomen afhankelijk van de samenleving waarin ik geboren ben. Als ik in een troep jagers was geboren, was dat talent van mij knap waardeloos geweest. Ik kan niet erg hard rennen. Ik ben niet al te sterk. Ik was waarschijnlijk in de maag van een wild beest geëindigd.

Maar ik heb het geluk gehad dat ik geboren ben in een tijd en op een plaats waar mijn talent op waarde wordt geschat, in een samenleving die me goed onderwijs heeft gegeven om dat talent te ontwikkelen, en die de wetten en het financiële stelsel heeft gemaakt waardoor ik kan doen wat ik leuk vind om te doen. En ik verdien er nog een hoop geld mee ook. Het minste wat ik kan doen, is aan dat alles meebetalen.'

Het is misschien verrassend om 's werelds meest vooraanstaande kapitalist zo te horen praten, maar Buffetts zienswijzen getuigen niet noodzakelijkerwijs van een zachtaardig karakter. Veeleer tonen ze aan dat hij begrijpt dat het niet alleen een kwestie van het juiste beleid is hoe goed wij ons weten aan te passen aan de globalisering. Het heeft ook te maken met een mentaliteitsverandering, met een bereidheid om onze gemeenschappelijke belangen en de belangen van toekomstige generaties te laten prevaleren boven ons kortetermijngewin.

In het bijzonder moeten we ophouden net te doen alsof alle bezuinigingsmaatregelen gelijk zijn, of dat alle belastingverhogingen één pot nat zijn. Subsidies voor het bedrijfsleven beëindigen die geen aantoonbaar economisch doel dienen is één ding; bezuinigen op de gezondheidszorg voor arme kinderen is heel iets anders. In een tijd dat doorsnee gezinnen het gevoel krijgen dat ze van alle kanten klappen krijgen, is het een lofwaardig en juist streven om hun belastingaanslag zo laag mogelijk te houden. Minder lofwaardig zijn de bereidheid van de rijken en de machtigen om het antibelastingliedje te zingen uit eigenbelang, en de manier waarop de president, het Congres, lobbyisten en conservatieve commentatoren erin geslaagd zijn de zeer aanzienlijke belastingdruk voor de middenklasse en de zeer behapbare belastingdruk voor de rijken te vermengen in het hoofd van de kiezer.

De verwarring komt nergens duidelijker naar voren dan in het debat over de voorgestelde opheffing van de successierechten. In het huidige stelsel kan een echtpaar een bedrag van vier miljoen dollar nalaten zonder enige successierechten te betalen; in 2009 zal dit bedrag, nog onder de huidige wetgeving, omhooggaan tot zeven miljoen dollar. Deze belasting treft momenteel dan ook slechts het rijkste halve procent van de bevolking, en zal nog maar een derde van een procent treffen in 2009. Het volledig afschaffen van de successierechten zou de Amerikaanse schatkist ongeveer een biljoen dollar kosten. Het is dan ook moeilijk een belastingverlaging te bedenken die zo weinig rekening houdt met de belangen van gewone Amerikanen of met de langetermijnbelangen van het land.

Niettemin is, na een schrander staaltje marketing van de president en zijn bondgenoten, nu zeventig procent van de bevolking tegenstander van de 'doodsbelasting'. Intussen zijn er CEO's uit het bedrijfsleven aan mij komen uitleggen dat het voor Warren Buffett makkelijk is om voor de successierechten te zijn – zelfs als hij negentig procent belasting over zijn nalatenschap betaalt, blijft er nog steeds een paar miljard over voor zijn kinderen – maar dat deze belasting schrijnend onrechtvaardig is voor mensen met een nalatenschap van 'slechts' tien of vijftien miljoen dollar.

Dus laten we wel wezen, de rijken in Amerika hebben weinig te klagen. Tussen 1971 en 2001 is het middenloon en -salaris van de gemiddelde werknemer letterlijk niet vooruitgegaan, terwijl het inkomen van de rijkste één procent bijna vijfhonderd procent is gestegen. De verdeling van de welvaart is nog schever, schever dan op enig moment sinds het begin van de 20e eeuw. Deze trends waren al zichtbaar in de jaren negentig. Clintons belastingbeleid vertraagde ze alleen maar een beetje. Bush' belastingverlagingen hebben ze verergerd.

Ik vermeld deze feiten niet – zoals Republikeinse scherpslijpers zullen zeggen – om een klassenstrijd aan te wakkeren. Ik bewonder vele schatrijke Amerikanen en ik misgun ze hun succes helemaal niet. Ik weet heel goed dat velen, zo niet de meesten het verdiend hebben door hard werken, waarbij ze bedrijven opbouwen en banen scheppen en een meerwaarde geven aan hun klanten. Maar ik geloof eenvoudigweg dat diegenen van ons die het meest geprofiteerd hebben van de nieuwe economie zich het best kunnen veroorloven om onze verplichting te ondersteunen om elk Amerikaans kind een kans te geven op datzelfde succes. En misschien heb ik een beetje de aard van de Midwest geërfd van mijn moeder en haar ouders, net als blijkbaar Warren Buffett, en heb ik het gevoel dat je op een gegeven moment genoeg hebt: dat je net zo kunt genieten van een Picasso in een museum als van een Picasso in je eigen optrekje, dat je heel goed in een restaurant kunt eten voor minder dan twintig dollar en dat je best wat meer belasting kunt betalen als de kleren die je aan hebt meer kosten dan het jaarsalaris van de gemiddelde Amerikaan.

Bovenal mogen we het gevoel niet verliezen dat we – ondanks grote verschillen in welstand – samen rijzen en samen dalen. De veranderingen gaan steeds sneller, waarbij sommigen rijzen en velen dalen, waardoor het moeilijker wordt dit gevoel van lotsverbondenheid te handhaven. Jefferson had niet helemaal ongelijk toen Hamiltons visioen van het land hem vrees inboezemde, want we leven in een voortdurende evenwichtsoefening tussen eigenbelang en samenleven, tussen markten en democratie, tussen de opeenhoping van rijkdom en macht en het scheppen van kansen. In Washington zijn we het evenwicht kwijt, denk ik. We zijn allemaal bezig geld te vergaren voor campagnes, de vakbonden zijn verzwakt, de pers laat zich afleiden en de lobbyisten van de machtigen buiten deze omstandigheden volledig uit. Er zijn maar weinig tegengeluiden die ons herinneren aan wie we zijn en waar we vandaan komen, en die ons onze verbintenis aan elkaar doen bevestigen.

Dat was de achtergrond van een debat begin 2006, toen een omkoopschandaal de aanleiding was voor nieuwe pogingen om de invloed van lobbyisten in Washington aan banden te leggen. Een van de voorstellen beoogde een einde te maken aan de mogelijkheid voor senatoren om met privéjets te vliegen tegen gereduceerd tarief, gelijk aan dat van de eerste klasse op een lijnvlucht. Het voorstel had weinig kans van slagen, maar aangezien ik de Democratische woordvoerder op het gebied van ethische hervormingen was, vonden mijn medewerkers dat ik het voortouw moest nemen in het vrijwillig afzweren van deze praktijk.

Het was de juiste weg om te bewandelen, maar ik zal niet liegen: de eerste keer dat ik in twee dagen naar vier steden moest met lijnvluchten, speet het me behoorlijk. Het was vreselijk druk op de weg naar Chicago-O'Hare. Toen ik er aankwam, had mijn vlucht naar Memphis vertraging. Een kind morste sinaasappelsap op mijn schoen.

Toen ik in de rij stond kwam er een man naar me toe, midden dertig misschien, in een katoenen broek en een golfshirt. Hij zei dat hij hoopte dat het Congres dit jaar wat zou doen aan het stamcelonderzoek. Ik heb de ziekte van Parkinson in een vroeg stadium, zei hij, en een zoon van drie jaar. Ik zal waarschijnlijk nooit vangbal met hem spelen. Het zal voor mij wel te laat zijn, maar ik zou niet weten waarom iemand anders moet doormaken wat ik nu doormaak.

Dat is een verhaal dat je niet hoort, dacht ik bij mezelf, als je met een privéjet vliegt.

HOOFDSTUK 6

Het geloof

Twee dagen nadat ik de Democratische nominatie gewonnen had in mijn campagne voor de Amerikaanse Senaat, kreeg ik een e-mail van een arts aan de medische faculteit van de University of Chicago.

'Gefeliciteerd met uw grote en inspirerende overwinning in de voorverkiezingen,' schreef de arts. 'Ik heb met genoegen op u gestemd en ik zal u zeggen dat ik ernstig overweeg op u te stemmen bij de algemene verkiezingen. Ik schrijf u om u te vertellen wat me er uiteindelijk misschien van zal weerhouden om u te steunen.'

De arts omschreef zichzelf als een christen die zijn overtuiging opvatte als allesomvattend en totaal. Vanwege zijn geloof was hij sterk gekant tegen abortus en het homohuwelijk, maar vanwege zijn geloof trok hij ook de blinde verering van de vrije markt en het snelle grijpen naar militarisme dat het buitenlands beleid van president Bush leek te kenmerken in twijfel.

De reden dat de arts overwoog op mijn tegenstander te stemmen was niet mijn standpunt over abortus op zich. Maar hij had een tekst uit mijn campagne op mijn website gelezen waarin stond dat ik zou strijden tegen 'rechtse ideologen die een einde willen maken aan het recht van vrouwen om te kiezen'. Hij schreef:

> Ik voel dat u een sterk rechtvaardigheidsgevoel hebt, dat u voelt hoe onzeker de positie van het recht in het landsbestuur is, en ik weet dat u opkomt voor hen die geen stem hebben. Ik heb ook het gevoel dat u een onbevooroordeeld mens bent die de redelijkheid

> hoog in het vaandel heeft... Wat uw overtuigingen ook zijn, als u echt gelooft dat alle tegenstanders van abortus ideologen zijn die zich laten leiden door een pervers verlangen om vrouwen leed toe te brengen, dan bent u naar mijn mening niet onbevooroordeeld... U weet dat we in tijden leven vol mogelijkheden om goed te doen en kwaad te doen, tijden waarin het moeilijk is tot een representatief landsbestuur te komen op grond van de meeste stemmen, waarin we niet meer goed weten op welke gronden we dingen kunnen zeggen die ook over anderen gaan... Ik vraag u hier en nu niet om tegen abortus te zijn, maar wel dat u over deze kwestie spreekt in onbevooroordeelde bewoordingen.

Ik keek op mijn website en vond de aanstootgevende woorden. Ze waren niet van mijzelf: mijn personeel had ze geplaatst om mijn stellingname voor het recht op abortus samen te vatten tijdens de Democratische voorverkiezing, toen enkele van mijn opponenten in twijfel trokken of ik wel achter het arrest Roe vs. Wade stond. Binnen de kosmos van de Democratische partijpolitiek was de tekst standaardretoriek, bedoeld om de achterban op te stoken. Met de andere partij over abortus in discussie gaan was zinloos, heette het; elke dubbelzinnigheid over de kwestie duidde op zwakheid, en tegenover de vastberaden, geen duimbreed toegevende benadering van de antiabortuspartij konden we ons eenvoudig geen zwakheid veroorloven.

Maar toen ik de brief van de arts herlas, schaamde ik me. Ja, dacht ik, er zijn antiabortusactivisten voor wie ik geen begrip kan opbrengen: degenen die vrouwen tegenhouden die klinieken willen binnengaan, die foto's van verminkte foetussen in het gezicht van vrouwen drukken en daarbij de longen uit hun lijf schreeuwen; die vrouwen op de huid zitten en intimideren en soms geweld gebruiken.

Maar dat zijn niet de antiabortusactivisten die af en toe op mijn campagnebijeenkomsten kwamen, meestal in de kleinere plattelandsgemeenschappen die we bezochten. Deze mensen stonden, met een vermoeide maar vastberaden uitdrukking op hun gezicht, in een stille wake buiten het gebouw waar de bijeenkomst plaatsvond. Hun zelfgemaakte borden of spandoeken hielden ze als een schild voor zich uit. Ze schreeuwden niet en probeerden onze bijeenkomsten niet te verstoren, maar ze maakten mijn medewerkers toch nerveus. De eerste keer dat zo'n groep demonstranten verscheen, gingen bij mijn kwartiermakers de alarmbellen rinkelen. Vijf minuten voor mijn aankomst bij het gebouw belden ze naar mijn auto en raadden me aan door de achteringang naar binnen te glippen om een confrontatie te voorkomen.

'Ik wil niet door de achteringang,' zei ik tegen mijn medewerker die reed. 'Zeg ze dat we door de hoofdingang komen.'

We reden de parkeerplaats van de plaatselijke bibliotheek op en zagen zeven of acht demonstranten bij een hek staan: enkele oudere dames en zo te zien een gezin – een man en een vrouw met twee jonge kinderen. Ik stapte uit de auto, liep naar het groepje toe en stelde me voor. De man gaf me aarzelend een hand en zei hoe hij heette. Hij was van mijn leeftijd en droeg een spijkerbroek, een geruit overhemd en een pet van de St. Louis Cardinals. Zijn vrouw gaf me ook een hand, maar de oudere dames bleven op een afstand. De kinderen, misschien negen of tien jaar oud, staarden me met onverbloemde nieuwsgierigheid aan.

'Wilt u binnenkomen?' vroeg ik.

'Nee, dank u,' zei de man. Hij overhandigde me een pamflet. 'Meneer Obama, ik wil dat u weet dat ik het op veel punten met u eens ben.'

'Dat stel ik op prijs.'

'En ik weet dat u een christen bent en dat u ook een gezin hebt.'

'Dat is zo.'

'Maar hoe kunt u dan achter het vermoorden van baby's staan?'

Ik vertelde hem dat ik zijn standpunt begreep, maar dat ik het er niet mee eens kon zijn. Ik legde uit dat ik ervan overtuigd ben dat weinig vrouwen lichtvaardig overgaan tot beëindiging van een zwangerschap; dat iedere zwangere vrouw de morele kwesties die daarbij spelen volledig aanvoelt en met haar geweten worstelt als ze dat hartverscheurende besluit neemt; dat ik vrees dat een verbod op abortus vrouwen ertoe zal dwingen hun toevlucht te nemen tot onveilige abortusmethoden, zoals ze in Amerika ooit hebben gedaan en nog steeds doen in landen waar abortusartsen en de vrouwen die van hun diensten gebruikmaken, worden vervolgd. Ik zei hem dat we het misschien eens konden worden over manieren waarop we het aantal vrouwen kunnen verminderen dat aan abortus denkt.

De man luisterde beleefd en wees toen op de cijfers op het pamflet die het aantal ongeboren kinderen aangaven dat, volgens hem, elk jaar werd opgeofferd. Na een paar minuten zei ik dat ik naar binnen moest om mijn aanhangers te begroeten, en ik vroeg weer of het groepje wilde binnenkomen. Daar bedankte de man opnieuw voor. Toen ik wegliep, sprak zijn vrouw me aan.

'Ik zal voor u bidden,' zei ze. 'Ik bid dat u van gedachten verandert.'

Ik veranderde niet van gedachten en ook mijn gevoel hierover bleef hetzelfde, die dag en ook daarna. Maar ik dacht aan dat gezin toen ik die arts terugschreef en hem bedankte voor zijn mail. De volgende dag stuurde ik de mail door aan al mijn medewerkers en liet de tekst op mijn website zodanig veranderen dat die in duidelijke maar eenvoudige bewoordingen mijn stellingname voor het recht op abortus uiteenzette. En die avond, voor ik naar bed ging, deed ik zelf een gebed. Ik bad dat ik zou mogen uitgaan van goed vertrouwen in mijn omgang met anderen, zoals de arts bij mij had gedaan.

Het is een waarheid als een koe dat wij Amerikanen een gelovig volk zijn. Volgens de laatste onderzoeken gelooft vijfennegentig procent van de Amerikanen in God; meer dan twee derde hoort bij een kerk; zevenendertig procent noemt zichzelf een overtuigd christen; en aanzienlijk meer mensen geloven in engelen dan in de evolutietheorie. Het geloof beperkt zich ook niet tot godshuizen. Van boeken die het einde der tijden voorspellen, worden miljoenen exemplaren verkocht; christelijke muziek staat hoog op de hitlijsten; en nieuwe megakerken rijzen als paddenstoelen uit de grond in de buitenwijken van elke grote stad – ze bieden van alles aan van kinderopvang en dating tot yoga en fitness. Onze president vertelt routinematig hoe Christus zijn hart geopend heeft en footballspelers wijzen naar de hemel elke keer dat ze de bal tegen de grond drukken, alsof God vanaf de hemelse zijlijn aanwijzingen gegeven heeft.

Deze religiositeit is natuurlijk niet nieuw. De Pilgrim Fathers kwamen naar Amerika om aan religieuze vervolging te ontkomen en zonder belemmeringen hun calvinisme te kunnen belijden. Evangelische bewegingen zijn herhaaldelijk door het land gegaan en golven nieuwe immigranten hebben hun geloof gebruikt om hun leven te verankeren in een vreemde nieuwe wereld. Godsdienstige sentimenten en religieus geïnspireerd activisme waren de aanzet voor belangrijke politieke bewegingen, zoals die tegen de slavernij, die voor de burgerrechten en die van het 'prairiepopulisme' van William Jennings Bryan.

Niettemin, als je vijftig jaar geleden aan de cultuurbeschouwers had gevraagd wat de toekomst van het geloof in Amerika was, dan hadden ze je ongetwijfeld gezegd dat het in verval was. Het geloof van vroeger was aan het wegkwijnen, werd gezegd: het werd verdrongen door de wetenschap, het stijgende opleidingsniveau van het gros van de bevolking en de wonderen van de techniek. Eerzame mensen gingen misschien nog wel elke zondag naar de kerk; bekeerders en gebedsgenezers liepen nog steeds het evangelische circuit in het zuiden af; en de angst voor het 'goddeloze communisme' was een steun in de rug voor senator McCarthy. Maar voor het merendeel werd de traditionele geloofsbeleving – en zeker religieus fundamentalisme – beschouwd als onverenigbaar met de moderne tijd; het was op z'n hoogst een wijkplaats voor het harde leven voor de armen en de ongeschoolden. Zelfs de gedenkwaardige kruistochten van dominee Billy Graham werden door goeroes en academici als een merkwaardig anachronisme beschouwd, als overblijfselen van een vroegere tijd die weinig te maken hadden met serieuze zaken als het runnen van een moderne economie of het voeren van buitenlands beleid.

Toen de jaren zestig aanbraken, waren veel protestantse en katholieke leiders uit de hoofdstroming tot de conclusie gekomen dat, wilden ze overleven, de religieuze instituties in Amerika 'relevant' moesten worden gemaakt, aangepast aan de veranderende tijden – door de kerkelijke dogma's aan de wetenschap aan te passen en door een sociaal evangelie te prediken dat inging op wereldse kwesties als economische ongelijkheid, racisme, seksisme en Amerikaans militarisme.

Wat gebeurde er eigenlijk? Deels werd het bekoelen van het religieuze enthousiasme onder de Amerikanen overdreven. In elk geval op dat punt heeft de conservatieve kritiek op het 'linkse elitarisme' voor een flink deel gelijk: academici, journalisten en de culturele voorhoede, verschanst in universiteiten en grote steden, zagen gewoonweg niet hoe allerlei geloofsuitingen een belangrijke rol bleven spelen in gemeenschappen in het hele land. Dat de toonaangevende culturele instellingen van het land de religiositeit van Amerika niet langer erkenden, voedde zelfs een mate van religieus ondernemerschap die elders in de geïndustrialiseerde wereld zijn gelijke niet kent. Het geloof was niet meer zo zichtbaar, maar nog springlevend in het binnenland van Amerika en in de Bible Belt [het zuidoosten – *vert.*] Er ontstond een parallel universum, een wereld van evangelisatie en bloeiende kerken, maar ook van christelijke radio en televisie, universiteiten, uitgevers en amusement, en dit alles stelde de gelovigen in staat de populaire cultuur evenzeer te negeren als die hen negeerde.

Veel evangelische christenen wilden zich niet met de politiek inlaten – ze richtten zich naar binnen, op de verlossing van individuen, en gaven graag de keizer wat des keizers is. Dat was misschien altijd zo gebleven als de sociale omwentelingen van de jaren zestig er niet waren geweest. Voor de christenen in het zuiden was de beslissing van een ver federaal gerechtshof om de rassensegregatie op te heffen niet los te zien van de beslissing van datzelfde hof om een einde te maken aan het bidden op school – het was een aanval met meerdere pijlpunten op de pijlers van het traditionele zuidelijke leven. Voor gelovigen in heel Amerika leken de vrouwenbeweging, de seksuele revolutie, de toenemende zelfverzekerdheid van homo's en lesbiennes en bovenal het abortusarrest van het Hooggerechtshof, Roe vs. Wade, rechtstreekse inbreuken op de leer van de kerk inzake het huwelijk, seksualiteit en de gepaste rollen voor de man en de vrouw. De conservatieve christenen voelden zich bespot en aangevallen, en hielden het niet langer vol zich afzijdig te houden van de bredere politieke en culturele ontwikkelingen in het land.

En hoewel het Jimmy Carter was die de taal van de evangelische christenen introduceerde in de moderne nationale politiek, was het de Republikeinse Partij die steeds meer de nadruk legde op traditie, orde en 'familiewaarden', die in de beste positie was om de oogst van politiek bewust geworden evangelische christenen binnen te halen en ze te mobiliseren tegen de linkse orthodoxie.

Ik hoef hier niet nog eens het verhaal te vertellen hoe Ronald Reagan, Jerry Falwell, Pat Robertson, Ralph Reed en ten slotte Karl Rove en George W. Bush dit leger van christelijk voetvolk op de been wisten te brengen. Ik kan volstaan met te zeggen dat vandaag de dag de blanke evangelische christenen (samen met de conservatieve katholieken) het hart en de ziel vormen van de achterban van de Republikeinse Partij – een harde kern die voortdurend gemobiliseerd wordt door een netwerk van predikanten en media dat door de technologie wordt versterkt. Het zijn hun onderwerpen – abortus, het homohuwelijk, het bidden op school, de theorie van het intelligent design, Terri Schiavo, het ophangen van de tien geboden in de rechtbanken, thuisonderwijs, de financiering van bijzondere scholen en de samenstelling van het Hooggerechtshof – die vaak het nieuws halen en een van de grootste breuklijnen vormen in de Amerikaanse politiek. Wat meer dan welk ander onderscheid ook bepaalt met welke partij blanke Amerikanen zich verbonden voelen, is niet het onderscheid tussen mannen en vrouwen, en ook niet of ze in zogenoemde rode staten of in blauwe staten [respectievelijk Republikeinse en Democratische – *vert.*] wonen, maar of ze geregeld naar de kerk gaan of niet. Intussen doen de Democraten alle moeite om 'godsdienst binnen te halen', ofschoon een kernsegment van ons electoraat overtuigd seculier georiënteerd blijft en bang is – ongetwijfeld terecht – dat de agenda van een assertief christelijke natie wellicht geen ruimte zal laten voor hen en hun keuzes in het leven.

Maar de toenemende politieke invloed van christelijk rechts is maar een deel van het verhaal. De Moral Majority en de Christian Coalition mogen politieke munt hebben geslagen uit de onvrede bij veel evangelische christenen, maar wat opmerkelijker is, is dat de evangelische christenheid zich niet alleen heeft gehandhaafd, maar hoogtij viert in het moderne Amerika van de hightech. In een tijd dat de protestante kerken van de hoofdstroming allemaal in hoog tempo leden verliezen, groeien de ongebonden evangelische kerken als kool, en ze weten hun aanhang te bewegen tot betrokkenheid en participatie in een mate waaraan geen enkele andere Amerikaanse instelling kan tippen. Hun gedrevenheid heeft ze tot een hoofdstroming gemaakt.

Er zijn verschillende verklaringen voor dat succes, van de bekwame marketing van de religie door de evangelische christenen tot het charisma van hun leiders. Maar hun succes wijst ook op een honger naar het product dat ze verkopen, waarbij het niet gaat om een concrete kwestie of doelstelling. Elke dag, schijnt het, doen duizenden Amerikanen hun dagelijkse dingen – ze zetten hun kinderen af op school, rijden naar kantoor, vliegen naar een zakelijke afspraak, doen boodschappen in het winkelcentrum, proberen zich aan hun dieet te houden – en komen dan tot het besef dat er iets ontbreekt. Ze besluiten dat hun werk, hun bezittingen, hun verzetjes, hun hele drukke leven niet genoeg zijn. Ze zijn op zoek naar het gevoel dat ze een doel hebben, naar een rode draad in hun leven, naar iets dat ze kan verlossen uit een chronische eenzaamheid of verheffen uit het afmattende, meedogenloze leven van alledag. Ze willen de zekerheid dat er iemand is die om ze geeft, naar ze luistert – dat ze niet alleen maar voorbestemd zijn om een lange weg af te leggen die nergens heen leidt.

Als ik enig inzicht heb in deze ontwikkeling naar een zich verdiepende religieuze overtuiging, dan komt dat misschien doordat het een weg is die ikzelf heb afgelegd.

Ik ben niet godsdienstig opgevoed. Mijn grootouders van moederskant, die uit Kansas kwamen, hadden het geloof wel met de paplepel ingegoten gekregen: mijn opa was opgevoed door zijn grootouders, vrome baptisten, nadat zijn vader was weggelopen en zijn moeder zelfmoord had gepleegd, terwijl de ouders van mijn oma – die een iets hogere trede innamen op de maatschappelijke ladder van het kleinsteedse Amerika van de crisisjaren (haar vader werkte voor een olieraffinaderij, haar moeder was onderwijzeres) – praktiserende methodisten waren.

Maar het geloof schoot nooit echt wortel in het hart van mijn grootouders, misschien wel om dezelfde redenen waarom ze Kansas uiteindelijk verlieten en naar Hawaii trokken. Mijn oma was altijd te rationeel en te koppig om iets te aanvaarden dat ze niet kon zien, voelen, aanraken of tellen. Mijn opa, de dromer in onze familie, bezat het soort rusteloze ziel dat wellicht zijn haven had kunnen vinden in het geloof, als hij niet andere karaktertrekken had gehad – een aangeboren rebelsheid, een totaal onvermogen om zijn begeerten opzij te zetten en een grote tolerantie voor de zwakheden van anderen – die ervoor zorgden dat hij niets al te serieus nam.

Deze combinatie van eigenschappen – het onbuigzame realisme van mijn oma en het goedmoedige onvermogen van mijn opa om een oordeel te vellen over zichzelf of anderen – erfde mijn moeder. Haar eigen jeugdervaringen als een gevoelige boekenwurm die opgroeide in kleine plaatsen in Kansas, Oklahoma en Texas versterkten alleen maar haar aangeboren scepsis. Ze had geen warme herinneringen aan de christenen die haar kindertijd bevolkten. Soms deed ze voor mij de donderpredikers na die driekwart van de wereldbevolking afdeden als domme heidenen die het hiernamaals zouden doorbrengen in eeuwige verdoemenis. Die dominees hielden in één adem vol dat de aarde en de hemelen in zeven dagen geschapen waren, ondanks alle geologische en astrofysische bewijzen van het tegendeel. Ze herinnerde zich de respectabele kerkdames die altijd schande spraken van mensen die zich niet gedroegen zoals het hoorde, maar hun eigen smerige geheimpjes verborgen hielden, en de geestelijken die zich racistisch uitlieten en die, als ze konden, zo veel mogelijk duiten uit de zakken van de arbeiders klopten.

Voor mijn moeder was in het geïnstitutionaliseerde geloof bekrompenheid te vaak verhuld als vroomheid, en gingen wreedheid en onderdrukking te vaak door voor rechtschapenheid.

Dat betekent niet dat ze me niets over religie leerde. Voor haar hoorde basiskennis over de grote wereldgodsdiensten bij een complete opvoeding. In ons huis stonden de Bijbel, de Koran en de *Bhagavad gita* op de plank naast boeken over Griekse en noordse en Afrikaanse mythologie. Met Pasen of Kerstmis nam mijn moeder me soms mee naar de kerk, zoals ze me ook meenam naar boeddhistische tempels, de Chinese nieuwjaarsviering, de shintotempel of oude Hawaiiaanse grafvelden. Maar ze maakte mij duidelijk dat deze snuifjes religie vrijblijvend waren – ze verwachtte van mij geen zelfonderzoek of zelfkastijding. Religie was een uiting van de cultuur van de mens, legde ze uit, niet van de oorsprong van de mens. Het was maar een van de vele manieren, niet per se de beste, waarop de mens trachtte het onweetbare te ordenen en de diepere waarheden over ons leven te begrijpen.

Kortom, mijn moeder zag het geloof door de ogen van de antropoloog die ze zou worden: het was een fenomeen dat je met respect moest behandelen, maar waar je ook gepaste afstand van moest bewaren. En als kind kwam ik zelden in contact met mensen die me een andere visie op het geloof boden. Mijn vader was vrijwel afwezig in mijn kindertijd, hij was van mijn moeder gescheiden toen ik twee jaar was. En hoewel mijn vader islamitisch was opgevoed, was hij al een overtuigd atheïst toen hij haar leerde kennen. Hij vond het geloof goeddeels bijgeloof, net als de toverspreuken van de medicijnmannen die hij had meegemaakt in de Keniase dorpen van zijn jeugd.

Mijn moeder hertrouwde met een Indonesiër met een al even sceptische inslag, een man die het geloof van weinig nut achtte bij het pragmatisch je weg vinden in de wereld. En hij kwam uit een land waar het islamitische geloof probleemloos samenging met restjes hindoeïsme, boeddhisme en oude animistische tradities. In de vijf jaar dat we bij mijn stiefvader in Indonesië woonden, ging ik eerst naar een katholieke buurtschool en daarna naar een voornamelijk islamitische school. Dat ik de catechismus leerde of de betekenis van de oproep tot het avondgebed van de muezzin ontcijferde, vond mijn moeder stukken minder belangrijk dan dat ik de tafels van vermenigvuldiging goed beheerste.

En toch was mijn moeder, ondanks het secularisme dat ze beleed, in veel opzichten de meest spiritueel bewuste persoon die ik gekend heb. Ze had een feilloos instinct voor vriendelijkheid, barmhartigheid en liefde, en het grootste deel van haar leven handelde ze naar dat instinct, vaak in haar eigen nadeel. Zonder de hulp van godsdienstige teksten of autoriteiten werkte ze onvermoeibaar om mij te doordringen van de waarden die veel Amerikanen leren op de zondagsschool: eerlijkheid, inlevingsvermogen, discipline, hard werken, de vruchten pluk je later. Ze kon woedend worden over armoede en onrecht en ze had geen goed woord over voor mensen die zich er niets van aantrokken.

Bovenal kon ze zich blijven verwonderen. Ze had voor het leven en zijn kostbare, tijdelijke aard een eerbied die je gerust mag omschrijven als devoot. Soms, als ze een schilderij zag, een dichtregel las of een stuk muziek hoorde, zag ik tranen opwellen in haar ogen. Toen ik nog klein was, haalde ze me soms midden in de nacht uit bed om te kijken naar een prachtige maan, of ze liet me, als we in de schemering een wandeling maakten, mijn ogen dichtdoen om te luisteren naar het ritselen van de bladeren. Ze vond het heerlijk om kinderen bij zich te hebben. Ze vond het heerlijk als ze bij haar op schoot zaten en om ze te kietelen en spelletjes met ze te doen en naar hun handen te kijken – naar het wonder van de botten en de pezen en de huid – en te genieten van de waarheden die daarin te vinden waren. Ze zag overal raadselen en had er plezier in dat het leven zo vreemd is.

Natuurlijk besef ik achteraf pas goed hoezeer haar geest me beïnvloed heeft – hoe die me staande hield ondanks de afwezigheid van een vader thuis, hoe die me loodste door de gevaarlijke ondiepten van mijn tienerjaren, en hoe die me onzichtbaar de weg wees die ik uiteindelijk volgen zou. Mijn brandende ambities werden misschien gevoed door mijn vader – door wat ik wist over zijn successen en mislukkingen, door mijn onuitgesproken verlangen om op de een of andere manier zijn liefde te winnen en ook door mijn wrok en boosheid jegens hem. Maar het was het onwankelbare geloof van mijn moeder – in de goedheid van de mens en in de ultieme waarde van het korte leven dat ieder van ons gekregen heeft – dat deze ambities kanaliseerde. Ik ging politieke filosofie studeren omdat ik een bevestiging van haar waarden zocht; ik was op zoek naar een taal en manieren om gemeenschapszin te helpen opbouwen en echte rechtvaardigheid. En omdat ik een praktische toepassing van deze waarden zocht, werd ik na mijn studie opbouwwerker voor een groep kerken in Chicago die te maken hadden met werkloosheid, drugs en uitzichtloosheid onder hun parochieleden.

Ik heb in een eerder boek beschreven hoe dat werk in Chicago me hielp volwassen te worden – hoe het werken met de geestelijken en leken me sterkte in mijn besluit dat ik de maatschappij wilde dienen; hoe dat werk mijn etnische identiteit versterkte en mijn overtuiging dat gewone mensen tot buitengewone dingen in staat zijn. Maar mijn ervaringen in Chicago lieten me ook een dilemma onder ogen zien dat mijn moeder in haar leven nooit helemaal heeft kunnen oplossen: het feit dat ik niet tot een bepaalde gemeenschap behoorde en niet in een traditie stond waarin ik mijn diepste overtuigingen kon verankeren. De christenen met wie ik werkte herkenden zichzelf in me; ze zagen dat ik de Bijbel kende en hun waarden deelde en hun liederen zong. Maar ze voelden dat een deel van mij op afstand bleef, er niet bij hoorde, als een waarnemer was onder hen. Ik kwam tot het inzicht dat ik zonder een vehikel voor mijn geloofsovertuigingen, zonder ondubbelzinnig te kiezen voor een bepaalde geloofsgemeenschap, tot op zekere hoogte altijd een buitenstaander zou blijven, vrij in de zin waarin mijn moeder vrij was, maar ook alleen op dezelfde manier waarop zij uiteindelijk alleen stond.

Er zijn ergere dingen dan die vrijheid. Mijn moeder leefde gelukkig als wereldburger. Ze vormde een vriendenkring waar ze zich ook bevond; het doel van haar leven vond ze in haar werk en haar kinderen. Ik had misschien ook bevrediging kunnen vinden in die manier van leven als de van oorsprong zwarte kerk niet de eigenschappen had gehad waardoor ik mijn bedenkingen deels van me kon afschudden en het christelijke geloof kon omarmen.

Op de eerste plaats werd ik aangetrokken tot het vermogen van de Afro-Amerikaanse godsdienstige traditie om sociale verandering teweeg te brengen. De zwarte kerk werd ook gedwongen om te zorgen voor de hele persoon. De zwarte kerk kon zich zelden de luxe permitteren om de individuele verlossing te scheiden van de collectieve verlossing. De zwarte kerk moest wel dienen als het centrum van het politieke, economische en sociale leven en niet alleen van het spirituele leven van de gemeenschap, en begreep van heel nabij de bijbelse oproep om de hongerigen te voeden en de naakten te kleden en de macht en de heersers kritisch te benaderen. In de geschiedenis van de sociale strijd zag ik dat het geloof meer te bieden had dan alleen vertroosting voor wie het moeilijk heeft of een garantie tegen de dood; het was een actieve, manifeste factor in de wereld. Ik zag hoe het Woord zichtbaar werd in het dagelijkse werk van de mannen en vrouwen die ik elke dag in de kerk ontmoette, in de manier waarop ze in staat waren 'een weg te vinden waar geen weg is' en waarop ze de hoop en waardigheid hooghielden in de beroerdste omstandigheden.

De van oorsprong zwarte kerk schonk me nog een ander inzicht, misschien ook dankzij die intieme vertrouwdheid met het lijden, dankzij de verankering van het geloof in het worstelen van de mensen: dat geloven niet betekent dat je geen twijfels hebt, of dat je je houvast op deze wereld opgeeft. Lang voor dit onder televisiedominees gebruikelijk werd, gaf de doorsnee zwarte predikant ruiterlijk toe dat alle christenen (inclusief de geestelijken) vatbaar bleven voor hebzucht, wrok, lust en woede, net als alle andere mensen. De gospelliederen, de danspassen, de tranen en kreten spraken alle van verlossing, van acceptatie en vervolgens van een kanalisering van deze gevoelens. In de zwarte gemeenschap waren de scheidslijnen tussen zondaar en verloste niet zo scherp; de zonden van de gelovigen waren niet zo verschillend van de zonden van de mensen die niet in de kerk kwamen, en daarom werd er niet alleen op veroordelende toon over gesproken, maar net zo goed met humor. Je moest naar de kerk komen juist omdat je deel uitmaakte van deze wereld en er niet buiten stond; of je nu rijk was of arm, zondaar of verlost, je moest Christus ontmoeten juist omdat je gereinigd moest worden van je zonden – omdat je maar een mens was en op je moeilijke weg een bondgenoot nodig had, om de pieken en dalen uit te vlakken en al die kronkelige paden recht te maken.

Gesterkt door deze nieuwe inzichten – dat een geloofsovertuiging niet van me vroeg dat ik stopte met kritisch denken, of me niet meer bemoeide met de strijd voor economische en sociale rechtvaardigheid, of me anderszins terugtrok uit de wereld die ik kende en liefhad – liep ik uiteindelijk op een dag door het middenpad van de Trinity United Church of Christ om me te laten dopen. Het was een keuze, en niet het gevolg van een goddelijke openbaring; de vragen die ik had waren niet opeens verdwenen. Maar toen ik knielde bij dat kruis in de South Side van Chicago, voelde ik dat Gods Geest naar me wenkte. Ik gaf me over aan zijn wil en wijdde me aan het ontdekken van zijn waarheid.

In de Senaat wordt zelden diepgaand over het geloof gesproken. Niemand wordt ondervraagd over zijn of haar godsdienstige overtuiging; ik heb tijdens debatten Gods naam zelden horen aanroepen. De kapelaan van de Senaat, Barry Black, is een wijs en wereldsman. Hij is voormalig hoofd van de marinepredikanten, een zwarte Amerikaan die opgroeide in een van de armste wijken van Baltimore en die steeds met warmte en zonder mensen uit te sluiten zijn beperkte taken uitvoert: het ochtendgebed bidden, Bijbelstudiebijeenkomsten houden voor geïnteresseerden en geestelijke bijstand bieden aan wie erom vraagt. Het gebedsontbijt op woensdagochtend, eveneens met vrijwillige deelname, is niet partij- of kerkgebonden (senator Norm Coleman, die joods is, is momenteel de organisator aan Republikeinse kant). De deelnemers kiezen om beurten een passage uit de Schrift en leiden de groepsdiscussie. Als je tijdens deze ontbijtbijeenkomsten de oprechtheid, de openheid, de nederigheid en de humor hoort waarmee zelfs de meest openlijk gelovige senatoren – mannen als Rick Santorum, Sam Brownback en Tom Coburn – praten over hun persoonlijke weg naar het geloof, dan ben je geneigd te denken dat het geloof een overwegend gezonde invloed heeft op de politiek – dat het de persoonlijke ambities tempert en een tegenwicht biedt voor de stormvlagen van het nieuws en de opportunistische politiek van tegenwoordig.

Buiten de welgemanierde omgeving van de Senaat kunnen discussies over religie en de rol ervan in de politiek echter wel eens wat minder beschaafd uitpakken. Neem mijn Republikeinse opponent in 2004, ambassadeur Alan Keyes, die met een nieuw argument op de proppen kwam om kiezers te trekken in de laatste dagen van de verkiezingscampagne.

'Christus zou niet op Barack Obama stemmen,' verklaarde meneer Keyes, 'omdat het ondenkbaar is dat Christus zich zou gedragen zoals Barack Obama heeft gedaan in zijn stemgedrag.'

Het was niet de eerste keer dat meneer Keyes dergelijke uitspraken had gedaan. De Republikeinse Partij in Illinois, die het niet eens kon worden over een lokale kandidaat, had meneer Keyes gevraagd nadat mijn oorspronkelijke Republikeinse opponent zich had moeten terugtrekken naar aanleiding van enkele onverkwikkelijke onthullingen uit zijn echtscheidingsdossier. Dat meneer Keyes uit Maryland kwam, nooit in Illinois had gewoond, nooit een verkiezing had gewonnen en door velen in de nationale Republikeinse Partij onuitstaanbaar werd gevonden, schrikte de Republikeinse leiders in Illinois niet af. Een Republikeinse collega van me in de senaat van de staat gaf me een botte verklaring voor hun strategie: 'We laten onze conservatieve zwarte afgestudeerde van Harvard het opnemen tegen de progressieve zwarte afgestudeerde van Harvard. Hij wint misschien niet, maar hij kan in elk geval dat aureooltje van jouw hoofd stoten.'

Meneer Keyes zelf ontbrak het niet aan vertrouwen. Hij had een doctorstitel van Harvard, was een beschermeling van Jeane Kirkpatrick* en was onder Ronald Reagan Amerikaans ambassadeur geweest in de Economische en Sociale Raad van de Verenigde Naties. Hij was voor het eerst in de openbaarheid getreden als tweevoudig Senaatskandidaat voor Maryland en daarna als tweevoudig kandidaat voor de Republikeinse presidentskandidatuur. Hij was bij alle vier de verkiezingen in de pan gehakt, maar dit had zijn reputatie bij zijn aanhangers geenszins aangetast; in hun ogen vormden verkiezingsnederlagen alleen maar een bevestiging van zijn onversneden toewijding aan de conservatieve uitgangspunten.

Spreken kon de man ongetwijfeld. Moeiteloos schudde meneer Keyes een grammaticaal foutloze verhandeling over vrijwel elk onderwerp uit zijn mouw. Op campagne kon hij zich enorm opwinden – zijn lichaam schudde dan heen en weer, het zweet parelde over zijn gezicht, zijn vingers priemden in de lucht en zijn schelle stem trilde van emotie terwijl hij de gelovigen opriep te strijden tegen de macht van het kwaad.

Helaas voor hem kon noch zijn intellect, noch zijn redenaarstalent de tekortkomingen goedmaken die hij had als kandidaat. Anders dan de meeste politici deed meneer Keyes bijvoorbeeld geen moeite de morele en intellectuele superioriteit te verhullen die hij duidelijk meende te bezitten. Met zijn steile houding, zijn bijna theatrale vormelijke manieren en zijn altijd halfdichte ogen, waardoor hij zich voortdurend leek te vervelen, kwam hij over als een kruising tussen William F. Buckley** en een prediker van de pinksterbeweging.

Bovendien schakelde zijn zelfvertrouwen bij hem het instinct voor zelfcensuur uit dat de meeste mensen in staat stelt zich door de wereld te bewegen zonder voortdurend op de vuist te moeten. Meneer Keyes zei alles wat in zijn brein opkwam, en met koppige logica rende hij achter

---

* Jeane Kirkpatrick (1926-2006) was een prominente Republikein en communistenvreter. – *vert.*

** Een conservatieve journalist en commentator. – *vert.*

al zijn ideeën aan de afgrond in. Hij was al in het nadeel door zijn late start, door geldgebrek en door het feit dat hij niet uit Illinois kwam, maar vervolgens wist hij binnen drie maanden vrijwel iedereen tegen zich in het harnas te jagen. Hij bestempelde alle homoseksuelen – inclusief de dochter van Dick Cheney – als 'egoïstische hedonisten' en hield vol dat adoptie door homoparen onvermijdelijk leidt tot incest. Hij noemde de media in Illinois een werktuig van de 'antihuwelijks- en pro-abortusbeweging'. Hij vergeleek mij met een slavenhouder omdat ik het recht op abortus verdedigde en een 'doorgewinterde salonmarxist' omdat ik voor een universele gezondheidszorg en andere sociale programma's ben – en hij voegde daar nog aan toe dat ik geen echte Afro-Amerikaan ben omdat ik niet van slaven afstam. Op een gegeven moment slaagde hij er zelfs in de conservatieve Republikeinen die hem naar Illinois hadden gehaald van zich te vervreemden, toen hij – misschien in een poging zwarte stemmen te winnen – pleitte voor schadevergoeding voor alle zwarten die van slaven afstamden door voor hen de inkomstenbelasting af te schaffen. ('Dit is een ramp!' sputterde iemand op het forum van een radicaal rechtse website in Illinois, de Illinois Leader: 'EN DE BLANKEN DAN!!!')

Met andere woorden, Alan Keyes was een ideale opponent; ik hoefde alleen maar mijn mond te houden en dan kon ik mijn beëdigingsceremonie gaan voorbereiden. En toch begon hij me, naarmate de campagne vorderde, te irriteren zoals weinig mensen me ooit geïrriteerd hebben. Als we elkaar tegenkwamen tijdens de campagne, moest ik vaak de nogal onvriendelijke neiging onderdrukken om hem uit te schelden of hem aan te vliegen. Ik liep hem een keer tegen het lijf op een parade ter gelegenheid van de Indiase onafhankelijkheidsdag, en toen porde ik hém in zijn borstkas om mijn argumenten kracht bij te zetten, een vorm van haantjesgedrag waartoe ik me sinds de middelbare school niet meer verlaagd had en die een oplettende cameraploeg enthousiast vastlegde; het moment was die avond in slow motion op tv te zien. In de drie debatten die voor de verkiezingen werden gehouden, kwam ik vaak niet uit mijn woorden en was ik prikkelbaar en nerveus voor mijn doen – iets dat het publiek (dat meneer Keyes toen al had afgeschreven) grotendeels ontging, maar sommigen van mijn aanhangers behoorlijk zorgen baarde. 'Waarom krijg je het op je zenuwen van die vent?' vroegen ze me. Voor hen was meneer Keyes een malloot, een extremist wiens argumenten het niet eens waard waren om over na te denken.

Ze begrepen niet dat ik er niets aan kon doen, ik moest meneer Keyes wel serieus nemen. Want hij beweerde voor mijn godsdienst te spreken, en hoewel het me niet beviel wat er uit zijn mond kwam, moest ik toegeven dat sommige van zijn denkbeelden veel aanhang hadden in de christelijke kerken.

Zijn redenering was ongeveer als volgt: Amerika was gesticht op twee grondslagen, de door God gegeven vrijheid en het christendom. De achtereenvolgende progressieve regeringen hadden de federale overheid gegijzeld in dienst van een goddeloos materialisme, en daarbij gestaag de individuele vrijheid en de traditionele waarden uitgehold – via regulering, socialistische bijstandsprogramma's, wapenwetten, verplicht openbaar onderwijs, en de inkomstenbelasting (door meneer Keyes aangeduid als de 'slavenbelasting'). Progressieve rechters hadden nog aan dit morele verval bijgedragen met hun verkeerde uitleg van het eerste amendement op de grondwet, waardoor dit een scheiding van kerk en staat zou voorschrijven, en door allerlei vormen van abnormaal gedrag toe te staan – vooral abortus en homoseksualiteit – die de kern van het gezinsleven dreigden te vernietigen. Het antwoord voor een Amerikaans reveil was dan ook eenvoudig: geef het geloof in het algemeen – en het christendom in het bijzonder – de plaats terug die het toekomt in het centrum van ons openbare leven en privéleven, breng de wet op één lijn met de godsdienstige leefregels en breng de macht van de federale overheid drastisch terug tot die terreinen die noch door de grondwet, noch door Gods geboden worden gereguleerd.

Met andere woorden, Alan Keyes droeg de kernvisie van religieus rechts in Amerika uit, ontdaan van alle voorbehouden, compromissen of verontschuldigingen. Binnen de eigen begrenzingen was het allemaal volkomen consequent, en dit gaf meneer Keyes de zekerheid en de welbespraaktheid van een profeet uit het Oude Testament. Het viel me niet moeilijk om zijn wettelijke en beleidsmatige argumenten te weerleggen, maar zijn lezingen uit de Schrift drongen me in de verdediging.

Meneer Obama zegt dat hij een christen is, zei meneer Keyes bijvoorbeeld, en toch steunt hij een manier van leven die de Bijbel walgelijk noemt.

Meneer Obama zegt dat hij een christen is, maar hij steunt de vernietiging van onschuldig en geheiligd leven.

Wat kon ik zeggen? Dat een letterlijke uitleg van de Bijbel dwaasheid is? Dat meneer Keyes, een rooms-katholiek, de leer van de paus terzijde moest schuiven? Zover wilde ik niet gaan en ik gaf het gebruikelijke progressieve antwoord in zulke debatten – dat we een pluriforme samenleving hebben, dat ik mijn godsdienstige opvattingen niet aan een ander kan opleggen en dat ik me verkiesbaar had gesteld om senator voor Illinois te worden en niet bisschop van Illinois. Maar terwijl ik dat antwoord gaf, was ik me maar al te bewust van meneer Keyes' impliciete beschuldiging – dat ik een twijfelaar was, dat mijn geloof verwaterd was, en dat ik geen echte christen was.

In zekere zin weerspiegelt mijn dilemma met betrekking tot meneer Keyes het grotere dilemma waarin de progressieve politiek zit bij het van repliek dienen van religieus rechts. Het liberalisme leert ons dat we tolerant moeten zijn jegens de godsdienstige overtuigingen van anderen, zolang deze anderen geen schade berokkenen en geen inbreuk maken op het recht van een ander om iets anders te geloven. Zolang religieuze groeperingen niet de behoefte voelen om naar buiten te treden, en het geloof netjes ingeperkt blijft tot een persoonlijke gewetenskwestie, wordt deze tolerantie niet op de proef gesteld.

Maar religie wordt zelden in afzondering beleden; in elk geval zijn de georganiseerde religies een heel publieke aangelegenheid. De gelovigen kunnen zich door hun religie verplicht voelen deze actief te verbreiden waar ze maar kunnen. Mogelijk zijn ze van mening dat een seculiere staat waarden voorstaat die frontaal botsen met hun overtuigingen. Of ze willen misschien dat de bredere samenleving hun overtuigingen bekrachtigt en versterkt.

En als de gelovigen zich politiek manifesteren om deze doelen te bereiken, dan worden progressieven en liberalen nerveus. Degenen in een openbare functie proberen vaak het gesprek over religieuze waarden geheel uit de weg te gaan, bang om aanstoot te geven en met het argument dat – ongeacht onze persoonlijke overtuiging – de uitgangspunten van de grondwet bindend zijn in kwesties als abortus en het bidden op school. (Katholieke politici van een bepaalde generatie lijken het voorzichtigst, misschien omdat ze opgroeiden in een tijd dat grote delen van de Amerikaanse bevolking zich nog afvroegen of John F. Kennedy geen bevelen zou opvolgen van de paus.) Sommigen ter linkerzijde (hoewel niet degenen in een openbare functie) gaan nog verder en doen het geloof in het publieke domein af als irrationeel, onverdraagzaam en daarom gevaarlijk. Zij wijzen er ook op dat gepraat over religie, met haar nadruk op persoonlijke verlossing en haar oordelen over persoonlijke moraliteit, de conservatieven de gelegenheid geeft om uit te komen onder vragen over publieke moraliteit, zoals armoede of crimineel gedrag in het bedrijfsleven.

Deze strategie – het geloof uit de weg gaan – werkt misschien wel voor de progressieven als hun opponent Alan Keyes heet. Maar ik denk dat we op lange termijn een vergissing begaan als we de rol niet erkennen die het geloof speelt in het leven van de Amerikanen, en we daarmee een serieus debat uit de weg gaan over hoe het geloof kan samenleven met onze moderne, pluralistische democratie.

Om te beginnen is dat slechte politiek. Er zijn een heleboel religieuze mensen in Amerika, inclusief de meerderheid van de Democraten. Als we de religieuze dialoog in de ban doen – als we de discussie negeren over wat het betekent een goede christen of moslim of jood te zijn; als we alleen over religie praten in de negatieve zin van hoe en waar zij niet beleden moet worden; als we ons niet durven te vertonen op religieuze bijeenkomsten en in religieuze programma's omdat we ervan uitgaan dat we niet welkom zijn – dan zullen anderen het vacuüm opvullen, waarschijnlijk degenen met de meest bekrompen opvattingen over het geloof, of degenen die de religie cynisch misbruiken voor partijpolitieke doeleinden.

Fundamenteler is dat de ongemakkelijkheid die sommige progressieven voelen zodra het over religiositeit gaat, ons vaak heeft verhinderd in moreel opzicht effectief op kwesties in te gaan. Dat probleem is deels retorisch: ontdoe de taal van alle religieuze elementen en je gooit de beeldspraak en de terminologie weg die miljoenen Amerikanen begrijpen als het gaat om zowel hun persoonlijke moraliteit als sociale rechtvaardigheid. Stel je Lincolns tweede inaugurele rede eens voor zonder de verwijzing naar 'de oordelen van de Heer', of Martin Luther Kings 'I have a dream' zonder de verwijzing naar 'alle kinderen van God'. Zij haalden er een hogere waarheid bij en dat hielp tot stand brengen wat onmogelijk had geleken, het inspireerde de natie een gemeenschappelijke bestemming te aanvaarden. Natuurlijk hebben de georganiseerde religies geen monopolie op rechtschapenheid, en je hoeft niet religieus te zijn om een moreel oordeel te vellen of te appelleren aan wat goed is voor iedereen. Maar we moeten een moreel oordeel of appèl niet uit de weg gaan – of alle verwijzingen naar onze rijke godsdienstige tradities schrappen – om maar geen aanstoot te geven.

Ons onvermogen als progressieven om gebruik te maken van de morele fundamenten van de natie is echter niet alleen een retorisch probleem. Onze angst om prekerig over te komen kan er ook toe leiden dat we de rol miskennen die waarden en cultuur spelen bij het aanpakken van enkele dringende sociale problemen.

Armoede en racisme, onverzekerdheid en werkloosheid zijn tenslotte niet alleen maar technische problemen die liggen te wachten op het perfecte tienstappenplan. Ze zijn ook geworteld in maatschappelijke onverschilligheid en individuele gevoelloosheid – in de wens van degenen aan de top van de sociale ladder om koste wat het kost hun rijkdom en status te behouden, en ook in de wanhoop en neiging tot zelfdestructie van degenen onder aan de ladder.

Voor het oplossen van deze problemen zijn veranderingen nodig in het overheidsbeleid; er zijn ook veranderingen voor nodig in ons hart en in onze geest. Ik geloof in het weren van vuurwapens uit onze binnensteden, en daar moeten onze leiders zich ook voor uitspreken, ondanks de lobby van de wapenfabrikanten. Maar als een bendelid lukraak op een menigte schiet omdat hij zich door iemand beledigd voelt, hebben we een moreel probleem. We moeten die man niet alleen straffen voor zijn misdrijf, we moeten ook erkennen dat hij een gat in zijn hart heeft, een gat dat overheidsmaatregelen alleen wellicht niet kunnen dichten. Ik geloof in strikte handhaving van onze antidiscriminatiewetten; ik geloof ook dat een verandering in ons geweten en een oprecht geloof in diversiteit bij de topmensen van het bedrijfsleven sneller resultaten zouden kunnen opleveren dan een heel bataljon advocaten. Ik denk dat we meer belastingdollars moeten steken in het opvoeden van arme jongens en meisjes en dat we ze moeten informeren over voorbehoedsmiddelen, zodat we ongewenste zwangerschappen en abortussen voorkomen en ervoor helpen zorgen dat ieder kind liefde en liefkozingen ontvangt. Maar ik denk ook dat het geloof het zelfvertrouwen van jonge vrouwen en het verantwoordelijkheidsgevoel van jonge mannen kan versterken, en ook het gevoel van respect dat alle jonge mensen zouden moeten hebben voor de intimiteit van de geslachtsgemeenschap.

Ik zeg niet dat alle progressieven zich nu opeens het religieuze vocabulaire eigen moeten gaan maken of dat we de strijd voor institutionele veranderingen nu maar moeten verruilen voor 'duizend lichtpuntjes'.* Ik zie hoe vaak zo'n beroep op particuliere goedertierenheid een excuus wordt voor een overheid om niets te doen. Verder is niets zo doorzichtig als onechte geloofsuitingen – denk aan de politicus die in verkiezingstijd opeens in een zwarte kerk opduikt en meeklapt met het gospelkoor (uit de maat), of zijn verder gortdroge politieke redevoering oppept met een paar Bijbelcitaten.

Ik zeg wel dat, als wij progressieven een deel van onze eigen vooroordelen van ons af kunnen schudden, we de waarden zouden kunnen ontdekken die gelovige en seculiere mensen delen als het gaat om de morele en materiële koers van ons land. We zouden misschien gaan inzien dat de oproep om offers te brengen voor de volgende generatie – de noodzaak om ook aan de ander te denken en niet alleen aan jezelf – ook klinkt in godsdienstige gemeenschappen overal in het land. We moeten het geloof serieus nemen, niet alleen om religieus rechts de voet dwars te zetten, maar om alle gelovige mensen te betrekken bij het grote project, de vernieuwing van Amerika.

Een begin hiervan is al te zien. Voorgangers van megakerken als Rick Warren en T.D. Jakes gebruiken hun enorme invloed om te strijden tegen aids, de schulden van de derde wereld en de volkerenmoord in Darfur. Mensen als Jim Wallis en Tony Campolo, die zichzelf 'evangelische progressieven' noemen, nemen de bijbelse oproep om de armen te helpen ter hand om er christenen mee te mobiliseren tegen bezuinigingen op de sociale zorg en tegen de toenemende ongelijkheid. En in het hele land zijn er parochies en gemeenten zoals die van mij, die kinderopvang verzorgen, ouderencentra bouwen en voormalige wetsovertreders helpen hun leven weer op te bouwen.

Maar om deze nog in de proeffase verkerende samenwerkingsverbanden tussen de religieuze en de seculiere werelden verder uit te bouwen, moet er nog veel gebeuren. De spanningen en de argwaan aan weerszijden van de religieuze scheidslijn moeten met open vizier worden aangepakt, en beide partijen zullen enkele grondregels voor de samenwerking moeten aanvaarden.

---

* Daarmee duidde president Bush senior op de vele kleine dingen die burgers zelf kunnen doen. – *vert.*

De eerste en moeilijkste stap voor sommige evangelische christenen is om in te zien dat de Establishment Clause* niet alleen veel heeft bijgedragen aan de ontwikkeling van onze democratie, maar ook aan de gezonde geloofspraktijk in Amerika. In tegenstelling tot wat vele rechtse christenen die tekeergaan tegen de scheiding van kerk en staat beweren, hebben zij niet zozeer een verschil van mening met een handvol linkse rechters uit de jaren zestig, maar met de opstellers van de Bill of Rights en de voorlopers van de huidige evangelische kerk.

Veel van de vooraanstaande denkers van de Amerikaanse Revolutie, met name Franklin en Jefferson, waren deïst. Ze geloofden wel in een almachtige God, maar stelden niet alleen vragen bij de dogma's van de kerk, maar ook bij de grondbeginselen van het christendom zelf (inclusief de goddelijkheid van Christus). Vooral Jefferson en Madison pleitten voor wat Jefferson een scheidingsmuur tussen kerk en staat noemde, om het individu de vrijheid te geven te geloven wat hij wilde en het te belijden zoals hij wilde; om de staat te beschermen tegen sektarische twisten; en om de kerken te beschermen tegen inbreuk en ongewenste invloed van staatswege. Natuurlijk waren niet alle Founding Fathers het hiermee eens; mannen als Patrick Henry en John Adams deden allerlei voorstellen om de macht van de staat te gebruiken om het geloof te versterken. Jefferson en Madison drukten het Statuut van Virginia op de vrijheid van godsdienst erdoorheen, dat model stond voor de clausules over religie in het eerste amendement op de grondwet. Maar het waren niet deze verlichtingsdenkers die de grootste voorvechters bleken te zijn van een scheiding tussen kerk en staat.

Nee, het waren baptisten zoals de eerwaarde John Leland en andere evangelische christenen die zorgden voor de steun vanuit het volk die nodig was om deze bepalingen aangenomen te krijgen. Waarom? Zij waren kerkelijke buitenbeentjes; hun uitbundige stijl van het geloof belijden sprak de lagere klassen aan; het feit dat ze zonder onderscheid het evangelie verkondigden – ook aan slaven – bedreigde de gevestigde orde; ze hadden maling aan rangen en standen; en ze werden voortdurend vervolgd en gekleineerd door de dominante anglicaanse kerk in het zuiden en de congregationalistische kerken in het noorden. Als godsdienstige

---

* De clausule in de Amerikaanse grondwet die het Congres verbiedt een bepaalde levensovertuiging een voorkeursbehandeling te geven. – *vert.*

minderheden vreesden ze niet zonder reden dat een staatskerk hun mogelijkheden zou aantasten om hun geloof uit te oefenen; maar ook waren ze ervan overtuigd dat de vitaliteit van de godsdienst er onvermijdelijk onder te lijden heeft als deze wordt opgedrongen of gesteund door de staat. In de woorden van de eerwaarde Leland: 'Alleen de dwaling heeft de overheid nodig om haar te ondersteunen; de waarheid is beter af zonder.'

De formule voor godsdienstvrijheid die Jefferson en Leland ontwikkelden, werkte. Amerika heeft niet alleen het soort godsdienststrijd vermeden dat de aardbol nog steeds plaagt, maar de godshuizen bloeien hier nog steeds – een fenomeen dat sommige waarnemers rechtstreeks in verband brengen met de afwezigheid van een staatskerk; hierdoor worden godsdienstige vernieuwing en de financiering door middel van vrijwillige giften gestimuleerd. Bovendien, met de toenemende verscheidenheid in de Amerikaanse bevolking is het gevaar van sektarisme [als de ene godsdienst bevoordeeld wordt boven de andere – *vert.*] nog nooit zo groot geweest. Wat we ooit ook geweest mogen zijn, we zijn niet meer alleen een christelijke natie; we zijn ook een joodse natie, een islamitische natie, een boeddhistische natie, een hindoeïstische natie en een natie van ongelovigen.

Maar goed, laten we even aannemen dat we alleen maar christenen binnen onze grenzen hadden. Wiens christendom zouden we dan moeten onderwijzen op school – het conservatieve van James Dobson of het progressieve van Al Sharpton? Welke passages uit de Schrift zouden de leidraad moeten zijn voor het overheidsbeleid? Moeten we Leviticus volgen, die slavernij goed vindt en het eten van schaaldieren een gruwel? Wat dacht u van Deuteronomium, waarin gesuggereerd wordt dat je je kinderen moet stenigen als ze afdwalen van het geloof? Of moeten we de Bergrede in de praktijk gaan brengen, een passage die zo radicaal is dat we ons ministerie van Defensie zouden moeten opdoeken?

Dat brengt ons op een ander punt – de invloed die godsdienstige denkbeelden al of niet zouden moeten hebben op het openbare debat en de gezagsdragers. Secularisten hebben zeker ongelijk als ze gelovigen vragen hun religie bij de deur achter de laten voor ze de publieke arena betreden. Frederick Douglass, Abraham Lincoln, William Jennings Bryan, Dorothy Day, Martin Luther King – de meeste grote hervormers uit de Amerikaanse geschiedenis lieten zich niet alleen inspireren door het geloof, maar ze gebruikten ook herhaaldelijk religieuze bewoordingen om hun zaak te beargumenteren. Zeggen dat mannen en vrouwen hun 'persoonlijke moraliteit' niet in debatten over het publieke beleid mogen inbrengen, is een praktische absurditeit; onze wet is per definitie een codificatie van moraliteit, en voor een groot deel gebaseerd op de joods-christelijke traditie.

Onze pluralistische overlegdemocratie vereist wel dat de religieus geïnspireerden hun zorgen vertalen in universele, en niet specifiek godsdienstige waarden. In onze democratie moeten voorstellen bespreekbaar zijn en op grond van redelijke argumenten kunnen worden veranderd. Als ik om godsdienstige redenen tegen abortus ben en een verbod erop in de wet wil hebben, kan ik niet alleen maar naar de leer van mijn kerk wijzen of de wil van God erbij halen en verwachten daarmee mijn zin te krijgen. Als ik wil dat anderen naar me luisteren, zal ik moeten uitleggen waarom abortus het een of andere beginsel schendt dat toegankelijk is voor mensen van alle levensovertuigingen, ook voor hen die ongelovig zijn.

Voor wie gelooft in de onfeilbaarheid van de Bijbel, zoals veel evangelische christenen doen, lijken deze spelregels misschien het zoveelste bewijs van de overheersing door de seculiere en materiële wereld van het gewijde en het eeuwige. Maar in een pluralistische democratie hebben we geen keus. Geloof en rede opereren bijna per definitie in verschillende domeinen, het zijn verschillende wegen naar de waarheid. Bij de rede – en de wetenschap – gaat het om het verzamelen van kennis op grond van werkelijkheden die we allemaal kunnen bevatten. Religie is daarentegen gebaseerd op waarheden die niet te bewijzen zijn voor het dagelijkse menselijke verstand – het is 'geloven in dingen die je niet ziet'. Als leraren in de exacte vakken de scheppingstheorie en die van het intelligent design uit hun klaslokaal willen weren, betekent dat niet dat ze vinden dat wetenschappelijke kennis superieur is aan religieuze inzichten. Ze volharden er dan alleen maar in dat voor beide wegen naar kennis verschillende, niet uitwisselbare regels gelden.

Politiek is nauwelijks een wetenschap, de rede komt er te weinig aan te pas. Maar in een pluralistische democratie gaat hetzelfde onderscheid [met religie] op [als tussen wetenschap en religie – *vert.*]. De politiek is, net als de wetenschap, afhankelijk van ons vermogen om anderen te overtuigen van een gemeenschappelijk doel, uitgaande van een gemeenschappelijke realiteit. Bovendien komt bij de politiek (anders dan bij de wetenschap) het compromis te pas, de kunst van wat mogelijk is. Op een bepaald fundamenteel niveau laat het geloof het compromis niet toe. Het houdt vast aan het onmogelijke. Als God gesproken heeft, dan wordt er van de volgelingen verwacht dat ze Gods wil waarmaken, ongeacht de gevolgen. Je eigen leven leiden volgens zo'n compromisloze toewijding is misschien heel verheven; maar het overheidsbeleid op een dergelijke toewijding baseren zou gevaarlijk zijn.

Het verhaal van Abraham en Izaäk biedt een eenvoudig, maar overtuigend voorbeeld. Volgens de Bijbel beveelt God Abraham zijn 'enige zoon, Izaäk, van wie je zoveel houdt', te offeren op de brandstapel. Zonder tegen te stribbelen neemt Abraham Izaäk mee naar de bergtop, hij bindt hem op het altaar vast en heft zijn mes, bereid om Gods bevel uit te voeren.

We kennen natuurlijk de goede afloop – God stuurt een engel naar beneden om op het laatste ogenblik in te grijpen. Abraham is geslaagd voor Gods loyaliteitstest. Hij wordt een model van toewijding aan God, en zijn grote geloof wordt beloond met generaties nakomelingen. En toch kunnen we rustig stellen dat als iemand van ons een 21e-eeuwse Abraham zijn mes zag heffen op het dak van een flatgebouw, we de politie zouden bellen en hem te lijf zouden gaan. Zelfs als we zagen dat hij op het laatste moment niet stak, zouden we willen dat Izaäk werd meegenomen door de kinderbescherming en Abraham aangeklaagd wegens kindermishandeling. We zouden dit doen omdat God zichzelf of zijn engelen niet aan ons allemaal tegelijk vertoont. We horen niet wat Abraham hoort en we zien niet wat Abraham ziet, al zijn zijn ervaringen misschien nog zo waarachtig. Dus kunnen we maar het beste handelen op grond van hetgeen we wel kunnen weten, in het besef dat een deel van wat wij weten alleen maar waar is voor ons als individuele gelovige of geloofsgemeenschap.

Ten slotte: voor elke toenadering tussen het geloof en het democratische pluralisme moet je de zaken in verhouding kunnen zien. Dat is de religieuze doctrines niet vreemd: zelfs degenen die zeggen dat de Bijbel onfeilbaar is, maken wel onderscheid tussen de voorschriften uit de Schrift, omdat ze wel aanvoelen dat sommige passages – de tien geboden bijvoorbeeld of een geloof in de goddelijkheid van Christus – de kern van het christelijke geloof vormen, terwijl andere meer cultureel bepaald zijn en aangepast mogen worden aan het moderne leven. De Amerikaanse bevolking begrijpt dit intuïtief; dit is waarom de meeste katholieken geboortebeperking toepassen en waarom sommigen die tegen het homohuwelijk zijn, toch ook tegen een grondwettelijk amendement zijn dat het verbiedt. Dat is een wijsheid die religieuze leiders niet hoeven te aanvaarden als ze hun gemeente toespreken, maar die ze wel ter harte zouden moeten nemen in de politieke arena.

Als christelijke activisten de zaken in verhoudingen moeten zien, dan moeten ook degenen dat doen die de grenzen tussen kerk en staat bewaken. Niet elke keer dat God genoemd wordt is dat een doorbreking van de scheidingsmuur; zoals het Hooggerechtshof terecht erkend heeft, doet de context ertoe. Als kinderen de eed van trouw aan de Amerikaanse vlag uitspreken, dan denk ik niet dat ze zich geïntimideerd voelen als ze de frase 'één natie onder God' prevelen; zo voelde ik me in elk geval niet. Een gebedsgroep op vrijwillige basis op een school mag best bijeenkomsten houden in een schoollokaal; dat is geen bedreiging, zoals het ook geen bedreiging voor de Democraten is als de Republikeinse vereniging op die school in dat lokaal bijeenkomt. En er zijn bepaalde projecten op religieuze basis voor te stellen – bijvoorbeeld in de reclassering of de verslavingszorg – die een ongekend krachtige aanpak van de problematiek te bieden hebben en daarom zorgvuldig toegesneden steun verdienen.

Deze uitgangspunten om binnen een democratie over het geloof te discussiëren zijn niet volledig. Het zou bijvoorbeeld ook helpen als we in debatten over kwesties die raakpunten met religie hebben – zoals in de hele democratische discussie – de verleiding konden weerstaan om iemand te kwader trouw te vinden zodra we het niet met hem eens zijn. Als we willen weten of morele claims echt zijn, moeten we kijken of de spreker consequent is: in het algemeen zal ik eerder naar iemand luisteren als hij niet alleen videoclips immoreel vindt, maar ook de dakloosheid. En we moeten erkennen dat onze discussies soms niet zozeer gaan om wat juist is, maar meer om wie er een uitspraak over mag doen – of we de sterke arm van de staat nodig hebben om ons onze waarden op te leggen of dat een onderwerp beter wordt overgelaten aan het persoonlijke geweten en aan de ontwikkeling van de normen.

Natuurlijk zal zelfs een consequente toepassing van deze uitgangspunten niet elk conflict weten op te lossen. Veel tegenstanders van abortus zijn bereid een uitzondering te maken voor gevallen van verkrachting en incest. Dat geeft aan dat er een bereidheid bestaat om principes om te buigen uit praktische overwegingen. Zelfs vurige voorstanders van baas in eigen buik kunnen leven met beperkingen als het gaat om abortus in een laat stadium; daarmee erkennen ze dat een foetus meer is dan een lichaamsdeel en dat de samenleving een zeker belang heeft bij de ontwikkeling ervan. Maar toch zullen degenen die geloven dat het leven begint bij de verwekking, en degenen die de foetus beschouwen als een verlengstuk van het lichaam van de vrouw tot de geboorte, snel op een punt komen waar er geen compromis mogelijk is. Op dat punt is het beste wat we kunnen doen ervoor zorgen dat de politieke uitkomst bepaald wordt door overtuiging en niet door geweld of intimidatie – en ervoor zorgen dat we althans een deel van onze energie aanwenden voor het terugdringen van het aantal ongewenste zwangerschappen, door voorlichting (ook over onthouding), voorbehoedsmiddelen, adoptie en andere strategieën die brede steun genieten en hun doelmatigheid hebben bewezen.

Voor veel praktiserende christenen geldt voor het homohuwelijk eenzelfde onvermogen om tot een compromis te komen. Ik heb moeite met een dergelijk standpunt, zeker in een samenleving waarin christelijke mannen en vrouwen soms overspel plegen of anderszins tegen hun geloof zondigen zonder dat daar een burgerlijke straf op staat. Ik heb al te vaak in een kerk gezeten waar de voorganger homo's op de korrel neemt met een flauwe grap. 'Het waren Adam en Eva, niet Adam en Evert!' roept hij dan, vooral als de preek niet lekker loopt. Ik geloof dat de Amerikaanse samenleving ervoor mag kiezen een bijzondere plaats te creëren voor het huwelijk tussen man en vrouw, omdat dat in elke cultuur de meest gangbare plaats is om kinderen groot te brengen. Maar ik wil niet dat de staat doorsnee Amerikaanse burgers een burgerlijk huwelijk onthoudt dat ze gelijke rechten geeft in elementaire aangelegenheden als ziekenhuisbezoek of ziektekosten, alleen maar omdat ze iemand liefhebben die van hetzelfde geslacht is. En ik ben ook niet bereid een uitleg van de Bijbel te aanvaarden waarin een obscure zin in Romeinen bepalender is voor het christendom dan de Bergrede.

Misschien ben ik gevoelig op dat punt omdat ik de pijn heb gezien die ik met mijn eigen achteloosheid veroorzaakt heb. Voor ik gekozen werd, midden in mijn debatten met meneer Keyes, kreeg ik een telefonisch bericht van een van mijn trouwste aanhangers. Ze had een klein bedrijf, ze was moeder en een wijs en gul mens. Ze was ook lesbisch, ze had al tien jaar een monogame relatie met haar partner.

Ze wist, toen ze besloot mij te steunen, dat ik tegen huwelijken tussen mensen van hetzelfde geslacht was. Ze kende mijn argument dat de verhitte discussie over het homohuwelijk, waarover toch geen zinvol compromis te bereiken was, de aandacht afleidde van andere, haalbare maatregelen om discriminatie van homo's en lesbo's tegen te gaan. Haar telefonische bericht kwam naar aanleiding van een radio-interview waarin ik aan mijn godsdienstige achtergrond had gerefereerd om mijn standpunt over het homohuwelijk uit te leggen. Ze zei me dat ze zich gekwetst voelde door mijn opmerkingen; door het geloof erbij te halen, vond ze, suggereerde ik dat zij en mensen zoals zij op de een of andere manier slechte mensen waren.

Dit zat me niet lekker, en dat zei ik ook toen ik haar terugbelde. Terwijl ik met haar sprak, drong het tot me door dat christenen die tegen homoseksualiteit zijn, wel honderd keer kunnen zeggen dat ze de zonde veroordelen doch de zondaar liefhebben, maar dat dit oordeel goedwillende mensen kwetst – mensen die naar het beeld van God geschapen zijn en die vaak meer volgens de boodschap van Christus leven dan degenen die hen veroordelen. En het drong tot me door dat ik verplicht ben, niet alleen als verkozen functionaris in een pluralistische samenleving maar ook als christen, om open te blijven staan voor de mogelijkheid dat mijn onwil om het homohuwelijk te steunen een dwaling is, net zoals ik niet kan zeggen dat ik onfeilbaar ben als ik het recht op abortus steun. Ik moet toegeven dat ik me misschien heb laten beïnvloeden door de vooroordelen en voorkeuren van de samenleving, en die aan God heb toegeschreven; dat Jezus' oproep om van de ander te houden misschien wel tot een andere conclusie leidt; en dat ik in de toekomst misschien wel beschouwd zal worden als iemand die het verkeerd heeft gezien. Ik geloof niet dat zulke twijfels me een slecht christen maken. Ik geloof dat ze een mens van me maken, beperkt in mijn begrip van de bedoelingen van God en daardoor vatbaar voor de zonde. Als ik de Bijbel lees, doe ik dat in het besef dat het geen statische tekst is, maar het levende Woord, en dat ik steeds moet openstaan voor nieuwe openbaringen – of die nu komen van een lesbische vriendin of van een arts die tegen abortus is.

Dat betekent niet dat ik losgeslagen ben in mijn geloof. Er zijn dingen waar ik absoluut zeker van ben: de gouden regel – behandel anderen zoals je wilt dat zij jou behandelen. Dat we wreedheid in alle vormen moeten bestrijden. En de waarde van liefde en barmhartigheid, van menselijkheid en genade.

Ik werd met de neus op deze overtuigingen gedrukt toen ik twee jaar terug naar Birmingham in Alabama vloog om een toespraak te houden voor het Burgerrechteninstituut in die stad. Het instituut staat recht tegenover de baptistenkerk in Sixteenth Street, de plaats waar in 1963 vier jonge kinderen – Addie Mae Collins, Carole Robertson, Cynthia Wesley en Denise McNair – om het leven kwamen toen een door blanke extremisten geplaatste bom ontplofte tijdens de zondagsschool. Voor mijn toespraak maakte ik dan ook van de gelegenheid gebruik om de kerk te bezoeken. De jonge dominee en enkele diakenen ontvingen me en lieten me de nog steeds zichtbare kras in de muur zien waar de bom afging. Ik zag de klok achter in de kerk, die is blijven stilstaan op 10.22 uur. Ik bekeek de portretten van de vier kleine meisjes.

Na de rondleiding hielden de dominee, de diakenen en ik elkaars hand vast en zegden een gebed op in de kerk. Toen lieten ze me alleen, en ik zat in een van de banken en probeerde mijn gedachten te ordenen. Hoe moet dat veertig jaar geleden voor die ouders geweest zijn, dacht ik, als je dierbare dochters weggerukt worden door geweld dat tegelijk zo toevallig en zo wreed is? Hoe konden ze deze kwelling doorstaan, tenzij ze er zeker van waren dat de moord op hun kinderen op de een of andere manier ergens goed voor was, dat er een of andere bedoeling te vinden was in dit onpeilbare verlies? Deze ouders moeten vanuit het hele land de rouwenden hebben zien toestromen, de condoleances van over de hele wereld gelezen hebben, de toespraak van Lyndon Johnson op de televisie gezien hebben waarin hij zei dat de tijd gekomen was om het onrecht te overwinnen, en gezien hebben hoe het Congres in 1964 uiteindelijk de Civil Rights Act (Wet op de Burgerrechten) aannam. Vrienden en onbekenden moeten hen ervan verzekerd hebben dat hun dochters niet voor niets gestorven waren – dat ze het bewustzijn van een natie hadden wakker geschud en een volk hadden helpen bevrijden; dat de bom een dam had doen bezwijken waardoor de gerechtigheid als water naar beneden gekomen was en de rechtschapenheid als een machtige rivier. Maar zou zelfs die wetenschap genoeg zijn om je te troosten, om te voorkomen dat je krankzinnig werd en eeuwig verbitterd – tenzij je ook wist dat je kind naar een betere plek was gegaan?

Mijn gedachten dwaalden af naar mijn moeder en haar laatste dagen – kanker had zich door haar lichaam verspreid en het was duidelijk dat er niets meer aan te doen was. Ze had me tijdens haar ziekte verteld dat ze nog niet klaar was om te sterven; het was allemaal zo snel gegaan, alsof de fysieke wereld die ze zo liefhad zich ineens tegen haar had gekeerd, haar verraden had. En hoewel ze dapper vocht, en de pijn en de chemotherapie met waardigheid en humor verdroeg, zag ik meer dan eens angst in haar ogen. Ik denk dat ze niet zozeer bang was voor de pijn of voor het onbekende, alswel voor de absolute eenzaamheid van de dood; ze besefte dat op deze laatste reis, op dit laatste avontuur, er niemand zou zijn met wie ze haar ervaringen volledig kon delen; niemand die zich met haar kon verwonderen over het vermogen van het lichaam om zichzelf pijn te doen, of met haar kon lachen over hoe absurd het leven wordt als je haar begint uit te vallen en je speekselklieren het laten afweten.

Ik dacht nog steeds aan dergelijke dingen toen ik de kerk verliet en mijn toespraak hield. Die avond, terug in Chicago, zat ik aan de eettafel en keek naar Malia en Sasha, die lachten en kibbelden en hun snijbonen niet wilden opeten, voor hun moeder ze naar boven stuurde en in bad. Toen ik alleen in de keuken de afwas stond te doen, stelde ik me voor hoe mijn twee meiden zouden opgroeien, en ik voelde de pijn die elke ouder wel een keer zal voelen, dat verlangen om elk ogenblik van het leven van je kinderen in je op te nemen en nooit te laten gaan – om elk gebaar voor eeuwig te bewaren, en de aanblik van hun krullen, en het gevoel van hun vingers die de jouwe vasthouden. Ik dacht eraan dat Sasha me een keer had gevraagd wat er gebeurt als we doodgaan. 'Ik wil niet doodgaan, papa,' had ze er nuchter aan toegevoegd. Ik knuffelde haar en zei: 'Je hebt nog heel, heel lang, voor jij je daar zorgen over hoeft te maken', en dat leek haar tevreden te stellen. Ik vroeg me af of ik haar de waarheid had moeten zeggen: dat ik niet weet wat er gebeurt als we doodgaan, zoals ik ook niet weet waar de ziel huist of wat er was voor de big bang. Maar toen ik de trap op liep, wist ik wel waar ik op hoopte: dat mijn moeder op de een of andere manier bij die vier om het leven gekomen kleine meisjes was, en dat ze ze op de een of andere manier kon omhelzen of van ze kon genieten.

En ik weet dat ik een stukje van de hemel voelde toen ik mijn dochters die avond instopte.

HOOFDSTUK 7

Ras

De begrafenisplechtigheid werd gehouden in een grote kerk, een glanzend, geometrisch bouwwerk dat zich uitstrekte over ruim vier goed onderhouden hectaren. Volgens zeggen had de bouw vijfendertig miljoen dollar gekost en elke dollar was zichtbaar – er was een eetzaal, een vergadercentrum, een parkeerterrein voor twaalfhonderd auto's, geavanceerde geluidsapparatuur en een ruimte voor televisieproducties met digitale montageapparatuur.

In de gewijde ruimte van de kerk hadden zich al zo'n vierduizend rouwenden verzameld, grotendeels Afro-Amerikanen, veel academici en mensen uit de vrije beroepen, artsen, juristen, accountants, docenten en makelaars. Op het podium waren senatoren, gouverneurs en industriëlen in gesprek met zwarte leiders als Jesse Jackson, John Lewis, Al Sharpton en T.D. Jakes. Buiten stonden onder de heldere oktoberzon nog eens duizenden mensen langs de stille straten: oudere echtparen, mannen alleen, jonge vrouwen met kinderwagens, sommige mensen wuifden naar de groepen auto's die af en toe langskwamen, anderen waren diep in gedachten, en allemaal waren ze gekomen om de laatste eer te bewijzen aan de kleine, grijsharige vrouw die binnen in haar doodskist lag.

Het koor zong; de pastoor las een openingsgebed. Voormalig president Bill Clinton stond op om te spreken en beschreef hoe het voor hem als blanke jongen uit het zuiden was geweest om in gesegregeerde bussen te zitten, hoe de burgerrechtenbeweging waartoe Rosa Parks mede had geïnspireerd hem en zijn blanke buren bevrijd had van hun eigen vooroordelen. Uit het gemak waarmee Clinton zijn zwarte publiek toesprak en hun bijna duizelingwekkende waardering voor hem spraken verzoening, vergeving, en een gedeeltelijke heling van de diepe wonden van het verleden.

In veel opzichten was de aanblik van een man die zowel de voormalige leider van de vrije wereld was als een kind van het zuiden en die nu erkende wat hij aan een zwarte naaister te danken had, een passend eerbetoon aan de nagedachtenis van Rosa Parks. De schitterende kerk, het grote aantal gekozen zwarte functionarissen, de zichtbare welvaart van zoveel aanwezigen en mijn eigen aanwezigheid op het podium als Amerikaans senator – dat alles was welbeschouwd het gevolg van die decemberdag in 1955 toen Mrs. Parks met kalme vastbeslotenheid en vanzelfsprekende waardigheid geweigerd had haar plaats in de bus af te staan. Door Rosa Parks te eren, eerden we ook anderen, de duizenden mannen, vrouwen en kinderen in het hele zuiden wier namen ontbraken in de geschiedenisboeken, wier verhalen verloren waren gegaan in de trage deining van de tijd, maar wier moed en integriteit hadden bijgedragen tot de bevrijding van een volk.

En toch, terwijl ik daar zat en naar de voormalige president en de reeks sprekers na hem luisterde, dwaalden mijn gedachten steeds af naar de beelden van vernietiging die het nieuws nog geen twee maanden geleden hadden overheerst, toen orkaan Katrina de kust van de Golf van Mexico trof en New Orleans overspoelde. Ik herinnerde me taferelen van huilende en vloekende tienermoeders voor de New Orleans Superdome, met apathische kinderen op hun heup, en oude vrouwen in rolstoelen, met hun hoofd achterover van de hitte, en hun uitgeteerde benen die onder besmeurde jurken uit staken. Ik dacht aan de journaalbeelden van een enkel lichaam dat iemand naast een muur gelegd had, bewegingloos onder de quasiwaardigheid van een deken; en de taferelen van jongemannen met ontblote bovenlijven en afgezakte broeken, die door het donkere water liepen, met in hun armen alles wat ze maar hadden kunnen meenemen uit winkels in de buurt, met tekenen van chaos in hun ogen.

Ik was niet in het land toen de orkaan in de Golf arriveerde, maar op de terugweg van een reis naar Rusland. Een week na het begin van het drama ging ik echter naar Houston, om me te voegen bij Bill en Hillary Clinton en George H.W. Bush en zijn vrouw Barbara, die plannen aankondigden voor geldinzamelingen voor de slachtoffers van de orkaan. Ze bezochten een aantal van de vijfentwintigduizend vluchtelingen die nu in het Houston Astrodome en het Reliant Center ernaast opgevangen werden.

De stad Houston had op een indrukwekkende manier noodfaciliteiten opgezet om zoveel mensen op te kunnen vangen, en om hen in samenwerking met het Rode Kruis en FEMA te voorzien van voedsel, kleding, onderdak en medische zorg. Maar terwijl we langs de rij veldbedden liepen die nu in het Reliant Center opgesteld stonden, en handen schudden, met kinderen speelden en naar de verhalen van mensen luisterden, werd ons duidelijk dat veel van de overlevenden van Katrina al lang voor de orkaan in de steek gelaten waren. We zagen het beeld van elke binnenstadswijk van elke Amerikaanse stad, het beeld van zwarte armoede – de werklozen en bijna-werklozen, de zieken en binnenkort-zieken, de zwakken en de ouderen. Een jonge moeder vertelde dat ze haar kinderen aan een bus vol onbekenden had meegegeven. Oude mannen beschreven gelaten de huizen die ze kwijt waren en dat ze geen verzekering of familie hadden om op terug te vallen. Een groep jonge mannen was ervan overtuigd dat de rivierdijken waren opgeblazen door degenen die van de zwarte mensen in New Orleans af wilden. Een lange, uitgemergelde vrouw, die er verwilderd uitzag in haar twee maten te grote Astros T-shirt, greep me bij de arm en trok me naar zich toe.

'Voor de storm hadden we niets,' fluisterde ze. 'Nu hebben we minder dan niets.'

In de dagen daarop keerde ik terug naar Washington en telefoneerde me een slag in de rondte, op zoek naar hulpgoederen en bijdragen. In besloten fractievergaderingen overwogen mijn collega's en ik mogelijke wetsvoorstellen. Ik trad op in de nieuwsprogramma's op zondagochtend en wees het idee van de hand dat de regering traag was opgetreden omdat Katrina's slachtoffers zwart waren. 'De incompetentie was kleurenblind,' zei ik. Maar ik was wel van mening dat uit de ontoereikende planning van de regering een mate van afstandelijkheid en onverschilligheid sprak ten aanzien van de problemen van armoede in de binnensteden waar iets aan gedaan moest worden. Op een namiddag voegden we ons bij de Republikeinse senatoren voor wat de regering-Bush een geheime briefing over de reactie van de regering noemde. Bijna het hele kabinet was aanwezig, plus de voorzitter van de gezamenlijke stafchefs, en een uur lang liepen de ministers Chertoff, Rumsfeld en de anderen over van zelfvertrouwen – en toonden geen spoortje wroeging – terwijl ze een opsomming gaven van het aantal uitgevoerde evacuaties, het aantal gedistribueerde militaire rantsoenen, en het aantal ingezette troepen van de nationale garde. Een paar avonden later luisterden we hoe president Bush op dat spookachtige, met schijnwerpers verlichte plein de nalatenschap van het op ras gebaseerde onrecht dat door de tragedie was blootgelegd erkende en aankondigde dat New Orleans zou herrijzen.

En nu, bij de begrafenis van Rosa Parks, bijna twee maanden na de storm, na de woede en schaamte die Amerikanen in het hele land tijdens de crisis hadden ervaren, na de toespraken en de e-mails en de memo's en fractievergaderingen, na speciale televisieprogramma's en artikelen en uitgebreide verslaggeving in de kranten, was het alsof er niets gebeurd was. Auto's stonden nog steeds op daken. Er werden nog steeds lijken gevonden. Er kwamen berichten van de Golf dat de grote aannemers bezig waren voor honderden miljoenen aan contracten binnen te halen, en daarbij onder de gangbare lonen doken door illegale immigranten te huren om de prijs te drukken. Het gevoel dat de natie een punt van transformatie had bereikt – wat gebeurd was toen haar geweten traag uit een lange slaap ontwaakte en een hernieuwde strijd tegen armoede lanceerde – was snel verdwenen.

In plaats daarvan zaten we in de kerk, prezen Rosa Parks, haalden herinneringen op aan overwinningen in het verleden, wentelden ons in nostalgie. Er werd al gewerkt aan een wet om een standbeeld van Mrs. Parks onder de koepel van het Capitool te plaatsen. Er zou een herdenkingspostzegel met haar beeltenis worden uitgegeven, en er zouden ongetwijfeld talloze straten, scholen en bibliotheken in heel Amerika naar haar genoemd worden. Ik vroeg me af wat Rosa Parks er allemaal van zou vinden – of postzegels en standbeelden haar geest tot leven konden wekken of dat het eren van haar nagedachtenis iets meer zou vergen.

Ik dacht aan wat de vrouw in Houston me toegefluisterd had en vroeg me af hoe we zouden worden beoordeeld, in die dagen na de doorbraak van de dijken.

Als ik mensen voor het eerst ontmoet citeren ze soms een zin die ik uitsprak in mijn speech tijdens de nationale conventie van de Democraten in 2004 en die kennelijk een gevoelige snaar had geraakt: 'Er is geen zwart Amerika of blank Amerika of latino Amerika of Aziatisch Amerika – er zijn de Verenigde Staten van Amerika.' Het roept bij hen kennelijk een beeld op van Amerika dat eindelijk bevrijd is van het verleden van Jim Crow* en slavernij, Japanse interneringskampen en Mexicaanse *braceros* (dagloners), spanningen op de werkvloer en culturele conflicten – een Amerika dat voldoet aan de belofte van dr. King dat we niet zullen worden beoordeeld op basis van onze huidskleur maar op basis van onze persoonlijkheid.

In zeker opzicht heb ik geen andere keus dan in dit beeld van Amerika te geloven. Als kind van een zwarte man en een blanke vrouw, als iemand die werd geboren in de smeltkroes van rassen op Hawaii, als iemand met een zus die half Indonesisch is maar meestal wordt aangezien voor Mexicaans of Porto Ricaans en met een zwager en nicht van Chinese afkomst, als iemand met een aantal bloedverwanten die lijken op Margaret Thatcher en anderen die voor Bernie Mac zouden kunnen doorgaan, zodat familiebijeenkomsten tijdens de Kerstdagen het uiterlijk hebben van een algemene vergadering van de Verenigde Naties, heb ik mijn loyaliteit nooit kunnen beperken tot een bepaald ras, of mijn waarde kunnen bepalen aan de hand van mijn stam.

Bovendien ben ik van mening dat een van de talenten van Amerika het vermogen is om altijd nieuwkomers te absorberen, om een nationale identiteit te smeden uit de uiteenlopende types die op onze kusten landden. Daar werden we bij geholpen door een grondwet die – ondanks de doodzonde van de slavernij die haar ontsierde – in zijn geheel gebaseerd was op het idee van gelijk staatsburgerschap volgens de wet; en een economisch stelsel dat meer dan elk ander mogelijkheden bood aan alle aangekomenen, ongeacht status, titel of rang. Natuurlijk hebben racisme en nationalisme deze idealen herhaaldelijk ondermijnd; de machtigen en geprivilegieerden hebben vooroordelen vaak misbruikt of aangewakkerd om hun eigen doelen te dienen. Maar in de handen van hervormers, van Tubman tot Douglass tot Chavez tot King, hebben deze gelijkheidsidealen geleidelijk aan vormgegeven aan wie wij denken te zijn en ons de kans gegeven een multiculturele natie te scheppen die op de hele wereld haar gelijke niet kent.

---

* Jim Crow werd bezongen in het lied 'Jump Jim Crow', geschreven in 1828 door Thomas Dartmouth 'Daddy' Rice. Rice was een blanke Britse emigrant naar de vs, de eerste die als black minstrel optrad en veel succes had. Jim Crow was een karikatuur van de vermeend luie zwarte slaaf. De zogenaamde Jim Crow-wetten uit de negentiende eeuw werkten segregatie in de hand. – *vert.*

Ten slotte beschrijven die zinnen uit mijn toespraak de demografische werkelijkheid van het toekomstige Amerika. Nu al vormen de minderheden in Texas, Californië, New Mexico, Hawaii en het District of Columbia een meerderheid. De bevolking van twaalf andere staten bestaat voor meer dan een derde deel uit latino's, zwarten en/of Aziaten. Er zijn nu tweeënveertig miljoen latino Amerikanen en ze vormen de snelst groeiende demografische groep, die verantwoordelijk is voor bijna de helft van de bevolkingsgroei van 2004 en 2005. De Aziatisch-Amerikaanse bevolking is wel veel kleiner, maar heeft een vergelijkbare groei doorgemaakt en zal naar verwachting in de komende vijfenveertig jaar met meer dan 200 procent toenemen. Deskundigen voorspellen dat de blanke inwoners van Amerika kort na 2050 niet meer de meerderheid vormen – wat niet volledig te voorspellen gevolgen zal hebben voor onze economie, onze politiek en onze cultuur.

Maar toch, als ik commentatoren hoor uitleggen dat ik in mijn toespraak zei dat we een 'postraciale politiek' bereikt hebben of dat we nu al een kleurenblinde samenleving zijn, moet ik een waarschuwend woord spreken. Als we zeggen dat we één volk zijn betekent dat niet dat ras er niet meer toe doet – dat de strijd voor gelijkheid gestreden is of dat de problemen waarmee minderheden in dit land te maken hebben grotendeels hun eigen verantwoordelijkheid zijn. We kennen de statistieken: in vrijwel elk sociaaleconomisch opzicht, van kindersterfte tot levensverwachting tot werkgelegenheid tot huisbezit, blijven met name zwarte en latino Amerikanen ver achter bij hun blanke leeftijdgenoten. In de bestuurskamers van bedrijven in Amerika zijn minderheden zwaar ondervertegenwoordigd; de Amerikaanse Senaat heeft slechts drie latino's en twee Aziatische leden (beiden uit Hawaii) en op het moment dat ik dit schrijf ben ik het enige Afro-Amerikaanse lid. Zeggen dat onze houding ten aanzien van ras op het punt van deze ongelijkheid geen rol speelt betekent onze geschiedenis en ervaringen negeren – en ons ontdoen van de verantwoordelijkheid om orde op zaken te stellen.

Bovendien, hoewel mijn eigen jeugd nauwelijks model staat voor de Afro-Amerikaanse ervaring, bekleed ik nu, grotendeels dankzij geluk en omstandigheden, een ambt dat me vrijwaart van de botsingen en kwetsuren die de doorsnee zwarte burger moet doorstaan – ik kan de gebruikelijke lijst met voorbeelden van kinderachtige minachting opsommen die mijn weg gedurende vijfenveertig jaar bepaald hebben: beveiligingsmensen die me volgen als ik in een warenhuis winkel, blanke echtparen die mij hun autosleutels toewerpen als ik buiten een restaurant op de parkeerwacht met mijn auto wacht, politiewagens die me zonder speciale reden staande houden. Ik weet hoe het is als mensen tegen je zeggen dat je iets niet kunt doen vanwege je huidskleur en ik weet hoe bitter ingehouden woede smaakt. Ik weet ook dat Michelle en ik voortdurend alert moeten zijn op sommige ondermijnende verhaaltjes die onze dochters in zich op zouden kunnen nemen – afkomstig van televisie en muziek en vrienden en de straat – over wie de wereld denkt dat ze zijn en wat de wereld zich voorstelt dat ze zouden moeten zijn.

Om helder over ras na te denken moeten we dus de wereld op een gesplitst scherm zien – om zicht te houden op het Amerika dat we wensen terwijl we heel goed zien hoe Amerika nu is, om de fouten van het verleden en de uitdagingen van het heden te erkennen zonder in de valkuil van cynisme of wanhoop te vallen. Tijdens mijn leven heb ik een diepgaande verandering in de betrekkingen tussen de rassen gezien. Ik heb het net zo duidelijk gevoeld als je voelt dat de temperatuur verandert. Als ik mensen in de zwarte gemeenschap die veranderingen hoor ontkennen, vind ik dat niet alleen beledigend voor degenen die namens ons strijd geleverd hebben maar vind ik ook dat het ons de mogelijkheid ontneemt om het werk waar zij aan begonnen zijn af te maken. Maar hoezeer ik ook zal blijven volhouden dat er veel verbeterd is, ik ben me ook bewust van deze waarheid: beter is niet goed genoeg.

Mijn campagne voor de verkiezing van de Senaat is een indicatie van een aantal veranderingen die de afgelopen vijfentwintig jaar in zowel de blanke als de zwarte gemeenschappen in Illinois hebben plaatsgevonden. Tegen de tijd dat ik me verkiesbaar stelde waren er in Illinois al zwarten die in functies bij de staatsoverheid waren gekozen, onder wie een zwarte staatsthesaurier en procureur-generaal (Roland Burris), een US senator (Carol Moseley Braun) en een zittende minister, Jesse White, die nog maar twee jaar eerder de belangrijkste stemmentrekker van de staat was geweest. Dankzij het baanbrekende succes van deze overheidsfunctionarissen was mijn eigen campagne geen opzienbarend nieuws. Ik had misschien niet de gunstigste kaarten, maar ik was niet bij voorbaat kansloos vanwege mijn ras.

Bovendien behoorden de kiezers die op den duur geneigd waren mij te steunen niet tot de behoudende groep. Op de dag dat ik mijn kandidatuur voor de US Senaat aankondigde bijvoorbeeld, verschenen drie van mijn blanke collega-staatssenatoren om mij te steunen. Het waren geen 'Lakefront Liberals' zoals wij ze in Chicago noemen – de Volvorijdende, witte wijn drinkende Democraten waar Republikeinen zich graag vrolijk over maken en van wie je kon verwachten dat ze zich voor een verloren zaak als de mijne inzetten. Nee, het waren drie mannen van middelbare leeftijd uit de arbeidersklasse – Terry Link van Lake County, Denny Jacobs van de Quad Cities en Larry Walsh van Will County – die alle drie voornamelijk blanke, arbeiders- of voorstedelijke gemeenschappen buiten Chicago vertegenwoordigden.

Het hielp dat ze me goed kenden. We hadden alle vier in de voorgaande zeven jaar in Springfield gewerkt en hadden wekelijks met elkaar gepokerd. Het hielp ook dat ze zich alle drie lieten voorstaan op hun onafhankelijkheid en daarom bereid waren achter me te blijven staan ondanks de druk van blanke kandidaten die meer steun hadden.

Maar het was niet alleen onze persoonlijke relatie die hen ertoe bracht me te steunen (hoewel de kracht van mijn vriendschap met deze mannen – die allemaal waren opgegroeid in buurten waar vijandigheid ten aanzien van zwarten vrij gebruikelijk was, zeker in hun tijd – iets zei over de verandering in de relaties tussen de rassen). De senatoren Link, Jacobs en Walsh zijn nuchtere, ervaren politici. Zij hadden er geen belang bij een verliezer te steunen of hun eigen positie in gevaar te brengen. Waar het om ging was dat ze alle drie dachten dat ik in hun districten zou 'verkopen' – als hun achterban me eenmaal had ontmoet en gewend was aan de naam.

Ze kwamen niet blind tot hun oordeel. Ze hadden me zeven jaar lang zien omgaan met hun achterban, in de hoofdstad van de staat en tijdens bezoeken aan hun districten. Ze hadden gezien dat blanke moeders mij hun kinderen in de armen drukten om er foto's van te maken en dat veteranen van de Tweede Wereldoorlog mij de hand schudden nadat ik hun bijeenkomst had toegesproken. Ze voelden aan wat ik door levenslange ervaring had gemerkt: dat ongeacht de vooroordelen die blanke Amerikanen misschien nog koesteren de overgrote meerderheid tegenwoordig in staat is – als ze de tijd krijgt – om bij hun oordeel over mensen voorbij te gaan aan huidskleur.

Dat wil niet zeggen dat het vooroordeel verdwenen is. We zijn geen van allen – zwart, blank, latino, Aziaat – immuun voor de stereotypen waarmee onze cultuur ons blijft voeden, met name stereotypen over zwarte criminaliteit, zwarte intelligentie en zwarte arbeidsethiek. Over het algemeen worden leden van elke minderheidsgroepering nog steeds beoordeeld aan de hand van de mate van hun assimilatie – hoe de spraak, de kleding en het gedrag zich conformeren aan de heersende blanke cultuur –, en hoe verder een lid van een minderheid zich verwijdert van deze uiterlijke kenmerken, hoe meer hij of zij negatieve veronderstellingen oproept. Als het zich eigen maken van antidiscriminatienormen in de afgelopen dertig jaar – om maar te zwijgen over gewoon fatsoen – de meeste blanken er al van weerhoudt om bewust te reageren op dergelijke stereotypen in hun dagelijkse omgang met mensen van andere rassen, is het toch onrealistisch om aan te nemen dat deze stereotypen niet een cumulatieve invloed hebben op de vaak snelle beslissingen over wie er aangenomen wordt en wie er bevorderd wordt, op wie er gearresteerd en wie er vervolgd wordt, op hoe je denkt over de klant die net je winkel binnen kwam lopen of op het leerlingenbestand van de school van je kinderen.

Ik blijf echter van mening dat in het huidige Amerika dergelijke vooroordelen veel minder sterk zijn dan ze geweest zijn – en daarom vaak ontzenuwd kunnen worden. Een zwarte mannelijke tiener die over straat loopt kan angst veroorzaken bij een blank echtpaar, maar als hij de vriend van hun zoon blijkt te zijn, wordt hij wellicht te eten gevraagd. Een zwarte man kan 's avonds laat misschien moeilijk een taxi vinden, maar als hij een deskundig softwaretechnicus is zal Microsoft niet aarzelen hem in te huren.

Ik kan deze beweringen niet staven; onderzoeken naar raciale reacties staan bekend om hun onbetrouwbaarheid. En zelfs als ik gelijk heb is dat nauwelijks een troost voor de vele minderheden. Tenslotte kan het heel vermoeiend zijn om de hele dag stereotypen te moeten weerleggen. Het is de extra last die veel minderheden, met name Afro-Amerikanen, zo vaak in de gewone dagelijkse dingen ondervinden – het gevoel dat we als groep geen krediet hebben op Amerika's rekeningen, dat we ons als individu elke dag opnieuw moeten bewijzen, dat ons zelden het voordeel van de twijfel gegund wordt en we maar een heel smalle marge hebben om fouten in te maken. Om zich een weg te banen door een dergelijke wereld moet het zwarte kind de extra aarzeling overwinnen die het op de eerste schooldag voelt als het op de drempel van een voornamelijk blanke klas staat. Het betekent dat de latina onzekerheid moet overwinnen als ze zich voorbereidt op een sollicitatiegesprek bij een voornamelijk blank bedrijf.

Bovenal betekent het dat mensen uit minderheidsgroepen de verleiding moeten weerstaan om geen moeite meer te doen. Weinig minderheden kunnen zich helemaal van een blanke gemeenschap isoleren – zeker niet op de manier waarop blanken met succes contact met leden van andere rassen kunnen vermijden. Maar minderheden kunnen wel geestelijk de luiken sluiten om zichzelf te beschermen door het ergste te veronderstellen. 'Waarom zou ik moeite moeten doen om blanken te verlossen van hun onwetendheid over ons?' Er zijn zwarten die tegen me gezegd hebben: 'We hebben driehonderd jaar moeite gedaan en het heeft nog niets opgeleverd.'

Waarop ik antwoord dat het alternatief overgave is – aan wat geweest is in plaats van aan wat zou kunnen zijn.

Een van de dingen die ik het meest op prijs stel aan het feit dat ik Illinois vertegenwoordig is dat het mijn eigen veronderstellingen over raciale standpunten ingrijpend heeft gewijzigd. Tijdens mijn campagne voor de Senaat bijvoorbeeld maakte ik samen met Dick Durbin, senior senator voor Illinois, een rondreis van negenendertig dagen door het zuiden van Illinois. Een van onze geplande haltes was de plaats Cairo, in het zuidelijkste puntje van de staat, waar de Mississippi en de Ohio samenkomen, een stad die eind jaren zestig en begin jaren zeventig bekend werd als de locatie van een van de ergste raciale conflicten buiten het diepe Zuiden. Dick was in die periode voor het eerst in Cairo geweest, toen hij als jonge advocaat in dienst van de toenmalige vicegouverneur Paul Simon eropuit gestuurd was om te zien wat er gedaan kon worden om de spanningen te verminderen. Tijdens onze rit naar Cairo haalde Dick herinneringen op aan dat bezoek: hoe hij bij aankomst was gewaarschuwd om de telefoon op zijn motelkamer niet te gebruiken omdat de centralist lid was van de Raad van Blanke Burgers; hoe blanke winkeliers hun winkels liever sloten dan toe te geven aan de eisen van boycotters om zwarte werknemers aan te nemen; hoe zwarte inwoners hem vertelden over hun inspanningen om de rassenscheiding op scholen op te heffen, hun angst en frustratie, de verhalen over lynchpartijen en zelfmoorden in de gevangenis, schietpartijen en rellen.

Tegen de tijd dat we Cairo binnenreden wist ik niet wat ik moest verwachten. Hoewel het midden op de dag was, maakte de stad een verlaten indruk: langs de hoofdweg waren een paar winkels open en er kwamen een paar bejaarde echtparen uit een gezondheidscentrum. We gingen de hoek om en arriveerden op een groot parkeerterrein waar een paar honderd mensen rondliepen. Een kwart van hen was zwart, de rest bijna allemaal blank.

Ze droegen allemaal blauwe buttons met de tekst OBAMA NAAR DE US SENAAT.

Ed Smith, een grote, forse man, regiomanager voor het Midwesten van de Laborers' International Union, die was opgegroeid in Cairo, kwam met een grote grijns op zijn gezicht op onze bus af.

'Welkom,' zei hij en schudde ons de hand terwijl we uitstapten. 'Ik hoop dat jullie honger hebben, want de barbecue staat klaar en mijn moeder kookt.'

Ik wil niet zeggen dat ik wist wat er die dag precies omging in de hoofden van de blanken in de menigte. De meesten waren van mijn leeftijd en ouder en zouden zich op zijn minst die afschuwelijke dagen van dertig jaar geleden herinneren, als ze er al niet rechtstreeks bij betrokken waren geweest. Velen waren ongetwijfeld aanwezig omdat Ed Smith, een van de machtigste mannen in de regio, wilde dat ze kwamen; anderen misschien voor het eten of gewoon om een Amerikaanse senator en een kandidaat voor de Senaatscampagne in hun eigen omgeving te zien.

Ik weet wel dat de barbecue heerlijk was, dat de gesprekken levendig waren en dat de mensen kennelijk blij waren om ons te zien. Ongeveer een uur lang werd er gegeten, werden er foto's gemaakt en luisterden we naar wat de mensen bezighield. We spraken over wat er gedaan kon worden om de economie van de streek weer op gang te brengen en meer geld voor de scholen te krijgen; we hoorden over zoons en dochters op weg naar Irak en de noodzaak een oud ziekenhuis te slopen dat het centrum er niet aantrekkelijker op maakte. En tegen de tijd dat we vertrokken had ik het gevoel dat zich een band had gevormd tussen mij en de mensen die ik gesproken had – niets revolutionairs, maar misschien voldoende om sommige van onze vooroordelen af te zwakken en sommige van onze betere drijfveren te versterken. Met andere woorden, er was enig vertrouwen gekweekt.

Natuurlijk is een dergelijk vertrouwen tussen rassen vaak voorlopig.

Als het niet gevoed wordt, kan het verminderen. Het duurt misschien maar zolang als de minderheden zich rustig houden, zich niet tegen onrecht verzetten; het kan omver geblazen worden door een paar goed getimede berichten over de vervanging van blanke arbeiders in het kader van positieve discriminatie, of het nieuws dat de politie een ongewapende zwarte of latino jongere heeft doodgeschoten.

Maar ik ben ook van mening dat momenten zoals in Cairo de werking van een in de vijver geworpen steen hebben: dat mensen van alle rassen die momenten mee naar huis en mee naar de kerk nemen; dat zulke ogenblikken een gesprek met hun kinderen of collega's kleuren en op den duur met trage, gestage golven de haat en achterdocht als gevolg van isolement kunnen wegspoelen.

Ik was onlangs terug in het zuiden van Illinois en zat na een lange dag van toespraken en optredens in de regio in de auto met een van mijn organisatoren in het veld, Robert Stephan, een jonge blanke man. Het was een prachtige lenteavond, de uitgestrekte watermassa en schemerige oevers van de Mississippi glinsterden onder een lage, volle maan. Het water deed me denken aan Cairo en al die andere plaatsen langs de rivier, de nederzettingen die waren ontstaan en verdwenen met het scheepvaartverkeer en de vaak trieste, harde, wrede gebeurtenissen die hadden plaatsgevonden in het gebied waar de vrije en de geknechte mensen samenkwamen, de wereld van Huckleberry Finn en de wereld van Jim Crow.

Ik zei iets tegen Robert over de voortgang die we maakten met de sloop van het oude ziekenhuis in Cairo – ons bureau vergaderde met het staatsministerie van volksgezondheid en plaatselijke functionarissen – en vertelde hem over mijn eerste bezoek aan de stad. Omdat Robert in het zuiden van de staat was opgegroeid raakten we al snel in gesprek over de raciale opstelling van zijn vrienden en buren. Hij vertelde dat net de week daarvoor een paar mannen met enige invloed in de stad hem uitgenodigd hadden om lid te worden van een kleine vereniging in Alton, een paar blokken van het huis waarin hij was opgegroeid. Robert was er nooit geweest, maar het leek hem wel een goed idee. Het eten werd opgediend en de groep praatte over koetjes en kalfjes. Toen zag Robert opeens dat van de ongeveer vijftig mensen in de zaal niemand zwart was. Aangezien ongeveer een kwart van de inwoners van Alton zwart is, leek hem dat vreemd, dus vroeg hij ernaar.

'Dit is een privéclub,' zei een van hen.

Eerst begreep Robert het niet – had dan geen enkele zwarte geprobeerd lid te worden? Toen ze geen antwoord gaven, had hij gezegd: 'Het is godbetert 2006.'

De mannen haalden hun schouders op. Ze zeiden: 'Het is altijd zo geweest. Geen zwarten toegestaan.'

Op dat moment legde Robert zijn servet op tafel, nam afscheid en vertrok.

Ik zou misschien de tijd kunnen nemen om te piekeren over de mannen in die club, en het als bewijs kunnen zien dat blanken nog steeds een vage vijandigheid voelen voor mensen die eruitzien als ik. Maar ik wil aan zulke onverdraagzaamheid geen macht toeschrijven die het niet langer heeft.

Ik denk liever aan Robert en het kleine, ongemakkelijke gebaar dat hij maakte. Als een jongeman als Robert de moeite kan nemen om de sterke stromingen van gewoonte en angst te overwinnen om te doen wat hij weet dat juist is, wil ik ervoor zorgen dat ik aan de overkant sta om hem aan wal te helpen.

Mijn verkiezing werd niet alleen bevorderd door de veranderende raciale opstelling van de blanke kiezers van Illinois. Het was ook een indicatie van de veranderingen binnen de Afro-Amerikaanse gemeenschap in Illinois.

Een van de maatstaven voor die veranderingen was zichtbaar in wat voor steun ik in het begin van mijn campagne kreeg. Van de eerste vijfhonderdduizend dollar die ik tijdens de voorverkiezing inzamelde was bijna de helft afkomstig van zwarte bedrijven en zwarte hoogopgeleiden. Het was WVON, een radiozender in zwart eigendom, die mijn campagne als eerste de ether rond Chicago in stuurde, en *N'Digo*, een nieuwsweekblad in zwart eigendom, dat me als eerste op de omslag plaatste. Een van de eerste keren dat ik een bedrijfsvliegtuig nodig had voor de campagne was het een zwarte vriend die me het zijne leende.

Dergelijke mogelijkheden waren er een generatie terug nog niet. Chicago was altijd wel een van de levendigste zwarte bedrijfsgemeenschappen van het land, maar in de jaren zestig en zeventig was er maar een handjevol selfmade mannen – John Johnson, de oprichter van *Ebony* en *Jet*, George Johnson, de oprichter van Johnson Products, Ed Gardner, de oprichter van Soft Sheen, en Al Johnson, de eerste zwarte in het land die eigenaar was van een General Motors-concessie – die volgens de normen van blank Amerika rijk genoemd konden worden.

Tegenwoordig heeft de stad niet alleen een overvloed aan zwarte artsen, tandartsen, advocaten, accountants en andere hoogopgeleiden, maar zwarten zitten ook op een aantal van de hoogste managementposities van het bedrijfsleven in Chicago. Zwarten zijn eigenaar van restaurantketens, investeringsbanken, pr-bureaus, investeringskartels voor onroerend goed en architectenbureaus. Ze kunnen zich veroorloven te wonen in een wijk naar eigen keuze en hun kinderen naar de beste particuliere scholen sturen. Ze worden gevraagd om zitting te nemen in directies van het openbaar bestuur en leveren gulle bijdragen aan allerlei vormen van liefdadigheid.

Het aantal Afro-Amerikanen dat zich bij de bovenste twintig procent van de inkomensladder bevindt is nog steeds betrekkelijk klein. Bovendien kunnen alle zwarten in de vrije beroepen en het bedrijfsleven verhalen vertellen over de hindernissen die ze vanwege hun huidskleur nog steeds moeten nemen. Weinig Afro-Amerikaanse ondernemers hebben kapitalen geërfd of hebben een liefhebbende investeerder die hen helpt hun bedrijf op te zetten of die hen steunt in geval van een plotselinge economische tegenslag. De meesten zijn ervan overtuigd dat ze als ze blank waren al verder op weg waren om hun doel te bereiken.

En toch gebruiken deze mannen en vrouwen ras niet als een hulpmiddel en ze gebruiken discriminatie ook niet als excuus voor mislukkingen. Wat deze nieuwe generatie van zwarte hoogopgeleiden typeert is eerder dat ze de grenzen aan wat ze kunnen bereiken negeren. Toen een vriend van mij, de beste obligatieverkoper van het filiaal van Merrill Lynch in Chicago, besloot zijn eigen effectenbank te beginnen, was zijn doel niet om het beste zwarte bedrijf te worden, nee, hij wilde het beste bedrijf worden, punt. Toen een andere vriend van me besloot zijn leidinggevende functie bij General Motors op te geven om zijn eigen parkeerbedrijf te beginnen in samenwerking met Hyatt, dacht zijn moeder dat hij gek geworden was. 'Ze kon zich niet voorstellen dat er iets beter was dan een managementbaan bij GM,' vertelde hij, 'want die banen waren voor haar generatie onbereikbaar. Maar ik wist zeker dat ik zelf iets wilde opbouwen.'

Dat simpele idee – dat dingen niet alleen in dromen mogelijk zijn

– is zo geïntegreerd in ons beeld van Amerika dat het bijna cliché is. Maar in zwart Amerika betekent dat idee een radicale breuk met het verleden, het afwerpen van de psychologische ketenen van slavernij en Jim Crow. Dat is waarschijnlijk de belangrijkste erfenis van de burgerrechtenbeweging, een geschenk van leiders als John Lewis en Rosa Parks, die demonstreerden, protesteerden en bedreigingen, arrestaties en aframmelingen doorstonden om de poorten naar de vrijheid verder te openen. En het is ook een eerbewijs aan die generatie van Afro-Amerikaanse moeders en vaders wier heldendom minder dramatisch maar even belangrijk was: ouders die hun hele leven werkten in banen waar ze te goed voor waren, zonder te klagen, beknibbelend en bezuinigend om een klein huis te kopen; ouders die zichzelf wegcijferden zodat hun kinderen op dansles konden gaan of met schoolreis mee konden; ouders die de juniorenhonkballers coachten en verjaarstaarten bakten en leraren aan hun hoofd zeurden om te zorgen dat hun kinderen niet te gemakkelijke vakken kregen; ouders die hun kinderen elke zondag naar de kerk sleepten, hun kinderen straften als ze zich niet gedroegen en tijdens lange zomerdagen en tot in de avond alle kinderen van het blok in de gaten hielden. Ouders die hun kinderen aanmoedigden om te presteren en hen steunden met liefde zodat ze in de toekomst opgewassen zijn tegen de grote wereld.

Dankzij deze typisch Amerikaanse weg van opwaartse mobiliteit heeft de zwarte middenklasse zich binnen een generatie verviervoudigd en zijn de zwarte armoedecijfers gehalveerd. Door middel van een vergelijkbaar proces van hard werken en betrokkenheid bij het gezin hebben de latino's vergelijkbare winsten geboekt: tussen 1979 en 1999 is het aantal latino gezinnen van de middenklasse met meer dan zeventig procent toegenomen. Deze zwarte en latino werkers zijn wat hun dromen en verwachtingen betreft nauwelijks te onderscheiden van hun blanke equivalenten. Het zijn de mensen die zorgen dat onze economie draait en dat onze democratie succesvol blijft – de leerkrachten, mecaniciens, verpleegkundigen, computertechnici, lopendebandmedewerkers, buschauffeurs, postbodes, bedrijfsleiders van winkels, loodgieters en klusjesmannen waaruit het dynamische hart van Amerika bestaat.

En toch blijft er, ondanks de vooruitgang die er in de afgelopen veertig jaar is geboekt, een hardnekkige kloof bestaan tussen de levensstandaard van zwarten en latino's en de blanke arbeiders. Het gemiddelde loon van een zwarte is vijfenzeventig procent van het gemiddelde loon van een blanke; het gemiddelde loon van een latino is eenenzeventig procent van het gemiddelde loon van een blanke. De gemiddelde netto marktwaarde van een zwarte is ongeveer zesduizend dollar, van een latino ongeveer achtduizend dollar, terwijl een blanke gemiddeld achtentachtigduizend dollar waard is. Als ze ontslagen worden of als er een noodsituatie in het gezin ontstaat, hebben zwarten en latino's minder spaargeld om op terug te vallen en kunnen ouders hun kinderen minder helpen. Zelfs zwarten en latino's uit de middenklasse betalen meer aan verzekeringen, hebben minder kans een eigen huis te bezitten en zijn ongezonder dan de gemiddelde Amerikaan. Er zijn misschien wel meer minderheden die de Amerikaanse droom ervaren, maar hun greep op die droom blijft zwak.

Hoe we die hardnekkige kloof moeten dichten – en hoe groot de rol van de overheid bij het bereiken van dat doel zou moeten zijn – blijft een van de belangrijkste geschilpunten in de Amerikaanse politiek. Maar er moeten strategieën zijn waar we het allemaal mee eens kunnen zijn. We zouden kunnen beginnen de onafgemaakte zaken van de burgerrechtenbeweging op te pakken, namelijk door de antidiscriminatiewetten na te leven op essentiële terreinen als werkgelegenheid, huisvesting en onderwijs. Als iemand van mening is dat een dergelijke afgedwongen naleving niet meer nodig is, moet hij maar eens een bezoek brengen aan de kantorenterreinen in de buitenwijken in zijn eigen omgeving en het aantal zwarten tellen dat daar werkzaam is, zelfs in de relatief ongeschoolde banen, of bij een plaatselijk kantoor van de vakbeweging langsgaan en informeren hoeveel zwarten er in scholingsprogramma's zitten, of recente onderzoeken bekijken waaruit blijkt dat makelaars van onroerend goed nog altijd zwarte huiszoekenden weghouden uit wijken die voornamelijk uit blanken bestaan. Tenzij u in een staat met weinig zwarte inwoners woont, denk ik dat u het met me eens zult zijn dat er iets mis is.

Onder de laatste Republikeinse regeringen is de handhaving van burgerrechtenwetten op zijn best halfslachtig geweest, en onder de huidige regering is het in feite helemaal niet aan de orde – tenzij je het enthousiasme meetelt van de afdeling burgerrechten van het ministerie van Justitie om studiebeurzen voor de universiteit en aanvullende onderwijsprogramma's voor studenten uit minderheidsgroeperingen 'positieve discriminatie' te noemen, ongeacht hoe ondervertegenwoordigd studenten uit minderheidsgroeperingen in een bepaalde instelling of discipline zijn, en ongeacht hoe incidenteel de invloed van de programma's op het aantal blanke studenten is.

Dit zou een bron van zorg moeten zijn voor mensen van elke politieke kleur, zelfs voor degenen die tegen positieve discriminatie zijn. Positievediscriminatieprogramma's kunnen, als ze goed gestructureerd zijn, mogelijkheden scheppen die anders voor gekwalificeerde minderheden niet zijn weggelegd, zonder de blanke studenten tekort te doen. Gezien het tekort aan zwarte en latino afgestudeerden in wiskunde en de natuurwetenschappen, zou bijvoorbeeld een bescheiden beurzenprogramma voor minderheden die geïnteresseerd zijn in vervolgstudies in die disciplines (een recent onderwerp van een onderzoek van het ministerie van Justitie) blanke studenten niet uit die programma's weghouden, maar wel de hoeveelheid talent verbreden die Amerika nodig heeft om in een op technologie gebaseerde economie te gedijen. Bovendien kan ik als advocaat die burgerrechtenzaken heeft behandeld zeggen dat, omdat er bij grote bedrijven, vakbonden en lokale overheidsinstanties overtuigende bewijzen zijn van voortdurende en systematische discriminatie, het maken van meerjarenplannen voor het aannemen van minderheden waarschijnlijk de enige beschikbare zinvolle oplossing is.

Veel Amerikanen zijn het daar uit principe niet met mij over eens en stellen dat onze instellingen nooit rekening moeten houden met ras, zelfs niet om slachtoffers van discriminatie in het verleden te helpen. Oké, ik begrijp hun argumenten en verwacht niet dat de discussie binnenkort afgesloten zal worden. Maar dat betekent wel dat we minstens moeten zorgen dat als er twee gelijkwaardig gekwalificeerde personen – een lid van een minderheidsgroepering en een blanke – solliciteren naar een baan, een huis willen kopen of een lening afsluiten, en de blanke consequent beter behandeld wordt, de overheid door middel van haar openbare aanklagers en rechtbanken orde op zaken stelt.

We zouden het er ook over eens moeten worden dat de verantwoordelijkheid voor het dichten van de kloof niet alleen bij de overheid ligt; minderheden, individueel en collectief, dragen ook verantwoordelijkheid. Veel van de sociale en culturele aspecten die zwarte mensen bijvoorbeeld negatief beïnvloeden, zijn gewoon in overdreven vorm een weerspiegeling van de problemen die Amerika als geheel teisteren: te veel televisie (het gemiddelde zwarte gezin heeft de televisie meer dan elf uur per dag aanstaan), te veel gifconsumptie (zwarten roken meer en eten meer snacks) en te weinig aandacht voor studieprestaties.

En dan is er het feit dat er steeds minder zwarte twee-oudergezinnen zijn, een fenomeen dat in zo'n alarmerende mate om zich heen grijpt vergeleken bij de rest van de Amerikaanse samenleving dat wat ooit een gradueel verschil was nu een soortelijk verschil is geworden, een fenomeen dat getuigt van een nonchalance onder zwarte mannen wat betreft seks en opvoeding die zwarte kinderen kwetsbaarder maakt, en waar simpelweg geen excuus voor is.

Al deze aspecten staan vooruitgang in de weg. Bovendien, ingrijpen van de overheid kan wel bijdragen aan gedragsverandering (supermarktketens die ook verse producten verkopen aanmoedigen om zich in zwarte wijken te vestigen, om maar een voorbeeld te noemen, zou al veel verandering in eetgewoonten kunnen brengen), maar een echte verandering van instelling moet thuis beginnen, en in de wijken en in de gebedshuizen. Lokale instellingen, met name de van oudsher zwarte kerk, moeten gezinnen helpen om jonge mensen weer respect te leren krijgen voor studieresultaten, om een gezondere levensstijl te ontwikkelen en de traditionele sociale normen met betrekking tot de lusten en lasten van het vaderschap opnieuw te activeren.

Maar het belangrijkste middel om de kloof tussen werkers uit minderheidsgroepen en blanke werkers te dichten heeft welbeschouwd waarschijnlijk maar weinig met ras te maken. Wat er misgaat voor zwarten en latino's van de arbeiders- en middenklasse verschilt niet wezenlijk van wat er misgaat voor hun blanke equivalenten: inkrimpingen, werk dat elders uitbesteed wordt, automatisering, loonstops, de ontmanteling van de door de werkgever bekostigde gezondheidszorg en pensioenregelingen, en scholen die jonge mensen niet de kennis en vaardigheden bijbrengen die ze nodig hebben om in een mondiale economie te kunnen concurreren. (Met name zwarten zijn zeer gevoelig voor die ontwikkelingen omdat ze afhankelijker zijn van productiebanen en minder vaak in buitenwijken wonen waar de nieuwe banen worden gegenereerd.) En wat werkers van minderheidsgroeperingen zou helpen zijn dezelfde dingen die de blanke werkers zouden helpen: de mogelijkheid om voldoende te verdienen, om de scholing en de training te krijgen die toegang geven tot dergelijke banen, arbeids- en belastingwetgeving die enig evenwicht brengt in de verdeling van de welvaart van de natie, en gezondheidszorg, kinderopvang en pensioenregelingen waar werkende mensen van op aan kunnen.

Dit patroon – van een opkomende vloed die de minderheidsboten vlot trekt – heeft in ieder geval in het verleden zijn waarde bewezen. De vooruitgang die de vorige generatie latino's en Afro-Amerikanen heeft geboekt vond vooral plaats omdat de mogelijkheden die leidden tot het ontstaan van de blanke middenklasse nu voor het eerst ook voor minderheden beschikbaar waren. Ze plukten de vruchten, net als iedereen, van een groeiende economie en een overheid die bereid was in haar mensen te investeren. Niet alleen kwamen een krappe arbeidsmarkt, beschikbaarheid van kapitaal en programma's als Pell Grants en Perkins Loans rechtstreeks ten goede aan zwarte mensen; groeiende inkomens en een gevoel van zekerheid onder blanken zorgden ervoor dat zij minder weerstand boden aan de roep om gelijkheid van minderheden.

Diezelfde formule geldt ook nu nog. Het werkloosheidscijfer onder zwarten was vrij recent, in 1999, het laagste in jaren en het zwarte inkomen steeg tot recordhoogten, niet dankzij een golf van positieve discriminatie in het personeelsbeleid of een plotselinge verandering in de zwarte arbeidsethiek, maar omdat de economie floreerde en de overheid een aantal bescheiden maatregelen nam – zoals de uitbreiding van het Earned Income Tax Credit (Verdiende Loon Belastingkrediet) – om de welvaart te spreiden. Als iemand wil weten waarom Bill Clinton zo populair is onder Afro-Amerikanen, hoeft hij alleen maar naar deze statistieken te kijken.

Maar diezelfde statistieken zouden ook diegenen onder ons die geïnteresseerd zijn in raciale gelijkheid moeten dwingen een eerlijke balans op te maken van de kosten en baten van ons huidige beleid. Zelfs als we positieve discriminatie blijven verdedigen als een nuttig, zij het beperkt, middel om ondervertegenwoordigde minderheden meer kansen te bieden, moeten we toch overwegen om veel meer van ons politieke kapitaal te besteden aan het overtuigen van Amerika om de investeringen te doen die nodig zijn om te zorgen dat alle kinderen op niveau presteren en het eindexamen van de middelbare school halen – een doelstelling die, indien bereikt, de zwarte en latino kinderen die het het hardst nodig hebben meer zou helpen dan positieve discriminatie. Zo zouden we ook programma's moeten steunen die de bestaande verschillen in gezondheid tussen minderheden en blanken opheffen (er zijn redenen om aan te nemen dat zelfs als inkomen en niveau van verzekering buiten beschouwing worden gelaten, minderheden nog altijd minder zorg krijgen), maar een plan voor algemene dekking van de kosten voor gezondheidszorg zou meer bijdragen aan het opheffen van verschillen in gezondheid tussen blanken en leden van minderheidsgroeperingen dan welk rassenspecifiek programma ook.

De nadruk op algemene programma's, in tegenstelling tot rassenspecifieke programma's, is niet alleen maar verstandig beleid; het is ook verstandige politiek. Ik herinner me dat ik ooit met een van mijn Democratische collega's in de staatssenaat van Illinois zat en we luisterden naar een andere Afro-Amerikaanse collega-senator die ik Jan Jansen zal noemen, de vertegenwoordiger van een district dat voornamelijk in de binnenstad ligt. Hij hield een lange, hartstochtelijke en hoogdravende toespraak waarin hij uitlegde waarom het opheffen van een bepaald programma een voorbeeld van schaamteloos racisme was. Na een paar minuten wendde de blanke senator (die de meeste vooruitstrevende beslissingen in de senaat ondersteunde) zich tot mij en zei: 'Weet je wat er mis is met Jan? Elke keer als ik hem hoor voel ik me blanker.'

Ter verdediging van mijn zwarte collega wees ik erop dat het voor een zwarte politicus in de discussies over de enorme tegenspoed die zijn of haar kiezers te verduren hebben niet altijd simpel is om de juiste toon te treffen – te boos? niet boos genoeg? Maar de opmerking van mijn blanke collega was toch leerzaam. Terecht of ten onrechte is het blanke schuldgevoel in Amerika uitgeput geraakt: zelfs de fatsoenlijkste blanken, degenen die oprecht willen dat er een eind komt aan raciale ongelijkheid en dat de armoede minder wordt, hebben de neiging om zich te verzetten tegen suggesties van raciaal slachtofferschap of rassenspecifieke eisen gebaseerd op het verleden van rassendiscriminatie in dit land.

Voor een deel is dat te verklaren uit het succes van de door de conservatieven aangewakkerde rancunes – door bijvoorbeeld de negatieve gevolgen van positieve discriminatie voor blanke werkers enorm te overdrijven. Maar het is vooral een kwestie van simpel eigenbelang. De meeste blanke Amerikanen vinden dat ze zelf niet gediscrimineerd hebben en dat ze genoeg eigen problemen hebben om zich druk over te maken. Ze weten ook dat het land, met een nationale schuld van om en nabij de negen biljoen dollar en een jaarlijks tekort van bijna driehonderd miljard dollar, vrij weinig middelen ter beschikking heeft om hen met die problemen te helpen.

Het gevolg is dat voorstellen die uitsluitend minderheden ten goede komen en Amerikanen verdelen in 'wij' en 'zij' hooguit een aantal kortetermijnconcessies opleveren als de kosten voor de blanken niet te hoog zijn, maar niet kunnen dienen als basis voor het soort langdurige, brede politieke coalities die nodig zijn om Amerika te transformeren. Van de andere kant kunnen algemene oproepen ten behoeve van plannen die alle Amerikanen ten goede komen (scholen die onderwijzen, banen die goed betalen, gezondheidszorg voor iedereen die het nodig heeft, een overheid die de helpende hand biedt na een overstroming), samen met maatregelen die ervoor zorgen dat onze wetten voor iedereen in dezelfde mate gelden en dus de in brede kring gekoesterde Amerikaanse idealen (zoals betere handhaving van bestaande burgerrechtenwetgeving) ondersteunen, dienen als de basis voor dergelijke coalities – zelfs als die plannen minderheden in onevenredige mate steunen.

Een dergelijke accentverschuiving is niet simpel: oude gewoonten zijn moeilijk uit te roeien en veel minderheden hebben altijd de angst dat, tenzij het aan de kaak stellen van rassendiscriminatie, zowel in het verleden als in het heden, de hoogste prioriteit krijgt, blank Amerika vrijuit gaat en de moeizaam bevochten vooruitgang teruggedraaid wordt. Ik begrijp die angst – nergens staat geschreven dat de geschiedenis zich in een rechte lijn moet voortbewegen, en in economisch moeilijke tijden is het denkbaar dat de verplichtingen van raciale gelijkheid op een zijspoor gezet worden.

Maar toch, als ik zie wat vorige generaties van minderheden hebben moeten overwinnen, ben ik optimistisch over het vermogen van deze volgende generatie om haar opmars naar het economische midden voort te zetten. Voor het grootste deel van onze jongste geschiedenis zijn de treden van de ladder van de mogelijkheden voor zwarten misschien glibberiger geweest; de toelating van latino's tot brandweerkazernes en directiekamers werd misschien node toegestaan. Maar ondanks dat alles was de combinatie van economische groei, overheidsinvestering in brede programma's om opwaartse mobiliteit te stimuleren, en een bescheiden toezegging om het simpele principe van niet-discriminatie te handhaven voldoende om de grote meerderheid van zwarten en latino's binnen een generatie naar het sociaaleconomische midden te halen.

We moeten elkaar voortdurend aan die prestatie blijven herinneren. Wat opvalt is niet het aantal leden van minderheidsgroeperingen dat de middenklasse niet heeft weten te bereiken, maar het aantal dat er ondanks alles wel in slaagde; niet de woede en verbittering die ouders met een gekleurde huid aan hun kinderen hebben doorgegeven, maar de mate waarin die gevoelens zijn afgenomen. Die wetenschap geeft ons iets waarop we kunnen bouwen. Het toont ons dat er nog meer vooruitgang kan worden geboekt.

Als algemene plannen ter oplossing van de problemen waar alle Amerikanen mee geconfronteerd worden al een grote bijdrage zouden kunnen leveren aan het dichten van de kloof tussen zwarten, latino's en blanken, zijn er twee aspecten van raciale betrekkingen in Amerika die extra aandacht behoeven – kwesties die het vuur van raciale conflicten aanwakkeren en de geboekte vooruitgang ondermijnen. Wat betreft de Afro-Amerikaanse gemeenschap gaat het om de verslechterende omstandigheden van de armen in de binnenstad. Wat betreft de latino's gaat het om illegale arbeiders en de politieke storm die rond het onderwerp immigratie woedt.

Een van mijn favoriete restaurants in Chicago is MacArthur's. Het bevindt zich buiten het centrum, aan de westelijke kant van de West Side op Madison Street. De eenvoudige, helder verlichte ruimte met cabines van licht hout biedt ruimte aan misschien wel honderd mensen. Dagelijks kun je ongeveer dat aantal in de rij zien staan, gezinnen, tieners, groepjes bezadigde dames en heren van middelbare leeftijd, en ze wachten allemaal als in een kantine op hun beurt, op borden vol gebraden kip, meerval, Hoppin' John, kool, gehakt, maïsbrood en andere klassiekers van de Afro-Amerikaanse keuken. Al die mensen zullen je verzekeren dat het de moeite loont om te wachten.

De eigenaar van het restaurant, Mac Alexander, is een man als een kleerkast, begin zestig, met dunner wordend grijs haar, een snor, en een beetje steelse blik achter de bril die hem een peinzende, zakelijke uitstraling verleent. Hij is een oorlogsveteraan, geboren in Lexington, Mississippi, die in Vietnam zijn linkerbeen verloren heeft. Na zijn herstel verhuisden hij en zijn vrouw naar Chicago waar hij handelscursussen volgde en in een magazijn werkte. In 1972 opende hij Mac's Records en hij was medeoprichter van de Westside Business Improvement Association, die als doel had zijn 'kleine hoekje van de wereld', zoals hij het noemde, op te knappen.

Hij is in alle opzichten geslaagd. Zijn platenwinkel groeide, hij opende het restaurant en nam lokale mensen aan om er te werken. Hij ging vervallen panden opkopen, knapte ze op en verhuurde ze weer. Dankzij de inspanningen van mannen en vrouwen als Mac ziet Madison Street er veel minder somber uit dan de reputatie van de West Side doet vermoeden. In elk huizenblok is er een kledingwinkel, een apotheek en iets wat op een kerk lijkt. Achter de drukke hoofdstraat vind je dezelfde kleine bungalows – met keurig gemaaide gazons en goed verzorgde plantenperken – die in veel andere wijken van Chicago ook staan.

Maar een paar blokken verder is een andere kant van Macs wereld te zien: grote groepen jongemannen die op de straathoek staan en steelse blikken langs de straat laten gaan; het geluid van sirenes dat zich vermengt met het ritmische gebonk van autoradio's die op maximaal volume staan; de donkere, dichtgespijkerde gebouwen en haastig gekrabbelde symbolen van bendes; overal afval dat wervelt in de winterwind. Onlangs heeft de politie van Chicago permanente camera's en knipperlichten geïnstalleerd op de lantaarnpalen van Madison, die elk blok in een onophoudelijke blauwe gloed zetten. De mensen die aan Madison wonen hebben niet geklaagd; blauwe knipperlichten zijn een vertrouwd gezicht. Het is slechts een nieuwe indicatie van wat iedereen al weet – dat het afweersysteem van de gemeenschap vrijwel geheel verdwenen is, verzwakt door drugs en schietpartijen en wanhoop; dat zich ondanks de grote inspanningen van mensen als Mac een virus heeft genesteld en dat een volk wegteert.

'Misdaad is geen nieuws in de West Side,' zei Mac tegen me toen we op een middag naar een van zijn gebouwen gingen kijken. 'Ik bedoel, in de jaren zeventig nam de politie het idee van zorgen voor zwarte wijken niet echt serieus. Zolang de ellende zich niet uitbreidde naar de blanke wijken, kon het ze niets schelen. In de eerste winkel die ik opende, op Lake and Damen, is geloof ik wel acht, negen keer achter elkaar ingebroken.'

'De politie reageert nu beter,' zei Mac. 'De commandant is een goede vent, hij doet zijn best. Maar hij wordt net zo bedolven onder het werk als iedereen. Zie je, die jongens hier, het kan ze gewoon niets schelen. Ze zijn niet bang voor de politie, niet bang voor de gevangenis – meer dan de helft van de jonge kerels daar heeft al een strafblad. Als de politiemensen tien man op een straathoek oppakken, staan er binnen een uur tien anderen.'

'Dat is wat er veranderd is... de houding van die jongens. Je kunt het ze niet echt kwalijk nemen, want de meesten hebben thuis helemaal niets. Naar hun moeder luisteren ze niet – veel van die vrouwen zijn zelf nog kinderen. De vader zit in de gevangenis. Niemand in de buurt om deze kinderen leiding te geven, ze op school te houden, respect te leren. Dus voeden deze jongens eigenlijk zichzelf op, op straat. Dat is het enige wat ze kennen. De bende is hun familie. Er is geen ander werk dan in de drugshandel. Begrijp me niet verkeerd, er zijn hier ook nog veel goede gezinnen... niet zozeer met veel geld, maar die hun best doen hun kinderen uit de problemen te houden. Maar ze zijn ver in de minderheid. Hoe langer ze blijven, hoe meer ze het gevoel krijgen dat hun kinderen gevaar lopen. Dus op het moment dat ze de kans krijgen, vertrekken ze. En dat maakt alles nog erger.'

Mac schudde zijn hoofd. 'Ik weet het niet. Ik blijf denken dat we de zaken kunnen keren. Maar om eerlijk te zijn, Barack, het is soms moeilijk om te denken dat de situatie niet hopeloos is. Moeilijk – en steeds moeilijker.'

Ik hoor deze opvatting in de Afro-Amerikaanse gemeenschap tegenwoordig vaak, deze eerlijke erkenning dat de omstandigheden in het hart van de binnenstad uit de hand lopen. Soms concentreert het gesprek zich op de statistieken – de kindersterfte (die onder arme, zwarte Amerikanen gelijk is aan het percentage van Maleisië), de werkloosheid onder zwarte mannen (die in sommige wijken van Chicago geschat wordt op meer dan een derde), of het aantal zwarte mannen dat op enig moment in hun leven in aanraking zal komen met het strafrechtelijk systeem (wat landelijk een op drie is).

Vaker komen er tijdens het gesprek echter persoonlijke verhalen aan de orde, als bewijzen van een wezenlijke instorting van een deel van onze gemeenschap, die met een mengeling van verdriet en ongeloof verteld worden. Een leerkracht zal vertellen hoe het is als een achtjarige schuttingwoorden schreeuwt en haar met lichamelijk geweld bedreigt. Een pro-Deoadvocaat zal het treurige strafblad van een vijftienjarige beschrijven of de nonchalance waarmee zijn cliënten voorspellen dat ze niet ouder dan dertig zullen worden. Een kinderarts zal vertellen over de tienerouders die er geen been in zien om hun peuters chips te geven als ontbijt, of die toegeven dat ze hun vijf- of zesjarige alleen thuis gelaten hebben.

Dat zijn de verhalen van de mensen die niet hebben kunnen ontsnappen aan de beperkingen van de geschiedenis, aan de wijken binnen de zwarte gemeenschap waar de armsten van de armen wonen, die dienen als vergaarbak voor alle littekens van de slavernij en het geweld voor Jim Crow, voor de geïnternaliseerde woede en de gedwongen onwetendheid, de schaamte van mannen die hun vrouwen niet konden beschermen of hun gezinnen niet konden onderhouden, en voor de kinderen die in hun jeugd te horen kregen dat ze nooit iets voor zouden stellen en die niemand in de buurt hadden om de schade te herstellen.

Er is natuurlijk een tijd geweest dat een dergelijke van generatie op generatie doorgegeven armoede een natie nog kon choqueren – toen de publicatie van Michael Harringtons *The Other America* en Bobby Kennedy's bezoeken aan de delta van de Mississippi grote woede opwekten en leidden tot oproepen om in actie te komen. Dat is voorbij. Tegenwoordig zijn de beelden van de zogenaamde onderklasse overal te zien, een vast element van de populaire cultuur in Amerika – in films en op televisie, waar ze de favoriete tegenspelers zijn van de handhavers van rust en orde, of in rapmuziek en videoclips, waar het gangstaleven wordt verheerlijkt door zowel blanke als zwarte tieners (hoewel blanke tieners tenminste weten dat ze maar doen alsof); en op het avondnieuws waar plundering in de binnenstad altijd welkom voer is. In plaats dat onze vertrouwdheid met de levens van de arme zwarten ons medeleven oproept, heeft het angstkrampen en ronduit minachting gekweekt. Maar vooral onverschilligheid. Zwarte mannen die onze gevangenissen vullen, zwarte kinderen die niet kunnen lezen of terechtkomen in een schietpartij van de onderwereld, zwarte daklozen die op roosters en in de parken van de hoofdstad slapen – we vinden die dingen inmiddels vanzelfsprekend, tragisch misschien, maar niet iets waar we schuldig aan zijn en zeker niet iets dat hoeft te veranderen.

Dat idee van een zwarte onderklasse – gescheiden, apart, afwijkend in gedrag en normen – heeft ook een belangrijke rol gespeeld in de moderne Amerikaanse politiek. Johnson lanceerde, gedeeltelijk om het probleem van de zwarte getto's op te lossen, zijn strijd tegen de armoede (War on Poverty) en het was vanwege de mislukkingen van die strijd, zowel reële als veronderstelde, dat de conservatieven een groot deel van het land tegen het hele idee van de welvaartsstaat wisten te keren. Binnen conservatieve denktanks ontstond een stroming die niet alleen stelde dat culturele pathologieën – meer nog dan racisme of structurele ongelijkheid als gevolg van ons economische stelsel – verantwoordelijk waren voor zwarte armoede maar ook dat overheidsprogramma's als de bijstand, gekoppeld aan vooruitstrevende rechters die criminelen doodknuffelden, in feite die pathologieën verergerden. Op de televisie werden beelden van onschuldige kinderen met opgezwollen buiken vervangen door die van zwarte plunderaars en overvallers; het nieuws legde minder nadruk op het zwarte dienstmeisje dat moeite had de eindjes aan elkaar te knopen en meer op de 'bijstandsprinses' die alleen maar baby's kreeg om een uitkering te krijgen. De conservatieven stelden dat er een ferme dosis strenge discipline noodzakelijk was – meer politie, meer gevangenissen, meer persoonlijke verantwoordelijkheid en geen bijstand meer. Als dergelijke plannen het zwarte getto niet konden transformeren, zouden ze het in ieder geval onder controle kunnen houden en voorkomen dat hardwerkende belastingbetalers hun geld in een bodemloze put gooiden.

Dat de conservatieven de publieke opinie achter zich kregen zal geen verrassing zijn. Hun argumenten benadrukten een verschil tussen de armen 'die het verdienden' en armen 'die het niet verdienden', een verschil dat een lange, gevarieerde geschiedenis heeft in Amerika, een argument dat vaak raciaal of etnisch getint is en dat in periodes dat het economisch slecht ging – zoals in de jaren zeventig en tachtig – veel opgang maakte. De reactie van de vooruitstrevende beleidsmakers en de leiders van de burgerrechtenbeweging hielp niet echt: in hun streven om de vroegere slachtoffers van racisme vooral niet te beschadigen, waren ze geneigd om bewijzen dat diep ingesleten gedragspatronen onder de zwarte armen bijdroegen aan de generaties durende armoede te bagatelliseren of te negeren. (Een geruchtmakend voorbeeld was dat Daniel Patrick Moynihan in het begin van de jaren zestig werd beschuldigd van racisme toen hij alarm sloeg over het stijgende aantal buitenechtelijke geboorten onder zwarte armen.) Die bereidheid om de rol die normen spelen bij het genereren van economisch succes van een gemeenschap van tafel te vegen, was bijna ongelooflijk en vervreemdde blanken uit de arbeidersklasse – met name omdat de levens van sommigen van de meest progressieve beleidsmakers zich ver van de stedelijke onrust afspeelden.

In werkelijkheid beperkte de groeiende frustratie over de omstandigheden in de binnenstad zich nauwelijks tot blanken. In de meeste zwarte wijken vragen gezagsgetrouwe, hardwerkende inwoners al jaren om veel duidelijkere politiebescherming, omdat zij veel meer kans lopen het slachtoffer van criminaliteit te worden. Binnenskamers – rond keukentafels, in kapperszaken en na de kerkdienst – klagen zwarte mensen over het verminderde arbeidsethos, ondeugdelijk ouderschap en verloederend seksueel gedrag, met een heftigheid die de Heritage Foundation* goed zou doen.

In die zin is de houding van zwarten ten aanzien van de oorzaken van aanhoudende armoede veel conservatiever dan zwarte politici willen toegeven. Wat je echter niet zult horen is dat zwarten termen als 'plunderaar' voor een jong bendelid of 'onderklasse' voor moeders in de bijstand gebruiken – taal die de wereld verdeelt in mensen die onze zorg wel en niet verdienen. Zwarte Amerikanen zullen nooit op die manier afstand nemen van de armen, en niet alleen omdat onze huidskleur – en de conclusie die de samenleving als geheel op basis van die kleur trekt – ons allemaal slechts zo vrij en zo gerespecteerd maakt als de minste van ons.

Het komt ook omdat zwarten weten hoe het disfunctioneren van de binnenstad tot stand is gekomen. De meeste zwarten die in Chicago zijn opgegroeid herinneren zich de grote migratie vanuit het zuiden, hoe de zwarten na hun aankomst in het noorden in getto's gedwongen werden als gevolg van raciaal beleid en beperkende overeenkomsten, en in sociale woningen gepropt werden in buurten waar de scholen onder de maat waren en de parken te weinig subsidie kregen en waar geen politiebescherming was en drugshandel gedoogd werd. Ze herinneren zich hoe de betere banen gereserveerd waren voor leden van andere immigratiegroepen en hoe ondertussen de handarbeidersbanen waar de zwarte mensen van moesten leven verdwenen, zodat eerder harmonieuze gezinnen onder die druk barsten begonnen te vertonen en gewone kinderen door die barsten wegglipten, totdat het breekpunt was bereikt en wat voorheen een trieste uitzondering was, nu de regel werd. Ze weten

* De Heritage Foundation is een Amerikaanse denktank die conservatieve waarden wil bevorderen, gebaseerd op de vrije markt, een gelimiteerde overheid, individuele vrijheid, traditionele Amerikaanse waarden en een sterke defensie. – *vert.*

wat die dakloze man tot drinken dreef, want hij is hun oom. Die kille crimineel – ze weten nog hoe hij als kleine jongen was, zo levendig en liefdevol, want hij is hun neef.

Met andere woorden, Afro-Amerikanen begrijpen heel goed dat cultuur verschil maakt, maar die cultuur is door de omstandigheden gevormd. We weten dat veel mensen in de binnenstad zichzelf klem hebben gezet met hun zelfdestructieve gedrag, maar dat dat gedrag niet aangeboren is. En omdat we dat weten blijft de zwarte gemeenschap ervan overtuigd dat, als Amerika eindelijk bereid is er iets aan te doen, de omstandigheden voor degenen die klem zitten in de binnenstad kunnen veranderen, de houding van de individuele arme aan de hand daarvan kan veranderen, en de schade geleidelijk kan worden hersteld, zo niet voor deze generatie dan toch minstens voor de volgende.

Die wetenschap zou ons over het ideologische gekibbel heen kunnen helpen en als basis kunnen dienen voor een hernieuwde poging om het probleem van de binnenstedelijke armoede aan te pakken. We zouden kunnen beginnen met de erkenning dat het stimuleren van tienermeisjes om hun middelbare school af te maken en geen buitenechtelijke kinderen te krijgen misschien het belangrijkste is dat we kunnen doen om die armoede terug te dringen. Programma's op scholen en in gemeenschappen die bewezen hebben een beperkende invloed te hebben op het aantal tienerzwangerschappen moeten daarbij worden uitgebreid, maar ook ouders, de geestelijkheid en leiders in de gemeenschap moeten de kwestie consequenter aan de orde stellen.

We moeten ook toegeven dat de conservatieven – en Bill Clinton – gelijk hadden over de bijstand zoals die voorheen was opgezet: door inkomen los te koppelen van arbeid en geen andere eisen aan uitkeringsontvangers te stellen dan tolerantie voor opdringerige bureaucratie en de verzekering dat de man niet in hetzelfde huis als de moeder van zijn kinderen woonde, ondergroef het oude AFCD-programma het eigen initiatief en het zelfrespect van de ontvangers. Elk plan om armoede die al generaties duurt te beperken moet zich concentreren op arbeid, niet op bijstand – niet alleen omdat werk onafhankelijk maakt en inkomen oplevert, maar ook omdat werk orde, structuur, waardigheid en groeimogelijkheden voor mensen oplevert.

Maar we moeten ook erkennen dat alleen werk niet de garantie geeft dat mensen zich aan de armoede kunnen ontworstelen. In heel Amerika heeft de verandering in het bijstandsprogramma het aantal uitkeringstrekkers sterk teruggebracht; het heeft ook de groep werkende armen groter gemaakt, met vrouwen die voortdurend in en uit de arbeidsmarkt stappen, klemgezet in banen met onvoldoende loon, elke dag worstelend om betrouwbare kinderopvang, betaalbare huisvesting en beschikbare gezondheidszorg te regelen, om zich aan het eind van de maand iedere keer weer af te vragen hoe ze met hun laatste paar dollars eten, het gas en het nieuwe jasje voor de baby kunnen betalen.

Plannen als het uitgebreide Verdiende Loon Belastingkrediet die alle laagbetaalde werkers steunen kunnen een enorm verschil maken in de levens van deze vrouwen en hun kinderen. Maar als het doorbreken van de vicieuze cirkel van de generaties lang durende armoede ons ernst is, zullen veel van deze vrouwen wat extra steun nodig hebben bij het bekostigen van de basisbehoeften die degenen die niet in de binnenstad wonen vaak vanzelfsprekend vinden. Ze hebben meer politie en effectievere bescherming nodig in hun wijken, om te zorgen dat zij en hun kinderen in ieder geval een schijn van persoonlijke veiligheid ervaren. Er moeten gezondheidscentra in hun eigen wijken beschikbaar zijn die de nadruk leggen op geboortenbeperking, zwangerschapszorg, voedingsadviezen en in sommige gevallen behandeling voor drugs- en alcoholmisbruik. Er moet een radicale verandering plaatsvinden op de scholen waar hun kinderen onderwijs krijgen, en er moet betaalbare kinderopvang komen die hen in staat stelt een volledige baan te nemen of te studeren.

En in veel gevallen hebben ze hulp nodig om te leren hoe ze goede ouders worden. Tegen de tijd dat veel kinderen uit de binnenstad in het onderwijssysteem terechtkomen, hebben ze al een achterstand, ze kunnen geen cijfers, kleuren, of de letters van het alfabet benoemen, zijn niet gewend stil te zitten of deel uit te maken van een gestructureerde omgeving, en hebben vaak ongediagnosticeerde gezondheidsproblemen. Ze zijn er niet klaar voor, niet omdat er niet van hen gehouden wordt, maar omdat hun moeders niet weten hoe ze hun kunnen geven wat ze nodig hebben. Goed gestructureerde overheidsprogramma's – prenatale adviezen, regelmatig bezoek aan een kinderarts, ouderschapscursussen en degelijke onderwijsprogramma's voor peuters – hebben bewezen dat zij de leemte kunnen vullen.

Ten slotte moeten we het verband tussen werkloosheid en misdaad in de binnenstad aanpakken, zodat de mannen die daar wonen hun verantwoordelijkheden leren te nemen. Het gebruikelijke cliché is dat de meeste werkloze mannen in de binnenstad werk zouden kunnen vinden als ze echt wilden werken; dat ze onvermijdelijk liever drugs dealen, met de bijbehorende risico's maar ook de potentiële winst, dan de laagbetaalde banen aannemen die bij hun ongeschoolde status passen. Economen die zich in de kwestie en in de jonge mannen wier lot op het spel staat verdiept hebben, zeggen trouwens dat de kosten en baten van het leven op straat verschillen van wat algemeen wordt aangenomen: aan de onderkant of zelfs in de middenmoot van de drugsdealingindustrie is met moeite een minimumloon te verdienen. Wat veel mannen in de binnenstad ervan weerhoudt betaald werk te doen is niet simpelweg het gebrek aan motivatie, maar het gebrek aan werkverleden en vaardigheden – en in toenemende mate het stigma van een strafblad.

Vraag het aan Mac, wiens missie het onder andere is om jonge mannen in zijn buurt een tweede kans te geven. Vijfennegentig procent van zijn mannelijke werknemers zijn ex-gevangenen, onder wie een van zijn beste koks, die de afgelopen twintig jaar vele malen gevangen heeft gezeten voor diverse drugsdelicten en een gewapende overval. Mac geeft hun in het begin acht dollar per uur, en maximaal verdienen ze vijftien dollar per uur. Hij heeft geen gebrek aan sollicitanten. Mac is de eerste die zal toegeven dat sommige jongens problemen geven – ze zijn niet gewend om op tijd op het werk te komen, en vaak zijn ze niet gewend opdrachten van een baas te krijgen –, en zijn verloop is vaak hoog. Maar door geen smoezen te accepteren van de jonge mannen die hij aanneemt ('Ik vertel ze dat ik een bedrijf moet runnen en dat als ze de baan niet willen er genoeg anderen zijn die het wel willen'), passen de meesten zich snel aan. In de loop van de tijd raken ze gewend aan het ritme van het gewone leven: ze houden zich aan het rooster, ze werken als lid van een team, ze dragen hun steentje bij. Ze beginnen te praten over het halen van een vervangend middelbareschooldiploma, en ze gaan zich misschien inschrijven op het lokale *college*.

Ze beginnen te streven naar iets beters.

Het zou prettig zijn als er duizenden Macs waren en als de arbeidsmarkt zelf mogelijkheden kon genereren voor alle mannen uit de binnenstad die er behoefte aan hebben. Maar de meeste werkgevers zijn niet bereid risico's te nemen met een ex-gevangene, en degenen die daartoe wel bereid zijn krijgen vaak de kans niet. In Illinois is het ex-gevangenen niet alleen verboden om in scholen, verpleeghuizen en ziekenhuizen te werken – terechte beperkingen omdat we niet bereid zijn de veiligheid van onze kinderen of bejaarde ouders op het spel te zetten –, maar sommigen mogen ook niet als kapper en manicure werken.

De overheid zou een impuls kunnen geven aan een verandering van de omstandigheden van deze mannen door samen te werken met bedrijven die ex-gevangenen scholen en inhuren bij projecten die de gemeenschap als geheel ten goede komen: het isoleren van woningen en kantoren om ze energiezuiniger te maken, of het aanleggen van breedbandkabels die nodig zijn om hele gemeenschappen tegelijk op te stuwen in het internettijdperk. Dergelijke programma's kosten uiteraard geld – hoewel, gezien de jaarlijkse kosten voor het opsluiten van een gevangene zou elke daling van recidivisme betekenen dat het programma zichzelf betaalt. Niet alle geharde werklozen zouden startersbanen verkiezen boven het leven op straat, en geen enkel programma ter ondersteuning van exgevangenen zal de noodzaak wegnemen om doorgewinterde criminelen, degenen die alleen nog maar door middel van geweld kunnen communiceren, op te sluiten.

Toch kunnen we ervan uitgaan dat de misdaad in veel gemeenschappen zal afnemen als er legaal werk beschikbaar is voor de jongemannen die nu in drugs handelen; dat meer werkgevers als gevolg daarvan hun bedrijven in deze wijken zullen vestigen en dat er dan een economie ontstaat die in eigen behoeften voorziet; en dat in de loop van tien tot vijftien jaar de normen zullen veranderen, jonge mannen en vrouwen een toekomst voor zichzelf zullen gaan uitstippelen, het aantal huwelijken zal stijgen en kinderen een stabielere omgeving zullen krijgen om in op te groeien.

Wat zou ons dat allemaal waard zijn – een Amerika met minder misdaad, meer kinderen voor wie gezorgd wordt, waarin de steden herleven en de vooroordelen, angst en onenigheid die het gevolg zijn van zwarte armoede langzaam wegvallen? Zouden we ervoor over hebben wat we het afgelopen jaar in Irak hebben uitgegeven? Zouden we onze eis tot afschaffing van de successierechten ervoor intrekken? Het is moeilijk om de voordelen van dergelijke veranderingen in geld uit te drukken – omdát de voordelen onmetelijk zijn.

De problemen van de armoede in de binnenstad ontstaan wellicht omdat we niet in staat zijn een vaak tragisch verleden onder ogen te zien, maar de moeilijkheden rond immigratie wakkeren angst voor een onzekere toekomst aan. De bevolkingssamenstelling van Amerika is onherroepelijk en in hoog tempo aan het veranderen en de eisen van nieuwe immigranten zullen niet keurig in het zwart-blanke model van discriminatie en verzet en schuld en wederzijdse beschuldiging passen. Zwarte en blanke nieuwkomers – uit Ghana en Oekraïne, Somalië en Roemenië – arriveren in ons land zonder de last van de raciale dynamiek van een eerder tijdperk op hun schouders.

Tijdens de campagne kon ik dit nieuwe Amerika zelf zien – op de Indiase markt op Devon Avenue, in de schitterende nieuwe moskee in de zuidwestelijke buitenwijk, bij een Armeense bruiloft en bij een Filippijns feest, tijdens de bijeenkomsten van de leidersraad van de Koreaanse Amerikanen en de Nigeriaanse ingenieursbond. Waar ik ook kwam, overal zag ik hoe immigranten zich vastklampten aan wat ze ook maar konden vinden aan huizen en werk. Ze waren bordenwasser of reden taxi, ze zwoegden in de stomerij van hun neef, ze spaarden geld en zetten bedrijven op en ze brachten nieuwe leven in kwijnende buurten, tot ze verhuisden naar de buitenwijken en kinderen opvoedden die een accent hadden dat niet klonk als dat van hun ouders maar aantoonde dat ze een geboortebewijs van de stad Chicago hadden, tieners die naar rap luisterden en in het winkelcentrum boodschappen deden en plannen maakten voor een toekomst als arts en advocaat en ingenieur en zelfs politicus.

Dit klassieke immigrantenverhaal herhaalt zich overal in het land, het verhaal van ambitie en aanpassing, hard werken en onderwijs, assimilatie en opwaartse mobiliteit. De immigranten van vandaag ervaren dit verhaal echter in de hoogste versnelling. Ze profiteren van een natie die toleranter en wereldser is dan de natie waarmee de immigranten van vroegere generaties geconfronteerd werden, een natie die ontzag heeft voor de immigrantenmythe; ze voelen zich hier meer op hun gemak en zijn zich bewuster van hun rechten. Als senator krijg ik talloze uitnodigingen om deze kersverse Amerikanen toe te spreken en dan krijg ik vaak vragen over mijn eigen mening over buitenlandbeleid – wat vind ik van Cyprus, bijvoorbeeld, of van de toekomst van Taiwan? Soms hebben ze vragen over beleid op een terrein dat voor hun etnische groepering extra belangrijk is – Indiase Amerikaanse apothekers klagen bijvoorbeeld over vergoedingen van Medicare, Koreaanse kleine zelfstandigen vragen bijvoorbeeld aandacht voor veranderingen in de belastingwetgeving.

Maar ze willen vooral bevestiging van het feit dat ook zij Amerikanen zijn. Iedere keer als ik optreed voor een publiek van immigranten weet ik zeker dat ik na mijn toespraak vriendelijke plagerijen van mijn medewerkers kan verwachten; volgens hen volg ik een drieledig patroon: 'Ik ben uw vriend', '[naam van het oude vaderland] is een bakermat van de beschaving', en 'U bent de personificatie van de Amerikaanse droom'. Ze hebben gelijk, mijn boodschap is simpel, want ik ben gaan inzien dat mijn aanwezigheid alleen al voor deze kersverse Amerikanen een bewijs is dat zij ertoe doen, dat zij kiezers zijn die wezenlijk zijn voor mijn succes en dat zij volwaardige staatsburgers zijn die respect verdienen.

Natuurlijk verlopen niet al mijn gesprekken bij immigrantengemeenschappen volgens dit eenvoudige patroon. In de periode na 11 september waren mijn ontmoetingen met Arabische en Pakistaanse Amerikanen van urgenter belang, want de verhalen over arrestaties en verhoren door de FBI, en ijskoude blikken van de buren hebben hun gevoel van veiligheid en zich thuis voelen aan het wankelen gebracht. Ze werden eraan herinnerd dat de geschiedenis van de immigratie in dit land een duistere, zwakke plek heeft; zij hebben specifieke geruststelling nodig dat hun staatsburgerschap echt iets betekent, dat Amerika de juiste lessen heeft geleerd van de Japanse interneringskampen tijdens de Tweede Wereldoorlog, en dat ik achter hen zal staan als de politieke wind guur wordt.

Maar tijdens mijn ontmoetingen met de latino gemeenschappen, in buurten als Pilsen en Little Village, gemeenten als Cicero en Aurora, word ik gedwongen na te denken over de betekenis van Amerika, de betekenis van het staatsburgerschap en over mijn soms tegenstrijdige gevoelens over alle veranderingen die plaatsvinden.

De aanwezigheid van latino's in Illinois – Porto Ricanen, Colombianen, Salvadorianen, Cubanen en vooral Mexicanen – dateert natuurlijk al van generaties her, toen landarbeiders naar het noorden begonnen te trekken en zich over de hele regio verspreid bij etnische groeperingen voegden die fabriekswerk deden. Net als andere immigranten werden ze in de cultuur opgenomen, hoewel hun opwaartse mobiliteit vaak door raciale vooroordelen werd gehinderd, net als bij Afro-Amerikanen. Misschien is dat de reden waarom zwarte en latino politieke en burgerrechtenleiders vaak hebben samengewerkt. In 1983 was de steun van de latino's van groot belang bij de verkiezing van de eerste zwarte burgemeester van Chicago, Harold Washington. Die steun werd beloond toen Washington een generatie van jonge, progressieve latino's hielp om in de gemeenteraad van Chicago en in de wetgevende macht van de staat Illinois gekozen te worden. Tot hun aantal eindelijk een eigen organisatie rechtvaardigde waren de latino parlementsleden zelfs officieel deelnemers aan de besloten vergadering van zwarte parlementsleden.

Tegen die achtergrond ontstonden kort na mijn aankomst in Chicago mijn eigen banden met de latino gemeenschap. Als jonge organisator werkte ik vaak samen met latino leiders aan zaken die zowel zwarte als bruine inwoners betroffen, van tekortschietende scholen tot illegale vuilstort tot niet ingeënte kinderen. Mijn belangstelling ging verder dan de politiek. Ik ging van de Porto Ricaanse en Mexicaanse wijken van de stad houden – de ritmische geluiden van salsa en merengue die op warme zomeravonden uit de huizen klonken, de ceremoniële mis in kerken die ooit gevuld waren met Polen, Italianen en Ieren, de fanatieke, vrolijke stemmen van de voetballers in het park, de nuchtere humor van de mannen achter de toonbank van de broodjeswinkel, de bejaarde vrouwen die mijn hand pakten en lachten om mijn treurige pogingen Spaans te spreken. Ik vond in die buurten bondgenoten en vrienden voor het leven; naar mijn idee zou het lot van zwart en bruin voor altijd met elkaar vervlochten blijven, en een hoeksteen zijn van een coalitie die Amerika kon helpen zijn belofte na te komen.

Tegen de tijd dat ik na mijn studie rechten terugkeerde waren er spanningen tussen zwarten en latino's in Chicago aan het ontstaan. Tussen 1990 en 2000 groeide de Spaanstalige gemeenschap in Chicago met achtendertig procent en die bevolkingsaanwas was voor de latino gemeenschap reden om niet langer tevreden te zijn met de rol van jonger broertje in welke zwart-bruine coalitie dan ook. Na de dood van Harold Washington verscheen een nieuwe groep van gekozen latino functionarissen op het toneel, aangesloten bij Richard M. Daley en de restanten van de oude politieke organisatie in Chicago, mannen en vrouwen die minder geïnteresseerd waren in hoogdravende principes en regenboogcoalities dan in het omzetten van groeiende politieke macht in contracten en banen. De zwarte bedrijven en commerciële zones worstelden om boven water te blijven, maar de latino bedrijven floreerden, gedeeltelijk dankzij financiële banden met het oude vaderland en door klanten die vanwege taalbarrières niet elders gingen inkopen. Het leek wel of de Mexicaanse en Midden-Amerikaanse werkers overal het slechtbetaalde werk deden dat vroeger door zwarten werd gedaan – als kelners en hulpkelners, als kamermeisjes en piccolo's – en hun weg vonden in de bouw, een terrein waar heel lang zwarten buitengesloten werden. Zwarten begonnen te morren en voelden zich bedreigd; ze vroegen zich af of ze alweer zouden worden gepasseerd door mensen die net aangekomen waren.

Ik moet de scheuring niet overdrijven. Omdat beide gemeenschappen een groot aantal gemeenschappelijke problemen hebben, van snel stijgende aantallen schoolverlaters tot ontoereikende ziekteverzekering, blijven zwarten en latino's elkaar in politieke kwesties vaak steunen. Hoe gefrustreerd zwarten ook kunnen zijn als ze een bouwterrein in een zwarte buurt passeren en alleen maar Mexicaanse bouwvakkers zien, toch hoor ik ze zelden de arbeiders zelf de schuld geven. Meestal richten ze hun woede op de aannemers die hen inhuren. Na enig aandringen zullen veel zwarten met tegenzin hun bewondering voor latino immigranten uitspreken – voor hun krachtige arbeidsethiek en betrokkenheid bij hun gezin, hun bereidheid om onder aan de ladder te beginnen en te roeien met de riemen die ze hebben.

Maar het valt niet te ontkennen dat veel zwarten net zo ongerust zijn als veel blanken over de golf van illegale immigranten die over onze zuidelijke grens spoelt – een gevoel dat wat er nu gebeurt wezenlijk verschilt van wat er in het verleden is gebeurd. Die angsten zijn niet helemaal irrationeel. Het aantal immigranten dat zich elk jaar op de arbeidsmarkt meldt is van een omvang die dit land in meer dan honderd jaar niet gezien heeft. Als deze enorme aanwas van grotendeels laagopgeleide arbeiders al iets bijdraagt aan de economie als geheel – met name door onze beroepsbevolking jong te houden, in tegenstelling tot het vergrijzende Europa en Japan – is er ook het risico dat de lonen van de Amerikaanse arbeiders nog meer dalen en daarmee het toch al overbelaste vangnet nog meer onder druk komt te staan. Andere angsten van autochtone Amerikanen zijn zorgwekkend vertrouwd en doen denken aan de vreemdelingenhaat die vroeger gericht was op Italianen, Ieren en Slaven die rechtstreeks van de boot kwamen – de angst dat latino's van nature te zeer anders zijn, van cultuur en temperament, om volledig in de Amerikaanse levensstijl opgenomen te worden; de angst dat latino's, als gevolg van de huidige veranderingen in de bevolkingssamenstelling, de macht over zullen nemen van degenen die gewend zijn politieke macht uit te oefenen.

De ongerustheid van de meeste Amerikanen over illegale immigratie gaat echter verder dan zorg over economische verschuiving en is subtieler dan eenvoudig racisme. In het verleden vond immigratie plaats op voorwaarden die Amerika stelde. Het warme onthaal kon selectief worden uitgebreid, aan de hand van de huidskleur of de vaardigheden van de immigrant of de vraag van de markt. De arbeider, of hij Chinees of Russisch of Grieks was, was vreemdeling in een vreemd land, afgesneden van zijn vaderland, vaak gebonden aan strenge restricties, gedwongen om zich aan te passen aan regels die hij niet zelf had bedacht.

Tegenwoordig lijken die voorwaarden niet langer te gelden. Immigranten komen eerder binnen als gevolg van een lekkende grens dan van een systematisch overheidsbeleid. De nabijheid van Mexico en de schreeuwende armoede van een groot deel van zijn bevolking doen vermoeden dat het moeilijk zal zijn om de illegale immigratie te beperken, laat staan helemaal te stoppen. Satellieten, telefoonkaarten en telegrafisch geldverkeer maken het, gekoppeld aan de omvang van de florerende latino markt, voor de immigrant van vandaag simpeler om de taalkundige en culturele banden met het geboorteland te onderhouden (de nieuwsuitzendingen van het Spaanstalige Univision scoren de hoogste kijkcijfers in Chicago). Autochtone Amerikanen krijgen het idee dat zij, niet de immigranten, gedwongen worden zich aan te passen. Het immigratiedebat gaat steeds minder over het verlies van banen maar over het verlies van soevereiniteit, een extra indicatie – net als 11 september, de vogelgriep, computervirussen en fabrieken die verhuizen naar China – dat Amerika niet in staat is zijn eigen lotsbestemming te bepalen.

Deze sfeer van onzekerheid – met heftige emoties aan beide zijden van het debat – leidde er in het voorjaar van 2006 toe dat de Senaat uitgebreide hervormingen van de immigratiewetgeving overwoog. Met honderdduizenden protesterende immigranten en een groep zogenaamde burgerwachten, de Minutemen, die eropuit trok om de grens in het zuiden te verdedigen, was de politieke inzet hoog voor de Democraten, de Republikeinen en de president.

Onder leiding van Ted Kennedy en John McCain stelde de Senaat een compromiswet op die bestond uit drie belangrijke elementen. De wet voorzag in veel strengere bewaking van de grens en maakte het, dankzij een amendement dat Chuck Grassley en ik indienden, aanzienlijk moeilijker voor werkgevers om arbeiders illegaal aan te nemen. De wet was ook een erkenning van het probleem om twaalf miljoen immigranten zonder papieren uit te zetten en creëerde een lang, elf jaar durend proces waarmee velen van hen het staatsburgerschap zouden kunnen verwerven. Tot slot voorzag de wet in een gastarbeidersprogramma dat ruimte aan tweehonderdduizend buitenlandse arbeiders bood om voor tijdelijk werk het land binnen te komen.

Per saldo vond ik de wet de moeite waard om te steunen. Maar de bepaling over de gastarbeiders baarde me zorgen; het was in wezen een knieval voor het grootkapitaal, een middel voor de werkgevers om immigranten aan te nemen zonder hun burgerrechten te verlenen – zelfs een middel voor het bedrijfsleven om te profiteren van uitbesteed werk zonder hun werkzaamheden naar het buitenland te verplaatsen. Om dit probleem aan te pakken slaagde ik erin om een zinsnede te laten opnemen waarin geëist werd dat elke baan eerst aan Amerikaanse arbeiders moest worden aangeboden en dat werkgevers gastarbeiders niet minder loon mochten betalen dan hun Amerikaanse collega's. De bedoeling was ervoor te zorgen dat bedrijven alleen tijdelijke buitenlandse arbeiders inhuurden als er te weinig Amerikaanse arbeiders waren.

Het was een amendement dat duidelijk bedoeld was om de Amerikaanse arbeiders te helpen en daarom werd het door alle vakbonden enthousiast gesteund. Maar de bepaling was nog niet in de wet opgenomen of een aantal conservatieven, zowel in als buiten de Senaat, viel mij aan omdat ik zogenaamd 'eiste dat buitenlandse arbeiders meer moesten verdienen dan Amerikaanse arbeiders'.

Op een dag schoot ik in de Senaat een van mijn Republikeinse collega's aan die me dit had verweten. Ik legde uit dat de wet Amerikaanse arbeiders juist zou beschermen, omdat werkgevers geen reden hadden om buitenlandse arbeiders in te huren als ze hun hetzelfde loon als Amerikaanse arbeiders moesten betalen. De Republikeinse collega, die luid van zich had laten horen bij zijn verzet tegen elke wet die de status van immigranten zonder papieren zou legaliseren, schudde zijn hoofd.

'Mijn kleine zelfstandigen zullen toch immigranten blijven inzetten,' zei hij. 'Het enige gevolg van jouw amendement is dat zij hun meer moeten betalen.'

'Maar waarom zouden ze immigranten inhuren in plaats van Amerikanen als ze hetzelfde kosten?' vroeg ik.

Hij glimlachte. 'Laten we eerlijk zijn, Barack. Die Mexicanen zijn gewoon bereid harder te werken dan de Amerikanen.'

Dat de tegenstanders van de immigratiewet zulke dingen in vertrouwen konden zeggen, terwijl ze in het openbaar deden of ze opkwamen voor de Amerikaanse arbeiders, is een indicatie van de mate van cynisme en hypocrisie waarvan het immigratiedebat doortrokken is. Maar gezien de slechte stemming onder het publiek, welks zorgen en angsten dagelijks worden gevoed door Lou Dobbs en praatprogramma's op de radio in het hele land, ben ik niet verbaasd dat de compromiswet sinds de acceptatie door de Senaat in het Huis van Afgevaardigden is blijven steken.

En als ik eerlijk ben tegen mezelf moet ik toegeven dat ik ook niet immuun ben voor overwegingen die ingezetenen meer rechten geven dan immigranten. Als ik Mexicaanse vlaggen zie wapperen bij demonstraties vóór immigratie voel ik soms een vlaag van patriottisch verzet. Als ik gedwongen word een tolk in te zetten voor het gesprek met de man die mijn auto repareert, voel ik enige frustratie.

Toen het immigratiedebat in het Capitool ontbrandde, kreeg ik een keer een groep activisten op bezoek die mij vroeg een particuliere ontheffingswet in te dienen die de status van dertig Mexicaanse burgers die waren uitgezet, met achterlating van echtgenotes en kinderen die wel een verblijfsvergunning hadden, zou legaliseren. Een van mijn medewerkers, Danny Sepulveda, een jongeman van Chileense afkomst, ontving de groep en legde uit dat ik weliswaar positief stond tegenover hun zaak en een van de belangrijkste indieners was geweest van de immigratiewet in de Senaat, maar principieel moeite had met het indienen van wetgeving die dertig van de miljoenen mensen in vergelijkbare omstandigheden een speciale ontheffing zou verlenen. Sommige leden van de groep wonden zich op; ze suggereerden dat ik me niet interesseerde voor immigrantengezinnen en immigrantenkinderen, dat ik grenzen belangrijker vond dan rechtvaardigheid. Een van de activisten verweet Danny dat hij was vergeten waar hij vandaan kwam, dat hij geen echte latino was.

Toen ik hoorde wat er gebeurd was, was ik boos én teleurgesteld. Ik wilde de groep opbellen en uitleggen dat het Amerikaanse staatsburgerschap een privilege is en geen recht; dat zonder zinvolle grenzen en respect voor de wet juist die dingen waarvoor ze naar Amerika waren gekomen, de mogelijkheden en de bescherming die de mensen genieten die in dit land wonen, uitgehold zouden worden. Plus dat ik niet accepteerde dat mensen mijn medewerkers beledigden – met name iemand die hun zaak steunde.

Danny was degene die me overhaalde niet te bellen, door heel verstandig op te merken dat het contraproductief zou werken. Een paar weken later woonde ik op een zaterdagochtend in de Sint Piuskerk in Pilsen een naturalisatieworkshop bij die was opgezet door congreslid Luis Gutierrez, de Service Employees International Union en verschillende immigrantenrechtengroepen die mijn kantoor hadden bezocht. Buiten de kerk stonden ongeveer duizend mensen te wachten, onder wie jonge gezinnen, bejaarde echtparen en vrouwen met wandelwagentjes. Binnen zaten mensen zwijgend in de houten banken, met de Amerikaanse vlaggetjes die de organisatie had uitgedeeld in hun hand, en wachtend tot ze werden geroepen door een van de vrijwilligers die hen zou helpen een begin te maken met de jarenlange procedure om staatsburger te worden.

Toen ik over het gangpad liep, zwaaiden en glimlachten sommige mensen naar me; anderen knikten aarzelend als ik mijn hand uitstak en mezelf voorstelde. Ik maakte kennis met een Mexicaanse vrouw die geen Engels sprak, maar wier zoon in Irak was; ik herkende een jonge Colombiaan die als autoparkeerder werkte bij een plaatselijk restaurant en hoorde dat hij boekhoudkunde studeerde aan het plaatselijke college. Op een gegeven moment kwam er klein meisje van zeven of acht naar me toe, haar ouders stonden achter haar, en vroeg me om een handtekening; ze kreeg staatshuishoudkunde op school en zou hem aan haar klas laten zien.

Ik vroeg hoe ze heette. Ze zei dat ze Cristina heette en dat ze in groep vijf zat. Ik zei tegen haar ouders dat ze trots op haar konden zijn. En terwijl Cristina mijn woorden in het Spaans vertaalde, bedacht ik dat Amerika niets te vrezen had van deze nieuwkomers, dat ze hier waren gekomen om dezelfde reden waarom gezinnen hier honderdvijftig jaar geleden kwamen – al degenen die vluchtten voor de hongersnoden en oorlogen en onbuigzame regeringen in Europa, al degenen die al dan niet de juiste wettelijke documenten of relaties of unieke vaardigheden hadden, maar die de hoop op een beter leven met zich meedroegen.

We hebben het recht en de plicht onze grenzen te beschermen. We kunnen voor degenen die al hier zijn benadrukken dat het staatsburgerschap verplichtingen met zich mee brengt – tot een gemeenschappelijke taal, gemeenschappelijke loyaliteiten, een gemeenschappelijk doel, een gemeenschappelijk lot. Maar de bedreiging van onze manier van leven is goedbeschouwd niet dat we onder de voet zullen worden gelopen door mensen die er anders uitzien dan wij of niet onze taal spreken. De bedreiging wordt werkelijkheid als we niet in staat zijn de menselijkheid van Cristina en haar familie te erkennen – als we hun de rechten en mogelijkheden onthouden die wij vanzelfsprekend vinden en de schijnheiligheid van een dienstknechtenklasse in ons midden tolereren; of, ruimer gesteld, als we passief toezien hoe Amerika steeds ongelijker wordt, een ongelijkheid die langs raciale lijnen loopt en daarom voeding geeft aan raciale conflicten en waartegen, terwijl het land bruiner en zwarter wordt, noch onze democratie noch onze economie lang bestand zal zijn.

Dat is niet de toekomst die ik Cristina wens, zei ik tegen mezelf terwijl ik haar en haar ouders ten afscheid zag zwaaien. Dat is niet de toekomst die ik voor mijn dochters wens. Hun Amerika zal in zijn diversiteit duizelingwekkender zijn, zijn cultuur meertalig. Mijn dochters zullen Spaans leren en er beter van worden. Cristina zal lezen over Rosa Parks en begrijpen dat het leven van een zwarte naaister op dat van haar lijkt. De problemen die mijn dochters en Cristina te wachten staan zullen misschien niet de schrille morele helderheid van een gesegregeerde bus hebben, maar in de een of andere vorm zal hun generatie zeker op de proef gesteld worden – zoals Mrs. Parks op de proef werd gesteld en de Freedom Riders op de proef werden gesteld, zoals wij allemaal op de proef worden gesteld – door die stemmen die ons verdelen en ons tegen elkaar opzetten.

En als zij op die manier op de proef gesteld worden hoop ik dat Cristina en mijn dochters allemaal over de geschiedenis van dit land gelezen hebben en zich realiseren dat ze een kostbaar geschenk hebben ontvangen.

Amerika heeft ruimte genoeg voor al hun dromen.

HOOFDSTUK 8

De wereld buiten onze grenzen

Indonesië is een land dat bestaat uit eilanden – in totaal meer dan zeventienduizend, verspreid gelegen langs de evenaar tussen de Indische en de Stille Oceaan, tussen Australië en de Zuid-Chinese Zee. De meeste Indonesiërs zijn van Maleisische afkomst en wonen op de grotere eilanden, zoals Java, Sumatra, Kalimantan en Bali. Op de eilanden in het uiterste oosten, zoals Ambon, en het Indonesische deel van Nieuw-Guinea zijn de mensen, in meerdere of mindere mate, van Melanesische afkomst. Het klimaat van Indonesië is tropisch en in zijn regenwouden wemelde het er ooit van exotische diersoorten als de orang-oetan en de Sumatraanse tijger. Momenteel verdwijnen die regenwouden in hoog tempo, ten slachtoffer gevallen aan houtkap, mijnbouw en de teelt van rijst, thee, koffie en palmolie. Zonder hun natuurlijke leefomgeving zijn de orang-oetans een bedreigde soort geworden; er zijn in het wild nog maar een paar honderd Sumatraanse tijgers.

Indonesië is met een bevolking van tweehonderdveertig miljoen mensen het vierde land ter wereld, na China, India en de Verenigde Staten. Er wonen meer dan zevenhonderd etnische groepen en er worden meer dan 742 talen gesproken. Bijna negentig procent van de Indonesische bevolking is islamitisch en daarmee is het het grootste islamitische land ter wereld. Indonesië is het enige Aziatische lid van de OPEC, maar als gevolg van verouderende infrastructuur, uitgeputte voorraden en een hoog binnenlands verbruik importeert het land tegenwoordig ruwe olie. De nationale taal is Bahasa Indonesia. De hoofdstad is Jakarta. De munteenheid is de roepia.

De meeste Amerikanen weten Indonesië op de kaart niet te vinden.

Dat is een gegeven waarover Indonesiërs zich verbazen, want in de afgelopen zestig jaar was hun lot rechtstreeks verbonden met het buitenlandbeleid van Amerika. Het eilandenrijk werd een groot deel van zijn geschiedenis geregeerd door opeenvolgende sultanaten en vaak afgesplitste vorstendommen en werd in de 17e eeuw een Nederlandse kolonie (Nederlands-Indië), een situatie die meer dan drie eeuwen zou blijven bestaan. Maar in de aanloop naar de Tweede Wereldoorlog werden de rijke olievoorraden een belangrijk doelwit voor Japanse uitbreidingsplannen. Japan had zich aangesloten bij de asmogendheden en stond op het punt een Amerikaans olie-embargo opgelegd te krijgen, maar had brandstof nodig voor de krijgsmacht en de industrie. Na de aanval op Pearl Harbor bezette Japan snel de Nederlandse kolonie, een bezetting die de rest van de oorlog zou duren.

Na de overgave van Japan in 1945 verklaarde een prille Indonesische nationalistische beweging het land onafhankelijk. De Nederlanders dachten daar anders over en trachtten hun voormalige grondgebied terug te winnen. Er volgden vier bloedige oorlogsjaren. Uiteindelijk bogen de Nederlanders onder de toenemende internationale druk (de Amerikaanse regering, toch al bezorgd over de verbreiding van communisme onder de vlag van het antikolonialisme, dreigde Nederland af te snijden van de financiële hulp van het Marshallplan) en erkende de Indonesische soevereiniteit. De voornaamste leider van de onafhankelijkheidsbeweging, Soekarno, een charismatische, flamboyante man, werd de eerste president van het land.

Soekarno bleek een grote teleurstelling voor Washington. Samen met Nehroe van India en Nasser van Egypte richtte hij de neutrale beweging op, een poging van landen die net van koloniale overheersing waren bevrijd om een onafhankelijke koers te varen, los van het Westen en het Sovjetblok. De communistische partij in Indonesië nam toe in omvang en invloed, al kwam ze officieel niet aan de macht. Soekarno zelf sloeg dreigende taal uit tegen het Westen, nationaliseerde grote industrieën, weigerde Amerikaanse steun en versterkte de banden met de Sovjets en China. Omdat de Amerikaanse troepen druk doende waren in Vietnam en de dominotheorie nog steeds een belangrijk basisprincipe van het Amerikaanse buitenlandse beleid was, begon de CIA in het geheim steun te verlenen aan diverse opstanden in Indonesië en onderhield nauwe banden met Indonesische militaire officieren, van wie er velen in de

Verenigde Staten waren opgeleid. In 1965 kwam het leger, onder leiding van generaal Soeharto, in opstand tegen Soekarno en begon als noodregering aan een massale zuivering van communisten en hun sympathisanten. Er wordt geschat dat er tijdens de zuiveringen tussen de vijfhonderdduizend en een miljoen mensen zijn afgeslacht, en zevenhonderdvijftigduizend mensen werden gevangengezet of gedwongen het land te verlaten.

Twee jaar nadat de zuiveringen waren begonnen, in 1967, hetzelfde jaar dat Soeharto president werd, arriveerden mijn moeder en ik in Jakarta, omdat zij hertrouwd was met een Indonesische student die ze op de universiteit van Hawaii had leren kennen. Ik was zes jaar destijds, mijn moeder vierentwintig. Later zou mijn moeder nadrukkelijk zeggen dat als ze had geweten wat er in de maanden voorafgaand aan onze komst was gebeurd, ze nooit aan de reis zou zijn begonnen. Maar ze wist het niet – het volledige verhaal van de coup en de zuivering verscheen met grote vertraging in de Amerikaanse kranten. De Indonesiërs praatten er ook niet over. Mijn stiefvader, wiens studentenvisum was ingetrokken toen hij nog op Hawaii was en die een paar maanden voor onze komst was opgeroepen voor militaire dienst, weigerde met mijn moeder over politiek te praten en zei tegen haar dat je sommige dingen maar beter kon vergeten.

En het verleden vergeten was in Indonesië zelfs heel simpel. Jakarta was destijds nog een slaperig, achtergebleven gebied, met maar een paar gebouwen hoger dan drie of vier verdiepingen, met meer fietsriksja's dan auto's. Het centrum en de welvarender delen van de stad – met hun koloniale allure en welige, goed verzorgde gazons – liepen al snel over in groepjes kleine dorpen met onverharde wegen en open riolen, stoffige markten en hutten van modder en baksteen en triplex en verroest ijzer die langs de glooiende oevers van donkere rivieren stonden waar families zich baadden en de was deden, net als pelgrims in de Ganges.

Ons gezin was die jaren niet rijk; het Indonesische leger betaalde zijn luitenanten niet veel. We woonden in een bescheiden huis in een buitenwijk van de stad, zonder airconditioning, koelkast of een toilet met stromend water. We hadden geen auto – mijn stiefvader reed op een motor en mijn moeder nam elke dag het plaatselijke pendelbusje naar de Amerikaanse ambassade waar ze als lerares Engels werkte. Omdat er geen geld was om mij naar de internationale school te sturen waar de meeste buitenlandse kinderen op zaten, ging ik naar lokale Indonesische scholen en speelde op straat met de kinderen van boeren, bedienden, kleermakers en klerken.

Als jongen van zeven of acht hield ik me met dit alles niet echt bezig. Ik herinner me die jaren als een heerlijke tijd, vol avonturen en mysterie – dagen van achter de kippen aan zitten en vluchten voor de waterbuffels, nachten van wajangpoppen en spookverhalen en straatverkopers die verrukkelijke zoetigheden aan de deur verkochten. Ik wist dat onze situatie vergeleken met die van onze buren prima was – in tegenstelling tot veel andere mensen hadden we altijd genoeg te eten.

En bovendien begreep ik zelfs heel jong al dat de status van ons gezin niet alleen bepaald werd door onze rijkdom, maar ook door onze banden met het Westen. Mijn moeder kon zich dan wel afkeurend uitlaten over de houding die ze andere Amerikanen in Jakarta zag aannemen, hun minachting voor de Indonesiërs en hun onwilligheid om iets te leren over het land waar ze te gast waren – maar gezien de wisselkoers was ze blij dat ze in dollars werd betaald en niet in roepia's zoals haar Indonesische collega's op de ambassade. We leefden dan wel net als de Indonesiërs, maar om de zoveel tijd nam mijn moeder me mee naar de American Club, waar ik in het zwembad kon springen en tekenfilms kon kijken en naar hartenlust Coca-Cola kon drinken. Soms, als mijn Indonesische vriendjes bij ons thuis kwamen, liet ik hun fotoboeken zien die mijn grootmoeder me had gestuurd, met foto's van Disneyland of het Empire State Building; soms bladerden we door de catalogus van Sears Roebuck en verbaasden ons over de uitgestalde weelde. Ik wist dat dit alles deel uitmaakte van mijn afkomst en mij anders maakte, want mijn moeder en ik waren staatsburgers van de Verenigde Staten, begunstigden van hun macht, veilig en geborgen onder hun beschermende deken.

De reikwijdte van die macht viel nauwelijks te negeren. Het Amerikaanse leger hield gezamenlijke oefeningen met het Indonesische leger en organiseerde opleidingsprogramma's voor hun officieren. President Soeharto vroeg een harde kern van Amerikaanse economen om een ontwikkelingsplan voor Indonesië op te stellen, gebaseerd op het principe van de vrije markt en buitenlandse investeringen. Amerikaanse ontwikkelingsadviseurs stonden in rijen voor de gebouwen van de ministeries en hielpen de enorme toevloed van buitenlandse hulp van het US Agency for International Development en de Wereldbank in goede banen te leiden. En hoewel elk niveau van de overheid sterk gecorrumpeerd was

– zelfs de meest onbetekenende interactie met een politieman of ambtenaar ging gepaard met steekpenningen, en vrijwel alle grondstoffen en producten die het land in- of uitgingen, van olie tot tarwe tot auto's, werden verwerkt door bedrijven die eigendom waren van de president, zijn familie of leden van de regerende junta – werd er zoveel van de olierijkdom en buitenlandse hulp geïnvesteerd in scholen, wegen en andere infrastructuur dat het Indonesische volk zijn levensstandaard drastisch zag stijgen; tussen 1967 en 1997 steeg het inkomen per hoofd van de bevolking van vijftig tot zesenveertighonderd dollar per jaar. Wat de Verenigde Staten betreft was Indonesië uitgegroeid tot een voorbeeld van stabiliteit, een betrouwbare leverancier van grondstoffen en een bolwerk tegen het communisme.

Ik zou lang genoeg in Indonesië blijven om deze nieuwe welvaart met eigen ogen te zien. Toen hij uit het leger kwam, ging mijn stiefvader werken voor een Amerikaanse oliemaatschappij. We verhuisden naar een groter huis en kregen een auto met chauffeur, een koelkast en een televisie. Maar in 1971 stuurde mijn moeder – met het oog op mijn opleiding en wellicht vooruitlopend op de verwijdering tussen haar en mijn stiefvader – mij naar Hawaii om bij mijn grootouders te wonen. Een jaar later zouden zij en mijn zus ook komen. Mijn moeders banden met Indonesië bleven bestaan; in de daaropvolgende twintig jaar reisde ze heen en weer, als medewerker van internationale bureaus, en werkte er telkens zes tot twaalf maanden als specialist op het gebied van ontwikkelingsvraagstukken voor vrouwen. Ze ontwierp programma's om vrouwen in dorpen te helpen hun eigen bedrijfjes op te zetten of hun producten op de markt te brengen. Als tiener ben ik drie of vier keer voor korte bezoeken in Indonesië teruggeweest, maar op den duur richtte ik mijn aandacht en leven op andere plaatsen.

Daarom is wat ik weet van de vervolggeschiedenis van Indonesië vooral afkomstig uit boeken, kranten en de verhalen die mijn moeder mij vertelde. De Indonesische economie bleef vijfentwintig jaar met horten en stoten groeien. Jakarta werd een wereldstad met bijna negen miljoen inwoners, met wolkenkrabbers, sloppenwijken, smog en duizelingwekkend verkeer. Mannen en vrouwen verlieten het platteland om loonarbeiders te worden in de fabrieken van buitenlandse investeerders en produceerden er sneakers voor Nike en overhemden voor de Gap. Bali werd het favoriete vakantieoord voor surfers en rocksterren, met vijfsterrenhotels, internetverbindingen en een vestiging van Kentucky Fried Chicken. In het begin van de jaren negentig werd Indonesië beschouwd als een 'Aziatische tijger', het volgende succesverhaal van de globaliserende wereld.

Zelfs de duistere aspecten van het Indonesische leven – de politiek en de mensenrechtensituatie – toonden tekenen van verbetering. Wat wreedheid betreft bereikte het Soeharto-regime van na 1967 nooit het niveau van Irak onder Saddam Hoessein. Met zijn ingehouden, kalme gedrag trok de Indonesische president nooit de aandacht die meer opvallende machthebbers als Pinochet of de sjah van Iran trokken. Soeharto's regime was echter, naar alle maatstaven gemeten, hardvochtig repressief. Arrestaties en martelingen van dissidenten waren aan de orde van de dag, er bestond geen vrije pers, verkiezingen waren slechts een formaliteit. Toen er etnische separatistische bewegingen opdoken in gebieden als Atjeh, koos het leger niet alleen guerrillastrijders als doelwit voor vergeldingsmaatregelen maar ook burgers – moord, verkrachting, afgebrande dorpen. En dit alles gebeurde in de loop van de jaren zeventig en tachtig met medeweten, zo niet openlijke goedkeuring, van de Amerikaanse regering.

Maar toen de Koude Oorlog was afgelopen, ging Washington zich anders gedragen. Het ministerie van Buitenlandse Zaken begon druk uit te oefenen op Indonesië om de schendingen van de mensenrechten te beperken. Nadat Indonesische militaire eenheden in 1992 vreedzame demonstranten in Dili op Oost-Timor hadden afgeslacht maakte het Congres een eind aan de militaire hulp aan Indonesië. In 1996 begonnen Indonesische hervormingsgezinden de straat op te gaan en zij spraken openlijk over corruptie in de hogere regionen, de excessen van het leger en de behoefte aan vrije en eerlijke verkiezingen.

Toen brak in 1997 de hel los. Een run op valuta en aandelen in heel Azië verwoestte de Indonesische economie die door tientallen jaren van corruptie toch al zwaar aangetast was. De waarde van de roepia daalde binnen een paar maanden met vijfentachtig procent. Indonesische bedrijven die in dollars geleend hadden, zagen hun jaarbalans instorten. In ruil voor een reddingsoperatie van drieënveertig miljard dollar eiste het door het Westen gedomineerde Internationale Monetaire Fonds, het IMF, een aantal bezuinigingsmaatregelen (snijden in regeringssubsidies, verhogen van de rentevoet) die ertoe leidden dat de prijs van hoogst noodzakelijke producten als rijst en petroleum bijna verdubbelde. Toen de crisis voorbij was, was de Indonesische economie met bijna veertien procent geslonken. De rellen en demonstraties werden zo heftig dat Soeharto uiteindelijk gedwongen werd af te treden, en in 1998 werden in Indonesië de eerste vrije verkiezingen gehouden, waarbij zo'n achtenveertig partijen met elkaar om zetels streden en zo'n drieënnegentig miljoen mensen hun stem uitbrachten.

Oppervlakkig gezien heeft Indonesië in ieder geval de twee schokken van financiële instorting en democratisering overleefd. De aandelenmarkt floreert, de tweede nationale verkiezingen verliepen zonder grote incidenten en mondden uit in een vreedzame machtsoverdracht. Als de corruptie blijft voortduren en het leger invloedrijk blijft, is er nog altijd de inmiddels grote hoeveelheid onafhankelijke kranten en politieke partijen die de onvrede kunnen kanaliseren.

Van de andere kant heeft de democratie de welvaart niet teruggebracht. Het inkomen per hoofd van de bevolking is bijna tweeëntwintig procent minder dan in 1997. De kloof tussen arm en rijk, altijd al groot, lijkt groter te zijn geworden. Het gevoel van armoe van de gemiddelde Indonesiër is toegenomen dankzij internet en satelliettelevisie, die uiterst gedetailleerde beelden van de onbereikbare rijkdom van Londen, New York, Hongkong en Parijs doorgeven. En anti-Amerikaanse gevoelens, die er ten tijde van Soeharto praktisch niet waren, zijn nu algemeen, deels dankzij het idee dat speculanten in New York en het IMF de Aziatische financiële crisis bewust hebben veroorzaakt. Uit een in 2003 gehouden opiniepeiling blijkt dat de meeste Indonesiërs positiever denken over Osama bin Laden dan over George W. Bush.

Dat alles is wellicht een indicatie van de meest diepgaande verandering in Indonesië – de groei van de militante, fundamentalistische islam. Vroeger hingen de Indonesiërs een tolerante, bijna syncretische tak van dit geloof aan, vermengd met de boeddhistische, hindoeïstische en animistische tradities uit eerdere perioden. Onder het waakzame oog van de uitgesproken seculiere regering-Soeharto was alcohol toegestaan, nietmoslims praktiseerden hun godsdienst zonder angst voor vervolging en vrouwen – gekleed in rokken en sarongs op bussen of scooters op weg naar hun werk – hadden precies dezelfde rechten als mannen. Tegenwoordig vormen de islamitische partijen een van de grootste politieke blokken en er gaan veel stemmen op om de sharia in te voeren, de islamitische wetgeving. Nu wemelt het op het platteland van de wahabitische geestelijken, scholen en moskeeën. Veel Indonesische vrouwen bedekken hun hoofd op de manier die in de islamitische landen in Noord-Afrika en de Perzische Golf gebruikelijk is. Militante moslims en zogenaamde 'zedenpolitie' hebben kerken, nachtclubs en bordelen aangevallen. In 2002 veroorzaakte een explosie in een nachtclub op Bali de dood van meer dan tweehonderd mensen; er volgden vergelijkbare zelfmoordacties, in 2004 in Jakarta en in 2005 op Bali. Leden van Jamaa Islamiya, een militante islamitische organisatie met banden met al-Qaida, werden berecht voor de bomaanslagen. Drie van de betrokkenen kregen de doodstraf, de geestelijk leider van de groep, Aboe Bakar Bashir, werd na een gevangenisstraf van zesentwintig maanden vrijgelaten.

De laatste keer dat ik Bali bezocht logeerde ik aan een strand dat een paar kilometer van die bomaanslagen vandaan ligt. Als ik aan dat eiland denk, en aan heel Indonesië, word ik overspoeld door herinneringen: het gevoel van vette modder onder mijn blote voeten terwijl ik door de rijstvelden dool, de ochtend zien gloren achter vulkanische bergtoppen, de oproep van de muezzin in de avond en de geur van een houtvuur, het gesjacher aan de fruitkraampjes langs de weg, de opwindende geluiden van een gamelanorkest, de weerschijn van het vuur op de gezichten van de musici. Ik zou Michelle en de meisjes graag meenemen om dat deel van mijn leven te delen, de duizend jaar oude hindoeïstische ruïnes van Prambanan te beklimmen of in een rivier hoog in de Balinese heuvels te zwemmen.

Maar mijn plannen voor die reis worden steeds uitgesteld. Ik heb het continu druk en reizen met kleine kinderen is altijd moeilijk. En ik maak me misschien ook zorgen over wat ik er aantref – dat het land van mijn jeugd niet meer past bij mijn herinneringen. De wereld is enorm gekrompen, met rechtstreekse vluchten en het bereik van gsm's en CNN en internetcafés, maar ik heb het gevoel dat Indonesië nu verder weg ligt dan dertig jaar geleden.

Ik ben bang dat het een land van onbekenden is geworden.

Op het gebied van internationale kwesties is het riskant om op basis van de ervaringen van één land te extrapoleren. Elk land is uniek wat betreft zijn geschiedenis, geografie, cultuur en conflicten. En toch kan Indonesië op veel manieren dienen als een zinnige metafoor voor de wereld buiten onze grenzen – een wereld waarin globalisering en sektarisme, armoede en rijkdom, moderniteit en ouderdom voortdurend met elkaar in botsing komen.

Indonesië dient ook als handig archief van het Amerikaanse buitenlandbeleid over de afgelopen vijftig jaar. In grote lijnen is alles aanwezig: onze rol bij het bevrijden van voormalige kolonies en het opzetten van internationale instituten die de wereldorde van na de Tweede Wereldoorlog helpen opbouwen, onze neiging om naties en conflicten vanuit het perspectief van de Koude Oorlog te bekijken, de manier waarop we onvermoeibaar het op Amerikaanse leest geschoeide kapitalisme en multinationale bedrijven stimuleren, de manier waarop we tirannie en corruptie tolereren en soms aanmoedigen, en zelfs milieuvervuiling als het in ons straatje past, ons optimistische idee na afloop van de Koude Oorlog dat de Big Macs en internet een eind zouden maken aan oude conflicten, de toenemende economische macht van Azië en de toenemende weerzin tegen de Verenigde Staten als de enige supermacht, het besef dat democratisering in ieder geval op de korte termijn etnische haat en religieuze scheuring zou blootleggen in plaats van deze te verminderen – en dat de wonderen van de globalisering ook economische willekeur, het verspreiden van pandemieën en terrorisme zouden kunnen bevorderen.

Met andere woorden, onze staat van dienst varieert – niet alleen in Indonesië maar over de hele wereld. Er zijn momenten geweest dat het Amerikaanse buitenlandbeleid van inzicht getuigde en onze nationale belangen, onze idealen diende maar ook de belangen van andere naties. Op andere momenten was het Amerikaanse beleid onjuist, gebaseerd op verkeerde veronderstellingen die de legitieme ambities van andere volken negeerden, onze eigen geloofwaardigheid ondermijnden en de wereld onveiliger maakten.

Die ambiguïteit zou niemand moeten verbazen, want het Amerikaanse buitenlandbeleid is altijd een mengelmoes van strijdige impulsen geweest. In de eerste dagen van de republiek overheerste vooral het isolationisme – een omzichtigheid die paste bij een natie die net een onafhankelijkheidsoorlog achter de rug had. 'Waarom,' vroeg George Washington in zijn beroemde afscheidsrede, 'zouden we ons lot verbinden met enig deel van Europa, onze vrede en welvaart ondergeschikt maken aan de listen en lagen van de Europese ambities, concurrentie, belangen, humor of grillen?' Washingtons standpunt werd versterkt door wat hij de 'geïsoleerde en afgelegen situatie' van Amerika noemde, een geografische scheiding die het de nieuwe natie toestond 'materiële schade door hinder van buitenaf het hoofd te bieden'.

Hoewel het revolutionaire begin en de republikeinse regeringsvorm van Amerika wellicht redenen waren om welwillend te staan tegenover mensen die elders naar vrijheid streefden, waarschuwden de eerste leiders van het land tegen idealistische pogingen om onze manier van leven te exporteren; volgens John Quincy Adams moest Amerika niet naar 'het buitenland om op zoek te gaan naar te vernietigen monsters' en ook niet 'de dictator van de wereld worden'. De voorzienigheid had Amerika belast met de taak een nieuwe wereld te scheppen, niet de oude te hervormen; beschermd door een oceaan en gezegend met de weelde van een werelddeel kon Amerika de zaak van de vrijheid het best dienen door zich te concentreren op zijn eigen ontwikkeling en daarmee een bron van hoop voor andere naties en volken over de hele wereld te worden.

Maar als argwaan ten opzichte van buitenlandse verwikkelingen in onze genen zit, geldt dat ook voor de neiging tot expansie – geografisch, commercieel en ideologisch. Thomas Jefferson sprak zich al snel uit voor de onvermijdelijkheid van expansie buiten de grenzen van de oorspronkelijke dertien staten, en zijn tijdschema voor een dergelijke expansie werd danig versneld door de Louisiana Purchase en de expeditie van Lewis en Clark. Dezelfde John Quincy Adams die waarschuwde tegen Amerikaans avonturisme in het buitenland groeide uit tot een onvermoeibaar pleitbezorger van expansie binnen het werelddeel en werd de belangrijkste opsteller van de Monroe-doctrine – een waarschuwing aan het adres van de Europese machthebbers om buiten het westelijk halfrond te blijven. Terwijl Amerikaanse soldaten en kolonisten gestaag verder naar het westen en zuidwesten trokken, omschreven de opeenvolgende regeringen de annexatie van gebied in termen van 'manifeste lotsbeschikking'— de overtuiging dat die expansie voorbestemd was, een deel van Gods plan om wat Andrew Jackson 'het gebied van vrijheid' noemde over het hele werelddeel uit te breiden.

'Manifeste lotsbeschikking' betekende natuurlijk ook bloedige en gewelddadige onderwerping – van geboren Amerikaanse indiaanse stammen die met geweld van hun land verwijderd werden en van het Mexicaanse leger dat zijn grondgebied verdedigde. Het was een onderwerping die, net als de slavernij, inging tegen alle Amerikaanse basisprincipes en die vaak werd gerechtvaardigd in expliciet racistische bewoordingen, een onderwerping die moeizaam in de Amerikaanse mythologie werd opgenomen, maar die andere landen zagen voor wat het was – een staaltje van puur machtsvertoon.

Toen de Burgeroorlog afgelopen was en het gebied dat inmiddels de Verenigde Staten heette geconsolideerd was, was die macht onloochenbaar. Het land wilde nu de markten voor zijn eigen producten uitbreiden, zorgen voor grondstoffen voor zijn eigen industrie en zeeroutes openhouden voor zijn handel, dus richtte het zijn aandacht op het buitenland. Hawaii werd geannexeerd, wat Amerika een steunpunt in de Stille Oceaan gaf. De Spaans-Amerikaanse Oorlog leverde Puerto Rico, Guam en de Filippijnen op. Toen sommige leden van de Senaat bezwaar maakten tegen de militaire bezetting van een eilandenrijk dat ruim tienduizend kilometer verderop lag – een bezetting waarbij duizenden Amerikaanse manschappen een Filippijnse onafhankelijkheidsbeweging verpletterden – wierp een van de senatoren tegen dat de aanwinst de Verenigde Staten toegang gaf tot de Chinese markt en 'uitgebreide handel en rijkdom en macht' betekende. Amerika zou nooit de systematische kolonisatie nastreven die de Europese naties praktiseerden, maar het ontdeed zich van alle scrupules over inmenging in de zaken van landen die het land strategisch belangrijk achtte. Theodore Roosevelt zorgde bijvoorbeeld voor een toevoeging aan de Monroe-doctrine, waarin gesteld werd dat de Verenigde Staten zouden interveniëren in elk Latijns-Amerikaans of Caribisch land waar de regering hun niet beviel. 'De Verenigde Staten hebben geen keus of ze al dan niet een belangrijke rol spelen in de wereld,' zei Roosevelt. 'Ze *moeten* een belangrijke rol spelen. De enige optie is of ze die rol slecht of goed spelen.'

Aan het begin van de twintigste eeuw waren de motieven waardoor het Amerikaanse buitenlandbeleid zich liet leiden nauwelijks te onderscheiden van die van andere grootmachten, namelijk door *realpolitik* en handelsbelangen. De bevolking als geheel hield een sterke isolationistische voorkeur, met name als het ging om conflicten in Europa, en als er geen rechtstreekse bedreiging was van wezenlijke Amerikaanse belangen. Maar technologie en handel verkleinden de wereld; het werd steeds moeilijker om te bepalen welke belangen wezenlijk en niet wezenlijk waren. Tijdens de Eerste Wereldoorlog vermeed Woodrow Wilson

Amerikaanse betrokkenheid, tot de Duitse onderzeeërs herhaaldelijk Amerikaanse schepen tot zinken brachten en de dreigende ondergang van het Europese werelddeel neutraliteit onhoudbaar maakte. Toen de oorlog voorbij was, kwam Amerika tevoorschijn als de overheersende wereldmacht – maar een macht waarvan Wilson nu inzag dat deze verbonden moest worden met vrede en welvaart in verre landen.

In een poging met deze nieuwe realiteit om te gaan probeerde Wilson de idee van Amerika's 'manifeste lotsbeschikking' opnieuw te definiëren. 'De wereld veilig maken voor democratie' betekende niet alleen het winnen van een oorlog, stelde hij; het was in het belang van Amerika om het zelfbeschikkingsrecht van alle volkeren te stimuleren en de wereld een wettelijke structuur te bieden die toekomstige conflicten kon helpen voorkomen. Als onderdeel van het Verdrag van Versailles, dat de bepalingen van de Duitse overgave stipuleerde, stelde Wilson een Volkenbond voor die kon bemiddelen bij conflicten tussen naties, in combinatie met een internationaal gerechtshof en een aantal internationale wetten dat niet alleen de zwakke maar ook de sterke landen aan banden zou leggen. 'Dit is een uitgelezen moment voor de democratie om haar zuiverheid en haar geestelijke kracht om te zegevieren te bewijzen,' zei Wilson. 'Het is ongetwijfeld de manifeste lotsbeschikking van de Verenigde Staten om voorop te gaan bij de poging die geest te laten zegevieren.'

Wilsons voorstellen werden aanvankelijk in de Verenigde Staten en in de rest van de wereld enthousiast ontvangen. De Amerikaanse Senaat was echter minder onder de indruk. De Republikeinse fractieleider in de Senaat, Henry Cabot Lodge, beschouwde de Volkenbond – en het hele idee van internationale wetgeving – als een inbreuk op de soevereiniteit van Amerika, een dwaze beperking van de mogelijkheid om de rest van de wereld Amerika's wil op te leggen. Behoudende isolationisten in beide partijen (van wie velen zich hadden verzet tegen de Amerikaanse deelname aan de Eerste Wereldoorlog), en ook het feit dat Wilson absoluut niet bereid was compromissen te sluiten, waren redenen voor de Senaat om te weigeren het Amerikaanse lidmaatschap van de Volkenbond te ratificeren.

De daaropvolgende twintig jaar keerde Amerika zich vastbesloten naar binnen – het slankte het leger en de marine af, weigerde deel te nemen aan het Internationaal Gerechtshof, en keek passief toe hoe Italië, Japan en nazi-Duitsland hun militaire apparaten uitbreidden. De Senaat werd een broedplaats voor het isolationisme en nam een Neutraliteitswet aan die voorkwam dat de Verenigde Staten hulp gingen bieden aan landen waar de aslanden zouden binnenvallen en negeerde herhaaldelijk oproepen van de president in de periode dat Hitlers legers door Europa marcheerden. Pas na het bombardement op Pearl Harbor realiseerde Amerika zich zijn vreselijke vergissing. 'Er bestaat geen veiligheid voor enig land – of enig individu – in een wereld die wordt geregeerd volgens de principes van de onderwereld,' zou FDR zeggen in zijn nationale toespraak na de aanval. 'We kunnen onze veiligheid niet meer meten in termen van kilometers op een kaart.'

Tijdens de nasleep van de Tweede Wereldoorlog zouden de Verenigde Staten de kans krijgen om die les toe te passen op hun buitenlandbeleid. Europa en Japan lagen in puin, de Sovjet-Unie was uitgeput na haar strijd aan het oostfront maar gaf al signalen dat ze van plan was haar eigen vorm van totalitair communisme zo veel mogelijk te verbreiden, dus stond Amerika voor een keuze. Er waren mensen ter rechterzijde die vonden dat alleen een unilateraal buitenlandbeleid en een onmiddellijke inval in de Sovjet-Unie de opkomende communistische dreiging konden ontkrachten. En hoewel het soort isolationisme dat in de jaren dertig gold nu absoluut gewantrouwd werd, waren er mensen ter linkerzijde die de Sovjetagressie bagatelliseerden en vonden dat Stalin geholpen moest worden, gezien de verliezen die zijn land geleden had en de belangrijke bijdrage die het geleverd had aan de overwinning van de geallieerden.

Amerika koos geen van beide mogelijkheden. In plaats daarvan werd na de oorlog onder leiding van president Truman, Dean Acheson, George Marshall en George Kennan een nieuwe, naoorlogse orde opgebouwd die Wilsons idealisme combineerde met nuchter realisme, waarmee Amerika met een bescheiden macht tevreden was, als je bedenkt hoe groot de mogelijkheden van Amerika waren om gebeurtenissen over de hele wereld te beïnvloeden. Ja, zeiden deze mannen, de wereld is een gevaarlijk oord en de Sovjetdreiging is reëel; het was noodzakelijk dat Amerika zijn militaire dominantie in stand hield en bereid was geweld te gebruiken om zijn belangen overal ter wereld te verdedigen. Maar zelfs de macht van de Verenigde Staten was eindig – en omdat de strijd tegen het communisme ook een ideologische strijd was, en als toetssteen gold voor welk systeem de hoop en dromen van miljarden mensen overal ter wereld het best kon dienen, zou militaire macht alléén Amerika's welvaart of veiligheid op lange termijn niet kunnen garanderen.

Wat Amerika dus nodig had waren stabiele bondgenoten – bondgenoten die de idealen van vrijheid, democratie en rechtsorde deelden en die ook vonden dat ze belang hadden bij een markteconomie. Zulke bondgenootschappen, zowel militair als economisch, waar men zich vrijwillig bij aansluit en die met wederzijdse instemming in stand gehouden worden, zouden bestendiger kunnen zijn – en waarschijnlijk minder verzet oproepen – dan wat voor verzameling satellietstaten het Amerikaans imperialisme ook zou kunnen verwerven. Het was bovendien in het belang van Amerika om met andere landen samen internationale instituten op te zetten en internationale normen te bevorderen. Niet vanuit de naïeve verwachting dat internationale wetgeving en verdragen op zichzelf een eind konden maken aan conflicten tussen landen of de behoefte aan militaire actie van Amerika, maar omdat hoe meer internationale normen werden nageleefd en hoe meer bereidheid Amerika toonde om zich in zijn machtsuitoefening te beperken, des te kleiner het aantal conflicten zou worden – en des te legitiemer ons gedrag in de ogen van de wereld zou lijken als we wel militaire actie ondernamen.

In minder dan tien jaar werd de infrastructuur van de nieuwe wereldorde een feit. Er was Amerikaans beleid ten aanzien van de beperking van de communistische expansie ontwikkeld dat niet alleen ondersteund werd door de Amerikaanse krijgsmacht maar ook door veiligheidsovereenkomsten met de NAVO en Japan; het Marshallplan om door oorlog ingestorte economieën weer op te bouwen; de Bretton Woods-overeenkomst om de mondiale financiële markten stabiliteit te verlenen en de Algemene Overeenkomst inzake Tarieven en Handel (General Agreement on Tariffs and Trade; GATT) om regels voor de wereldhandel op te stellen; Amerikaanse steun voor de onafhankelijkheid van voormalige Europese kolonies; de IMF en de Wereldbank om die net onafhankelijk geworden landen te integreren in de wereldeconomie; en de Verenigde Naties om een forum te creëren voor collectieve veiligheid en internationale samenwerking.

Zestig jaar later kunnen we de resultaten vaststellen van deze enorme naoorlogse onderneming: een geslaagd eind aan de Koude Oorlog, het vermijden van een nucleaire ramp, een doeltreffend eind aan het conflict tussen de militaire wereldmachten en een periode van niet eerder vertoonde economische groei in binnen- en buitenland.

Het is een opmerkelijke prestatie, misschien wel het grootste geschenk van de Greatest Generation* na hun overwinning op het fascisme. Maar zoals elk systeem dat door mensenhanden is gemaakt heeft het zijn zwakke punten en tegenstrijdigheden. Het zou het slachtoffer kunnen worden van vervormingen door de politiek, de zonde van de hoogmoed, de corrumperende invloed van angst. Vanwege de omvang van de Sovjetdreiging en de schok van communistische machtsovernames in China en Noord-Korea gingen Amerikaanse beleidsmakers nationalistische bewegingen, etnische conflicten, hervormingspogingen of linksgeoriënteerde politiek overal ter wereld bezien vanuit de optiek van de Koude Oorlog – als potentiële dreigingen waarvan zij meenden dat ze zwaarder wogen dan ons openlijk engagement met vrijheid en democratie. Zo nu en dan werd door middel van Amerikaanse geheime operaties de verwijdering van democratisch gekozen leiders in landen als Iran bekokstoofd – met wereldschokkende onaangename gevolgen die ons tot op de dag van vandaag parten spelen.

Amerika's beleid van machtsindamming vereiste ook een enorme militaire uitbreiding, eerst om op gelijke hoogte te komen met het arsenaal van zowel de Sovjets als de Chinezen, vervolgens om beide te overtreffen. In de loop van de tijd verwierf de 'ijzeren driehoek', bestaande uit het Pentagon, handelaren in defensiematerieel en Congresleden met grote budgetten voor defensiematerieel in hun kiesdistrict, enorme invloed op het buitenlandbeleid van de Verenigde Staten. En hoewel de dreiging van een atoomoorlog een rechtstreekse militaire confrontatie met de rivaliserende grootmachten uitsloot, waren Amerikaanse beleidsmakers steeds meer geneigd om problemen elders in de wereld vanuit een militaire in plaats van een diplomatieke optiek te beschouwen.

Bovendien leed het naoorlogse systeem op den duur aan te veel politiek en te weinig overleg en te weinig opbouw van binnenlandse eensgezindheid. Onmiddellijk na de oorlog was een van de sterke punten van Amerika dat er een bepaalde mate van binnenlandse eensgezindheid bestond over het buitenlandbeleid. Er bestonden misschien wel grote verschillen tussen Republikeinen en Democraten, maar de politieke onenigheid eindigde meestal voor het tot een conflict kwam. Deskundigen

---

* Titel van een boek (1998) van Tom Brokaw over de generatie Amerikanen geboren tussen 1911 en 1924. – *vert.*

in het Witte Huis, het Pentagon, het ministerie van Buitenlandse Zaken en de CIA moesten besluiten nemen op basis van feiten en gezond verstand, niet op basis van ideologie of campagneoverwegingen. Bovendien gold die consensus ook voor het grote publiek; programma's als het Marshallplan, die grote Amerikaanse investeringen vereisten, hadden niet verwezenlijkt kunnen worden zonder een fundamenteel vertrouwen van het Amerikaanse volk in zijn regering en een even groot vertrouwen van de overheidsfunctionarissen dat het Amerikaanse volk de feiten aanvaardde die tot besluiten leidden over hoe hun belastinggeld werd benut of die hun zoons een oorlog in stuurden.

Naarmate de Koude Oorlog langer duurde begonnen de belangrijkste aspecten van die eensgezindheid te verdwijnen. Politici ontdekten dat ze stemmen konden winnen door harder op te treden tegen het communisme dan hun tegenstander. Democraten werden aangevallen op 'het verlies van China'. Het McCarthyisme vernietigde carrières en drukte afwijkende meningen de kop in. Kennedy verweet de Republikeinen een niet bestaand 'rakettenverschil' [tussen het aantal in de Verenigde Staten en dat in de Sovjet-Unie] in zijn verkiezingsstrijd met Nixon, die zelf carrière had gemaakt door zijn tegenstanders communisten te noemen. De presidenten Eisenhower, Kennedy en Johnson lieten hun oordeel beïnvloeden door hun angst te worden beschuldigd van een te milde aanpak van het communisme. De koudeoorlogstechnieken van geheimzinnigheid, spioneren en desinformatie, die werden gebruikt tegen buitenlandse regeringen en buitenlandse volken, werden nu ook ingezet in de binnenlandse politiek, als middel om critici aan te vallen, steun te krijgen voor twijfelachtig beleid of om blunders te verdoezelen. De idealen die we hadden beloofd te exporteren naar het buitenland werden in eigen land verraden.

Al deze verschijnselen bereikten in Vietnam een kritiek punt. De rampzalige gevolgen van dat conflict – voor onze geloofwaardigheid en prestige in het buitenland, voor onze krijgsmacht (het zou een generatie kosten om te herstellen), en bovenal voor degenen die er vochten – zijn uitgebreid gedocumenteerd. Maar het belangrijkste oorlogsslachtoffer was misschien wel de vertrouwensband tussen het Amerikaanse volk en zijn regering – en tussen Amerikanen onderling. Als gevolg van agressievere verslaggeving en beelden van lijkzakken die via de televisie onze huiskamers binnenkwamen, daagde bij de Amerikanen het besef dat de hoge heren in Washington niet altijd wisten wat ze deden – en niet altijd de waarheid spraken. Steeds meer mensen ter linkerzijde gaven uiting aan hun verzet, niet alleen tegen de oorlog in Vietnam maar ook tegen de bredere doelstellingen van het Amerikaanse buitenlandbeleid. Wat hen betreft waren president Johnson, generaal Westmoreland, de CIA, het 'militair-industrieel complex' en internationale instellingen als de Wereldbank allemaal manifestaties van Amerikaanse arrogantie, agressief patriottisme, racisme, kapitalisme en imperialisme. De rechterkant reageerde navenant en legde niet alleen de verantwoordelijkheid voor het verlies van Vietnam maar ook voor de schade aan Amerika's reputatie rechtstreeks bij de groepen die 'geef eerst Amerika de schuld' riepen – de demonstranten, de hippies, Jane Fonda, de intellectuelen van de Ivy League-scholen en linkse media die neerbuigend deden over vaderlandsliefde, een relativerende wereldbeschouwing uitdroegen en het Amerikaanse besluit het goddeloze communisme het hoofd te bieden ondermijnden. Toegegeven, het waren karikaturen, in het leven geroepen door activisten en politieke adviseurs. Veel Amerikanen bevonden zich ergens in het midden en steunden nog steeds de Amerikaanse pogingen om het communisme te verslaan, maar stonden kritisch tegenover beleid dat grote aantallen Amerikaanse slachtoffers kon eisen. Gedurende de jaren zeventig en tachtig waren er Democratische haviken en Republikeinse duiven te vinden. In het Congres bevonden zich mensen als Mark Hatfield van Oregon en Sam Nunn van Georgia die ernaar streefden de traditie van een tweepartijenbuitenlandbeleid voort te zetten. Maar in verkiezingstijd waren het de karikaturen die de publieke opinie kleurden: Republikeinen die steeds vaker de Democraten afschilderden als zwak op het gebied van defensie, en degenen die argwanend stonden tegenover militaire en geheime operaties in het buitenland voelden zich in toenemende mate thuis bij de Democratische Partij.

Tegen deze achtergrond – een periode van verdeeldheid in plaats van eensgezindheid – vormden de meeste Amerikanen die nu leven zich een beeld van het buitenlandbeleid. Het waren de jaren van Nixon en Kissinger, wier buitenlandbeleid tactisch briljant was maar overschaduwd werd door binnenlandse kwesties en bomaanvallen op Cambodja die moreel gesproken principeloos waren. Het waren de jaren van Jimmy Carter, de Democraat die door veel aandacht te besteden aan de mensenrechten bereid leek andermaal morele belangen op één lijn te brengen met een sterke defensie, tot de olieproblemen, de vernedering door de Iraanse gijzelingscrisis en de Sovjetinvasie van Afghanistan de indruk gaven dat hij een naïeve en incompetente president was.

Het bedreigendst was wellicht Ronald Reagan, wiens taal over het communisme even helder was als hij blind was voor andere oorzaken van ellende in de wereld. Ik werd volwassen tijdens Reagans presidentschap – ik studeerde internationale betrekkingen aan Columbia University en werkte later als buurtwerker in Chicago – en net als veel andere Democraten in die tijd betreurde ik de gevolgen van Reagans beleid ten aanzien van de derde wereld: de steun van zijn regering aan het apartheidsregime van Zuid-Afrika, het financieren van Salvadoraanse doodseskaders, de invasie van het arme, kleine Grenada. Hoe meer ik me verdiepte in beleid ten aanzien van nucleaire wapens, hoe minder respect ik kreeg voor het Star Wars-plan; de kloof tussen Reagans verheven retoriek en de smakeloze Iran-Contra-affaire vond ik verbijsterend.

Maar soms merkte ik tijdens discussies met sommigen van mijn linkse vrienden dat ik vreemd genoeg bepaalde aspecten van Reagans wereldbeschouwing verdedigde. Ik begreep bijvoorbeeld niet waarom vooruitstrevende mensen minder problemen hadden met onderdrukking achter het IJzeren Gordijn dan met geweld in Chili. Het wilde er bij mij niet in dat uitsluitend de Amerikaanse multinationals en internationale handelsbepalingen verantwoordelijk waren voor armoede in de wereld; niemand dwong corrupte leiders in derdewereldlanden om van hun volk te stelen. Ik had misschien problemen met de omvang van Reagans uitbreiding van het militaire apparaat, maar gezien de Sovjetinvasie in Afghanistan leek het me verstandig om de Sovjetkrijgsmacht vóór te blijven. Trots zijn op ons land, respect voor onze krijgsmacht, een gezond besef van de gevaren buiten onze grenzen, de overtuiging dat gelijkwaardigheid tussen Oost en West moeilijk te verwezenlijken was – op al die punten was ik het met Reagan eens. En toen de Berlijnse Muur viel moest ik de oude heer gelijk geven, al heb ik hem nooit mijn stem gegeven.

Veel mensen, onder wie veel Democraten, gaven Reagan hun stem, wat aanleiding was voor Republikeinen om te stellen dat onder zijn presidentschap de eensgezindheid over het Amerikaanse buitenlandbeleid was hersteld. Die eensgezindheid werd natuurlijk nooit echt op de proef gesteld. Reagans strijd tegen het communisme werd voornamelijk uitgevochten door middel van overbestedingsbeleid en door plaatsvervangers, niet door de inzet van Amerikaanse troepen. Het was een feit dat het eind van de Koude Oorlog zichtbaar maakte dat Reagans formule niet geschikt was voor een nieuwe wereld.

De terugkeer van George H.W. Bush naar een traditioneler, 'realistisch' buitenlandbeleid resulteerde in een stabiele reactie op de ontbinding van de Sovjet-Unie en een vaardige afhandeling van de eerste Golfoorlog. Maar omdat de aandacht van het Amerikaanse publiek zich concentreerde op de binnenlandse economie was zijn deskundige opbouw van internationale coalities of het weloverwogen inzetten van de Amerikaanse macht niet voldoende om zijn presidentschap te redden.

Tegen de tijd dat Bill Clinton president werd dacht men over het algemeen dat het Amerikaanse buitenlandbeleid van na de Koude Oorlog meer een kwestie van handel dan van tanks zou zijn, en eerder de bescherming van Amerikaanse auteursrechten dan van Amerikaanse levens. Clinton zelf begreep dat globalisering niet alleen nieuwe economische uitdagingen inhield maar ook nieuwe uitdagingen op het gebied van veiligheid. Naast het stimuleren van vrije handel en het steunen van het internationale financiële stelsel zou zijn regering werken aan het beëindigen van de langdurige conflicten op de Balkan en in Noord-Ierland en het bevorderen van de democratie in Oost-Europa, Latijns-Amerika, Afrika en de voormalige Sovjet-Unie. Maar het buitenlandbeleid van de jaren negentig miste, althans in de ogen van het publiek, een overkoepelend thema of belangrijke doelstellingen. Met name de Amerikaanse militaire operaties leken uitsluitend een kwestie van keuze, niet van noodzaak – misschien het gevolg van ons verlangen om schurkenstaten hard aan te pakken; of het resultaat van menslievende overwegingen in verband met onze morele verplichtingen aan de Somaliërs, de Haïtianen, de Bosniërs of andere ongelukkige volken.

Toen kwam 11 september – en de Amerikanen hadden het gevoel dat de wereld op zijn kop stond.

In januari 2006 stapte ik in een C-130 vrachtvliegtuig en vertrok voor mijn eerste reis naar Irak. Twee van mijn meereizende collega's – senator Evan Bayh van Indiana en congreslid Harold Ford jr. van Tennessee – waren er al eerder geweest en ze waarschuwden mij dat de landing in Bagdad soms minder prettig was: om mogelijk vijandelijk vuur te vermijden maakten militaire vluchten in en uit de hoofdstad van Irak een aantal soms misselijkmakende manoeuvres. Maar omdat ons vliegtuig rustig door de nevelige ochtend vloog kon ik me niet echt zorgen maken. Ingegespt in stoelen van canvas waren de meesten van mijn medereizigers in slaap gevallen, hun hoofden wipten op en neer tegen het oranje net dat in het midden van de vrachtruimte hing. Een van de bemanningsleden speelde een computerspelletje, een ander bladerde kalmpjes door ons vliegplan.

Viereneenhalf jaar geleden, toen de eerste berichten kwamen dat een vliegtuig het World Trade Center geraakt had, was ik in Chicago, op weg naar een hoorzitting over staatswetgeving. De verslagen op mijn autoradio waren oppervlakkig en ik nam aan dat er een ongeluk gebeurd was, dat een klein propellervliegtuig misschien uit de koers geraakt was. Tegen de tijd dat ik bij de vergadering arriveerde was het tweede vliegtuig al ingeslagen en kregen we te horen dat we het gebouw van de State of Illinois moesten evacueren. Overal op straat kwamen mensen samen, tuurden naar de hemel en de Sears Tower. Later zaten we met een groep collega's in het kantoor van mijn advocatenpraktijk bewegingloos naar het televisiescherm te kijken waarop de nachtmerrieachtige beelden zich ontvouwden – een vliegtuig, een donkere schaduw, verdween in glas en staal; mannen en vrouwen die zich vastklampten aan vensterbanken en loslieten; de kreten en het vgesnik op de grond; en dan uiteindelijk de stofwolken die de zon verduisterden.

Ik bracht de weken daarop door zoals de meeste andere Amerikanen: ik belde vrienden in New York en DC, ik stuurde donaties, luisterde naar de toespraak van de president, ik rouwde om de doden. Het effect van 11 september trof mij persoonlijk heel diep en dat gold voor de meesten van ons. Het was niet alleen de omvang van de vernietiging die mij raakte, of de herinneringen aan de vijf jaar dat ik in New York gewoond had – herinneringen aan straten en uitzichten die nu tot puin waren verpulverd. Het was vooral de intimiteit van de gedachten welke gewone dingen de slachtoffers van 11 september in de uren voor hun dood hadden gedaan, de dagelijkse routine waaruit het leven in onze moderne wereld bestaat – op een vliegtuig stappen, het gedrang als we uit een forensentrein stappen, koffie halen en het ochtendblad bij een kiosk kopen, de luchtige praatjes in de lift. Voor de meeste Amerikanen symboliseerde die routine een overwinning van de orde op de chaos, de concretisering van ons geloof dat we, als we maar voldoende beweging namen, veiligheidsgordels droegen, een baan met goede secundaire arbeidsvoorwaarden hadden en bepaalde buurten vermeden, veilig zouden zijn en onze gezinnen beschermd zouden zijn.

Nu stond de chaos bij ons op de stoep. Het gevolg was dat we ons anders moesten gaan gedragen, dat we een ander beeld van de wereld kregen. We zouden moeten reageren op de roep van de natie. Binnen een week na de aanslagen stemden de Senaat met 98 tegen 0 en het Huis van Afgevaardigden met 420 tegen 1 voor het voorstel om de president de macht te geven 'al het noodzakelijke en passende geweld te gebruiken tegen de landen, organisaties of personen' die achter de aanslagen zaten. De belangstelling om dienst te doen bij de krijgsmacht en de sollicitaties bij de CIA namen enorm toe omdat jonge mensen in heel Amerika besloten hun land te dienen. We stonden ook niet alleen. In Parijs kopte *Le Monde*: 'Nous sommes tous Américains' ('We zijn allemaal Amerikanen'). In Cairo werden in de plaatselijke moskeeën gebeden van medeleven gezegd. Voor het eerst sinds haar oprichting deed de NAVO een beroep op artikel 5 van haar handvest, waarin staat dat de gewapende aanval op een van haar leden 'zal worden beschouwd als een aanval op alle leden'. Met de gerechtigheid aan onze kant en de wereld achter ons verdreven we de talibanregering in iets meer dan een maand uit Kaboel; al-Qaida-spionnen vluchtten of werden gevangengenomen en gedood.

Ik vond het een goed begin van de regering – degelijk, afgemeten en uitgevoerd met een minimaal aantal slachtoffers (pas later zouden we merken in hoeverre de onvoldoende militaire druk op de al-Qaida-troepen in Tora Bora kan hebben bijgedragen tot de ontsnapping van Bin Laden). En dus wachtte ik, samen met de rest van de wereld, gespannen af wat er volgens mij zou volgen: de afkondiging van een Amerikaans buitenlandbeleid voor de 21ste eeuw, een beleid dat niet alleen onze militaire planning, operaties van inlichtingendiensten en binnenlandse beveiliging zou aanpassen aan de dreiging van terroristische netwerken, maar tevens zou bijdragen aan internationale eensgezindheid bij transnationale dreigingen.

Dat nieuwe plan kwam er niet. In plaats daarvan kregen we een verzameling ouderwetse beleidslijnen, die afgestoft, bij elkaar gegooid en van nieuwe etiketten voorzien waren. Reagans 'Rijk van het kwaad' was nu de 'As van het kwaad' geworden. Theodore Roosevelts versie van de Monroe-doctrine – het idee dat we bij voorbaat regeringen die ons niet bevielen konden verwijderen – was nu de Bush-doctrine, alleen uitgebreid tot voorbij het westelijk halfrond om de hele wereld te omvatten. De 'manifeste lotsbeschikking' was weer in de mode; het enige wat we volgens Bush nodig hadden was Amerikaanse vuurkracht, Amerikaanse vastberadenheid en een 'coalitie van bereidwilligen'.

Het ergste was misschien nog wel dat de regering-Bush een soort politiek deed herleven die sinds het eind van de Koude Oorlog verdwenen leek. Omdat het afzetten van Saddam Hoessein de testcase werd voor Bush' doctrine van preventieve oorlog, werden degenen die vraagtekens zetten bij de beweegredenen voor de invasie ervan beschuldigd 'te mild te reageren op terrorisme' of 'on-Amerikaans' te zijn. In plaats van een eerlijke afweging van de voors en tegens van deze militaire campagne, lanceerde de regering een publicrelationsoffensief: aangepaste verslagen van inlichtingendiensten om haar zaak te ondersteunen, een enorm afgezwakte weergave van zowel de kosten als de mankracht die de militaire operatie zou eisen, suggesties van paddenstoelvormige rookpluimen.

De pr-strategie werkte. Tegen de herfst van 2002 waren de meeste Amerikanen ervan overtuigd dat Saddam Hoessein over massavernietigingswapens beschikte en minstens zesenzestig procent was er (ten onrechte) van overtuigd dat de Irakese leider persoonlijk betrokken was bij de aanvallen op 11 september. De steun voor een invasie van Irak – en het percentage mensen dat achter Bush stond – schommelde rond de zestig procent. Met het oog op de verkiezingen halverwege de ambtstermijn voerden de Republikeinen de druk op en drongen aan op toestemming om geweld te gebruiken tegen Saddam Hoessein. En op 11 oktober 2002 sloten achtentwintig van de vijftig Democratische senatoren zich aan bij alle Republikeinen (op één na) om Bush de macht te geven die hij wenste.

Ik was teleurgesteld over die uitslag, al begreep ik onder wat voor druk de Democraten stonden. Ik had een deel van die druk zelf ook ervaren. Tegen de herfst van 2002 had ik al besloten om me kandidaat te stellen voor de Senaat en wist ik dat in elke campagne een eventuele oorlog met Irak een belangrijke rol zou spelen. Toen een groep activisten uit Chicago vroeg of ik in oktober een grote antioorlogsdemonstratie wilde toespreken, waarschuwden sommige vrienden me tegen het in het openbaar innemen van een standpunt over een dergelijke onzekere kwestie. Niet alleen werd het idee van een invasie steeds populairder, maar welbeschouwd vond ik het geen uitgemaakte zaak dat we geen oorlog moesten beginnen. Net als de meeste analisten ging ik ervan uit dat Saddam over chemische en biologische wapens beschikte en zijn zinnen had gezet op nucleaire wapens. Ik was van mening dat hij herhaaldelijk VN-resoluties en wapeninspecteurs had genegeerd en dat dergelijk gedrag gevolgen moest hebben. Dat Saddam zijn eigen volk afslachtte stond vast; ik wist zeker dat de wereld en het Irakese volk zonder hem beter af zouden zijn.

Ik had echter wel het gevoel dat de dreiging die van Saddam uitging niet op korte termijn zou spelen, dat de beweegredenen van de regering om een oorlog te beginnen oppervlakkig waren en een ideologische basis hadden, en dat de oorlog in Afghanistan nog lang niet afgelopen was. En ik wist zeker dat Amerika door te kiezen voor overhaaste, unilaterale militaire actie in plaats van voor het zware geploeter van diplomatie, afgedwongen inspecties en slimme sancties, een kans miste om een brede basis voor zijn beleid te creëren.

En dus hield ik de toespraak. Voor de tweeduizend mensen die zich in het Federal Plaza van Chicago hadden verzameld legde ik uit dat ik, in tegenstelling tot sommige mensen in het publiek, niet tegen elke oorlog was. Ik vertelde dat mijn grootvader zich de dag na het bombardement op Pearl Harbor bij het leger had aangemeld en in Pattons leger had gediend. Ik zei ook dat ik 'na het zien van het bloedbad en de vernieling, het stof en de tranen, achter de belofte van deze regering stond om degenen die onschuldigen in de naam van intolerantie vermoordden op te sporen en te vernietigen' en dat ik 'graag bereid was om zelf de wapenen op te nemen om te voorkomen dat een dergelijke tragedie zich nogmaals zou voltrekken'.

Waar ik niet achter kon staan was 'een domme oorlog, een overijlde oorlog, een oorlog gebaseerd op drift in plaats van rede, op politiek in plaats van principes'. En ik zei:

> Ik weet dat zelfs een geslaagde oorlog tegen Irak een Amerikaanse bezetting tot gevolg zal hebben waarvan we niet weten hoelang ze duurt, hoeveel ze kost en wat voor gevolgen ze zal hebben. Ik weet dat een invasie van Irak zonder duidelijke motivatie en zon-

> der krachtige internationale steun het vuur in het Midden-Oosten alleen maar zal aanwakkeren en de slechtste in plaats van de beste acties van de Arabische wereld zal stimuleren en de rekrutering voor al-Qaida zal vergemakkelijken.

De toespraak werd goed ontvangen; activisten verspreidden de tekst op internet en ik kreeg de reputatie dat ik over moeilijke kwesties zei wat ik vond – een reputatie die me door een moeilijke Democratische voorverkiezing zou helpen. Maar ik kon destijds niet weten of mijn inschatting van de situatie in Irak juist was. Toen de invasie uiteindelijk plaatsvond en de Amerikaanse troepen ongehinderd door Bagdad marcheerden, toen ik Saddams standbeeld zag omvallen en toekeek hoe de president aan dek stond van de USS Abraham Lincoln, tegen de achtergrond van een banier met de woorden 'Missie volbracht', begon ik te vermoeden dat ik ongelijk had gehad en was ik opgelucht over het relatief kleine aantal Amerikaanse slachtoffers.

En nu, drie jaar later – nu het aantal Amerikaanse doden de tweeduizend en het aantal gewonden de zestienduizend is gepasseerd; na tweehonderdvijftig miljard dollar aan directe kosten en nog eens honderden miljarden in de toekomst om de ontstane schuld en de zorg voor arbeidsongeschikte veteranen af te betalen; na twee nationale verkiezingen en één constitutioneel referendum in Irak en tienduizenden Irakese doden; na de constatering dat de anti-Amerikaanse gevoelens over de hele wereld een recordomvang hebben bereikt en Afghanistan weer afglijdt naar de chaos – vloog ik naar Bagdad als lid van de Senaat, als medeverantwoordelijke voor een onderzoek naar wat we precies met deze warboel aan moesten.

De landing op de internationale luchthaven van Bagdad bleek niet zo vreselijk te zijn – al was ik blij dat we niet uit de raampjes konden kijken terwijl de C-130 schokte en schuin vloog en op en neer dook op weg naar de landingsbaan. De escorte van het ministerie van Buitenlandse Zaken stond klaar om ons te verwelkomen, in gezelschap van militairen met geweren over hun schouder. Na de veiligheidsinstructies, de bloedgroepregistratie en de uitreiking van helmen en kogelvrije vesten, stapten we in twee Black Hawk-helikopters en vertrokken naar de Groene Zone. We vlogen laag, over kilometers voornamelijk modderige, braakliggende velden waar smalle wegen kriskras doorheen liepen, met hier en daar kleine groepjes dadelbomen en lage betonnen bunkers, waarvan de meeste zo op het oog leeg stonden, en sommige door bulldozers met de grond gelijk gemaakt waren, zodat alleen de fundering nog zichtbaar was. Uiteindelijk kwam Bagdad in zicht, een zandkleurige wereldstad in cirkelvorm, waar de Tigris in het midden een brede, donkere baan doorheen trekt. Zelfs vanuit de lucht zag de stad er gehavend en toegetakeld uit, er was betrekkelijk weinig verkeer – maar ondertussen stond wel bijna elk dak vol met satellietschotels, wat naast de mobiele telefoondiensten door de Amerikaanse functionarissen als een van de successen van de wederopbouw wordt geprezen.

Ik zou maar anderhalve dag in Bagdad blijven, het grootste deel ervan in de Groene Zone, een gebied van vijftien kilometer breed in het centrum van Bagdad, waar ooit de regering van Saddam Hoessein zetelde, maar dat nu een door de Verenigde Staten beheerd terrein is, omringd door dikke muren met prikkeldraad. Wederopbouwteams vertelden ons hoe moeilijk het was om de stroomvoorziening en de olieproductie gaande te houden vanwege sabotage door opstandelingen; medewerkers van de inlichtingendiensten beschreven het toenemende gevaar van sektarische milities en hun infiltratie van de Irakese beveiligingstroepen. Later ontmoetten we leden van het Irakese verkiezingscomité, die enthousiast vertelden over de hoge opkomst bij de recente verkiezingen, en luisterden we naar de Amerikaanse ambassadeur Khalilzad, een intelligente, stijlvolle man met een vermoeide blik in de ogen, die in een uur uitlegde hoe hij door middel van tactvolle pendeldiplomatie de sjiitische, soennitische en Koerdische facties in een werkbare eenheidsregering probeerde samen te brengen.

’s Middags kregen we de kans om met een deel van de manschappen te lunchen in de enorme kantine naast het zwembad van Saddams voormalige presidentiële paleis. Het was een mengeling van beroepsmilitairen, reservisten en eenheden van de Nationale Garde, uit grote steden en kleine plaatsen, het waren zwarten en blanken en latino’s, velen van hen al bezig aan hun tweede of derde uitzending. Ze vertelden met trots over wat hun eenheden hadden gedaan – ze hadden scholen gebouwd, elektriciteitsvoorzieningen bewaakt, pas opgeleide Irakese soldaten meegenomen op patrouille, bevoorradingsroutes opengehouden voor degenen die in de verste uithoeken van het land gelegerd waren. Ik kreeg steeds opnieuw dezelfde vraag: waarom deed de Amerikaanse pers alleen verslag van bombardementen en moorden? Ze benadrukten dat er vooruitgang werd geboekt – ik moest de mensen thuis vooral laten weten dat hun werk niet voor niets was.

De frustratie die deze mannen en vrouwen in hun gesprekken met mij uitten vond ik heel begrijpelijk, want alle Amerikanen die ik in Irak sprak, zowel burgers als militairen, maakten grote indruk door hun toewijding, hun deskundigheid en het feit dat ze niet alleen gemaakte fouten eerlijk toegaven maar ook erkenden hoe moeilijk hun werk in de toekomst nog zou worden. De hele onderneming in Irak getuigde inderdaad van Amerikaanse vindingrijkheid, rijkdom en technische deskundigheid. Als je je in de Groene Zone bevond, of op een van de grote bases in Irak en Koeweit, kon je alleen maar met bewondering vaststellen hoe kundig onze overheid in wezen hele steden in vijandelijk gebied had weten neer te zetten: zelfstandige gemeenschappen met hun eigen stroomvoorziening en rioleringssysteem, computerverbindingen en draadloze netwerken, basketbalvelden en ijskraampjes. Meer nog, het deed denken aan dat unieke Amerikaanse optimisme dat overal zichtbaar was – de afwezigheid van cynisme ondanks het gevaar, de opoffering en de schijnbaar eindeloze tegenslagen, de overtuiging dat uiteindelijk onze acties zouden leiden tot een beter leven voor een natie met mensen die we nauwelijks kenden.

En toch zouden drie gesprekken tijdens mijn bezoek me eraan herinneren hoe we als evenzovele donquichots ons best deden in Irak – hoe het huis dat we aan het bouwen waren, ondanks al het Amerikaanse bloed, geld en de beste bedoelingen, misschien wel op drijfzand zou blijken te staan. Het eerste gesprek vond plaats in het begin van de avond, toen onze delegatie een persconferentie hield voor een groep buitenlandse verslaggevers met als standplaats Bagdad. Na de vraag-en-antwoordsessie vroeg ik de journalisten of ze nog even wilden blijven voor een informeel, vertrouwelijk gesprek. Ik zei dat ik graag een idee kreeg over hoe het leven buiten de Groene Zone was. Ze waren me graag van dienst, maar benadrukten dat ze maar vijfenveertig minuten konden blijven – het werd al laat en over het algemeen vermeden ze reizen na zonsondergang, net als de meeste andere inwoners van Bagdad.

De meeste leden van de groep waren jong, voornamelijk twintigers en jonge dertigers, allemaal in vrijetijdskleding waarmee ze gemakkelijk voor studenten konden doorgaan. Op hun gezichten stond de spanning waaronder ze leefden echter te lezen – tot dat moment waren er in Irak al zestig journalisten gedood. Bij het begin van ons gesprek verontschuldigden ze zich dat ze wat misschien wat afwezig waren: ze hadden net bericht gekregen dat een van hun collega's, Jill Carroll, een verslaggever voor de *Christian Science Monitor*, was ontvoerd, en dat haar chauffeur vermoord langs de kant van de weg was gevonden. Nu waren ze allemaal bezig via hun netwerk uit te zoeken waar ze zou kunnen zitten. Dat soort geweld was in Bagdad in die tijd niet ongewoon, zeiden ze, hoewel meestal de Irakezen het het zwaarst te verduren kregen. De gevechten tussen sjiieten en soennieten hadden zich uitgebreid en waren minder strategisch, angstaanjagender. Geen van hen verwachtte dat de verkiezingen een wezenlijke verbetering van de veiligheid zouden betekenen. Ik vroeg hun of ze dachten dat het terugtrekken van de Amerikaanse troepen de spanning zou verminderen en ik verwachtte dat ze daarop bevestigend zouden antwoorden. In plaats daarvan schudden ze het hoofd.

'Ik verwacht dat het land dan binnen een paar weken in staat van burgeroorlog is,' zei een van de verslaggevers. 'Honderd-, misschien tweehonderdduizend doden. Wij zijn het enige dat dit land nog bij elkaar houdt.'

Die avond vergezelde onze delegatie ambassadeur Khalilzad naar het diner in het huis van de Irakese interim-president Jalal Talabani. De beveiliging tijdens de rit van ons konvooi langs het labyrint van barricades om de Groene Zone te verlaten was streng. Buiten stonden langs de hele route Amerikaanse militairen bij elk tweede huizenblok, en we kregen opdracht de hele rit onze helmen en kogelvrije vesten te dragen.

Na tien minuten arriveerden we bij een grote villa, waar we werden verwelkomd door de president en verschillende leden van de interim-regering. Het waren allemaal zwaargebouwde mannen, vijftigers en zestigers, met een brede glimlach maar ogen zonder emotie. Ik herkende slechts een van de ministers – Ahmed Chalabi, de in het Westen opgeleide sjiiet die als leider van het in ballingschap opererende Irakese Nationaal Congres voor de oorlog informatie had verschaft aan Amerikaanse inlichtingendiensten en beleidsmakers van Bush waarop het besluit tot de invasie was gebaseerd, informatie waarvoor Chalabi's groep miljoenen dollars ontvangen had en die vals was gebleken. Sindsdien was Chalabi uit de gratie bij zijn Amerikaanse werkgevers. Er gingen geruchten dat hij geheime Amerikaanse informatie naar de Iraniërs had doorgesluisd en dat er in Jordanië nog een arrestatiebevel tegen hem liep nadat hij bij verstek was veroordeeld voor eenendertig aanklachten wegens verduistering, diefstal, misbruik van depositofondsen en speculatie met buitenlands geld. Maar hij was kennelijk goed terechtgekomen; hij was keurig gekleed, en nu waarnemend olieminister van de interim-regering.

Ik heb Chalabi tijdens het diner nauwelijks gesproken. Ik zat naast de voormalige interim-minister van Financiën. Hij maakte indruk en sprak met kennis van zaken over de economie van Irak, de behoefte aan grotere transparantie en de noodzaak de wettelijke structuur te versterken om buitenlandse investeringen aan te trekken. Aan het eind van de avond maakte ik een opmerking over de gunstige indruk die hij op mij had gemaakt tegen een van de medewerkers van de ambassade.

'Hij is ongetwijfeld slim,' zei de medewerker. 'Hij is natuurlijk ook een van de leiders van de SCIRI-partij. Ze zijn verantwoordelijk voor het ministerie van Binnenlandse Zaken dat leiding geeft aan de politie. En de politie, nou ja... er zijn problemen geweest met infiltratie bij de milities. Beschuldigingen dat ze soennietenleiders oppakken, lichamen die de volgende ochtend gevonden worden, dat soort dingen...' Zijn stem stierf weg en hij haalde zijn schouders op. 'We roeien met de riemen die we hebben.'

Die nacht kon ik maar moeilijk in slaap komen; in plaats daarvan keek ik naar de wedstrijd van de Redskins, die live via de satelliet binnenkwam in het kleedhok bij het zwembad dat ooit voorbehouden was aan Saddam en zijn gasten. Ik zette verschillende keren het geluid van de televisie uit en hoorde dan mortiervuur de stilte doorboren. De volgende ochtend namen we een Black Hawk naar de marinebasis in Fallujah, in het dorre westen van Irak, in de provincie Anbar. Een deel van de felste gevechten tegen de opstandelingen had in deze voornamelijk soennitische provincie plaatsgevonden en de sfeer op de basis was aanzienlijk grimmiger dan in de Groene Zone. Net de dag ervoor waren vijf patrouillerende mariniers gedood door bermbommen en geweervuur. Ook zagen de manschappen er hier minder ervaren uit, ze hadden vaak nog puistjes en de onontwikkelde lichamen van tieners.

De bevelvoerend generaal had een instructiebijeenkomst geregeld en we luisterden naar de uitleg van de hogere officieren over het dilemma waar de Amerikaanse troepen mee geconfronteerd werden: ze waren steeds beter in staat om opstandelingenleiders te arresteren, maar net als bij straatbendes in Chicago was het alsof er voor iedere opstandeling die ze arresteerden twee nieuwe in de plaats kwamen. De opstand leek vooral het gevolg van economische, niet zozeer politieke omstandigheden – de centrale overheid had Anbar verwaarloosd en de werkloosheid onder de mannen bedroeg ongeveer zeventig procent.

'Voor één of twee dollar kun je een kind een bom laten plaatsen,' zei een van de officieren. 'Dat is hier veel geld.'

Tegen het eind van de bijeenkomst hing er een lichte mist, die onze vlucht naar Kirkuk vertraagde. Tijdens het wachten liep mijn medewerker buitenlandbeleid, Mark Lippert, naar een van de hogere officieren van de eenheid om met hem te praten, terwijl ik in gesprek raakte met een van de majoors die verantwoordelijk was voor de strategie tegen de opstandelingen in de regio. Hij had een vriendelijke stem, was klein van stuk en droeg een bril; hij had gemakkelijk een wiskundeleraar op een middelbare school kunnen zijn. Voordat hij dienst nam bij de mariniers had hij een aantal jaren als lid van het Peace Corps in de Filippijnen gewerkt. Hij vertelde dat veel van wat hij daar geleerd had toegepast moest worden in het werk van het leger in Irak. Hij had op geen stukken na voldoende mensen die Arabisch spraken om een vertrouwensband met de lokale bevolking op te bouwen. We moesten het culturele inlevingsvermogen van het Amerikaanse leger verbeteren, langetermijnrelaties met de lokale leiders opbouwen en veiligheidstroepen laten samenwerken met wederopbouwtroepen, zodat de Irakezen concrete voorbeelden konden zien van wat de Amerikaanse inspanningen in positieve zin opleverden. Alles zou tijd kosten, zei hij, maar hij zag al positieve veranderingen nu het leger die praktijk in het hele land toepaste.

Onze begeleidende officier gaf aan dat de helikopter klaar stond om te vertrekken. Ik wenste de majoor veel succes en liep in de richting van de bestelwagen. Mark kwam naast me lopen en ik vroeg wat hij wat hij had opgestoken van zijn gesprek met de hogere officier.

'Ik vroeg hem wat hij vond dat we moesten doen om de situatie te redden.'

'Wat zei hij?'

'Vertrekken.'

Het verhaal van de Amerikaanse betrokkenheid in Irak zal nog vele jaren worden geanalyseerd en bediscussieerd – het is zelfs een verhaal dat nog lang niet afgerond is. Op het moment is de situatie daar zodanig verergerd dat het lijkt alsof er een kleinschalige burgeroorlog aan de gang is, en hoewel ik geloof dat alle Amerikanen – ongeacht hun mening over het oorspronkelijke besluit tot de invasie – er belang bij hebben dat de episode Irak fatsoenlijk afgesloten wordt, kan ik niet in alle eerlijkheid zeggen dat ik optimistisch ben over de Irakese vooruitzichten op de korte termijn.

Ik weet wel dat het in deze fase de politiek – de overwegingen van die harde, ongevoelige mannen met wie ik dineerde – en niet de inzet van het Amerikaanse leger zal zijn die bepaalt wat er gaat gebeuren in Irak. Ik ben ook van mening dat onze strategische doelstellingen op dat punt duidelijk gedefinieerd moeten zijn: we moeten enige stabiliteit in Irak bereiken, we moeten zorgen dat degenen die in Irak de macht hebben niet vijandig staan tegenover de Verenigde Staten, en we moeten voorkomen dat Irak een basis voor terroristische activiteiten wordt. Om die doelen te bereiken is het volgens mij in het belang van zowel de Amerikanen als de Irakezen dat er eind 2006 begonnen wordt met gefaseerde terugtrekking van Amerikaanse troepen, maar hoe snel een volledige terugtrekking kan worden gerealiseerd is onduidelijk en mijn mening is slechts gebaseerd op een reeks weloverwogen gissingen – naar het vermogen van de Irakese regering om minstens een basis van veiligheid en diensten aan haar volk te kunnen bieden, naar de mate waarin onze aanwezigheid de opstanden aanmoedigt, en de kans dat Irak bij afwezigheid van Amerikaanse troepen in een complete burgeroorlog verwikkeld zou raken. Als mariniers met oorlogservaring opperen dat we ons moeten terugtrekken en sceptische buitenlandcorrespondenten opperen dat we moeten blijven, is het moeilijk om een eenduidig antwoord te geven.

En toch is het niet te vroeg om een aantal conclusies te trekken uit onze operaties in Irak. Want onze problemen daar ontstaan niet zomaar als gevolg van een slechte uitvoering. Ze zijn een illustratie van gebrek aan visie. Het is een feit dat de Verenigde Staten, bijna vijf jaar na 11 september en vijftien jaar na het uiteenvallen van de Sovjet-Unie, nog steeds geen samenhangend beleid ten aanzien van nationale veiligheid hebben ontwikkeld. In plaats van basisprincipes hebben we een reeks van adhocbesluiten, met twijfelachtige resultaten. Waarom een inval in Irak en niet in Noord-Korea of Birma? Waarom interveniëren in Bosnië en niet in Darfur? Zijn onze doelstellingen voor Iran een regeringswisseling, het ontmantelen van alle Iraanse nucleaire operaties, het voorkomen van proliferatie van kernwapens of alle drie? Zijn we verplicht iedere keer geweld te gebruiken als een tiranniek regime zijn volk terroriseert – en zo ja, hoelang blijven we om te zorgen dat de democratie er wortel schiet? Hoe gaan we om met landen als China die economisch maar niet politiek liberaliseren? Werken we in alle gevallen samen met de Verenigde Naties of alleen als de VN bereid zijn besluiten te ratificeren die wij al genomen hebben?

Misschien heeft iemand in het Witte Huis duidelijke antwoorden op deze vragen. Maar onze bondgenoten kennen die antwoorden in ieder geval niet, net zomin als onze vijanden trouwens. En wat belangrijker is, het Amerikaanse volk ook niet. Zonder een helder verwoorde strategie die door het publiek gesteund wordt en door de wereld begrepen wordt, zal het Amerika ontbreken aan de rechtmatigheid – en uiteindelijk aan de kracht – die het nodig heeft om de wereld veiliger te maken dan zij vandaag is. We hebben een herziening van ons buitenlandbeleid nodig, waardoor het beter aansluit op de doortastendheid en de visie van Trumans beleid na de Tweede Wereldoorlog – een beleid dat zich richt op zowel de uitdagingen als de kansen van een nieuw millennium, een beleid dat als richtsnoer dient voor ons gebruik van geweld en uitdrukking geeft aan onze hoogste idealen en verplichtingen.

Ik pretendeer niet die grootse strategie in mijn achterzak te hebben. Maar ik weet wel wat ik geloof, en ik zou een aantal dingen willen voorstellen waar het Amerikaanse volk zich in zou moeten kunnen vinden, een paar beginpunten voor een nieuwe eensgezindheid.

Om te beginnen moeten we inzien dat een terugkeer naar het isolationisme – of een buitenlandbeleid dat ontkent dat er soms Amerikaanse troepen moeten worden ingezet – niet werkt. De neiging om ons uit de wereld terug te trekken vormt nog steeds een sterke onderstroom in beide partijen, met name als er sprake kan zijn van Amerikaanse slachtoffers. Nadat in 1993 de lijken van Amerikaanse soldaten door de straten van Mogadishu waren gesleurd, beschuldigden de Republikeinen bijvoorbeeld president Clinton van het verspillen van Amerikaanse troepen aan slecht doordachte missies; het was gedeeltelijk vanwege de ervaring in Somalië dat kandidaat George W. Bush tijdens de verkiezingen van 2000 plechtig beloofde dat er nooit meer Amerikaanse militaire hulpmiddelen aan 'natiebouw' zouden worden besteed. De acties van de regering-Bush in Irak hebben begrijpelijkerwijs veel meer verzet opgeroepen. Uit een opiniepeiling van het Pew Research Center bijna vijf jaar na de aanvallen van 11 september blijkt dat zesenveertig procent van de Amerikanen vindt dat de Verenigde Staten 'zich internationaal met zijn eigen zaken moet bemoeien en andere landen zelf hun zaken zo goed mogelijk moeten regelen'.

De reactie was vooral erg heftig onder de progressieven, die in Irak een herhaling zien van de fouten die Amerika in Vietnam gemaakt heeft. Frustratie over Irak en de twijfelachtige tactieken die de regering gebruikte om het land te overtuigen van de noodzaak tot oorlog heeft bij velen ter linkerzijde zelfs geleid tot het bagatelliseren van de terroristische dreigingen en de proliferatie van kernwapens. Volgens een opinieonderzoek van januari 2005 was het voor mensen die zichzelf conservatief noemden negenentwintig procent waarschijnlijker dan voor progressieven om de vernietiging van al-Qaida als een van de belangrijkste doelstellingen van het buitenlandbeleid aan te wijzen, en zesentwintig procent waarschijnlijker om kernwapens te verbieden aan vijandige groepen of naties. Anderzijds waren de drie belangrijkste doelstellingen van het buitenlandbeleid voor progressieven: terugtrekking van de troepen uit Irak, de verspreiding van aids een halt toeroepen en hechtere samenwerking met onze bondgenoten.

De door de progressieven geprefereerde doelstellingen hebben hun verdienste. Maar ze leiden nauwelijks tot een samenhangend beleid op het gebied van nationale veiligheid. We moeten onszelf eraan herinneren dat Osama bin Laden geen Ho Chi Minh is, en dat de bedreigingen waarmee de Verenigde Staten momenteel geconfronteerd worden reëel, meervoudig en in aanleg verwoestend zijn. Ons recente beleid heeft de zaken er erger op gemaakt, maar als we ons morgen uit Irak terugtrekken zouden de Verenigde Staten nog steeds een doelwit zijn, gezien hun dominante positie in de bestaande internatonale orde. De conservatieven hebben uiteraard net zozeer ongelijk als ze denken dat we simpelweg de 'boosdoeners' kunnen elimineren en vervolgens de wereld voor zichzelf laten zorgen. Globalisering maakt onze economie, onze gezondheid en onze veiligheid afhankelijk van gebeurtenissen die zich aan de andere kant van de aardbol afspelen. En geen enkel ander land ter wereld heeft meer mogelijkheden om dat mondiale systeem vorm te geven, of eensgezindheid te creëren over een nieuw stelsel van internationale regels dat de grenzen van vrijheid, persoonlijke veiligheid en economisch welzijn in positieve zin verlegt. Graag of niet, als we Amerika veiliger willen maken, zullen we moeten helpen de wereld veiliger te maken.

Het tweede aspect dat we moeten erkennen is dat het veiligheidsidee van vandaag fundamenteel anders is dan vijftig, vijfentwintig of zelfs nog maar tien jaar geleden. Toen Truman, Acheson, Kennan en Marshall ervoor gingen zitten om de naoorlogse wereldorde vorm te geven, bestond hun referentiekader uit de rivaliteit tussen de grootmachten die de negentiende en het begin van de twintigste eeuw hadden overheerst. In die wereld bestond de grootste dreiging voor Amerika uit expansionistische staten als nazi-Duitsland of de Sovjet-Unie, die grote legers en omvangrijke arsenalen konden inzetten om voor hen belangrijke gebieden binnen te vallen, onze toegang tot cruciale grondstoffen te beperken en de voorwaarden voor de wereldhandel te bepalen.

Die wereld bestaat niet meer. De integratie van Duitsland en Japan in een mondiaal systeem van liberale democratieën en vrijemarkteconomieën heeft de dreiging van conflicten tussen grootmachten in de vrije wereld in feite opgeheven. De komst van kernwapens en 'wederzijds verzekerde vernietiging' maakten het risico van oorlog tussen de Verenigde Staten en de Sovjet-Unie vrij gering, zelfs nog voor de val van de Berlijnse Muur. Tegenwoordig houden de machtigste landen (waaronder in steeds grotere mate ook China) – en, al even belangrijk, de overgrote meerderheid van de mensen die in die landen leven – zich in grote lijnen aan een gemeenschappelijk stelsel van internationale regels betreffende handel, economisch beleid en de wettelijke en diplomatieke oplossingen van geschillen, zelfs als de ruimere begrippen vrijheid en democratie binnen hun eigen grenzen niet algemeen gerespecteerd worden.

De toenemende dreiging is daarom in eerste instantie afkomstig uit die delen van de wereld in de marges van de mondiale economie waar de internationale 'verkeersregels' nog geen voet aan de grond hebben – het domein van zwakke of falende staten, van de wet van de willekeur, van corruptie en chronisch geweld; landen waarin een overgrote meerderheid van de bevolking arm is, onopgeleid en buiten het netwerk van de mondiale informatieverschaffing valt; gebieden waar de heersers vrezen dat globalisering hun greep op de macht zal verzwakken, de traditionele cultuur zal ondermijnen of traditionele gebruiken zal vervangen.

In het verleden dacht men dat Amerika naties en individuen in deze afgesloten gebieden misschien best kon negeren. Ze stonden wellicht vijandig tegenover ons wereldbeeld, ze naastten Amerikaanse bedrijven, ze voorkwamen volgens hen te hoge prijzen voor bepaalde handelsartikelen, werden satellietstaat van de Sovjet-Unie of communistisch China, of ze vielen zelfs Amerikaanse ambassades of militairen in het buitenland aan – maar ze konden ons niet aanvallen waar wij woonden. Uit 11 september blijkt dat dat niet langer opgaat. Dezelfde onderlinge verbanden die alle delen van de wereld steeds dichter bij elkaar brengen hebben degenen die die wereld wilden afbreken meer macht gegeven. Terroristennetwerken kunnen hun leer in een oogwenk verspreiden, ze kunnen de zwakste schakels van de wereldeconomie bereiken, in de wetenschap dat een aanval in Londen of Tokio invloed heeft tot in New York of Hongkong. Wapens en technologie die ooit het exclusieve terrein waren van nationale staten kunnen nu op de zwarte markt worden gekocht, of de ontwerpen worden van internet gehaald. Het vrije verkeer van mensen en goederen, de basis van de mondiale economie, kan voor moordzuchtige doeleinden benut worden.

Als nationale staten niet langer het monopolie op massaal geweld hebben; als het eigenlijk steeds minder waarschijnlijk wordt dat nationale staten ons rechtstreeks aanvallen, omdat ze een 'vast adres' hebben waar we een tegenaanval kunnen plaatsen; als in plaats daarvan de snelst groeiende bedreigingen de transnationale terroristische netwerken zijn die erop uit zijn de globaliseringsbeweging terug te dringen en te ontwrichten, naast mogelijke pandemische ziekten als de vogelgriep of dramatische veranderingen in het klimaat – hoe moeten we dan onze strategie ten aanzien van de nationale veiligheid aanpassen?

Om te beginnen zouden onze defensie-uitgaven en de structuur van onze krijgsmacht een weerspiegeling moeten zijn van de nieuwe realiteit. Sinds het begin van de Koude Oorlog heeft ons vermogen om agressie van natie tegen natie te beletten in hoge mate de veiligheid gegarandeerd van elk land dat zich houdt aan internationale regels en normen. Omdat onze marine de enige is die over de hele wereld patrouilleert, zijn het onze schepen die de vaarroutes veilig houden. En het is onze kernwapenparaplu die voorkwam dat Europa en Japan niet deelnamen aan de bewapeningswedloop tijdens de Koude Oorlog, en die de meeste landen ervan heeft overtuigd – tot voor kort tenminste – dat atoombommen de moeite niet waard zijn. Zolang Rusland en China hun eigen omvangrijke troepenmachten behouden en nog niet verlost zijn van de neiging hun spierballen te laten zien – en zolang een handjevol schurkenstaten nog bereid is andere soevereine staten aan te vallen, zoals Saddam in 1991 Koeweit aanviel – zullen er momenten komen dat we opnieuw de rol van de onwillige politieagent van de wereld moeten spelen. Daar zal niets aan veranderen – en dat hoeft ook niet.

Van de andere kant wordt het tijd dat we erkennen dat een defensiebudget en een legeropbouw die in principe zijn georiënteerd op een mogelijke Derde Wereldoorlog strategisch niet verstandig zijn. Het Amerikaanse budget voor defensie in 2005 was meer dan vijfhonderdtweeëntwintig miljard dollar – dat is meer dan de dertig landen met de hoogste defensiebudgetten gezamenlijk besteedden. Het Amerikaanse bruto nationaal product is groter dan dat van de twee grootste landen en snelst groeiende economieën – China en India – samen. Het is noodzakelijk dat we een positie als strategische macht blijven houden die ons in staat stelt te reageren op bedreigingen van schurkenstaten als Noord-Korea en Iran en om de uitdagingen aan te gaan waar potentiële concurrenten als China ons voor plaatsen. Gezien de afslanking van onze troepen na de oorlogen in Irak en Afghanistan hebben we in de nabije toekomst waarschijnlijk zelfs een iets groter budget nodig om de paraatheid te herstellen en materieel te vervangen.

Maar onze ingewikkeldste militaire uitdaging zal niet zijn om op China voor te blijven (net als onze grootste uitdaging wat China betreft eerder economisch dan militair van aard zal zijn). Het is waarschijnlijker dat de uitdaging inhoudt dat we met onze laarzen aan naar de onbestuurde en vijandige gebieden moeten waar het wemelt van de terroristen. Dat vereist een beter evenwicht tussen wat we besteden aan de modernste wapens en wat we besteden aan onze mannen en vrouwen in uniform. Dat betekent dat de omvang van onze krijgsmacht moet toenemen zodat we redelijke wisseldiensten kunnen instellen, onze manschappen goed kunnen uitrusten en hen kunnen trainen in vaardigheden wat betreft de taal, wederopbouw, informatie vergaren en vrede bewaren die ze nodig zullen hebben om hun steeds gecompliceerdere en moeilijkere missies te doen slagen.

Een verandering van de structuur van onze krijgsmacht zal echter niet voldoende zijn. Bij het omgaan met de wisselende bedreigingen die ons in de toekomst te wachten staan – van de kant van terroristische netwerken en het handjevol landen dat hun steun verleent – zal de structuur van onze krijgsmacht er uiteindelijk minder toe doen dan hoe we besluiten die macht in te zetten. De Verenigde Staten hebben de Koude Oorlog niet alleen maar gewonnen omdat ze meer wapens hadden dan de Sovjet-Unie, maar omdat de Amerikaanse waarden overheersten in de internationale publieke opinie, ook onder communistische regimes. De strijd tegen op de islam gebaseerd terrorisme zal, nog meer dan tijdens de Koude Oorlog, niet zomaar een militaire campagne zijn maar een strijd om de gunst van de mensen in de islamitische wereld, bij onze bondgenoten en in de Verenigde Staten. Osama bin Laden begrijpt dat hij de Verenigde Staten niet in een conventionele oorlog kan verslaan of zelfs maar tijdelijk kan uitschakelen. Wat hij en zijn bondgenoten kunnen doen is genoeg leed berokkenen om het soort reactie uit te lokken dat we in Irak hebben gezien – een slordige en onberaden Amerikaanse militaire inval in een islamitisch land, wat op zijn beurt opstanden op basis van religieuze gevoelens en nationalistische trots aanmoedigt, wat dan weer leidt tot een langdurige en moeizame Amerikaanse bezetting, wat weer leidt tot een groeiend aantal dodelijke slachtoffers onder de Amerikaanse manschappen en de lokale burgerbevolking. Dit alles wakkert anti-Amerikaanse gevoelens onder islamieten aan, vergroot de groep potentiële terroristenrekruten en leidt ertoe dat het Amerikaanse publiek niet alleen aan de oorlog gaat twijfelen maar ook aan waarom het beleid ons überhaupt in de islamitische wereld brengt.

Dat is het plan voor het winnen van een oorlog vanuit een grot, en tot dusver hebben we het scenario gevolgd. Om dat scenario te wijzigen moeten we zorgen dat elke Amerikaanse militaire machtsuitoefening onze ruimere doelstellingen niet belemmert maar juist bevordert: het vernietigende potentieel van terroristische netwerken uitschakelen én deze mondiale ideeënstrijd winnen.

Wat betekent dat in de praktijk? Laten we vooropstellen dat de Verenigde Staten, net als alle andere soevereine staten, het unilaterale recht hebben zich tegen aanvallen te verdedigen. Als zodanig was onze campagne om de basiskampen van al-Qaida en het talibanregime dat hun gastvrijheid bood uit te schakelen absoluut gerechtvaardigd. Zelfs de meeste islamitische landen waren die mening toegedaan. Het is wellicht prettiger om bij dergelijke militaire campagnes steun te krijgen van onze bondgenoten, maar onze onmiddellijke veiligheid kan niet in gevaar worden gebracht in afwachting van internationale eensgezindheid. Als we het alleen moeten doen, is het Amerikaanse volk bereid elke prijs te betalen en elke last te dragen om ons land te beschermen.

Ik zou ook willen stellen dat we het recht hebben om unilaterale militaire actie te ondernemen om een ophanden zijnde bedreiging van onze veiligheid te elimineren – als we tenminste onder ophanden zijnde bedreiging verstaan: een natie, groep of individu die/dat zich actief voorbereidt op een aanval op Amerikaanse doelwitten (of bondgenoten met wie de Verenigde Staten wederzijdse defensieovereenkomsten hebben gesloten) en de middelen heeft of zal krijgen om die in de nabije toekomst uit te voeren. Al-Qaida voldoet aan die voorwaarden en we kunnen en moeten onze preventieve aanvallen op deze groep uitvoeren waar we maar kunnen. Irak onder Saddam voldeed niet aan die voorwaarden en daarom was onze invasie ook zo'n strategische blunder. Als we unilateraal gaan optreden kunnen we maar beter zorgen dat we bewijzen hebben tegen onze doelwitten.

Als het eenmaal over andere zaken dan zelfverdediging gaat, ben ik er echter van overtuigd dat het bijna altijd in ons strategische belang is om multilateraal in plaats van unilateraal op te treden als we ergens ter wereld geweld gebruiken. Daarmee bedoel ik dan niet dat de Veiligheidsraad van de VN – een instituut dat wat structuur en regels betreft vaak in een koudeoorlogpose bevroren lijkt – een veto over onze acties zou mogen uitspreken. Ik bedoel ook niet dat we Groot-Brittannië en Togo erbij halen en dan doen waar we zin in hebben. Multilateraal optreden betekent doen wat George H.W. Bush en zijn team bij de eerste Golfoorlog deden – de zware diplomatieke klus klaren om te zorgen dat het grootste deel van de wereld onze acties steunt en zorgen dat onze acties dienen om meer erkenning voor internationale normen te krijgen.

Waarom moeten we ons op die manier gedragen? Omdat niemand meer dan wij voordeel heeft van handhaving van de internationale 'verkeersregels'. We kunnen niemand tot die regels bekeren als we doen alsof ze op iedereen behalve ons van toepassing zijn. Als de enige grootmacht ter wereld bereid is zijn macht in te tomen en zich houdt aan de internationaal overeengekomen gedragsnormen, is dat een bewijs dat die regels het verdienen nageleefd te worden en ontneemt het terroristen en dictators het argument dat die regels slechts het Amerikaanse imperialisme dienen.

Het verwerven van mondiale deelname betekent ook een lastenverlichting van de Verenigde Staten als er militaire actie vereist is en het vergroot de kans op succes. Gezien de relatief bescheiden defensiebudgetten van de meeste van onze bondgenoten is het delen van de militaire last in sommige gevallen enigszins een illusie, maar op de Balkan en in Afghanistan hebben onze NAVO-partners hun deel van de gevaren en de kosten inderdaad voor hun rekening genomen. Bovendien zal voor het soort conflicten waarmee we vermoedelijk te maken krijgen de eerste militaire operatie vaak minder gecompliceerd en kostbaar zijn dan het werk dat erop volgt – opleiden van lokale politiekorpsen, herstellen van stroom- en watervoorzieningen, de opbouw van een rechtssysteem, aanmoedigen van onafhankelijke media, de opbouw van infrastructuur voor gezondheidsvoorzieningen en het organiseren van verkiezingen. Bondgenoten kunnen bijdragen aan de transportkosten en deskundigen leveren voor deze cruciale inspanningen, zoals ze ook op de Balkan en in Afghanistan hebben gedaan, maar de kans dat ze dat ook doen is veel groter als onze acties om te beginnen internationale steun hebben gekregen. In militaire taal is legitimiteit een *force multiplier*.

Al net zo belangrijk is dat het moeizame proces van de opbouw van geallieerde legers ons dwingt te luisteren naar andere standpunten en ons dus dwingt te bezinnen voor we beginnen. Als we niet bezig zijn onszelf te verdedigen tegen een rechtstreekse en acute dreiging hebben we vaak het voordeel van extra tijd; onze militaire kracht wordt een van de vele middelen (zij het een bijzonder belangrijk middel) die invloed hebben op de gebeurtenissen en die onze belangen in de wereld dienen – het belang van toegang tot belangrijke energiebronnen, het belang om financiële markten stabiel te houden, het belang ervoor te zorgen dat internationale grenzen gerespecteerd worden en volkerenmoord voorkomen wordt. Bij het nastreven van die doelstellingen moeten we een diepgaande analyse maken van de kosten en baten van het gebruik van geweld, vergeleken met de andere middelen die ons ter beschikking staan om invloed uit te oefenen.

Is goedkope olie de kosten – in bloed en geld – van een oorlog waard? Zal onze militaire interventie in een bepaald etnisch conflict leiden tot een definitieve politieke regeling of een inzet van Amerikaanse troepen voor onbepaalde tijd? Kan ons conflict met een bepaald land langs diplomatieke wegen of door middel van een gecoördineerde reeks sancties opgelost worden? Als we de meer algemene ideeënstrijd willen winnen moet de wereldopinie in deze berekening worden meegenomen. En het kan dan soms frustrerend zijn om een anti-Amerikaanse houding te constateren bij onze Europese bondgenoten die onze bescherming genieten, of tijdens de Algemene Vergadering van de VN toespraken te horen die opzettelijk verwarring scheppen, die afleiden of passiviteit verdedigen; toch is het mogelijk dat er onder alle retoriek perspectieven schuilgaan die de situatie verduidelijken en ons helpen betere strategische besluiten te nemen.

Ten slotte geven we onze bondgenoten, door hen erbij te betrekken, een gedeelde verantwoordelijkheid voor hoe we de moeilijke, belangrijke en noodzakelijkerwijs gezamenlijke opdracht aanpakken om de mogelijkheden van terroristen om schade toe te brengen te beperken. Die opdracht omvat ook het ontmantelen van terroristische financiële netwerken en inlichtingen uitwisselen om terroristische verdachten op te sporen en hun cellen te infiltreren. Het feit dat we nog steeds niet in staat zijn om de informatie-uitwisseling tussen zelfs verschillende Amerikaanse instanties effectief te coördineren is onvergeeflijk. Nog belangrijker is dat we de handen ineen moeten slaan om massavernietigingswapens uit de handen van terroristen te houden.

Een van de beste voorbeelden van een dergelijke samenwerking werd in de jaren negentig voor het eerst gegeven door de Republikeinse senator Dick Lugar van Indiana en voormalig Democratisch senator Sam Nunn van Georgia, twee mannen die wisten hoe belangrijk het was om coalities te vormen voordat er een crisis ontstaat, en die die kennis toepasten op het ernstige probleem van de proliferatie van kernwapens. De premisse van wat bekend zou worden als het Nunn-Lugar-programma was simpel: na de val van de Sovjet-Unie was de grootste bedreiging van de Verenigde Staten – afgezien van een enkele toevallige lancering – niet een eerste aanval op bevel van Gorbatsjov of Jeltsin, maar de lekkage van nucleair materiaal en deskundigheid naar terroristen en schurkenstaten, een mogelijk gevolg van Ruslands economische vrije val, corruptie in het leger, de verarming van Russische wetenschappers, en ondeugdelijk geworden veiligheids- en controlesystemen. Onder Nunn-Lugar leverde Amerika in principe de hulpmiddelen om die systemen op te lappen, en hoewel het programma enige consternatie veroorzaakte onder degenen die nog steeds in termen van de Koude Oorlog dachten, is gebleken dat het een van de belangrijkste investeringen is geweest die we konden doen om onszelf voor een ramp te behoeden.

In augustus 2005 reisde ik met senator Lugar mee om te zien wat hij voor elkaar gekregen had. Het was mijn eerste reis naar Rusland en Oekraïne en ik had me geen betere gids kunnen wensen dan Dick, een opmerkelijk fitte man van drieënzeventig met een vriendelijke, onverstoorbare houding en een ondoorgrondelijke glimlach die hem goede diensten bewees tijdens de vaak eindeloze vergaderingen met buitenlandse functionarissen. Samen bezochten we de nucleaire faciliteiten in Saratov, waar Russische generaals trots wezen op de nieuwe omheining en het nieuwe veiligheidssysteem dat net gereed was gekomen. Na afloop trakteerden ze ons op een lunch van borsjtsj, wodka, aardappelstoofschotel en een erg onsmakelijke gelatinepudding van vis. In Perm, op een locatie waar SS-24- en SS-25-raketten werden ontmanteld, liepen we door lege raketomhulsels van 2,4 meter doorsnee en staarden in stilte naar de enorme, gestroomlijnde, nog niet ontmantelde raketten die nu veilig in de opslag lagen maar ooit op de steden van Europa gericht waren.

En in een rustige woonwijk van Kiev maakten we een rondgang langs de Oekraïense versie van het Centrum voor Ziektebestrijding, een bescheiden gebouw van twee verdiepingen dat eruitzag als het scheikundelaboratorium van een middelbare school. Bij gebrek aan airconditioning stonden de ramen open en slordig bevestigde stalen strips aan deurstijlen hielden de muizen buiten. Tijdens onze rondleiding werden we op een gegeven moment meegenomen naar een kleine vrieskast die alleen beveiligd was met een zegel aan een touwtje. Een vrouw van middelbare leeftijd in een laboratoriumjas met een stofmasker op haalde een paar buisjes uit de vrieskast, zwaaide ermee op ongeveer dertig centimeter afstand van mijn gezicht en zei iets in het Oekraïens.

'Dat is antrax,' zei de tolk, wijzend op het buisje in de rechterhand van de vrouw. 'Dat is de pest,' zei hij en wees op haar linkerhand.

Ik keek om en zag dat Lugar achter in de kamer stond.

'Wil je het niet van dichterbij bekijken, Dick?' vroeg ik, terwijl ik zelf ook een paar stappen achteruit deed.

'Nee, dank je wel,' zei hij glimlachend.

Er waren bepaalde momenten tijdens onze reis dat we aan de tijd van de Koude Oorlog herinnerd werden. Bijvoorbeeld toen een grensbeambte, een jonge twintiger, ons op het vliegveld van Perm drie uur vasthield omdat we hem niet toestonden ons vliegtuig te doorzoeken, wat reden was voor paniekerige telefoontjes van onze medewerkers naar de Amerikaanse ambassade en het Russische ministerie van Buitenlandse Zaken in Moskou. Maar het meeste van wat we zagen – de Calvin Kleinwinkel en de showroom van Maserati in het winkelcentrum op het Rode Plein; de autocolonne van SUV's die voorreed bij een restaurant, bestuurd door forse mannen met slechtzittende pakken, die ooit misschien wel de deuren openden voor functionarissen van het Kremlin maar nu deel uitmaakten van een beveiligingseenheid van een van Ruslands steenrijke oligarchen; de grote groepen norse tieners in T-shirts en laaggesneden spijkerbroeken die sigaretten en de muziek op hun iPods met elkaar deelden terwijl ze over de stijlvolle boulevards van Kiev slenterden – bevestigde het kennelijk onomkeerbare proces van economische, zo niet politieke, integratie tussen Oost en West.

Ik had het gevoel dat dat een deel van de reden was waarom Lugar en ik bij de verschillende militaire installaties zo hartelijk ontvangen werden. Onze aanwezigheid betekende niet alleen geld voor beveiligingssystemen en hekken en monitoren en dergelijke, zij was ook een teken voor de mannen en vrouwen die in deze voorzieningen werkten dat ze er nog steeds toe deden. Ze hadden carrière gemaakt en waren geprezen voor het vervolmaken van het oorlogstuig. Nu hadden ze de leiding over de resten van het verleden, en de instellingen waar ze voor werkten waren nauwelijks nog van belang in de landen waarvan de bevolking inmiddels voornamelijk geïnteresseerd was in snel geld verdienen.

Dat gevoel kreeg ik tenminste in Donetsk, een industriestad in het zuidoosten van Oekraïne waar we een bedrijf bezochten voor de vernietiging van conventionele wapens. Het gebouw lag op het platteland, bereikbaar via een aantal smalle wegen waar af en toe kuddes geiten liepen. De directeur van het bedrijf, een gezette, opgewekte man die me deed denken aan een opzichter van een gevangenis in Chicago, leidde ons langs een stel donkere opslagplaatsachtige bouwsels in verschillende fasen van verval, waar rijen arbeiders behendig allerlei landmijnen en tankkanonnen uit elkaar haalden, met naast hen lege hulzen in slordige stapels die tot mijn schouder reikten. Ze hadden Amerikaanse steun nodig, zei de directeur, want Oekraïne had geen geld om alle wapens te verwerken die waren overgebleven van de Koude Oorlog en Afghanistan. In het huidige tempo zou het beveiligen en ontmantelen van deze wapens wel zestig jaar duren. In de tussentijd zouden de wapens door het hele land verspreid blijven, vaak in schuurtjes zonder hangslot, blootgesteld aan de elementen, niet alleen maar ammunitie, maar ook zware explosieven en draagbare raketten – vernietigingswerktuigen die in handen zouden kunnen vallen van krijgsheren in Somalië, Tamilstrijders in Sri Lanka of opstandelingen in Irak.

Terwijl hij praatte liep onze groep een ander gebouw in waar vrouwen met stofmaskers aan een tafel hexogeen – een door legers gebruikt explosief – verwijderden uit verschillende granaten en in zakken stopten. In een andere kamer zag ik een stel mannen in hun hemd zitten roken naast een puffende oude heetwaterketel. Ze tipten hun as af in een open geul waar oranjekleurig water doorheen liep. Iemand van onze groep riep me en wees me op een vergeeld affiche dat aan de muur hing. Het was een overblijfsel van de Afghaanse oorlog, kregen we te horen: instructies voor het verbergen van explosieven in speelgoed, dat in dorpen kon worden achtergelaten en door nietsvermoedende kinderen mee naar huis genomen werd.

Een bewijs van de waanzin van de mens, dacht ik.

Een aandenken aan hoe wereldrijken zichzelf vernietigen.

Er is nog een laatste aspect van het Amerikaanse buitenlandbeleid dat aan de orde moet komen – het deel dat minder te maken heeft met het vermijden van oorlog alswel juist met het bevorderen van vrede. In mijn geboortejaar verklaarde president Kennedy in zijn inaugurele rede: 'Aan alle volken in hutten en dorpen van de halve wereld die strijden om de ketenen van massa-armoede af te werpen beloven wij ons best te doen hen te helpen zichzelf te helpen, voor hoelang het ook nodig zal zijn – niet omdat de communisten het misschien doen, niet omdat we stemmen willen winnen, maar omdat het zo hoort. Als een vrije samenleving de vele armen niet kan helpen, kan zij de weinige rijken ook niet redden.' Vijfenveertig jaar later bestaat de massa-armoede nog steeds. Als wij Kennedy's belofte willen nakomen – en onze veiligheidsbelangen op lange termijn willen dienen – zullen we ons militair iets minder voorzichtig moeten opstellen. We zullen ons beleid erop moeten richten de gebieden van onveiligheid, armoede en geweld overal ter wereld te beperken en meer mensen een aandeel te geven in de wereldorde die ons zo gunstig gezind is geweest.

Natuurlijk zijn er mensen die mijn vooronderstelling zullen aanvechten – dat elke wereldorde die geschoeid is op Amerikaanse leest ellende in armere landen kan verlichten. Voor hen is Amerika's idee over wat het internationale stelsel zou moeten zijn – vrije handel, open markten, een ongehinderde informatiestroom, de rechtsstaat, democratische verkiezingen en dergelijke – slechts een uiting van Amerikaans imperialisme, bedoeld om de goedkope arbeidskrachten en natuurlijke grondstoffen van andere landen uit te buiten en niet-westerse culturen te besmetten met decadente ideeën. Zij stellen dat andere landen zich niet moeten voegen naar Amerika's regels, maar zich moeten verzetten tegen de Amerikaanse pogingen om zijn hegemonie uit te breiden; ze zouden juist hun eigen ontwikkeling moeten volgen, naar het voorbeeld van linksgeoriënteerde populisten als Hugo Chávez van Venezuela, of zich moeten richten op traditionelere principes van sociale organisatie, zoals de islamitische wetgeving.

Ik verwerp die kritiek niet klakkeloos. Amerika en zijn westerse partners hebben tenslotte het huidige internationale stelsel ontworpen. De wereld heeft zich de afgelopen vijftig jaar moeten aanpassen aan de manier waarop wij zaken regelen – onze boekhoudmethodes, onze taal, onze dollar, onze auteursrechten, onze technologie en onze populaire cultuur. Het internationale systeem als geheel heeft de meest ontwikkelde landen ter wereld grote welvaart gebracht, maar het heeft ook veel mensen achter zich gelaten – een gegeven dat westerse beleidsmakers vaak hebben genegeerd en soms erger hebben gemaakt.

Maar welbeschouwd denk ik dat de critici ongelijk hebben als zij vinden dat de armen van deze wereld baat zullen hebben bij het afwijzen van de idealen van vrije markten en liberale democratie. Als mensenrechtenactivisten van diverse landen op mijn kantoor komen om te praten over het feit dat zij gevangengenomen en gemarteld zijn vanwege hun overtuigingen, doen zij dat niet als vertegenwoordigers van de Amerikaanse macht. Als mijn neef in Kenia klaagt dat hij onmogelijk werk kan vinden zonder een of andere functionaris van de regerende partij om te kopen, is hij niet gehersenspoeld door westerse ideeën. Twijfelt iemand eraan dat de meeste mensen in Noord-Korea, als ze de keus hadden, liever in Zuid-Korea zouden wonen, of dat veel mensen in Cuba misschien graag naar Miami zouden verhuizen?

Niemand, in geen enkele cultuur, wil gekoeioneerd worden. Niemand wil in angst leven omdat zijn of haar ideeën afwijken. Niemand wil arm zijn. Niemand wil honger hebben en niemand wil in een economisch systeem leven waarin de vruchten van zijn of haar arbeid nooit beloond worden. Het systeem van vrije markten en liberale democratie dat momenteel het kenmerk is van het grootste deel van de ontwikkelde wereld heeft zijn gebreken; het is maar al te vaak een afspiegeling van de belangen van de machtigen tegenover die van de machtelozen. Maar dat systeem is voortdurend aan verandering en verbetering onderhevig, en het is juist vanwege die bereidheid tot verandering dat op de markt gebaseerde liberale democratieën mensen over de hele wereld de meeste kans op een beter leven bieden.

De uitdaging aan ons is daarom te zorgen dat het Amerikaanse beleid het internationale systeem stuurt in de richting van meer gelijkheid, rechtvaardigheid en welvaart – dat de regels die we propageren zowel onze belangen dienen als die van een met armoede kampende wereld. Als we dat doen moeten we een aantal basisprincipes in gedachten houden. Ten eerste moeten we ons sceptisch opstellen tegenover degenen die denken dat wij zonder steun van anderen mensen kunnen verlossen van tirannie. Ik ben het eens met George W. Bush die in zijn tweede inaugurele rede het universele verlangen naar vrijheid loofde. Maar in de geschiedenis zijn maar weinig voorbeelden te vinden waarin de vrijheid waar mannen en vrouwen naar verlangen tot stand komt dankzij interventie van anderen. Bij vrijwel elke geslaagde sociale beweging van de afgelopen eeuw, van Gandhi's campagne tegen het Britse regime, de Solidariteitsbeweging in Polen tot de antiapartheidsbeweging in Zuid-Afrika, was democratie het gevolg van een plaatselijke bewustwording.

We kunnen andere volken aanmoedigen en vragen om zelf op te komen voor hun vrijheid; we kunnen internationale forums en overeenkomsten benutten om normen vast te stellen die anderen kunnen volgen; we kunnen prille democratieën financieel helpen om eerlijke verkiezingssystemen op te zetten, onafhankelijke journalisten op te leiden en de gewoonten van burgerlijke medezeggenschap te introduceren; we kunnen opkomen voor lokale leiders wier rechten worden geschonden; en we kunnen economische en diplomatieke druk uitoefenen op degenen die herhaaldelijk de rechten van hun eigen burgers schenden.

Maar als we trachten democratie met geweld op te dringen, geld sluizen naar partijen met economisch beleid dat gunstiger is voor Washington, of beïnvloed raken door bannelingen als Chalabi wiens ambities niet geschraagd worden door enige zichtbare lokale steun, zijn we niet alleen maar bezig onze eigen afgang voor te bereiden. We helpen onderdrukkende regimes om democratische activisten neer te zetten als hulpmiddelen van buitenlandse machten en vertragen de mogelijkheid dat er op den duur een integere, zelf opgebouwde democratie ontstaat.

Een gevolg hiervan is dat vrijheid meer betekent dan verkiezingen. In 1941 zei FDR dat hij zich verheugde op een wereld die op vier essentiële vrijheden gebaseerd was: vrijheid van meningsuiting, vrijheid van godsdienst, vrijheid van armoede en vrijheid van angst. Onze eigen ervaring leert ons dat die twee laatste – vrijheid van armoede en vrijheid van angst – voorwaarden zijn voor alle andere. Voor de helft van de wereldbevolking, ongeveer drie miljard mensen die van minder dan twee dollar per dag moeten rondkomen, is een verkiezing in het beste geval een middel, geen doel; een beginpunt, geen bevrijding. Deze mensen streven minder naar een 'electocratie' dan naar de basisaspecten die voor de meesten van ons bij een fatsoenlijk bestaan horen: voeding, onderkomen, elektriciteit, gezondheidsvoorzieningen, onderwijs voor hun kinderen en de mogelijkheid om door het leven te gaan zonder te lijden onder corruptie, geweld of willekeurige machtsuitoefening. Als we de harten en de geesten van de mensen in Caracas, Jakarta, Nairobi en Teheran willen winnen is het plaatsen van stembussen niet voldoende. We zullen ervoor moeten zorgen dat de internationale regels die we voorstaan hun gevoel van materiële en persoonlijke veiligheid vergroten en niet in de weg staan.

We moeten daarvoor misschien in de spiegel kijken. De Verenigde Staten en andere ontwikkelde landen eisen bijvoorbeeld voortdurend dat de zich ontwikkelende landen handelsbarrières opheffen die hen tegen concurrentie beschermen, terwijl we juist vastberaden onze eigen achterban beschermen tegen export die arme landen misschien van hun armoede zou kunnen helpen verlossen. Bij onze pogingen de octrooien van Amerikaanse geneesmiddelenfabrikanten te beschermen hebben we landen als Brazilië de mogelijkheid ontnomen om merkloze aidsmedicijnen te produceren die miljoenen levens zouden kunnen redden. Onder leiding van Washington heeft het IMF, na de Tweede Wereldoorlog opgericht om als laatst mogelijke geldschieter te dienen, herhaaldelijk landen in grote financiële crisis, zoals Indonesië, gedwongen om pijnlijke aanpassingen door te voeren (sterk stijgende rentevoeten, bezuinigen op sociale maatregelen van de overheid, schrappen van subsidies aan cruciale industrieën) die hun bevolking grote problemen geven – bittere pillen die wij Amerikanen ons zelf met veel tegenzin zouden voorschrijven.

Een andere tak van het internationale financiële stelsel, de Wereldbank, heeft de reputatie omvangrijke, dure projecten te financieren die gunstig zijn voor duurbetaalde adviseurs en de lokale elites met goede connecties, maar weinig betekenen voor de gewone burger – hoewel deze gewone burger wel het slachtoffer is als de leningen moeten worden afbetaald. Het is zelfs zo dat landen die zich met succes hebben ontwikkeld onder het huidige internationale stelsel Washingtons rigide economische voorschriften bij tijd en wijle hebben genegeerd door hun ontluikende industrie te beschermen en agressieve industriële politiek te bedrijven. Het IMF en de Wereldbank moeten inzien dat er niet één algemeen geldende formule is voor de ontwikkeling van de diverse landen.

Er is uiteraard niets mis met een beleid van 'strenge liefde' als het gaat om het verlenen van ontwikkelingshulp aan arme landen. Te veel arme landen gaan gebukt onder archaïsche, zelfs feodale wetgeving met betrekking tot eigendom en bankieren. In het verleden zijn te veel ontwikkelingsprogramma's alleen ten goede gekomen aan de lokale elites en werd het geld naar Zwitserse bankrekeningen gesluisd. Het beleid ten aanzien van ontwikkelingshulp heeft inderdaad veel te lang de kritische rol genegeerd die het recht en de transparantieprincipes in de ontwikkeling van elk land spelen. In een periode waarin het bij internationale financiële transacties draait om betrouwbare contracten waarvan de naleving af te dwingen is, zou je verwachten dat de hausse van mondiale handel aanleiding zou zijn geweest voor uitgebreide wettelijke hervormingen. Maar landen als India, Nigeria en China hebben zelfs twee wettelijke systemen ontwikkeld – een voor buitenlanders en elites en een voor gewone mensen die vooruit proberen te komen.

Wat landen als Somalië, Sierra Leone en Congo betreft, welnu, daar is nauwelijks wetgeving. Er zijn momenten dat ik, als ik me verdiep in de problemen van Afrika – de miljoenen mensen die aan aids lijden, de voortdurende droogte en hongersnoden, de dictaturen, de alomaanwezige corruptie, de wreedheid van twaalfjarige guerrillastrijders die niets anders kennen dan als wapens gebruikte machetes en AK-47's – diep wegzak in cynisme en wanhoop. Tot ik eraan herinnerd word dat een klamboe die malaria voorkomt maar drie dollar kost; dat een vrijwillig hiv-testprogramma in Oeganda de toename van nieuwe infecties aanzienlijk heeft weten te beperken, terwijl de kosten slechts drie of vier dollar per test bedragen; dat slechts een beetje aandacht – internationaal machtsvertoon en het creëren van zones ter bescherming van burgers – de massaslachtingen in Rwanda zou hebben kunnen stoppen; en dat landen als Mozambique die het ook lastig hadden belangrijke hervormingen hebben doorgevoerd.

FDR had groot gelijk toen hij zei: 'Als natie mogen we trots zijn op het feit dat we zachtaardig zijn, maar we kunnen ons niet veroorloven halfzacht te zijn.' We moeten niet verwachten dat we Afrika kunnen helpen als Afrika uiteindelijk niet bereid blijkt zichzelf te helpen. Maar er zijn positieve ontwikkelingen in Afrika, die soms verborgen zijn in wanhopig nieuws. De democratie neemt toe. Op veel plaatsen groeit de economie. We moeten ons baseren op die sprankjes van hoop en de betrokken leiders en burgers in heel Afrika helpen te bouwen aan een betere toekomst waar zij net zo hartstochtelijk als wij naar verlangen.

Bovendien houden we onszelf voor de gek als we denken dat het geen gevolgen heeft als we, in de woorden van een verslaggever, 'leren te berusten als we anderen zien sterven'. Chaos leidt tot chaos; harteloosheid ten aanzien van anderen heeft de neiging zich tegen onszelf te keren. En als morele redenen niet voldoende zijn om ons in actie te krijgen terwijl een werelddeel implodeert, dan zijn er toch zeker technische redenen voor de Verenigde Staten en hun bondgenoten om zich het lot aan te trekken van tekortschietende landen die hun territorium niet onder controle hebben, epidemieën niet kunnen bestrijden en verlamd zijn door burgeroorlogen en wreedheden. In een dergelijke toestand van wetteloosheid grepen de taliban de macht in Afghanistan. Bin Laden heeft enkele jaren geopereerd vanuit Soedan, de plek waar zich momenteel langzaam maar zeker een volkerenmoord voltrekt. Het volgende moordvirus zal zich ontwikkelen in de barre omstandigheden van een naamloze sloppenwijk.

Natuurlijk kunnen we zulke tragische problemen niet alleen aan, niet in Afrika of waar dan ook. Juist daarom zouden we meer tijd en geld moeten besteden aan pogingen om de mogelijkheden van internationale instellingen te vergroten zodat zij een deel van dat werk voor ons kunnen doen. In plaats daarvan hebben we het omgekeerde gedaan. Jarenlang hebben de conservatieven in de Verenigde Staten politiek hun slag geslagen met problemen bij de VN: de hypocrisie van resoluties die uitsluitend Israël veroordeelden, de kafkaëske verkiezing van landen als Zimbabwe en Libië in de VN-Commissie voor Mensenrechten, en recent nog de tegenslagen waar het olie-voor-voedselprogramma mee te kampen had.

Deze critici hebben gelijk. Want voor elke VN-organisatie als Unicef die goed functioneert, zijn er andere organisaties te noemen die weinig anders lijken te doen dan conferenties houden, rapporten produceren en erebanen regelen voor derderangs internationale ambtenaren. Maar die gebreken zijn geen argument om onze betrokkenheid bij internationale organisaties te verminderen, en ze zijn al evenmin een excuus voor Amerikaans unilateralisme. Hoe effectiever VN-vredesmachten zijn in hun optreden bij burgeroorlogen en sektarische conflicten, hoe minder mondiale controle we hoeven uit te oefenen in gebieden die we graag gestabiliseerd zouden zien. Hoe betrouwbaarder de informatie is die het International Atomic Energy Agency produceert, hoe meer kans we hebben om bondgenoten te mobiliseren tegen de pogingen van schurkenstaten om kernwapens te bemachtigen. Hoe beter de Wereldgezondheidsorganisatie (WHO) functioneert, hoe kleiner de kans is dat we te maken krijgen met een grieppandemie in ons eigen land. Geen land heeft meer baat bij het versterken van de internationale instellingen dan wij – dat is de reden waarom we oorspronkelijk ook hebben aangedrongen op hun ontstaan en waarom we het voortouw moeten nemen bij het versterken ervan.

Ten slotte, voor degenen die zich ergeren aan het vooruitzicht te moeten samenwerken met onze bondgenoten om de urgente mondiale problemen waar we mee geconfronteerd zijn op te lossen, wil ik één terrein voorstellen waar we unilateraal kunnen optreden en onze reputatie in de wereld kunnen verbeteren: we kunnen onze eigen democratie vervolmaken en het goede voorbeeld geven. Als we tientallen miljarden dollars blijven uitgeven aan wapensystemen van twijfelachtig nut, maar niet bereid zijn om geld uit te geven om uiterst kwetsbare chemische fabrieken in grote stedelijke gebieden te beveiligen, wordt het voor andere landen nog moeilijker om hun kerncentrales te beveiligen. Als we verdachten zonder rechtszaak voor onbepaalde tijd vasthouden of hen midden in de nacht transporteren naar landen waarvan we weten dat er gemarteld wordt, verkleinen we onze mogelijkheden om aan te dringen op mensenrechten en gerechtigheid bij tirannieke regimes. Als wij, het rijkste land ter wereld en de verbruikers van vijfentwintig procent van alle fossiele brandstoffen, het niet op kunnen brengen om aan de energiebesparing maar een fractie hogere eisen te stellen om minder afhankelijk te zijn van de olievelden in Saudi-Arabië en om de mondiale opwarming te vertragen, moeten we ervan uitgaan dat het moeilijk zal worden om China ervan te overtuigen geen zaken te doen met olieleveranciers als Iran en Soedan – en moeten we op niet te veel medewerking rekenen als we willen dat ze milieuproblemen oplossen die ook ons land aangaan.

Het gebrek aan bereidheid om moeilijke keuzes te maken en onze eigen idealen na te streven ondermijnt niet alleen de Amerikaanse geloofwaardigheid in de ogen van de wereld. Het ondermijnt ook de geloofwaardigheid van de Amerikaanse regering in de ogen van het Amerikaanse volk. Uiteindelijk is de manier waarop we omgaan met dat allerkostbaarste bezit – het Amerikaanse volk, en het systeem van zelfbestuur dat we van onze stichters hebben geërfd – bepalend voor het succes van elk buitenlandbeleid. De wereld buiten onze grenzen is gevaarlijk en gecompliceerd; het werk om hervormingen door te voeren zal moeilijk zijn en lang duren en het zal offers vergen. Die offers ontstaan omdat het Amerikaanse volk heel goed begrijpt welke keuzes het moet maken; het is een gevolg van het vertrouwen dat we hebben in onze democratie. FDR begreep dat, toen hij na de aanval op Pearl Harbor zei dat 'deze regering haar vertrouwen stelt in het uithoudingsvermogen van het Amerikaanse volk'. Truman begreep dat, en daarom zette hij samen met Dean Acheson de Commissie voor het Marshallplan op, die bestond uit CEO's, academici, vakbondsleiders, geestelijken en anderen die in het hele land campagne konden voeren voor het plan. Het lijkt wel of dat een les is die de Amerikaanse leiders opnieuw moeten leren.

Ik vraag me soms af of mensen eigenlijk wel in staat zijn om te leren van de geschiedenis – of we in een stijgende lijn van de ene fase in de andere belanden of dat we ons maar laten meeslepen door de cycli van groei en crisis, oorlog en vrede, opkomst en verval. Tijdens dezelfde reis die me naar Bagdad voerde, heb ik een week door Israël en de Westelijke Oever getrokken, waar ik sprak met functionarissen van beide partijen en de locatie van zoveel conflicten leerde kennen. Ik sprak met Joden die hun ouders hadden verloren tijdens de holocaust en broers bij zelfmoordaanslagen; ik hoorde Palestijnen vertellen over de vernederingen van controleposten en herinneringen ophalen aan het land dat ze kwijtgeraakt waren. Ik vloog per helikopter over de grens die de twee volken van elkaar scheidt en zag dat ik Joodse dorpen niet van Arabische dorpen kon onderscheiden omdat het allemaal kwetsbare buitenposten waren op de groene, rotsige heuvels. Van de promenade boven Jeruzalem keek ik uit over de Oude Stad, de Rotskoepel, de Westelijke Muur en de kerk van het Heilig Graf, dacht na over de tweeduizend jaar van oorlog en geruchten van oorlog die dit kleine stuk grond vertegenwoordigde en overwoog de mogelijkheid dat het nutteloos was om te denken dat dit conflict op de een of andere manier nog tijdens ons leven beëindigd zou worden of dat Amerika, met al zijn macht, iets blijvends te zeggen had over de koers van de wereld.

Ik blijf echter niet lang over zulke dingen nadenken – het zijn de mijmeringen van een oude man. Hoe moeilijk het werk ook lijkt, ik vind dat we verplicht zijn om moeite te doen om vrede in het Midden-Oosten te bewerkstelligen, niet alleen voor de mensen in de regio, maar ook voor de veiligheid en geborgenheid van onze eigen kinderen.

En misschien hangt het lot van de wereld niet alleen af van wat er op de slagvelden gebeurt; misschien hangt het net zozeer af van het werk dat we doen op rustige plekken waar een helpende hand nodig is. Ik herinner me dat ik de journaalbeelden zag van de tsunami die in 2004 Oost-Azië trof – de dorpen die aan de westkust van Indonesië werden weggevaagd, de duizenden mensen die wegspoelden. En in de weken die erop volgden zag ik met trots dat particuliere Amerikanen meer dan een miljard dollar aan hulp overmaakten en dat Amerikaanse oorlogsbodems duizenden manschappen afleverden om eerste hulp te bieden en om te helpen bij de wederopbouw. Volgens krantenverslagen zei vijfenzestig procent van de ondervraagde Indonesiërs dat deze hulp hun mening over de Verenigde Staten gunstig had beïnvloed. Ik ben niet zo naïef dat ik denk dat één episode tijdens de nasleep van een ramp tientallen jaren van wantrouwen kan uitwissen.

Maar het is een begin.

HOOFDSTUK 9

Gezin

Toen ik aan mijn tweede jaar in de Senaat begon, had ik een werkbaar ritme in mijn leven gevonden. Ik vertrok maandagavond of dinsdagochtend vroeg uit Chicago, afhankelijk van de stemrondes in de Senaat. Afgezien van een dagelijks bezoekje aan de sportzaal van de Senaat en heel af en toe lunch of diner met een vriend, werden de drie volgende dagen besteed aan een voorspelbare reeks taken: deelname aan commissies, stemmen, besloten fractielunches, stemverklaringen, speeches, foto's met stagiaires, fondswervingsavonden, telefoontjes beantwoorden, brieven schrijven, wetgeving doornemen, opstellen van open brieven aan kranten, opnemen van podcasts, beleidsinstructies, koffiedrinken met leden van mijn kiesdistrict en het bijwonen van een eindeloze reeks vergaderingen. Op donderdagmiddag liet de vestiaire weten wanneer de laatste stemming zou zijn en op het aangegeven moment stond ik dan samen met mijn collega's op de vloer van de Senaat om mijn stem uit te brengen, voor ik op een drafje de trappen van het Capitool afliep in de hoop een vlucht te halen die me thuis zou brengen voor de meisjes naar bed gingen.

Ondanks het hectische programma vond ik het werk fascinerend, zij het af en toe frustrerend. In tegenstelling tot wat het grote publiek denkt, worden er elk jaar maar zo'n twintig belangrijke wetten ingediend die een hoofdelijke stemming vereisen en vrijwel geen daarvan wordt gesteund door een lid van de minderheidspartij. Het gevolg is dat de meeste van mijn voornaamste initiatieven – de vorming van districten voor innovatie van openbare scholen, een plan om Amerikaanse autofabrikanten te helpen betalen voor de ziektekosten van hun gepensioneerde werknemers in ruil voor energiezuiniger normen, een uitbreiding van het Pell Grant-programma om studenten uit lage-inkomensgroepen de stijgende studiekosten te helpen betalen – bleven hangen in commissieoverleg.

Van de andere kant lukte het me – dankzij fantastisch werk van mijn medewerkers – een respectabel aantal amendementen aangenomen te krijgen. We hielpen geld bij elkaar te krijgen voor dakloze oorlogsveteranen. We zorgden voor belastingvoordeel voor benzinestations die E85-pompen installeerden. We zorgden dat er geld kwam zodat de Wereldgezondheidsorganisatie zicht kon krijgen en kon reageren op een mogelijke pandemie van de vogelgriep. We dienden met succes een amendement in dat contracten zonder offertes bij de wederopbouw na orkaan Katrina verbood, zodat er uiteindelijk meer geld in handen van de slachtoffers van de ramp terecht zou komen. Geen van die amendementen heeft het land echt veranderd, maar ik was blij te weten dat ze allemaal een aantal mensen op een bescheiden manier hielpen of de wet een stukje opschoven in een richting die misschien spaarzamer, verantwoordelijker en rechtvaardiger zou kunnen zijn.

Op een dag in februari was ik in een uitzonderlijk goed humeur omdat ik net klaar was met een hoorzitting over wetgeving die Dick Lugar en ik steunden, voor het beperken van wapenproliferatie en de wapenhandel op de zwarte markt. Omdat Dick niet alleen de belangrijkste proliferatiedeskundige in de Senaat was, maar ook voorzitter van de Senaatscommissie voor buitenlandse betrekkingen, zag de toekomst van de wet er zonnig uit. Ik wilde het goede nieuws aan iemand vertellen en belde Michelle vanuit mijn kantoor in DC. Ik legde uit hoe belangrijk de wet was – hoe bedreigend draagbare raketten voor de burgerluchtvaart konden zijn als ze in de verkeerde handen vielen, hoe voorraden handvuurwapens die uit de Koude Oorlog waren overgebleven nog steeds werden gebruikt in conflicten overal ter wereld. Michelle onderbrak me.

'We hebben mieren.'

'Wat?'

'Ik heb mieren gevonden in de keuken. En in de badkamer boven.'

'Oké...'

'Je moet morgen onderweg naar huis een paar mierenlokdozen kopen. Ik zou het wel zelf willen doen, maar ik moet na school de meisjes naar de dokter brengen. Kun je dat voor me doen?'

'Goed. Mierenlokdozen.'

'Mierenlokdozen. Niet vergeten, oké, schat? En koop er meer dan een. Nou, ik moet naar een vergadering. Ik hou van je.'

Ik legde de telefoon neer en vroeg me af of Ted Kennedy en John McCain onderweg van hun werk naar huis ook mierenlokdozen kochten.

De meeste mensen die kennismaken met mijn vrouw zien al snel dat ze bijzonder is. Ze hebben gelijk – ze is slim, geestig en een en al charme. Ze is ook erg mooi, maar niet op een manier die mannen intimiderend of vrouwen ontmoedigend vinden. Het is meer de innerlijke schoonheid van de moeder en drukbezette werkende vrouw dan het geretoucheerde beeld dat we op de omslag van glossy tijdschriften aantreffen. Nadat ze haar bij een of andere gelegenheid hebben horen speechen of samen met haar aan een project hebben gewerkt, komen mensen vaak naar me toe en zeggen dan zoiets als: 'Je weet dat ik je hoog heb zitten, Barack, maar jouw vrouw... petje af!' Ik knik, in de wetenschap dat als ik haar ooit bij een verkiezing voor een openbare functie als tegenstander zou hebben, ze me moeiteloos zou verslaan.

Het is mijn geluk dat Michelle nooit in de politiek zal gaan. 'Ik heb er het geduld niet voor,' zegt ze tegen mensen die ernaar vragen. En zoals altijd spreekt ze de waarheid.

Ik leerde Michelle kennen in de zomer van 1988, toen we allebei werkten bij Sidley & Austin, een groot advocatenkantoor in Chicago. Hoewel ze drie jaar jonger is dan ik, was Michelle al praktiserend advocaat, want ze was direct na college naar Harvard Law gegaan. Ik was net klaar met mijn eerste jaar rechtenstudie en was ingehuurd als zomercompagnon.

Het was een moeilijke periode in mijn leven, met veel veranderingen. Na drie jaar werken als buurtwerker had ik mij ingeschreven op de rechtenfaculteit en hoewel ik van de studie genoot, had ik nog steeds twijfels over de juistheid van mijn besluit. Diep van binnen was ik bang dat het betekende dat ik de idealen van mijn jeugd opgaf, dat ik een concessie deed aan de harde werkelijkheid van geld en macht – de wereld zoals ze is in plaats van hoe ze zou moeten zijn.

Het idee dat ik zou werken bij een advocatenkantoor, zo dicht bij en tegelijkertijd zo ver van de arme wijken waar mijn vrienden nog steeds ploeterden, maakte die angst alleen maar groter. Maar omdat mijn studieschuld snel opliep, kon ik de drie maanden salaris die Sidley bood niet weigeren. Ik onderhuurde het goedkoopste appartement dat ik kon vinden, ik kocht mijn eerste drie pakken en nieuwe schoenen die een halve maat te klein bleken en me de volgende negen weken kreupel deden lopen, en op een druilerige juniochtend stond ik bij het bedrijf en werd ik verwezen naar het kantoor van de jonge advocaat die was aangewezen om als mijn zomeradviseur op te treden.

Ik herinner me geen details van dat eerste gesprek met Michelle. Ik herinner me dat ze lang was – op hakken bijna net zo lang als ik – en aantrekkelijk, met een vriendelijk, professioneel optreden dat paste bij haar gedistingeerde mantelpak en bloes. Ze legde uit hoe het werk in het bedrijf werd verdeeld, wat de disciplines van de diverse praktijkgroepen waren en hoe te declareren uren moesten worden bijgehouden. Nadat ze me mijn kantoor had laten zien en een rondleiding had gegeven door de bibliotheek, liet ze me achter bij een van de vennoten en zei dat ze met me zou gaan lunchen.

Later vertelde Michelle dat ze aangenaam verrast was geweest toen ik haar kantoor binnenliep; op de automatenfoto die ik had ingestuurd voor het smoelenboek van het bedrijf had ik een wat grote neus (zelfs groter dan anders, zou zij zeggen) en ze had haar twijfels toen de secretaresses die mij bij het sollicitatiegesprek hadden gezien tegen haar zeiden dat ik een leuke vent was: 'Ik ging ervan uit dat ze gewoon onder de indruk waren van elke zwarte man met een pak en een baan.' Maar als Michelle al onder de indruk was, liet ze dat in ieder geval tijdens de lunch niet blijken. Ze vertelde wel dat ze in de South Side was opgegroeid, in een kleine bungalow even ten noorden van de wijken waar ik had gewerkt. Haar vader was brandweerman in dienst van de gemeente; haar moeder was huisvrouw geweest tot de kinderen groot waren en werkte nu als secretaresse op een bank. Ze had op de openbare basisschool Bryn Mawr gezeten, was naar Whitney Young Magnet School gegaan en was haar broer gevolgd naar Princeton, waar hij een ster was in het basketbalteam. Bij Sidley maakte ze deel uit van de afdeling geestelijk eigendom en specialiseerde zich in wetgeving voor de amusementsindustrie. Ze zei dat ze op een gegeven moment misschien naar Los Angeles of New York zou moeten verhuizen om hogerop te komen.

O, Michelle had die dag grote plannen, op volle kracht vooruit, geen tijd voor afleiding, zei ze – vooral niet voor mannen. Maar ze kon mooi lachen, stralend en vol, en het viel me op dat ze niet veel haast had om terug naar kantoor te gaan. En er was nog iets, een glinstering die in haar ronde, donkere ogen danste, iedere keer als ik naar haar keek, een vage glimp van onzekerheid, alsof ze, diep van binnen, wist hoe broos alles was, en dat als ze ooit de controle verloor, zelfs maar even, al haar plannen in rook zouden opgaan. Dat ontroerde me op de een of andere manier, dat spoortje kwetsbaarheid. Dat stukje van haar wilde ik leren kennen.

In de weken daarna zagen we elkaar elke dag, in de juridische bibliotheek of de kantine of tijdens een van de vele uitjes die advocatenkantoren voor hun zomercompagnons organiseerden om hen ervan te overtuigen dat hun leven in het recht niet alleen zou bestaan uit eindeloze uren bestuderen van stukken. Ze nam me mee naar een paar feestjes, tactvol mijn beperkte garderobe negerend, en probeerde me zelfs te koppelen aan een paar van haar vriendinnen. Maar ze weigerde nog steeds om een echt afspraakje met me te maken. Dat hoorde niet, vond ze, omdat ze mijn adviseur was.

'Dat is een flauwe smoes,' zei ik. 'Kom op, wat voor adviezen geef je me nou helemaal? Je laat me zien hoe de kopieermachine werkt. Je vertelt me welke restaurants ik zou kunnen proberen. Ik denk niet dat de vennoten één afspraakje als een serieuze schending van het bedrijfsbeleid zullen beschouwen.'

Ze schudde haar hoofd. 'Sorry.'

'Oké, ik neem ontslag. Is dat een idee? Jij bent mijn adviseur. Zeg maar met wie ik moet gaan praten.'

Op den duur overwon ik haar tegenstand. Na een bedrijfspicknick reed ze me naar mijn appartement en ik bood aan een ijsje voor haar te kopen bij Baskin-Robbins aan de overkant. We zaten op de stoeprand en aten ons ijsje in de middaghitte en ik vertelde dat ik bij Baskin-Robbins had gewerkt toen ik een tiener was en hoe moeilijk het was om er flitsend uit te zien in een bruin schort met een bruine pet. Zij vertelde dat ze als kind twee of drie jaar geweigerd had iets anders dan pindakaas met jam te eten. Ik zei dat ik graag kennis zou maken met haar familie. Zij zei dat ze dat leuk zou vinden.

Ik vroeg of ik haar mocht kussen. Het smaakte naar chocola.

De rest van de zomer brachten we samen door. Ik vertelde haar over het buurtwerk, mijn leven in Indonesië, en hoe het was om te bodysurfen. Zij vertelde over de vrienden uit haar kindertijd en een reis die ze op de middelbare school naar Parijs had gemaakt, en haar favoriete nummers van Stevie Wonder.

Maar pas toen ik Michelles familie ontmoette begon ik haar te begrijpen. Een bezoek aan het gezin Robinson was alsof je terechtkwam op de set van *Leave it to Beaver*. Je had Frasier, de vriendelijke, goedgehumeurde vader, die nooit een dag werk verzuimd of een wedstrijd van zijn zoon gemist had. Je had Marian, de aantrekkelijke, verstandige moeder die verjaarstaarten bakte, het huishouden regelde en vrijwilligerswerk deed op school om zeker te weten dat haar kinderen zich gedroegen en de leraren deden wat ze moesten doen. Je had Craig, de basketbalster, lang en vriendelijk en hoffelijk en geestig, die werkte als effectenbankier maar ervan droomde ooit te gaan coachen. En dan had je nog overal ooms en tantes en nichten en neven die langskwamen om rond de keukentafel te zitten en te eten tot ze explodeerden, en sterke verhalen te vertellen en naar opa's oude jazzplaten te luisteren en tot diep in de nacht te lachen.

Het enige wat eraan ontbrak was de hond. Marian wilde niet dat een hond het huis aan flarden beet.

Wat dit beeld van gezinsgeluk nog indrukwekkender maakte was het feit dat de Robinsons tegenslagen hadden moeten overwinnen die je zelden op primetimetelevisie zag. Uiteraard waren er de gebruikelijke rassenkwesties: de beperkte mogelijkheden die Michelles ouders hadden toen ze in de jaren vijftig en zestig in Chicago opgroeiden; de raciale ontwikkeling en het paniekvoetbal die de blanke gezinnen uit hun wijk hadden doen verdwijnen; de extra energie die het zwarte ouders kostte om te compenseren voor lagere inkomens, gevaarlijker straten, onvoldoende gefinancierde speeltuinen en onverschillige scholen.

Maar in de kern van het gezin Robinson speelde een specifieker drama. Op zijn dertigste, in de bloei van zijn leven, had Michelles vader te horen gekregen dat hij leed aan multiple sclerose. In de daaropvolgende vijfentwintig jaar was hij, met een gestaag verslechterende conditie, zonder een woord van zelfmedelijden zijn verantwoordelijkheden voor zijn gezin nagekomen. Hij stond 's ochtends een uur vroeger op om op tijd op zijn werk te komen, want hij had moeite met elke lichamelijke activiteit, van autorijden tot zijn hemd dichtknopen. Lachend en grappen makend liep hij – in het begin mank, op den duur met behulp van twee wandelstokken, zijn kalende hoofd parelend van het zweet – een sportterrein over om zijn zoon te zien spelen, of de huiskamer door om zijn dochter een kus te geven.

Nadat we getrouwd waren zou Michelle me laten zien hoe de ziekte van haar vader ongemerkt zijn tol had geëist van het gezin; hoe zwaar de last was die Michelles moeder had moeten dragen; hoe angstvallig begrensd hun leven samen was geweest, met een zorgvuldige planning van zelfs het kleinste uitje om problemen of penibele situaties te vermijden; hoe angstwekkend willekeurig het leven onder de glimlachen en het gelach leek.

Maar destijds zag ik uitsluitend de vreugde in het huis van de Robinsons. Voor iemand als ik, die zijn vader nauwelijks had gekend, die een groot deel van zijn leven van de ene naar de andere plek gereisd was, met een naar de vier windstreken vertakte stamboom, riep het thuis dat Frasier en Marian voor zichzelf en hun kinderen hadden gecreëerd een verlangen op naar stabiliteit en vastigheid waarvan ik niet wist dat ik het had. Net zoals Michelle in mij wellicht een leven van avontuur, risico's en reizen naar exotische landen zag – een bredere horizon dan ze zichzelf tot dan toe had toegestaan.

Zes maanden nadat Michelle en ik elkaar hadden leren kennen, stierf haar vader plotseling door complicaties na een nieroperatie. Ik vloog terug naar Chicago en stond bij zijn graf, Michelles hoofd op mijn schouder. Terwijl de kist werd neergelaten beloofde ik Frasier Robinson dat ik goed voor zijn dochter zou zorgen. Ik realiseerde me dat zij en ik op een onuitgesproken, nog wat aarzelende manier al bezig waren familie van elkaar te worden.

Er wordt tegenwoordig veel gesproken over het verval van het Amerikaanse gezin. Conservatieven beweren dat het traditionele gezin onder vuur ligt door Hollywoodfilms en gay pride parades. Linkse mensen wijzen op economische aspecten – van bevroren lonen tot onvoldoende kinderopvang – die gezinnen onder steeds grotere druk zetten. Onze doorsneecultuur draagt bij aan de bezorgdheid door verhalen over vrouwen die veroordeeld zijn vrijgezel te blijven, over mannen die niet bereid zijn langdurige relaties aan te gaan, en tieners die zich verliezen in eindeloze seksuele escapades. Niets staat vast, zoals in het verleden; het lijkt of al onze rollen en relaties alle kanten op kunnen.

Gezien deze zorgelijke toestand is het wellicht verstandig om een stap terug te doen en onszelf eraan te herinneren dat het instituut van het huwelijk niet echt snel gaat verdwijnen. Het is waar dat de huwelijkscijfers sinds de jaren vijftig gestaag zijn gedaald, maar een deel van die daling is het gevolg van het feit dat meer Amerikanen het huwelijk uitstellen om een opleiding te volgen of een carrière op te bouwen. Tegen de tijd dat ze vijfenveertig zijn heeft negenentachtig procent van de vrouwen en drieëntachtig procent van de mannen minstens één keer een boterbriefje gehaald. Nog steeds staat in zevenenzestig procent van de Amerikaanse gezinnen een echtpaar aan het hoofd en de overgrote meerderheid van de Amerikanen beschouwt het huwelijk nog altijd als de beste basis voor persoonlijke vriendschap, economische stabiliteit en kinderopvoeding.

Maar het valt niet te ontkennen dat de aard van het gezin de laatste vijftig jaar veranderd is. Hoewel het scheidingspercentage sinds het hoogtepunt in de late jaren zeventig en begin jaren tachtig met eenentwintig procent is gedaald, eindigt nog steeds de helft van alle eerste huwelijken in een scheiding. Vergeleken met onze grootouders zijn we toleranter tegenover seks voor het huwelijk, gaan we sneller samenwonen en is er een grotere kans dat we alleenstaand zijn. Het is ook veel waarschijnlijker dat we kinderen grootbrengen in niet-traditionele gezinnen; bij zestig procent van alle scheidingen zijn kinderen betrokken, drieëndertig procent van alle kinderen wordt buiten het huwelijk geboren en vierendertig procent van de kinderen woont niet bij hun biologische vader.

Deze trends zijn vooral aan de orde in de Afro-Amerikaanse gemeenschap, waar het kerngezin inderdaad op het punt staat te verdwijnen. Sinds 1950 is het huwelijkspercentage van zwarte vrouwen van tweeënzestig naar zesendertig procent gedaald. Tussen 1960 en 1995 is het aantal Afro-Amerikaanse kinderen dat bij twee met elkaar getrouwde ouders woont met meer dan de helft gedaald. Tegenwoordig woont vierenvijftig procent van alle Afro-Amerikaanse kinderen in een éénoudergezin, terwijl dat percentage voor blanke kinderen op drieëntwintig ligt.

Voor volwassenen zijn de gevolgen van deze veranderingen in ieder geval van gemengde aard. Uit onderzoek blijkt dat getrouwde stellen gemiddeld een gezonder, welvarender en gelukkiger leven leiden, maar niemand beweert dat mannen en vrouwen er baat bij hebben om in slechte of gewelddadige huwelijken te blijven zitten. Het besluit van een toenemend aantal Amerikanen om het huwelijk uit te stellen is verstandig; niet alleen eist de huidige informatie-economie dat er meer tijd aan een opleiding moet worden besteed, maar uit onderzoek blijkt dat stellen die pas trouwen als ze eind twintig of begin dertig zijn, meer kans hebben om getrouwd te blijven dan degenen die jong trouwen.

Wat de gevolgen voor volwassenen ook zijn, deze trends zijn niet zo goed geweest voor onze kinderen. Veel alleenstaande moeders – inclusief degene die mij opvoedde – klaren een geweldige klus ten behoeve van hun kinderen. Maar kinderen die met alleenstaande moeders leven hebben vijf keer meer kans om arm te zijn dan kinderen in een tweeoudergezin. Kinderen in éénoudergezinnen hebben ook meer kans om de school voortijdig te verlaten en tienerouders te worden, ongeacht het inkomen. En de onderzoeksresultaten wijzen uit dat kinderen die bij hun beide biologische ouders wonen het beter doen dan degenen die in stiefgezinnen of met samenwonende partners wonen.

In het licht van deze feiten is het verstandig om te streven naar beleid dat het huwelijk versterkt voor degenen die ervoor kiezen en dat ongewenste geboorten buiten het huwelijk ontmoedigt. De meeste mensen zijn het er bijvoorbeeld over eens dat noch landelijke bijstandsprogramma's noch belastingregels getrouwde stellen zouden moeten straffen; die aspecten van bijstandshervorming die onder Clinton werden doorgevoerd en die elementen van de belastingplannen van Bush genieten krachtige steun van beide politieke partijen.

Hetzelfde geldt voor het voorkomen van tienerzwangerschappen. Iedereen is het erover eens dat tienerzwangerschappen zowel voor moeder als kind allerlei problemen kunnen opleveren. Sinds 1990 is het aantal tienerzwangerschappen met achtentwintig procent gedaald, wat zonder meer goed nieuws is. Maar tieners zijn nog steeds verantwoordelijk voor een kwart van de buitenhuwelijkse geboorten, en tienermoeders lopen grotere kans later nog meer buitenhuwelijkse kinderen te krijgen. Buurtprogramma's die bewezen hebben ongewenste zwangerschappen te voorkomen – door onthouding aan te moedigen en door het gebruik van anticonceptiemiddelen te bevorderen – verdienen brede steun.

Ten slotte blijkt uit voorlopig onderzoek dat huwelijkscursussen getrouwde stellen kunnen helpen bij elkaar te blijven en ongetrouwd samenwonende stellen kunnen aanmoedigen een blijvender band aan te gaan. Het beschikbaar stellen van dergelijke diensten aan mensen met lage inkomens, misschien in samenhang met gerichte vakopleidingen en plaatsing, ziektekostenverzekering en andere diensten die al beschikbaar zijn, is iets waar iedereen het over eens kan zijn.

Maar voor veel conservatieven gaan die van gezond verstand getuigende benaderingen niet ver genoeg. Ze willen terugkeren naar een voorbije tijd, toen seksualiteit buiten het huwelijk zowel strafbaar als schandelijk was, het veel moeilijker was om te scheiden en het huwelijk niet alleen persoonlijke voldoening schonk maar ook zorgde voor duidelijk omlijnde sociale rolpatronen voor mannen en voor vrouwen. Naar hun mening devalueert per definitie de huwelijksband door elk overheidsbeleid dat beloont of neutraal beoordeelt wat zij immoreel gedrag achten – of het nou gaat om anticonceptie voor jonge mensen, bijstand voor ongehuwde moeders of wettelijke erkenning van verbintenissen tussen mensen van hetzelfde geslacht. Het argument luidt dat een dergelijk beleid ons een stap dichter bij een *brave new world* brengt waarin geslachtsverschillen zijn verdwenen, seks zuiver recreationeel is, het huwelijk een wegwerpartikel is, het moederschap een ongemak is en de beschaving zich op een hellend vlak bevindt.

Ik begrijp de neiging om enige orde te willen scheppen in een cultuur die voortdurend verandert. En ik heb veel begrip voor de wens van ouders om hun kinderen te beschermen tegen waarden die zij ongezond vinden; het is een gevoel dat ik vaak deel als ik luister naar songteksten op de radio.

Maar alles bij elkaar heb ik weinig waardering voor degenen die onze overheid willen inzetten om de seksuele moraal te handhaven. Net als de meeste andere Amerikanen ben ik van mening dat besluiten over seks, huwelijk, scheiding en geboorten uiterst persoonlijk zijn – de kern van ons principe van individuele vrijheid. Als dergelijke persoonlijke beslissingen anderen dreigen te kwetsen of te schaden – zoals in het geval van kindermishandeling, incest, bigamie, huiselijk geweld of het in gebreke blijven wat alimentatiebetaling betreft – heeft de samenleving het recht en de plicht om in te grijpen. (Mensen die van mening zijn dat foetussen individuen zijn, zouden abortus ook in deze categorie plaatsen.) Afgezien daarvan heb ik geen behoefte aan regulering door de president, het Congres of een overheidsinstelling van wat er zich in de Amerikaanse slaapkamers afspeelt.

Bovendien geloof ik niet dat we het gezin als instituut steunen door mensen in relaties te dwingen waarvan wij vinden dat die het beste voor hen zijn – of door mensen te straffen die zich niet houden aan onze normen voor seksueel fatsoen. Ik zou jonge mensen willen aanmoedigen om meer waarde toe te kennen aan seks en intimiteit en ik juich het toe als ouders, parochies en buurtprogramma's die boodschap overbrengen. Maar ik ben niet bereid om een tienermeisje te veroordelen tot levenslang geploeter bij gebrek aan mogelijkheden tot anticonceptie. Ik wil dat stellen inzien wat de waarde is van verplichting aan elkaar en wat de offers zijn die een huwelijk met zich meebrengt. Maar ik ben niet bereid de wet te hanteren om stellen, ongeacht hun persoonlijke omstandigheden, bij elkaar te houden.

Misschien is het alleen maar omdat menselijke voorkeuren te veel verschillen, en mijn eigen leven te onvolmaakt, om te denken dat ik gekwalificeerd zou zijn om andermans morele scheidsrechter te spelen. Ik weet wel dat Michelle en ik in de veertien jaar van ons huwelijk nooit ruzie hebben gehad als gevolg van wat andere mensen in hun persoonlijke leven doen.

Waar we wel over gesproken hebben – herhaaldelijk – is hoe we werk en gezin zodanig met elkaar in evenwicht moeten brengen dat het eerlijk is tegenover Michelle en goed voor onze kinderen. Daarin staan we niet alleen. In de jaren zestig en de vroege jaren zeventig was het huishouden waarin Michelle opgroeide de norm – in meer dan zeventig procent van de gezinnen was de moeder thuis en was de vader de enige kostwinner.

Tegenwoordig zijn die cijfers omgekeerd. Zeventig procent van de gezinnen met kinderen heeft twee werkende ouders of één alleenstaande werkende ouder. Het gevolg is wat mijn beleidshoofd en werk-gezinsdeskundige Karen Kornbluh 'het jongleursgezin' noemt, waarin de ouders hard ploeteren om de rekeningen te betalen, voor hun kinderen te zorgen, het huishouden draaiend te houden en hun relatie in stand te houden. Het vergt veel van het gezinsleven om al die ballen tegelijkertijd in de lucht te houden. Zoals Karen verklaarde toen ze directeur was van het Werk en Gezin-programma bij de New America Foundation en getuigde voor de subcommissie voor kinderen en gezinnen van de Senaat:

> Tegenwoordig beschikken Amerikanen over tweeëntwintig uur minder per week om met hun kinderen door te brengen dan in 1969. Miljoenen kinderen worden elke dag in onofficiële kinder-

opvang achtergelaten – of alleen thuis, met de televisie als oppas. Werkende moeders slapen per dag bijna een uur minder in hun pogingen om alles te regelen. Uit recente gegevens blijkt dat ouders met schoolgaande kinderen veel signalen van stress vertonen – stress die invloed heeft op hun productiviteit en werk – als ze starre werkgevers en onbetrouwbare buitenschoolse opvang hebben.

Klinkt dat bekend?

Veel conservatieven suggereren dat deze grote groep vrouwen die de arbeidsmarkt betreden een rechtstreeks gevolg is van feministische ideologie en dus gekeerd kan worden als de vrouwen weer bij zinnen komen en terugkeren naar hun traditionele rol van huisvrouw. Ideeën over gelijkheid van vrouwen hebben inderdaad een belangrijke rol gespeeld in de verandering van de arbeidsmarkt; de meeste Amerikanen beschouwen de mogelijkheid voor vrouwen om op dezelfde manier als mannen carrière te maken, economisch onafhankelijk te worden en hun talenten uit te buiten als een van de belangrijkste wapenfeiten van de huidige tijd.

Maar voor de gemiddelde Amerikaanse vrouw is het besluit te gaan werken niet simpelweg een kwestie van een veranderde stellingname. Het is een kwestie van de eindjes aan elkaar moeten knopen.

Kijk naar de feiten. In de afgelopen dertig jaar is het gemiddelde inkomen van Amerikaanse mannen met minder dan een procent gestegen, rekening houdend met inflatie. Ondertussen zijn de kosten van alles, van huisvesting en gezondheidszorg tot onderwijs, blijven stijgen. Moeders loonstrookje heeft voorkomen dat een groot deel van de Amerikaanse gezinnen uit de middenklasse wegzakte. Elizabeth Warren en Amelia Tyagi wijzen in hun boek *The Two-Income Trap* erop dat het extra inkomen dat de moeders verdienen niet besteed wordt aan luxeartikelen. Nee, bijna alles wordt besteed aan wat gezinnen zien als investeringen voor de toekomst van hun kinderen – peuteronderwijs, collegegelden en bovenal een huis in een veilige buurt met goed openbaar onderwijs. Het gemiddelde gezin met twee inkomens heeft na aftrek van deze vaste lasten en de extra kosten van een werkende moeder (met name kinderopvang en een tweede auto) zelfs minder geld beschikbaar – en is financieel minder stabiel – dan gezinnen met één kostwinner dertig jaar geleden.

Kan een gemiddeld gezin dan nog terugkeren naar een leven met maar één inkomen? Niet als elk ander gezin in de wijk twee inkomens heeft en daardoor de prijzen van huizen, scholen en collegegeld opgedreven worden. Warren en Tyagi tonen aan dat tegenwoordig een gemiddeld gezin met één kostwinner dat het leven wil leiden van de middenklasse zestig procent minder geld beschikbaar heeft dan een zelfde gezin in de jaren zeventig. Met andere woorden, als moeder thuisblijft betekent dat voor de meeste gezinnen dat ze in een minder veilige buurt wonen en dat hun kinderen naar een minder prestatiegerichte school gaan.

De meeste Amerikanen zijn niet bereid die keus te maken. In plaats daarvan maken ze er het beste van, in het besef dat het soort gezin waarin zij zelf opgroeiden – het soort gezin waarin Frasier en Marian Robinson hun kinderen opvoedden – nu veel en veel moeilijker in stand te houden is.

Zowel mannen als vrouwen hebben zich moeten aanpassen aan deze nieuwe werkelijkheid. Maar het is moeilijk om het oneens te zijn met Michelle als ze zegt dat de lasten van het moderne gezinsleven voor de vrouw zwaarder wegen.

In de eerste paar jaar van ons huwelijk doorliepen Michelle en ik de aanpassingen die voor alle stellen gelden: we leerden elkaars stemming in te schatten, en de grillen en gewoonten van de voortdurend aanwezige ander te accepteren. Michelle stond graag vroeg op en kon haar ogen na tien uur 's avonds nauwelijks open houden. Ik was een nachtuil en was het eerste halfuur na het opstaan wel eens wat chagrijnig (stomvervelend, zou Michelle zeggen). Deels omdat ik nog werkte aan mijn eerste boek en misschien ook wel omdat ik een groot deel van mijn leven als enig kind had doorgebracht hield ik mij 's avonds vaak schuil in mijn werkkamer achter in ons appartement langs de spoorlijn; wat ik als normaal beschouwde was iets waardoor Michelle zich vaak alleen voelde. Ik zette na het ontbijt nooit de boter terug in de koelkast en vergat de broodzak weer te sluiten; Michelle verzamelde parkeerbonnen alsof het aangenomen werk was.

Maar in die eerste jaren genoten we toch vooral van de gewone dingen – naar de film gaan, eten met vrienden, af en toe concertbezoek. We werkten allebei hard: ik werkte als advocaat op een klein bureau voor burgerrechten en doceerde aan de rechtenfaculteit van de universiteit van Chicago; Michelle had besloten haar advocatenpraktijk te verlaten, en werkte eerst op de afdeling planologie van de gemeente Chicago en gaf daarna leiding aan de afdeling in Chicago van een nationaal dienstverleningsprogramma, Public Allies. De tijd die we samen konden doorbrengen werd nog minder toen ik me kandidaat stelde voor het parlement van de staat, maar Michelle steunde mijn besluit ondanks mijn langdurige afwezigheid en haar algemene afkeer van politiek. 'Ik weet dat het iets is wat jij graag wilt doen,' zei ze. De avonden dat ik in Springfield was praatten en lachten we aan de telefoon, en we vertelden elkaar de leuke dingen en de frustraties van de dagen die we zonder elkaar doorbrachten en dan viel ik tevreden in slaap, in de wetenschap dat we van elkaar hielden.

Toen werd Malia geboren, een Fourth-of-Julybaby, zo rustig en zo mooi, met grote, hypnotiserende ogen die de hele wereld leken te doorgronden vanaf het moment dat ze opengingen. Malia kwam op een moment dat voor ons allebei ideaal was: omdat ik in de zomer niet naar parlementszittingen hoefde en geen les hoefde te geven, kon ik elke avond thuis zijn; ondertussen had Michelle besloten een deeltijdbaan aan de University of Chicago aan te nemen, zodat ze meer tijd aan de baby kon besteden, en de nieuwe baan begon pas in oktober. Drie fascinerende maanden lang konden we met zijn tweeën met de nieuwe baby ronddollen en ons zorgen over haar maken, de wieg controleren om te zien of ze nog ademde, haar glimlachjes ontlokken, liedjes voor haar zingen en zoveel foto's maken dat we ons bezorgd afvroegen of we haar ogen niet beschadigden. Opeens was ons verschillend bioritme een voordeel: terwijl Michelle aan een welverdiende slaap begon, bleef ik op tot een of twee uur 's ochtends en verschoonde luiers, warmde borstvoeding op, voelde mijn dochters zachte adem tegen mijn borst terwijl ik haar in slaap wiegde en me afvroeg welke kinderdromen haar bezochten.

Maar toen het herfst werd – toen mijn lessen weer begonnen, het parlement weer in zitting was en Michelle weer ging werken – werden de spanningen in onze relatie zichtbaar. Ik was vaak drie dagen achter elkaar van huis en zelfs als ik in Chicago was had ik vaak avondvergaderingen of moest ik werk van mijn studenten nakijken of conclusies van gerechtelijke eisen schrijven. Michelle merkte dat deeltijdbanen zich vaak op een merkwaardige manier uitbreiden. We vonden een fantastische inwonende oppas om voor Malia te zorgen terwijl wij werkten, maar het geld werd krap nu we plotseling een fulltime werknemer op de loonlijst hadden.

We waren moe en gespannen en hadden dus weinig tijd om met elkaar te praten, laat staan voor romantiek. Toen ik aan mijn tot mislukken gedoemde campagne voor een plek in het Congres begon, pretendeerde Michelle niet dat ze blij was met dat besluit. Het feit dat ik nooit de keuken opruimde werd plotseling een stuk minder vertederend. Als ik me 's ochtends over Michelle boog voor een afscheidskus, kreeg ik alleen een vluchtige zoen op mijn wang. Tegen de tijd dat Sasha werd geboren – ze was net zo mooi en bijna net zo rustig als haar zusje – kon mijn vrouw haar boosheid op mij nauwelijks meer inhouden.

'Je denkt alleen maar aan jezelf,' zei ze. 'Ik had nooit verwacht dat ik kinderen in mijn eentje zou moeten grootbrengen.'

Zulke beschuldigingen raakten me diep; ik vond dat ze niet eerlijk was. Ik ging tenslotte niet elke avond met de jongens uit slempen. Ik stelde weinig eisen aan Michelle – ik verwachtte niet dat ze mijn sokken stopte of met het eten klaarzat als ik thuiskwam. Ik hielp met de kinderen als het maar even kon. Het enige wat ik verwachtte was wat tederheid. In plaats daarvan kreeg ik te maken met eindeloze onderhandelingen over elk detail van het huishouden, met lange lijsten van dingen die ik moest doen of vergeten was te doen en met een over het geheel genomen knorrige houding. Ik herinnerde Michelle eraan dat we, vergeleken met andere gezinnen, ongelooflijk veel geluk hadden gehad. Ik herinnerde haar er ook aan dat ik ondanks al mijn gebreken meer van haar en de meisjes hield dan van wat dan ook. Ik vond dat mijn liefde genoeg moest zijn. Wat mij betrof had ze niets te klagen.

Pas toen die moeilijke jaren voorbij waren en de kinderen naar school gingen, begon ik na lang nadenken in te zien wat Michelle in die periode te verduren had gekregen, namelijk het geploeter dat zo karakteristiek is voor de werkende moeders van tegenwoordig. Want hoe geëmancipeerd ik mijzelf ook graag vond – hoe vaak ik ook tegen mezelf zei dat Michelle en ik gelijkwaardige partners waren, en dat haar dromen en ambities net zo belangrijk waren als de mijne –, het was een feit dat toen de kinderen kwamen, Michelle de noodzakelijke aanpassingen moest doen en niet ik. Natuurlijk, ik hielp, maar het was altijd op mijn voorwaarden, volgens mijn schema. Ondertussen was zij degene die haar carrière in de wacht moest zetten. Zij was degene die ervoor moest zorgen dat de kinderen elke avond gevoed en gebaad werden. Als Malia of Sasha ziek werd of de oppas niet kwam opdagen, was zij meestal degene die moest opbellen om een vergadering op haar werk af te zeggen.

Het was niet alleen het voortdurende getouwtrek tussen haar werk en de kinderen dat Michelles situatie zo ingewikkeld maakte. Het was ook het feit dat zij vond dat ze geen van beide taken goed deed. Dat was uiteraard niet waar; haar werkgevers waren heel tevreden over haar en iedereen zei dat ze zo'n goede moeder was. Maar ik begon te begrijpen dat in haar hoofd twee visies op zichzelf met elkaar in oorlog waren – de wens om de vrouw te zijn die haar moeder was geweest: sterk, betrouwbaar, huiselijk en altijd aanwezig voor haar kinderen, en de wens om de beste te zijn in haar vak, om haar sporen na te laten op de wereld en al die plannen te verwezenlijken die ze had gehad op de allereerste dag dat wij elkaar ontmoetten.

Uiteindelijk was het de kracht van Michelle – haar bereidheid om die spanningen te hanteren en offers te brengen voor mij en de meisjes – die ons door de moeilijke tijd loodste. Maar we hadden ook hulpmiddelen tot onze beschikking die veel Amerikaanse gezinnen niet hebben. Om te beginnen betekende onze status van academici dat we in noodgevallen onze schema's konden omgooien (of gewoon een dag vrij konden nemen) zonder het risico te lopen ontslagen te worden. Zevenenvijftig procent van de werkende Amerikanen hebben die luxe niet; de meesten kunnen niet eens een dag vrij nemen om voor een kind te zorgen zonder vakantiedagen op te nemen of een dag loon te missen. Voor ouders die proberen hun eigen schema in te vullen betekent flexibiliteit vaak dat ze deeltijd- of tijdelijk werk moeten doen zonder carrièremogelijkheden en met weinig of geen secundaire arbeidsvoorwaarden.

Michelle en ik hadden ook voldoende inkomen om alle diensten te betalen die de druk op ouders met twee inkomens kunnen verlichten: betrouwbare kinderopvang, extra oppas als we die nodig hadden, afhaalmaaltijden als we geen tijd of energie hadden om zelf te koken, iemand die eens per week het huis schoonmaakte, en een particuliere peuterklas en zomerkampen toen de kinderen eenmaal groot genoeg waren. Voor de meeste Amerikaanse gezinnen is dergelijke steun financieel buiten bereik. De kosten van kinderopvang zijn met name onbetaalbaar. De Verenigde Staten zijn vrijwel het enige westerse land dat niet voorziet in gesubsidieerde, kwalitatief goede kinderopvang voor al zijn werkers.

Ten slotte hadden Michelle en ik ook nog mijn schoonmoeder, die maar vijftien minuten verderop woont, in het huis waar Michelle is opgegroeid. Marian is eind zestig maar ziet er tien jaar jonger uit, en vorig jaar, toen Michelle weer fulltime ging werken, besloot Marian om minder uren bij de bank te gaan werken zodat ze de meisjes van school kon halen en elke middag voor hen kon zorgen. Voor veel Amerikaanse gezinnen is zulke hulp gewoon niet beschikbaar. In veel gezinnen is de situatie zelfs omgekeerd: iemand in het gezin moet naast de andere gezinsverantwoordelijkheden ook nog zorgen voor een bejaarde ouder.

Het is natuurlijk onmogelijk voor de federale regering om elk gezin een fantastische, gezonde, halfgepensioneerde schoonmoeder die vlakbij woont te garanderen. Maar als het ons ernst is met de waarden van het gezin, moeten we beleid creëren dat het jongleren met werk en ouderschap iets simpeler maakt. We zouden kunnen beginnen goede kwaliteit kinderopvang betaalbaar te maken voor elk gezin dat het nodig heeft. In tegenstelling tot in de meeste Europese landen is kinderopvang in de Verenigde Staten een kwestie van geluk hebben. Betere organisatie van vergunningen en opleiding voor mensen die in de kinderopvang werken, uitbreiding van federale en staatsbelastingaftrekmogelijkheden, en inkomensafhankelijke subsidies aan gezinnen die deze nodig hebben, zouden zowel middenklasse-ouders als ouders in de lage-inkomensgroepen tijdens de werkdag enige gemoedsrust gunnen – en voor de werkgevers minder afwezigheid van hun personeel betekenen.

Het is ook tijd om onze scholen anders in te richten – niet alleen ten behoeve van werkende ouders, maar ook om onze kinderen te helpen zich voor te bereiden op een meer prestatiegerichte maatschappij. Uit talloze studies blijkt dat sterke peuterklasprogramma's grote voordelen hebben voor het onderwijs, en daarom kiezen zelfs gezinnen met een thuisblijvende ouder er vaak voor. Hetzelfde geldt voor langere schooldagen, zomerschool en naschoolse programma's. Het zal geld kosten om alle kinderen te laten profiteren van deze voordelen, maar als onderdeel van bredere schoolhervormingen zijn het kosten die we bereid moeten zijn te betalen.

Maar bovenal moeten we in samenwerking met werkgevers zorgen dat de werktijden flexibeler worden. De regering-Clinton deed al een stap in deze richting met de Wet Gezins- en Ziekteverlof (FMLA, Family and Medical Leave Act), maar omdat het alleen om onbetaald verlof gaat en alleen geldt voor bedrijven met meer dan vijftig werknemers, kunnen de meeste werkende Amerikanen er geen gebruik van maken. En hoewel vrijwel alle andere rijke landen een vorm van ouderschapsverlof kennen, is het verzet van de zakenwereld tegen verplicht betaald verlof heftig geweest, deels omdat men zich zorgen maakte over de gevolgen voor kleine bedrijven.

Met een klein beetje fantasie zouden we deze impasse moeten kunnen doorbreken. Californië heeft onlangs via de arbeidsongeschiktheidsverzekering het initiatief tot betaald verlof genomen en ervoor gezorgd dat de kosten niet alleen door de werkgevers gedragen worden.

We kunnen ook zorgen voor meer flexibiliteit voor ouders om hun dagelijkse taken te vervullen. Er zijn al veel grotere bedrijven die officieel flexibele werktijden hebben ingesteld en zij melden als gevolgen een betere arbeidsmoraal en minder personeelsverloop. Groot-Brittannië heeft een nieuwe aanpak voor het probleem bedacht – als onderdeel van een hoogst populair Work-Life Balance Campaign (Werk en Leven in Evenwicht-programma): ouders met kinderen onder de zes hebben het recht een schriftelijk verzoek tot verandering van werktijden bij hun werkgevers in te dienen. Werkgevers zijn niet verplicht aan dat verzoek te voldoen, maar ze moeten met de werknemer overleggen om het te overwegen; tot dusver heeft een kwart van alle betrokken Britse ouders met succes om gezinsvriendelijker werkuren verzocht zonder dat de productiviteit daalde. Met een combinatie van dergelijk innovatief beleid, technische ondersteuning en meer publiek bewustzijn kan de overheid bedrijven helpen om hun werknemers tegen minimale kosten rechtvaardiger te behandelen.

Natuurlijk hoeft geen enkele vorm van beleid gezinnen ervan te weerhouden een ouder thuis te laten blijven, ongeacht de financiële offers. Voor sommige gezinnen kan dat betekenen dat ze zich bepaalde materiële gemakken moeten ontzeggen. Voor anderen betekent het wellicht dat ze hun kinderen thuis lesgeven of verhuizen naar een buurt waar de levensstandaard lager is. In sommige gezinnen is het misschien de vader die thuisblijft – maar in de meeste gezinnen zal het nog steeds de moeder zijn die als de voornaamste verzorger optreedt.

Hoe het ook zij, een dergelijk besluit moet worden gerespecteerd. De conservatieven hebben gelijk als ze zeggen dat onze moderne cultuur soms te weinig waardering opbrengt voor de buitengewone emotionele en financiële bijdragen – de offers en gewoon keihard werken – van de thuisblijfmoeder. Ze vergissen zich als ze beweren dat deze traditionele rol aangeboren is – dat het de beste of enige vorm van moederschap is.

Ik wil dat mijn dochters kunnen kiezen wat het beste voor hen en hun gezinnen is. Of ze die keus zullen krijgen is niet alleen afhankelijk van hun eigen inspanningen en houding. Zoals ik van Michelle geleerd heb is het ook afhankelijk van hoe mannen – en de Amerikaanse samenleving – de keuzes die ze maken respecteren en mogelijk maken.

'Dag, pap.'

'Hoi lieverd.'

Het is vrijdagmiddag en ik ben vroeg thuisgekomen om voor de meisjes te zorgen terwijl Michelle naar de kapper gaat. Ik til Malia op om haar te omhelzen en zie een blond meisje in onze keuken dat me door een te grote bril aanstaart.

'Wie is dat?' vraag ik terwijl ik Malia weer op de grond zet.

'Dat is Sam. Ze komt bij me spelen.'

'Hallo Sam.' Ik wil haar een hand geven en ze kijkt er even naar voor ze hem losjes schudt. Malia rolt met haar ogen.

'Kijk, pap... je geeft kinderen geen hand.'

'O nee?'

'Nee,' zegt Malia. 'Zelfs tieners schudden geen handen. Je hebt het misschien niet gemerkt, maar dit is de 21ste eeuw.' Malia kijkt naar Sam die een grijns onderdrukt.

'Wat doe je dan in de 21ste eeuw?'

'Je zegt alleen maar "hallo". Soms zwaai je. Dat is het wel zo'n beetje.'

'O. Ik hoop dat ik je niet in verlegenheid heb gebracht.'

Malia glimlacht. 'Dat geeft niks, pap. Je wist het niet, omdat je gewend bent handen te schudden met volwassenen.'

'Dat is zo. Waar is je zusje?'

'Die is boven.'

Ik loop naar boven, waar Sasha staat, in haar ondergoed en een roze top. Ze trekt me omlaag voor een knuffel en zegt dan dat ze geen korte broek kan vinden. Ik kijk in de kast en vind een blauwe korte broek die boven op de ladekast ligt.

'Wat is dit dan?'

Sasha fronst, neemt de broek met tegenzin van me aan en trekt hem aan. Na een paar minuten kruipt ze bij mij op schoot.

'Deze broek zit niet lekker, pap.'

We gaan terug naar Sasha's kast, trekken de la weer open en vinden een andere korte broek, ook blauw. 'En deze dan?' vraag ik.

Sasha fronst weer. Zoals ze daar staat is ze een negentig centimeter lange versie van haar moeder. Malia en Sam komen binnen om de impasse van dichtbij te bekijken.

'Sasha vindt allebei die broekjes niet leuk,' legt Malia uit.

Ik wend me tot Sasha en vraag waarom. Ze kijkt behoedzaam naar me op en taxeert me.

Uiteindelijk zegt ze: 'Roze en blauw passen niet bij elkaar.'

Malia en Sam giechelen. Ik probeer net zo streng te kijken als Michelle in dit soort situaties zou doen en zeg tegen Sasha dat ze haar korte broek moet aantrekken. Ze doet wat ik zeg, maar ik zie dat ze me alleen maar mijn zin geeft.

Mijn dochters laten zich in ieder geval niet intimideren door mijn stoerevadergedrag.

Net als veel andere mannen van tegenwoordig groeide ik op zonder vader in huis. Mijn vader en moeder gingen uit elkaar toen ik net twee jaar was, en het grootste deel van mijn leven kende ik hem alleen maar uit de brieven die hij schreef en de verhalen die mijn moeder en grootouders over hem vertelden. Er waren andere mannen in mijn leven – een stiefvader die vier jaar bij ons woonde, en mijn grootvader, die samen met mijn grootmoeder de rest van mijn jeugd voor mij zorgden – en beiden waren goede mannen die mij met liefde omringden. Maar mijn relaties met hen waren noodzakelijkerwijs incompleet. In het geval van mijn stiefvader was dat omdat hij maar korte tijd bij ons was en omdat hij van nature afstandelijk was. En ik had dan wel een hechte band met mijn grootvader, maar hij was te oud en had ook te veel problemen om me veel leiding te kunnen geven.

Dus waren het vrouwen die mij stabiliteit gaven – mijn grootmoeder, wier koppige praktische kant het gezin boven water hield, en mijn moeder, wier liefde en heldere denkvermogen het leven van mij en mijn zus richting gaf. Dankzij hen kwam ik nooit iets wezenlijks tekort. Zij doordrenkten mij met de waarden waardoor ik mij tot op de dag van vandaag laat leiden.

Maar toch, naarmate ik ouder werd begon ik in te zien hoe moeilijk het was geweest voor mijn moeder en grootmoeder om ons op te voeden zonder een sterke man in huis. Ik bespeurde ook de sporen die de afwezigheid van een vader bij een kind kunnen nalaten. Ik besloot dat het gebrek aan verantwoordelijkheid van mijn vader voor zijn kinderen, de afstandelijkheid van mijn stiefvader en de tekortkomingen van mijn grootvader allemaal aanschouwelijke lessen voor mij waren geweest en dat mijn eigen kinderen een vader zouden krijgen waar ze op konden rekenen.

In principe ben ik daarin geslaagd. Mijn huwelijk is intact en voor mijn gezin wordt goed gezorgd. Ik ga naar ouderavonden en dansuitvoeringen en mijn dochters koesteren zich in mijn grote liefde. En toch heb ik van alle aspecten van mijn leven over mijn rol als echtgenoot en vader de meeste twijfels.

Ik weet dat ik daarin niet alleen sta. Op een bepaald niveau ervaar ik gewoon dezelfde tegenstrijdige emoties van alle vaders die zich een weg moeten banen door een grillige economie en veranderende sociale normen. Zelfs nu het steeds verder buiten bereik komt te liggen, zweeft het beeld van de vader uit de jaren vijftig – die zijn gezin onderhoudt met een baan van negen tot vijf, elke avond thuiskomt voor het avondeten dat zijn vrouw heeft gekookt, een jeugdteam coacht en het elektrische gereedschap hanteert – nog met dezelfde krachtige uitstraling boven onze cultuur, net als het beeld van de thuisblijfmoeder. Voor veel mannen van tegenwoordig is het feit dat het niet voldoende is als zij de enige kostwinner van het gezin zijn een bron van frustratie en zelfs schaamte. Je hoeft geen economisch deskundige te zijn om in te zien dat hoge werkloosheidscijfers en lage lonen bijdragen tot het gebrek aan ouderlijke betrokkenheid en het lage aantal huwelijken onder Afro-Amerikaanse mannen.

De arbeidsvoorwaarden zijn voor werkende mannen, net als voor werkende vrouwen, veranderd. Van vaders, zowel de goedbetaalde academicus als de medewerker aan de lopende band, wordt verwacht dat ze meer werkuren maken dan vroeger. En die extra uren vallen precies in de tijd dat er van vaders wordt verwacht – en in veel gevallen willen ze dat zelf ook – dat ze actiever betrokken zijn bij de levens van hun kinderen dan hun eigen vaders zijn geweest.

Maar als de kloof tussen het concept van ouderschap in mijn hoofd en de werkelijkheid die ik ervaar geen uitzondering is, wil dat nog niet zeggen dat ik mij minder onprettig voel bij het idee dat ik mijn gezin niet alles geef wat ik zou willen. Vorig jaar moest ik op Vaderdag spreken voor de leden van de doopsgezinde kerk Salem in de South Side van Chicago. Ik had geen tekst voorbereid, maar ik had als onderwerp 'wat er nodig is om een volwassen man te zijn' gekozen. Ik stelde dat het tijd werd dat mannen in het algemeen en zwarte mannen in het bijzonder ophielden smoesjes te verzinnen om niet klaar te staan voor hun gezin. Ik wees de mannen in de kerk erop dat het vaderschap meer inhoudt dan een kind verwekken, dat zelfs degenen onder ons die thuis fysiek aanwezig zijn vaak emotioneel afwezig zijn, dat we nou juist omdat velen van ons zonder vader zijn opgegroeid meer moeite moesten doen om de vicieuze cirkel te doorbreken, en dat we als we hoge verwachtingen willen doorgeven aan onze kinderen zelf ook hogere verwachtingen moeten hebben.

Nadenkend over wat ik toen zei vraag ik me soms af in welke mate ik zelf luister naar mijn eigen vermaningen. Ik hoef tenslotte niet, zoals veel van de mannen die ik die dag toesprak, twee banen te nemen of een nachtdienst te draaien in een dappere poging eten op tafel te krijgen. Ik zou een baan kunnen zoeken die mij de mogelijkheid gaf om elke avond thuis te zijn. Of ik zou een baan kunnen zoeken die beter betaalde, een baan waarvan de lange werkdagen in ieder geval mijn gezin zichtbaar voordeel zou opleveren – bijvoorbeeld omdat Michelle dan minder uren zou kunnen gaan werken of omdat we een vette spaarrekening voor de kinderen zouden kunnen opzetten.

In plaats daarvan heb ik gekozen voor een leven met een krankzinnige indeling, een leven dat van me eist dat ik lange tijd achter elkaar niet bij Michelle en de meisjes ben en dat Michelle allerlei spanningen bezorgt. Ik kan wel tegen mezelf zeggen dat ik in ruimere zin in de politiek zit voor Malia en Sasha, dat het werk dat ik doe voor hen een betere wereld creëert. Maar die rationalisaties blijken nogal zwak en pijnlijk abstract als ik een van de gezamenlijke maaltijden op de school van de meisjes mis omdat ik moet stemmen, of Michelle bel om te zeggen dat de zittingsperiode verlengd is en dat we onze vakantie moeten uitstellen. Mijn recente succes in de politiek draagt uiteraard niet bij tot verlichting van mijn schuldgevoel. Zoals Michelle ooit tegen me zei, en het was maar gedeeltelijk als grapje bedoeld: de eerste keer dat je je vaders foto in de krant ziet is best spannend, maar als het voortdurend gebeurt wordt het waarschijnlijk toch een beetje gênant.

En dus doe ik mijn best om me te verdedigen tegen de beschuldiging die door mijn hoofd spookt – dat ik egoïstisch ben, dat ik doe wat ik doe om mijn eigen ego te strelen of een leegte in mijn hart te vullen. Als ik niet de stad uit ben, probeer ik thuis te zijn voor het eten, om van Malia en Sasha te horen hoe hun dag was, om hun in bed voor te lezen en in te stoppen. Ik probeer geen optredens te plannen op zondagen en in de zomer ga ik dan met de meisjes naar de dierentuin of het zwembad, in de winter naar een museum of het aquarium. Ik spreek mijn dochters licht bestraffend toe als ze zich misdragen en probeer het aantal uren televisie kijken en de hoeveelheid ongezonde kost die ze tot zich nemen te beperken. Bij dit alles word ik aangemoedigd door Michelle, al zijn er momenten dat ik de indruk krijg dat ik me op haar terrein begeef – dat mijn veelvuldige afwezigheid me in zeker opzicht het recht heeft ontnomen om me te bemoeien met de wereld die zij heeft opgebouwd.

Wat de meisjes betreft, zij lijken te gedijen ondanks mijn regelmatige afwezigheid. Dit is vooral een blijk van Michelles talent voor het ouderschap; ze heeft precies de goede aanpak wat Malia en Sasha betreft en weet heel goed duidelijke grenzen te stellen zonder hen te verlammen. Het is haar ook gelukt de dagelijkse routine voor de meisjes niet te veel te laten verstoren door mijn verkiezing in de Senaat, al is wat doorgaat voor een normale jeugd in de middenklasse in Amerika tegenwoordig net zo veranderd als opvoeden. De dagen dat ouders hun kinderen gewoon naar buiten of naar het park stuurden en zeiden dat ze op tijd terug moesten zijn voor het eten zijn voorgoed voorbij. Tegenwoordig zijn de programma's van de kinderen, vanwege nieuws over ontvoeringen en kennelijke weerstand tegen alle spontaneïteit of zelfs maar een beetje luiheid, bijna net zo vol als die van hun ouders. Er zijn speelafspraken, balletlessen, turnlessen, tennislessen, voetbalwedstrijden en vrijwel wekelijkse verjaarsfeestjes. Ik heb Malia eens verteld dat ik in mijn hele jeugd precies twee verjaarsfeestjes had bijgewoond. In beide gevallen waren vijf of zes kinderen aanwezig, die papieren feestmutsen op hadden en één cake deelden. Ze keek me aan zoals ik vroeger naar mijn grootvader keek als hij verhalen vertelde over de Depressie – met een mengeling van fascinatie en ongeloof.

Michelle is degene die alle kinderactiviteiten regelt en dat doet ze met militaire efficiëntie. Als het kan bied ik mijn hulp aan, wat Michelle waardeert, al zorgt ze dat mijn verantwoordelijkheid beperkt blijft. De dag voor Sasha's verjaarsfeestje afgelopen juni moest ik twintig ballonnen kopen, genoeg pizza voor twintig kinderen en ijs. Dat leek me te doen, dus toen Michelle zei dat ze cadeauzakjes ging kopen om aan het eind van het feestje uit te delen, bood ik aan dat ook te doen. Ze lachte.

'Jij kunt cadeauzakjes niet aan,' zei ze. 'Ik zal je vertellen hoe het zit met het cadeauzakjesgebeuren. Je moet naar de feestwinkel om de zakjes uit te zoeken. Dan moet je bepalen wat er in moet, en in de zakken voor de jongens gaat iets anders dan in de zakken voor de meisjes. Jij zou daar naar binnen lopen, een uur door de gangpaden dwalen en dan zou je hoofd exploderen.'

Ik voelde me al wat minder zeker toen ik internet op ging. Ik vond een winkel die ballonnen verkocht, vlak bij de turnstudio waar het feestje gehouden zou worden, en een pizzeria die beloofde de bestelling om 15.45 uur af te leveren. Tegen de tijd dat de gasten de volgende dag verschenen, hingen de ballonnen op hun plek en lagen de pakjes sap in de koeling. Ik zat met de andere ouders bij te praten en keek hoe ongeveer twintig vijfjarigen als een groep vrolijke elfen op en rond de spullen renden, sprongen en stuiterden. Ik maakte me even zorgen toen de pizza's om 15.50 uur nog niet waren gearriveerd, maar de bezorger verscheen tien minuten voor de kinderen zouden gaan eten. Michelles broer Craig, die wist wat er voor mij op het spel stond, gaf me een high five. Michelle keek op terwijl ze de pizza's op papieren bordjes legde en glimlachte.

Toen alle pizza's op en de pakjes sap leeg waren, we 'Happy Birthday' hadden gezongen en wat cake hadden gegeten, verzamelde de turnleraar alle kinderen voor een spetterende slotakte rond een oude, veelkleurige parachute en zei dat Sasha in het midden moest gaan zitten. Bij 'drie!' werd Sasha de lucht in gegooid en kwam weer neer, en nog een keer en ook nog een derde keer. En elke keer als ze boven het bollende zeil uit kwam, moest ze vreselijk lachen en zag ze er volmaakt gelukkig uit.

Ik vraag me af of Sasha zich dat moment zal herinneren als ze groot is. Waarschijnlijk niet. Ik kan me maar heel weinig herinneren van toen ik vijf was. Maar ik vermoed dat de vreugde die ze op die parachute voelde zich voorgoed in haar vastzet; dat zulke momenten zich opstapelen en ingebed raken in de aard van een kind, een deel van haar ziel worden. Als ik Michelle over haar vader hoor vertellen, klinkt soms de echo door van dat soort geluk, de liefde en het respect die Frasier Robinson niet door roem of spectaculaire daden maar door kleine, dagelijkse, gewone dingen verdiende – een liefde die hij verdiende door aanwezig te zijn.

En ik vraag me af of mijn dochters ook op die manier over mij zullen kunnen praten.

De tijd om zulke herinneringen te creëren is toch al heel kort. Malia begint nu al in een andere fase te komen: ze wordt nieuwsgierig naar jongens en relaties, en ze is zich erg bewust van wat voor kleren ze draagt. Ze is altijd wijs voor haar leeftijd geweest, bijna griezelig wijs. Toen ze net zes jaar was liepen we een keer samen rond het meer en ze vroeg me heel onverwacht of we rijk waren. Ik zei dat we niet echt rijk waren, maar wel veel meer hadden dan veel andere mensen. Ik vroeg waarom ze dat wilde weten.

'Nou... ik heb erover nagedacht en ik heb besloten dat ik niet echt stinkend rijk wil worden. Ik geloof dat ik een eenvoudig leven wil.'

Haar antwoord was zo onverwacht dat ik moest lachen. Ze keek naar me op en glimlachte, maar in haar ogen zag ik dat ze meende wat ze had gezegd.

Ik moet vaak aan dat gesprek denken. Ik vraag me af wat Malia vindt van mijn niet zo eenvoudige leven. Ze ziet ongetwijfeld dat andere vaders vaker aanwezig zijn bij de voetbalwedstrijden van haar ploeg dan ik. Als ze dat vervelend vindt, laat ze het in ieder geval niet merken, want Malia houdt erg veel rekening met de gevoelens van anderen en probeert elke situatie zo positief mogelijk uit te leggen. Het is maar een kleine troost dat mijn achtjarige dochter genoeg van mij houdt om mijn tekortkomingen door de vingers te zien.

Onlangs lukte het me om een van Malia's wedstrijden bij te wonen, omdat de zittingsperiode van die week eerder werd afgesloten. Het was een mooie zomermiddag en de verschillende velden stonden vol gezinnen toen ik aankwam, zwarten en blanken en latino's en Aziaten uit de hele stad, vrouwen op ligstoelen, mannen die balletjes trapten met hun zoons, grootouders die baby's hielpen staan. Ik ontdekte Michelle en ging naast haar op het gras zitten, en Sasha kwam bij mij op schoot. Malia stond al in het veld, als deel van een zwerm spelers rond de bal, en al is voetbal dan niet de sport die haar het meest ligt – ze is een kop groter dan sommigen van haar vriendinnen, en haar voeten zijn nog niet meegegroeid met haar lengte –, ze speelt zo enthousiast en ambitieus dat we haar heel hard toejuichen. Tijdens de rust kwam Malia naar ons toe.

'Hoe gaat het met je, meid?' vroeg ik.

'Heel goed!' Ze nam een slok water. 'Pap, ik heb een vraag.'

'Zeg het maar.'

'Mogen we een hond?'

'Wat vindt je moeder daarvan?'

'Ze zei dat ik het aan jou moest vragen. Ik denk dat ik haar bijna zover heb.'

Ik keek naar Michelle, die glimlachte en haar schouders ophaalde.

'Zullen we er na de wedstrijd over praten?'

'Goed.' Malia nam nog een slok water en kuste mijn wang. 'Ik ben blij dat je thuis bent,' zei ze.

Voor ik kon reageren had ze zich al omgedraaid en was ze op weg naar het veld. En heel even zag ik in de gloed van de avondzon mijn oudste dochter als de vrouw die ze zou worden, alsof ze met iedere stap langer werd, alsof haar lichaam ronder werd, alsof haar lange benen haar naar een eigen leven droegen.

Ik hield Sasha wat dichter tegen me aan. Misschien omdat ze aanvoelde wat ik dacht, pakte Michelle mijn hand. En ik herinnerde me wat Michelle tijdens de campagne tegen een verslaggever had gezegd toen hij haar vroeg hoe het was om de vrouw van een politicus te zijn.

'Het is moeilijk,' had Michelle gezegd. Toen had ze er volgens de verslaggever met een plagerig lachje aan toegevoegd: 'En daarom is Barack ook zo dankbaar.'

Zoals gewoonlijk heeft mijn vrouw gelijk.

Epiloog

Mijn beëdiging tot senator in januari 2005 markeerde het einde van een proces dat was begonnen op de dag dat ik twee jaar daarvoor mijn kandidatuur had aangekondigd – ik verruilde een betrekkelijk anoniem leven voor een bijzonder openbaar leven.

Eerlijk gezegd zijn ook veel dingen hetzelfde gebleven. Ons gezin woont nog steeds in Chicago. Ik ga nog steeds naar dezelfde kapper bij Hyde Park om mijn haar te laten knippen, Michelle en ik krijgen nog dezelfde vrienden over de vloer als vóór de verkiezingen en onze dochters hollen nog steeds door dezelfde speeltuinen.

Maar mijn wereld is verregaand veranderd, op manieren die ik niet altijd graag toegeef. Mijn woorden, mijn daden, mijn reisplannen en mijn belastingaangiften komen allemaal terecht in de ochtendbladen of in het avondnieuws. Mijn dochters moeten de onderbrekingen door goedbedoelende onbekenden tolereren als ze met hun vader naar de dierentuin gaan. Zelfs buiten Chicago wordt het steeds moeilijker om op vliegvelden onopgemerkt te blijven.

In de regel vind ik het lastig om al die aandacht erg serieus te nemen. Er zijn immers dagen dat ik het huis uit ga met een jasje dat niet bij de broek van mijn pak hoort. Mijn gedachten zijn zoveel minder geordend, mijn dagen zoveel minder georganiseerd dan het beeld van mij dat nu geprojecteerd wordt, dat zich regelmatig komische momenten voordoen. Ik herinner me de dag vóór mijn beëdiging: mijn medewerkers en ik besloten dat we een persconferentie op ons kantoor zouden houden. Op dat moment was ik de negenennegentigste senator wat senioriteit betreft en alle verslaggevers stonden op elkaar gepropt in een klein kantoortje in de kelder van het Dirksen Office Building, tegenover de hal van het magazijn van de Senaat. Ik had nog geen enkele keer gestemd, had nog geen enkele wet ingediend – had zelfs nog niet achter mijn bureau gezeten toen een erg enthousiaste verslaggever zijn hand opstak en vroeg: 'Senator Obama, wat is uw plaats in de geschiedenis?'

Zelfs sommige andere verslaggevers moesten lachen.

Een deel van de overdreven reacties is terug te voeren tot mijn redevoering tijdens de Democratische Conventie van 2004 in Boston, het moment waarop ik voor het eerst landelijk aandacht kreeg. De manier waarop ik als de belangrijkste spreker werd gekozen is me trouwens nog steeds een raadsel. Ik had John Kerry tijdens de voorverkiezingen in Illinois voor het eerst ontmoet toen ik een toespraak hield tijdens zijn fondswervingsbijeenkomst en hem vergezelde naar een campagne-evenement dat aandacht besteedde aan het belang van scholingsprogramma's. Een paar weken later kregen we bericht dat Kerry's medewerkers wilden dat ik een toespraak zou houden tijdens de conventie, maar het was nog niet duidelijk in welke hoedanigheid. Toen ik op een middag van Springfield naar Chicago reed voor een campagne-evenement dat 's avonds gehouden zou worden, belde Kerry's campagneleider Mary Beth Cahill me met het nieuws. Toen ik ophing zei ik tegen mijn chauffeur, Mike Signator: 'Dat klinkt nogal belangrijk.'

Mike knikte. 'Dat kun je wel zeggen, ja.'

Ik was nog maar één keer eerder naar een Democratische Conventie geweest, de conventie van 2000 in Los Angeles. Ik was niet van plan geweest erheen te gaan. Ik had net de Democratische voorverkiezing voor de zetel van het Eerste Illinois Congresdistrict verloren en was vastbesloten om het grootste deel van de zomer het werk in te halen dat tijdens de campagne op mijn advocatenkantoor was blijven liggen (een verzuim waar ik min of meer platzak van was geraakt), en de verloren tijd in te halen met een vrouw en dochter die me de voorafgaande zes maanden veel te weinig gezien hadden.

Maar op het laatste moment drongen verschillende vrienden en medestanders die wel gingen erop aan dat ik mee zou gaan. Ze vonden dat ik landelijke contacten moest maken, voor als ik me weer kandidaat stelde – en bovendien, het is gewoon leuk. Hoewel ze dat destijds niet zeiden, vermoed ik dat ze het bijwonen van de conventie een nuttige therapie voor me vonden, vanuit de gedachte dat je na de val van een paard maar beter zo snel mogelijk terug in het zadel kunt springen.

Uiteindelijk gaf ik toe en boekte een vlucht naar LA. Na de landing nam ik de pendelbus naar Hertz Rent A Car, gaf de vrouw achter de balie mijn American Express-kaart en begon op de plattegrond de route te zoeken naar het goedkope hotel dat ik in de buurt van Venice Beach had gevonden. Na een paar minuten kwam de Hertz-dame wat verlegen naar me toe.

'Het spijt me, meneer Obama, maar uw kaart wordt geweigerd.'

'Dat kan niet kloppen. Wilt u het nog eens proberen?'

'Ik heb het twee keer geprobeerd. Misschien moet u American Express even bellen.'

Na een halfuur aan de telefoon gaf een welwillende chef bij American Express toestemming voor de autohuur. Maar het incident was een voorbode van andere gebeurtenissen. Omdat ik geen afgevaardigde was, kreeg ik geen zaalpasje. De voorzitter van de afdeling Illinois zei dat hij al overstelpt werd door verzoeken en het enige wat hij kon doen was mij een pasje geven voor de locatie van de conventie. Uiteindelijk bekeek ik de meeste redevoeringen op de diverse beeldschermen die verspreid in het Staples Center stonden, en soms volgde ik vrienden of kennissen naar skyboxen waar ik duidelijk niet thuishoorde. Op dinsdagavond realiseerde ik me dat mijn aanwezigheid voor mij noch de Democratische Partij enige zin had, dus zat ik woensdagochtend op de eerste vlucht terug naar Chicago.

Gezien het verschil tussen mijn voormalige rol als ongenode gast op de conventie en mijn nieuwe rol als belangrijkste spreker, was er reden om me zorgen te maken over mijn verschijning in Boston. Maar misschien omdat ik tegen die tijd gewend was geraakt aan de merkwaardige dingen die tijdens mijn campagne gebeurden, was ik niet erg nerveus. Een paar dagen na het telefoontje van mevrouw Cahill zat ik weer op mijn hotelkamer in Springfield, bezig dingen te noteren voor een kladversie van de speech terwijl ik een basketbalwedstrijd volgde. Ik dacht na over de onderwerpen die ik tijdens de campagne had uitgeprobeerd – de bereidheid van mensen om hard te werken als ze de kans kregen, de noodzaak voor de overheid om de basis voor die mogelijkheden te leggen, de overtuiging dat Amerikanen zich verantwoordelijk voelen voor elkaar. Ik maakte een lijst van de onderwerpen die ik aan de orde zou kunnen stellen – gezondheidszorg, onderwijs, de oorlog in Irak.

Maar ik dacht vooral aan de stemmen van alle mensen die ik tijdens de campagne had gesproken. Ik herinnerde me Tim Wheeler en zijn vrouw in Galesburg, die bezig waren uit te zoeken hoe ze hun tienerzoon de levertransplantatie konden bezorgen die hij nodig had. Ik herinnerde me een jongeman in East Moline, Seamus Ahern, die op het punt stond te vertrekken naar Irak – omdat hij graag zijn land wilde dienen, en de uitdrukking van trots en bezorgdheid op het gezicht van zijn vader. Ik herinnerde me een jonge zwarte vrouw die ik in East St. Louis had ontmoet en wier naam ik nooit heb geweten, maar die me vertelde over de moeite die ze deed om aan de universiteit te gaan studeren, ook al had niemand in haar familie de middelbare school afgemaakt.

Het was niet zozeer de strijd die deze mannen en vrouwen leverden die me had geraakt. Het was vooral hun vastbeslotenheid, hun onafhankelijkheid, hun niet kapot te krijgen optimisme ondanks de ellende. Het deed me denken aan een zinsnede die mijn dominee, Jeremiah A. Wright jr., ooit gebruikte in een preek.

De moed om te hopen.

Dat was het beste van de Amerikaanse aard, vond ik – het lef hebben om ondanks alle bewijzen van het tegendeel te geloven dat we de eensgezindheid kunnen herstellen in een natie die verscheurd wordt door conflicten; het lef hebben om te geloven dat we ondanks persoonlijke tegenslagen, verlies van werk of ziekte in de familie of een jeugd in armoede enige zeggenschap over – en daarom verantwoordelijkheid voor – ons eigen noodlot hebben.

Het was die moed, bedacht ik, die ons tot één volk maakte. Het was die wijdverbreide hoop die de geschiedenis van mijn familie verbond met de geschiedenis van Amerika, en mijn eigen verhaal met dat van de kiezers die ik graag wilde vertegenwoordigen.

Ik zette de basketbalwedstrijd uit en begon te schrijven.

Een paar weken later kwam ik aan in Boston, sliep drie uur en reed van mijn hotel naar het Fleet Center voor mijn eerste optreden voor *Meet the Press*. Tegen het eind van het programmaonderdeel vertoonde Tim Russert op het scherm een stukje van een interview uit 1996 met de *Cleveland Plain-Dealer* dat ik helemaal vergeten was, waarin de verslaggever me had gevraagd – omdat ik als kandidaat voor de senaat van de staat Illinois net in de politiek begon – wat ik vond van de Democratische Conventie in Chicago.

> De conventie is te koop, weet je wel... Ze hebben die diners van tienduizend dollar per couvert, Golden Circle Clubs. Ik denk dat als de gemiddelde kiezers dat zien, ze terecht het idee krijgen dat ze buitengesloten worden. Zij kunnen geen ontbijt van tienduizend dollar betalen. Ze weten dat degenen die dat wel kunnen toegang hebben tot een netwerk van relaties waar ze zich geen voorstelling van kunnen maken.

Toen het citaat van het scherm verdwenen was, wendde Russert zich tot mij. 'Honderdvijftig mensen hebben veertig miljoen dollar aan deze conventie geschonken,' zei hij. 'Het is erger dan Chicago, volgens jouw maatstaven. Stoort je dat en wat betekent dat voor de gemiddelde kiezer?'

Ik antwoordde dat politiek en geld voor beide partijen een probleem waren, maar dat uit John Kerry's stemgedrag, en ook het mijne, bleek dat we stemden voor wat goed was voor het land. Ik zei dat een conventie daar geen verandering in zou brengen, maar ik opperde dat hoe meer Democraten deelname zouden aanmoedigen van mensen die zich buitengesloten voelden, hoe dichter we bij de bron van onze partij als de partij van de gewone man bleven, hoe sterker we als partij zouden staan.

Stiekem vond ik mijn citaat van 1996 beter.

Er was een tijd dat politieke conventies de urgentie en het drama van de politiek reflecteerden – toen nominaties werden bepaald door fractievoorzitters en personeelsbezettingen en onderhandse afspraken en persoonlijke druk, toen enthousiasme of rekenfouten konden leiden tot tweede of derde of vierde stemrondes. Maar dat is lang geleden. Met de komst van bindende voorverkiezingen, die een lang gewenst eind maakten aan de overheersing van partijbonzen en politiek in rokerige achterkamertjes, bieden de conventies van tegenwoordig geen verrassingen meer. Ze dienen eigenlijk vooral als een infomercial van een week voor de partij en haar kandidaat – maar zijn ook een manier om de kaderleden en belangrijkste contribuanten vier dagen lang met eten, drinken, amusement en gesprekken over de politiek te belonen.

Het grootste deel van de eerste drie dagen van de conventie speelde ik mijn rol in dit spektakelstuk. Ik sprak voor zalen vol belangrijke Democratische donateurs en ontbeet met afgevaardigden uit de vijftig staten. Ik repeteerde mijn rede voor een videomonitor, oefende met de regie, kreeg instructies over waar ik moest staan, waar ik moest zwaaien en hoe ik de microfoons het best kon gebruiken. Mijn chef communicatie, Robert Gibbs, en ik draafden de trappen van het Fleet Center op en af, gaven interviews waar soms maar twee minuten tussen zat aan ABC, NBC, CBS, CNN, Fox News en NPR, en benadrukten bij elk gesprek de discussiepunten die het Kerry-Edwards-team had aangedragen, waarvan elk woord ongetwijfeld uitgetest was in een enorme hoeveelheid opiniepeilingen en een reeks focusgroepen.

Gezien het waanzinnige tempo van mijn dagen had ik niet veel tijd om me zorgen te maken over hoe mijn rede zou vallen. Pas dinsdagavond, nadat mijn medewerkers en Michelle een halfuur gedebatteerd hadden over welke das ik moest dragen (we kozen uiteindelijk voor de das die Robert Gibbs om had), nadat we naar het Fleet Center waren gereden en onbekenden 'Veel succes!' en 'Geef ze van katoen, Obama!' hadden horen roepen, nadat we een bezoekje hadden afgelegd bij een bijzonder vriendelijke en geestige Teresa Heinz Kerry in haar hotelkamer, totdat Michelle en ik alleen achter het toneel stonden en naar de uitzending keken, pas toen werd ik een klein beetje nerveus. Ik zei tegen Michelle dat ik mijn maag hoorde knorren. Ze gaf me een stevige knuffel, keek me in de ogen en zei: 'Verknal het niet, jochie!'

We moesten allebei lachen. Net op dat moment kwam een van de televisiemedewerkers de wachtkamer in om te zeggen dat het tijd was om mijn plaats in de coulissen in te nemen. Achter het zwarte gordijn hoorde ik hoe Dick Durbin mij aankondigde, en ik dacht aan mijn moeder en vader en mijn grootvader en hoe het voor hen zou zijn geweest om in de zaal te zitten. Ik dacht aan mijn grootmoeder in Hawaii die de conventie op televisie volgde omdat haar rug zo slecht was dat ze niet meer kon reizen. Ik dacht aan alle vrijwilligers en medestanders in Illinois die zo hard voor me gewerkt hadden.

Heer, zorg dat ik hun verhalen recht doe, zei ik bij mezelf. Toen liep ik het podium op.

Ik zou liegen als ik zei dat de positieve reactie op mijn rede tijdens de conventie in Boston – de brieven die ik ontving, de menigten die op bijeenkomsten verschenen toen ik eenmaal terug was in Illinois – mij persoonlijk geen plezier deed. Ik was tenslotte in de politiek gegaan om enige invloed te hebben op het publieke debat, omdat ik dacht dat ik iets kon bijdragen aan de koers die we als land moesten gaan varen.

Maar de stortvloed aan publiciteit die op de rede volgde bevestigde mijn idee over hoe vluchtig roem is, want het is afhankelijk van duizenden verschillende soorten toeval, van hoe bepaalde gebeurtenissen uitpakken. Ik weet dat ik niet veel slimmer ben dan de man die ik zes jaar geleden was, toen ik tijdelijk op Los Angeles International Airport was gestrand. Mijn standpunten over gezondheidszorg en onderwijs en buitenlandbeleid zijn niet veel verfijnder dan toen ik als onbekende buurtwerker werkte. Als ik al wijzer ben, is dat vooral omdat ik verder gevorderd ben op de weg die ik voor mezelf gekozen heb, de weg van de politiek, en omdat ik een glimp heb opgevangen van waarheen het leidt, ten goede en ten kwade.

Ik herinner me een gesprek dat ik bijna twintig jaar geleden met een vriend van mij voerde, een oudere man die in de jaren zestig in Chicago actief was geweest in de burgerrechtenbeweging en stadsplanologie doceerde aan Northwestern University. Ik had na drie jaar buurtwerk net besloten rechten te gaan studeren en omdat hij een van de weinige academici was die ik kende, had ik hem gevraagd of hij mij een aanbevelingsbrief wilde geven.

Hij zei dat hij mij graag zou aanbevelen, maar hij wilde eerst weten wat ik van plan was te gaan doen als afgestudeerd jurist. Ik vertelde dat ik misschien een praktijk voor burgerrechten wilde opzetten en wellicht ooit zou proberen me kandidaat te stellen voor een politieke functie. Hij knikte en vroeg of ik had overwogen wat er kwam kijken bij die keuze, wat ik bereid zou zijn te doen om te publiceren in de *Law Review*, of vennoot te worden, of voor die eerste functie gekozen te worden en dan verder omhoog te klimmen. In de regel eisen zowel de wetgeving als de politiek compromissen, zei hij; niet alleen ten aanzien van bepaalde kwesties maar ook ten aanzien van fundamentelere zaken – je waarden en idealen. Hij zei dat niet om me te ontmoedigen, zei hij. Het was alleen een feit. Het was vanwege het feit dat hij niet bereid was tot compromissen dat hij in zijn jeugd ondanks veel verzoeken om in de politiek te gaan altijd geweigerd had.

'Niet dat compromissen per definitie niet deugen,' zei hij. 'Ik vond het alleen niet bevredigend. En het belangrijkste dat ik heb ontdekt nu ik ouder ben is dat je moet doen wat je bevredigend vindt. Dat is trouwens een van de voordelen van de oude dag, vind ik, dat je eindelijk weet wat belangrijk voor je is. Het is moeilijk om dat op je zesentwintigste te zien. En het probleem is dat niemand anders die vraag voor je kan beantwoorden. Je moet het helemaal zelf uitzoeken.'

Twintig jaar later denk ik terug aan dat gesprek en heb ik meer waardering voor de woorden van mijn vriend dan toen. Want ik begin op een leeftijd te komen dat ik een idee heb wat ik bevredigend vind, en hoewel ik misschien eerder bereid ben tot compromissen dan mijn vriend was, weet ik dat mijn bevrediging niet afhankelijk is van het verblindende licht van de televisieploegen of het applaus van het publiek. Het is tegenwoordig meer het gevolg van weten dat ik op de een of andere aantoonbare manier mensen heb geholpen om met enige waardigheid te leven. Ik denk aan wat Benjamin Franklin aan zijn moeder schreef om uit te leggen waarom hij zoveel tijd besteedde aan werk in dienst van de overheid: 'Ik heb liever dat ze zeggen: hij leefde een nuttig leven, dan: hij stierf als rijk man.'

Dat geeft mij tegenwoordig bevrediging, denk ik – nuttig zijn voor mijn gezin en de mensen die me hebben gekozen, het nalaten van een erfenis die het leven van onze kinderen hoopgevender maakt dan dat van ons. Soms, als ik in Washington aan het werk ben, heb ik het idee dat ik die doelstelling verwezenlijk. Op andere momenten is het alsof de doelstelling zich van mij verwijdert en alsof alle activiteiten die ik onderneem – de hoorzittingen en redevoeringen en persconferenties en schriftelijke stellingnames – vergeefse moeite zijn, die niemand tot nut zijn.

Als ik in een dergelijke stemming ben, ga ik vaak rennen langs de Mall. Meestal ga ik vroeg in de avond, vooral in de zomer en de herfst, als de lucht in Washington nog warm en windstil is en de bladeren aan de bomen nauwelijks ritselen. Als het eenmaal donker is, zijn er weinig mensen op straat – soms wat wandelende echtparen, of dakloze mannen op banken die hun eigendommen bijeenrapen. Meestal stop ik bij het Washington Monument, maar soms loop ik door, steek de straat over naar het National World War II Memorial, dan langs de Reflecting Pool naar het Vietnam Veterans Memorial en dan de trappen op naar het Lincoln Memorial.

’s Avonds is dit grote monument verlicht maar vaak verlaten. Ik sta tussen de marmeren zuilen en lees het Gettysburg Address en de Tweede Inaugurele Rede. Ik kijk uit over de Reflecting Pool, stel me voor hoe de menigte stil werd onder dr. Kings indrukwekkende stembuigingen, en dan kijk ik verder, naar de obelisk in de schijnwerpers en de lichtende koepel van het Capitool.

En op die plek denk ik aan Amerika en degenen die het land opgebouwd hebben. De grondleggers van deze natie, die op de een of andere manier boven kleinzielige ambities en bekrompen berekeningen uitstegen en zich een natie voorstelden die zich uitrolde over een heel werelddeel. En mensen als Lincoln en King, die ten slotte hun leven gaven terwijl ze bezig waren een onvolmaakte eenheid te vervolmaken. En alle anonieme mannen en vrouwen, slaven en soldaten en kleermakers en slagers die levens voor zichzelf en hun kinderen en kleinkinderen opbouwden, steen voor steen, spoorstaaf na spoorstaaf, vereelte hand na vereelte hand, om het landschap van onze gemeenschappelijke dromen vorm te geven.

Dat is het proces waarvan ik deel wil uitmaken.

Mijn hart stroomt over van liefde voor dit land.

Dankbetuiging

Dit boek zou zonder de bijzondere steun van een aantal mensen niet mogelijk zijn geweest.

Om te beginnen natuurlijk mijn vrouw Michelle. Getrouwd zijn met een senator is al erg genoeg, getrouwd zijn met een senator die een boek schrijft eist het geduld van Job. Niet alleen gaf Michelle mij tijdens het hele schrijfproces emotionele steun, maar ze inspireerde me ook tot veel van de ideeën die in het boek een plaats hebben gekregen. Elke dag begrijp ik nog beter hoe ik heb geboft met Michelle, en ik kan alleen maar hopen dat mijn eindeloze liefde voor haar enige troost biedt voor het feit dat ik voortdurend door andere dingen in beslag genomen word.

Ik wil ook mijn dank uitspreken aan het adres van mijn redacteur, Rachel Klayman. Zelfs voordat ik de voorverkiezingen voor de Senaat gewonnen had, bracht Rachel mijn eerste boek, *Dromen van mijn vader*, onder de aandacht van Crown Publishers, lang nadat het niet meer in druk te krijgen was. Het was Rachel die mijn voorstel om dit boek te schrijven ondersteunde. En het was Rachel die voortdurend achter mij stond tijdens de vaak moeizame maar altijd inspirerende pogingen om dit boek tot een goed einde te brengen. Ze toonde in elke fase van het redactionele proces groot inzicht, was nauwgezet en onvermoeibaar enthousiast. Vaak begreep ze al wat ik met het boek wilde bereiken voor ik dat zelf wist en ze wees me vriendelijk maar duidelijk terecht als ik van mijn eigen geluid afweek en verviel in jargon, politieke correctheid of sentimentaliteit. Bovendien heeft ze ongelooflijk veel geduld gehad met mijn moordende Senaatsrooster en periodieke aanvallen van writer's block. Ze heeft meer dan eens slaap, weekends en vakantiedagen met haar gezin opgeofferd om het project tot een goed einde te brengen.

Om kort te gaan: ze was een ideale redacteur en ze is een gewaardeerde vriendin geworden.

Natuurlijk had Rachel niet kunnen doen wat ze deed zonder de steun van mijn uitgevers van de Crown Publishing Group, Jenny Frost en Steve Ross. Als uitgeven zich beweegt op het kruispunt van kunst en handel, hebben Jenny en Steve de fout begaan zich er vooral voortdurend om te bekommeren het boek zo goed mogelijk te maken. Hun geloof in dit boek was reden voor hen om steeds opnieuw extra hun best te doen en daar ben ik enorm dankbaar voor.

Die instelling was karakteristiek voor iedereen bij Crown die zo hard gewerkt heeft aan de totstandkoming van dit boek. Amy Boorstein bleef het productieproces onvermoeibaar in de hand houden ondanks zeer krappe deadlines. Tina Constable en Christine Aronson hebben dit boek energiek gesteund en hebben handig evenementen rond mijn werk voor de Senaat gepland (en opnieuw gepland). Jill Flaxman heeft ijverig met de afdeling verkoop van Random House en boekhandelaren samengewerkt om te zorgen dat het boek in handen van de lezers kon komen. Jacob Bronstein heeft – voor de tweede keer – in niet bepaald ideale omstandigheden een uitstekende audioversie van het boek geproduceerd. Ik dank hen allemaal uit de grond van mijn hart, en ook de andere mensen bij Crown: Lucinda Bartley, Whitney Cookman, Lauren Dong, Laura Duffy, Skip Dye, Leta Evanthes, Kristin Kiser, Donna Passannante, Philip Patrick, Stan Redfern, Barbara Sturman, Don Weisberg en vele anderen.

Diverse goede vrienden hebben de tijd genomen om het manuscript te lezen en me waardevolle adviezen gegeven, onder anderen: David Axelrod, Cassandra Butts, Forrest Claypool, Julius Genachowski, Scott Gration, Robert Fisher, Michael Froman, Donald Gips, John Kupper, Anthony Lake, Susan Rice, Gene Sperling, Cass Sunstein en Jim Wallis. Samantha Power verdient extra vermelding vanwege haar generositeit: ze was druk bezig met het schrijven aan haar eigen boek en is toch met een stofkam door elk hoofdstuk gegaan alsof het om haar eigen werk ging; ze voorzag me van een gestage stroom nuttige opmerkingen, maar vrolijkte me ook op als mijn stemming of energie het liet afweten.

Een aantal van mijn Senaatsmedewerkers, onder wie Pete Rouse, Karen Kornbluh, Mike Strautmanis, Jon Favreau, Mark Lippert, Joshua

DuBois en met name Robert Gibbs en Chris Lu, las het manuscript in hun eigen tijd en deed redactionale suggesties, gaf beleidsaanbevelingen, hielp me aan bepaalde dingen denken en stelde correcties voor. Ik dank hen allemaal dat ze letterlijk meer deden dan hun arbeidscontract van hen vraagt.

Een voormalig medewerker, Madhuri Kommareddi, besteedde de zomer voor ze aan Yale rechten ging studeren aan het controleren van alle feiten in het manuscript. Haar talent en energie zijn adembenemend. Ook dank aan Hillary Schrenell, die aanbood Madhuri te helpen bij de controle van een aantal feiten in het hoofdstuk over het buitenlandbeleid.

Ten slotte wil ik mijn agent, Bob Barnett van Williams and Connolly, danken voor zijn vriendschap, deskundigheid en steun. Het heeft alle verschil van de wereld gemaakt.

Register